JOODSE RITEN
EN
SYMBOLEN

Naar een schilderij door Clara Klinghoffer. Haarlem, 1935. (Foto: David Harris.)

RABBIJN S. PH. DE VRIES MZN.

JOODSE RITEN
EN
SYMBOLEN

GEÏLLUSTREERD MET FOTO'S

AMSTERDAM

UITGEVERIJ DE ARBEIDERSPERS

Zevende druk

Copyright © 1968 by B.V. Uitgeverij De Arbeiderspers, Amsterdam
Oorspronkelijke uitgave: W.J. Thieme & Cie., Zutphen 1927-1932 (2 dln.)
Omslag: J. Israëls, *Joodse bruiloft* (Collectie Rijksmuseum, Amsterdam)
Omslagontwerp: Nico Richter

ISBN 90 295 5463 0

Printed in Portugal by Resopal

TEN GELEIDE

In 1927 verscheen het eerste deel van *Joodse Riten en Symbolen*, in 1932 gevolgd door deel twee.

In het woord vooraf van het eerste deel zegt de schrijver:

'De "Joodse Kroniek" die vrij geregeld om de veertien dagen van mij in de "Oprechte Haarlemsche Courant" verschijnt, heeft naar mij is gebleken, in vele kringen belangstelling verworven. Er werd mij door sommige trouwe lezers wel eens verzocht om er bepaalde onderwerpen in te behandelen. En door anderen werd mij meermalen gezegd dat zij het jammer vonden het gelezene niet nog eens te kunnen naslaan... Zo verschijnt dan nu een deel dezer opstellen gebundeld... Herhalingen die vanzelf ontstaan in periodieke bijdragen als deze... heb ik natuurlijk zoveel mogelijk geschrapt.'

In het woord vooraf van het tweede deel zegt de schrijver:

'In de beide delen is nu zo goed als gans het joodse ceremonieel verklarend te boek gesteld. Naar het leven volgens Torah en traditie. Het zijn slechts enkele punten, welke ook thans nog geen plaats in de samenhang hebben kunnen krijgen... Met de tekening van het ceremoniële leven is natuurlijk het hele jodendom volstrekt niet blootgelegd. Ik hoop dat het overbodig is dit te zeggen. Ik vlei mij met de gedachte, dat uit de behandelingswijze der uiterlijke stof ook het een en ander – en niet zo weinig – van het inwendige wezen en de innerlijke zin des jodendoms vanzelf naar voren is gekomen.'

Mede door *Joodse Riten en Symbolen*, gelezen en geciteerd in joodse en niet-joodse kringen, heeft Rabbijn De Vries een grote invloed gehad op het geestesleven van zijn tijd, ver uitgaande boven zijn invloed als rabbijn van de gemeente Haarlem, die hij achtenveertig jaren diende.

In zijn afscheidspredikatie op 1 december 1940 zei hij over zijn boeken:

'Jodendom, leer en wezen des jodendoms, zijn ideeën en idealen in de individuele gezinnen binnendragen, is natuurlijk een onbegonnen werk. Dat zou echter als het mogelijk ware – wat het niet is – met recht aanspraak mogen maken op de naam van pastoraal werk. Maar daaronder verstaan de mensen heel wat anders. Ik heb gepoogd dit op andere wijze te doen. Door publicistische arbeid in de algemene pers. Ten einde aldus over de hoofden der algemeenheid heen, de joden aan de periferie en zo naar binnen tot aan het middelpunt toe, te bereiken. Toen ik daarmede begon, was het voor velen... een grote schrik. Zo maar het jodendom, zijn intiemste en heiligste bizonderheden, zijn eredienst, zijn ceremonieel, zijn riten en symbolen in de courant ter schouw naar buiten te dragen. Men vond het erg. Op den duur heeft het geen kwaad gedaan. Het heeft zelfs niet kwaad gewerkt.'

Gedurende vele jaren was *Joodse Riten en Symbolen* in Nederland het standaardwerk voor de kennis omtrent de gebruiken en voorschriften van het dagelijkse joodse leven. Na de oorlog waren de twee delen niet meer in de boekhandel te verkrijgen. Hoewel er voortdurend vraag naar bleef bestaan kwam het niet tot een herdruk. Nu is dan een nieuwe uitgave tot stand gekomen. En, zoals hun vader hoopte de belangstelling voor zijn werk niet te hoog te hebben aangeslagen, verwachten zijn kinderen thans mét de uitgever, dat er nog steeds grote belangstelling voor het boek zal bestaan.

Bij deze nieuwe uitgave is rekening gehouden met de in het tijdsverloop gewijzigde omstandigheden. Met alle piëteit voor de bestaande tekst en met handhaving van het oorspronkelijk karakter van het werk, werd hier en daar een niet meer gangbaar woord vervangen en werden enige verkortingen aangebracht. Enkele terminologieën zijn gewijzigd, daar waar de oorspronkelijke uitdrukking niet meer tot juist begrip zou kunnen leiden. De oorspronkelijke spelling werd niet gehandhaafd. Indien de schrijver zelf zijn werk had mogen herzien, zou ook hij ongetwijfeld deze veranderingen hebben aangebracht.

Rabbijn De Vries is in het voorjaar van 1944 in het concentratiekamp Bergen-Belsen omgekomen. Zijn geliefde Joodse Land, voor de herleving en de opbouw waarvan hij zijn gehele leven in dienst had gestaan, heeft hij niet meer mogen zien. Hij heeft geen graf gevonden en zijn as is op de winden van het galoeth verwaaid.

Maar zijn boeken, die thans na veertig jaar opnieuw worden uitgegeven, zijn een monument te zijner ere en te zijner nagedachtenis.

BIJ DE ZEVENDE DRUK

Met deze zevende druk is de naoorlogse uitgave van *Joodse riten en symbolen* wederom vernieuwd. De vierkleuren-illustraties zijn alle door nieuwe vervangen en het aantal ervan is aanzienlijk vergroot.

Naast de afbeeldingen van oude en overgeleverde vormen zijn voorbeelden van moderne joodse ceremoniële kunst opgenomen, waarmede de continuïteit van het joodse leven wordt onderstreept. De verdeling van de illustraties over het boek is beter aan de tekst aangepast.

Met de vooroorlogse editie van 1927 en de tweede druk van band I meegerekend, is dit in feite de negende druk van het boek.

De schrijver leidde de vooroorlogse tweede druk met de volgende woorden in '[....] voor de belangstelling waarmede mijn *Joodse riten en symbolen* is ontvangen ben ik dankbaar'.

Nog steeds blijkt deze belangstelling zeer groot. De woorden van dankbaarheid van de schrijver mogen daarom ook bij deze nieuwe druk weer worden gebruikt.

Najaar 1988

INHOUD

7

DE GODSDIENST-CODICES

SYNAGOGE

Wie nader met de *Synagoge* in het jodendom wil kennis maken moet haar niet komen meten met het idee die hij in het algemeen van een Godshuis heeft, zoals zich dat in zijn midden bevindt. De gedachte aan kerk moet dan eerst uit de voorstelling weggezet worden. De benaming zegt al dadelijk heel wat anders. Dat Griekse woord geeft goed het Hebreeuwse terug: *Beth-hakkenéseth* 'Huis van verzameling', van samenkomst. Dat is de geijkte naam. En dat is zij.

Maar in de wandeling draagt de synagoge onder de joden nog een andere naam die veel typischer is. Nog altijd.

In de vele eeuwen der verdrukking en der uitstoting toen het gros der joden in de Germaanse en Slavische landen woonde en daar uit de algemene samenleving uitgebannen en in afzonderlijke buurten en stadswijken opgesloten werd gehouden, toen vormden ze zich allengskens een heel eigen omgangstaal. In hoofdzaak kende de joodse massa van de Europese talen het Hoogduits 't best. En toen er in Slavisch Europa een joods centrum ontstond en de stroom der altijd naar de oorden van minste weerstand zoekenden en trekkenden daarheen afzakte, hielden zij hun Hoogduits vast. Ze namen het mee en vermengden het met een inslag van de taal der nieuwe omgeving. Bovendien hadden ze steeds Hebreeuwse aan de Bijbel, Arameïsche aan de talmoedische en Nieuwhebreeuwse aan de rabbijnse literatuur ontleende uitdrukkingen in de mond die ook allemaal naar hun dagelijkse omgangstaal verhuisden. Zo werd het Jiddisj geboren. Hun intieme omgangstaal. Zo intiem voor de joden gedurende vele eeuwen midden in de diverse spraken der onderscheidene landen, waaraan ze zich ook gewenden als het dialect voor de provinciaal, voor de dorpeling. Alleen daarin verstaat men elkander werkelijk. Daarin treedt men vlak bij elkander en komt de mond tot het oor. Daarin spreekt de ziel tot de ziel. Dat is de eigenlijke volkstaal.

In die volkstaal werd en wordt de synagoge *Sjoel* d.i. school genoemd.

Dat zegt al veel maar nog niet alles.

Waar werd ze voornamelijk gehouden? Waar wordt ze voornamelijk gehouden in de grote joodse bevolkingscentra…?

De levensader van het jodendom slaat het krachtigst waar 'geleerd' wordt. Is er ergens een aantal joodse mensen bij elkaar gevestigd dan komt men al spoedig te zamen om te leren. Men schaft zich boeken aan, komt bijeen op sabbath en op de werkdagen 's avonds na afloop van de dagtaak, zet zich onder leiding van degene die zich daartoe geroepen gevoelt of die men vanzelf aangewezen acht, aan de tafel. En leert. Leert, naar gelang van de ontwikkeling op joods gebied van de aanzittenden: Pentateuch met de buitengewoon populaire commentaar van Rasjie[1]; Ritualiën uit Sjoelchan 'Aroeg[2] of

1. Zie blz. 300. 2. Zie blz. 301.

uit een zijner Beknopte Uittreksels, waarvan er meer dan een bestaan en ook zulke, die alles behalve beknopt zijn; Bijbel in het algemeen naar commentaren of zelfstandig er zonder. Misjnàh[1], dat is de kern van de Talmoed zonder de besprekingen en discussiën maar die dan door zijn bijzondere commentatoren in resultaat verzameld en zo kort mogelijk samengevat zijn weergegeven; of ook Talmoed. Dit laatste minder algemeen omdat de bevoegde leiders en de behoorlijk toegeruste hoorders hiervoor zeldzamer zijn. Althans hoe verder men uit het oosten naar het westen kwam.

Het leervertrek dat is de plaats van samenkomst. Het *Beth-hammidràsj* d.i. de leerzaal. De openbare leerzaal waarvan er in de grote joodse centra in iedere gemeente van enige omvang enige bestaan. En die zijn altijd open. Dag en nacht. En daar zitten ook altijd mensen te leren. Groepjes of eenlingen. Ook dag en nacht.

Die leerzaal nu wordt dan meteen bedehuis. De samenkomsten ter leeroefening worden zo ingedeeld dat er de gezette tijden der godsdienstoefeningen mee kunnen samenvallen. En dan wordt de godsdienstoefening in de leerzaal gehouden. Hiermee is volstrekt niet gezegd dat de godsdienstoefening er dan maar bij aanhangt. Integendeel, ze wordt er op deze wijze door verheven geacht. Want dan is de sfeer ervoor geschapen. De leerzaal wordt immers nog eerder als voorwaarde voor jodendom beschouwd dan het bedehuis. Beoefening der Leer weegt op tegen tal van andere godsdienstige plichten. Het jodendom begreep het altijd innig, dat kennis macht is. Het wezen des jodendoms wordt door de studie, de wetenschap des jodendoms gedragen. Zich in de cultuur inleven. zich de cultuur eigen maken, dat betekent: erdoor gedragen worden en haar weer voortdragen. Dit geldt altijd en overal. Maar inzonderheid in tijden en omstandigheden dat het jodendom omringd is door andere machtige culturen en doortrokken wordt en gedrenkt door verschillende stromingen van elders zonder tal.

Zo werd de leerzaal tegelijk de synagoge en de synagoge met de leerzaal vereenzelvigd. Zo heeft ze in de volksmond de naam van sjoel (school) gekregen. En ze heeft die naam behouden ook waar ze – zoals hier te lande en elders in het westen – in de tot nu toe aangeduide zin niet meer een sjoel is.

DE GEBEDSTAAL EN DE FORMULIERGEBEDEN

Ook in nog ander opzicht is ze, wil ze school zijn. Ze heet ook Beth-Tefillàh, Huis des Gebeds. Maar in de synagoge treedt het bidden als zodanig niet op de voorgrond. Neem een gebedenboek. Het is Hebreeuws. Ge kunt uitgaven krijgen met Nederlandse vertaling. De vroegere opperrabbijn van Gelderland, later rector van het Nederlands-Israëlitisch seminarium te Amsterdam heeft er een uitvoerige verklarende beschouwing of be-

1. Zie blz. 299.

14

schouwende verklaring op geschreven. Een leer- en leesboek op zichzelf. Maar in het Hebreeuws wordt gebeden. Althans het gemeenschappelijk gebed. Wie alleen bidt buiten de gemeenschap met anderen en het Hebreeuws niet verstaat kan het gebed ook uitspreken in de landstaal. We praten onszelf niet in dat alle joden en jodinnen Hebreeuws verstaan. Ik ga verder en beweer dat dit nog slechts voor een klein deel het geval is. Wie uit het Hebreeuws kan vertalen denkt er nog niet in. En wie er zelfs in denken kan, hem is het nog niet altijd zó volkomen eigen als de dagelijkse spreektaal. Toch is het Hebreeuws voor de gezamenlijke godsdienstoefening behouden. Waaruit wel zou mogen blijken dat er minder een religieus dan wel een leerzaam doel en tegelijkertijd een joods-nationaal doel mee werd en wordt beoogd. Wellicht zou het religieuze beter met het gebruik van de landstaal bereikt kunnen worden. Ik zeg wellicht, omdat sommigen dat betwisten op grond van de machtige, in een andere taal dan niet te evenaren, godsdienstig-warme uitdrukkingskracht van de oorspronkelijke heilige taal van de Bijbel. In ieder geval is dan toch het voelen van deze taal en de warmte een voorwaarde. Dit echter daargelaten, er is nog een ander doel, er is tenminste iets anders ook nog mee bereikt. Het bewaren van de taal is ook het bewaren van de ziel van het volk. Is ook het bewaren van de eenheid van het volk. Het Hebreeuws als gemeenschappelijke taal der synagoge is een bindmiddel zonder weerga. Dat houdt de eenheid vast, documenteert en proclameert de eenheid van Israël ook in de verstrooiing. Ware het Hebreeuws als gebedentaal verdwenen dan zou in de synagoge de verbrokkeling naar alle landen ingetreden zijn en daarmede de eindeloze aanpassing. Nu bleef de synagoge ook in dit opzicht de school van het jodendom. De 'haard'. En dus een stuk bolwerk.

Bladert men nu verder het gebedenboek door en kijkt men er enigszins aandachtig in dan zal men weldra ontdekken dat het weinig stukken bevat die in de eigenlijke zin van het woord met de naam van beden en smekingen bestempeld kunnen worden. De hoofdinhoud bestaat uit psalmen die rechtstreeks uit de honderdvijftig van de Bijbel zijn genomen; uit afdelingen aan de Pentateuch ontleend; uit expresselijk vervaardigde hymnen van zeer oude, vaak onbekende datum; uit historische beschouwingen en liturgische overdenkingen. En van dat alles is de gebedskern het kleinst. Het is merendeels lof en hulde en dank aan de Koning aller Koningen; betrachting van de grootheid en de werken van de Schepper; zelfbezinning op de broosheid, de zwakte, de zondigheid van de sterveling en de verzekerdheid van de oneindige liefde van de Hemelse Vader. Alles of zo goed als alles in het meervoud gesteld. En als er vragen zijn en beden dan ook deze in het meervoud gehouden, uit naam van de gemeenschap voor de gemeenschap. Zo zijn de formuliergebeden. Particuliere beden, individuele formuliergebeden voor de enkeling bestemd, in het enkelvoud zijn zeldzaam. Ge vindt er weinige meer dan het nachtgebed – en dat nog slechts in de aanhef waar het op aankomt – hetwelk natuurlijk nooit gemeenschappelijk wordt verricht en uitsluitend kan bestemd zijn voor de binnenkamer op z'n intiemst in het stille verkeer met God. Zelfs bij het dankgebed na de maaltijd is nog op een gemeenschap gerekend. Alle gemeenschapsbehoeften worden in de oude taal der gemeenschap gevraagd. Voor de individuele bede is er geen formulier. Dat hoeft niet in het Hebreeuws. Dat spreekt, stamelt ieder zoals het 't beste gaat. Daar is geen taal voor nodig. Een gedachte is genoeg. Een zucht is ook voldoende. Vindt ge particuliere gelegenheidsgebeden in sommige uitgaven van joodse gebedenboeken dan zijn ze in een afzonderlijk rubriekje er achteraan bijeengebonden, van jonge tijd en niet in het Hebreeuws, 'ten einde in een meer en meer gevoelde behoefte te voorzien'.

Het gezamenlijk uitspreken van deze psalmen, hymnen, bijbelse afdelingen, lofzeggingen, wensen en ontboezemingen door anderen samengesteld: waartoe moet het dienen? Het moet zijn een doen herleven van gedachten die afgestorven of aan het sterven zijn; het herstellen van voorstellingen die gebroken of verbleekt zijn. Het moet zijn een herwinning van het godsdienstig bewustzijn, een verinnerlijking van het religieuze besef. En aldus een oefening, een zelfoefening, opbouw aan zichzelf, stichting in de meest eigenlijke betekenis van dit woord. Herstel van de band, het contact met de Godheid.

De geregelde godsdienstoefening is op deze wijze een vervanging van het Offer en het daadwerkelijk en gesproken ceremonieel daarbij. Ook het Offer beoogde wezenlijk niets anders. Het Hebreeuwse woord zegt het: Korban, middel tot *nadering*, tot contact. In (het Latijnse) offer ligt heel iets anders: een aanbieding, een geschenk, een middel om (weer) in de gunst te komen. Zodat de vertaling van korban met offer helemaal niet deugt.

Aldus bezien en opgevat en toegepast kan de gemeenschappelijke godsdienstoefening, de gezamenlijke voordracht der vastgestelde liturgie, op intense wijze een godsdienstoefening, dat wil zeggen: een oefening in godsdienstigheid zijn. En ook daarom draagt de synagoge niet ten onrechte haar typische bijnaam van sjoel.

De inwendige aanblik van de synagoge en haar inrichting is weer een volkomen vreemde voor degene die haar met zijn gewone voorstelling van kerk betreedt.

Hier moet ik vooraf de opmerking maken: als ik van de synagoge spreek dan bedoel ik de oude, de traditionele, die zich tot op de huidige dag gehandhaafd heeft. Niet die welke naar het model van de protestantse kerk is ingericht en het eerst in het begin der 19e eeuw in Duitsland is gemaakt.[1] Dat is de tempel van het reformjodendom en wordt ook in de eigen kring bij voorkeur tempel, niet synagoge genoemd. Daarover spreek ik hier niet.

1. Zie blz. 45.

Gravure van de Portugese Synagoge te Amsterdam. In 1675 ter gelegenheid van de inwijding vervaardigd door Romeyn de Hoogh. (Uit particulier bezit.)

Interieur van de Portugees-Israëlietische Synagoge te Amsterdam. Het interieur is sinds de inwijding in 1675 vrijwel ongewijzigd.

De geopende Heilige Arke in de Portugees-Israëlietische Synagoge te Amsterdam.

Heilige Arke van de voormalige synagoge van Enkhuizen uit het jaar 1791. (Collectie Joods Historisch Museum, Amsterdam.)

Geopende Heilige Arke van de Synagoge aan de Jacob Obrechtstraat te Amsterdam.

Interieur synagoge Lekstraat, Amsterdam. (Historisch Topografische Atlas, Gemeentelijke Archiefdienst, Amsterdam.)

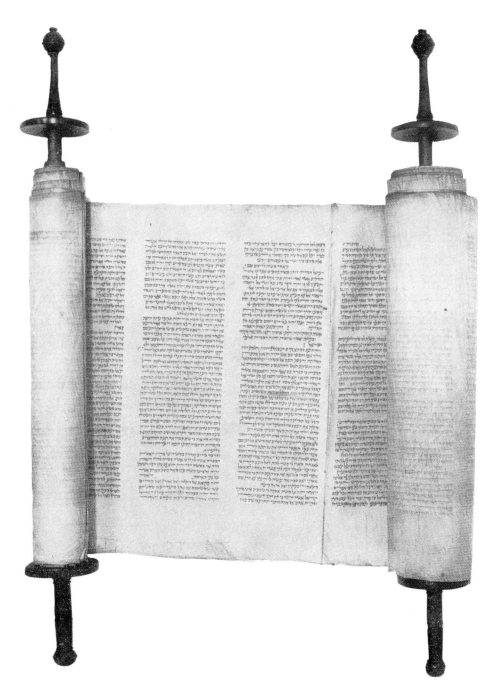

Oudste Torah-rol van de Portugees-Israëlietische Gemeente te Amsterdam. Vermoedelijk door de Marranen, aan het eind van de 16de eeuw, uit Emden meegevoerd.

*Wetsrolmantel met kroon. Wetsrolmantel: Frankrijk midden 18de eeuw.
Vervaardigd van zijden keper, geel en crème brokaat (hoogte 103 cm).
Wetsrolkroon: Amsterdam 1775, verguld zilver ajour op graveerwerk.
(Collectie Joods Historisch Museum, Amsterdam; bruikleen Por-
tugees-Israëlietische Gemeente, Amsterdam.)*

Als ge nu de synagoge binnen zijt gekomen zult ge aanstonds twee afdelingen opmerken; een voor de mannen en een voor de vrouwen. Die der vrouwen is gewoonlijk een galerij of een balkon achter de ruimte voor de mannen of ter zijde, boven of ook wel achter en aan beide kanten, rechts en links. Dat is echter niet wezenlijk maar hangt van de bouworde af en van de ruimte die ter beschikking stond. Zo zitten dus de mannen en de vrouwen in afzonderlijke afdelingen gescheiden van elkander. Men heeft ook hieruit geconcludeerd dat het jodendom de vrouw voor minderwaardig houdt en haar daarom in een afzonderlijk hoekje zet. Deze gevolgtrekking is vals. Het gescheiden gehuisvest zijn in de synagoge heeft een heel andere grond dan deze beweerde minderwaardigheid. Er is trouwens geen mensengemeenschap waar de vrouw in hogere eer staat dan in de joodse. Dit zij slechts even in het voorbijgaan gezegd. Voor haar echter is het Huis. Of talmoedisch scherp en af: de vrouw... dat is het Huis! Opzettelijk schrijf ik Huis, niet huis. Misschien zijn de maatschappelijke verhoudingen, wellicht wanverhoudingen tegenwoordig zo, dat het huis in het algemeen niet meer de cel is der maatschappij. Het jodendom echter ziet het zo en wil het graag zo. De vrouw nu draagt het Huis. En daar is de haard van het godsdienstleven. Vandaar moet de warmte, de gloed, het enthousiasme komen. Het huiselijke godsdienstleven is niet uitgeput met gebed, met bijbellezing, met de meest angstvallige naleving van alle ceremoniële en rituele voorschriften die te zamen een hele huiselijke eredienst vormen. Het komt aan op de wijding die er is, op de godsdienstige atmosfeer die er staat. Dus ligt ook de hele godsdienstige opkweking van het kroost in de handen van de moeder, afgescheiden ook van het gebed en de eredienst. Daarom is haar leven één doorlopende godsdienstige verrichting. En terwijl men de ene doet kan men de andere niet doen. Geen twee tegelijk. Als derhalve haar taak als vrouw en moeder haar in beslag neemt, vervalt voor haar de verplichting om enige andere godsdienstige handeling te verrichten. Daarom neemt zij niet op de wijze als de mannen deel aan de openbare gemeenschappelijke godsdienstoefeningen, welke zoals we nog nader zullen zien, eerst door de actieve deelname van de aanwezigen tot hun recht komen. Die actieve deelname is aan de mannen. Maar de eigenlijke taak der vrouw ligt niet hier. Synagoge-bezoek behoort niet eens tot haar godsdienstplichten, in zoverre althans dat zij er geen enkele harer plichten voor het Huis voor zou mogen verwaarlozen. Het feit, dat zij aan de dienst niet actief deelneemt, dat zij er geen functiën verricht zoals de man, rechtvaardigt reeds de afzonderlijke plaats. Maar bovendien heeft men het aan de aandacht en aan de ernst van de dienst niet bevorderlijk geacht, wanneer vrouwen en mannen daarbij in dezelfde ruimte door elkander zaten. Het doet er met het oog op de kwestie die ons hier even bezighoudt – de beweerde minderwaardigheid van de vrouw in het jodendom – niets toe, of het wantrouwen gerechtigd is of niet. Want als het terecht of ten onrechte bestaat en de reden is der scheiding dan treft dit niet minder de mannen dan de vrouwen. Van een conclusie uit een en ander, op de minderwaardige plaats die de vrouw in het jodendom zou innemen, kan hier dus ten enenmale geen sprake zijn.

Midden in de synagoge treft men nu verder een platform aan. Dat is de *Biema*, dat wil zeggen; de verhoging. De naam is ook wel *Almemmor*, een Arabisch woord, dat hetzelfde betekent. Dit platform is de tribune vanwaar de Torah, de Leer aan het volk wordt voorgelezen. En deze voorlezing is concreet en in wezen het middelpunt van de dienst, tenminste van bijna iedere hoofddienst. Daarheen leidt de godsdienstoefening, daarom is zij gegroepeerd. Hetgeen wij ook nog wel meer in bijzonderheden zullen ervaren.

De voorlezing geschiedt niet uit een boek maar uit een *Wetsrol*. Elke synagoge heeft gewoonlijk meer dan één exemplaar van zulke wetsrollen. En deze vormen een zeer bijzonder bezit der gemeente. Ze hebben in de synagoge een eigen plaats: *de Heilige Arke*. Deze bevindt zich – haast zonder uitzondering – aan de oostwand van het bedehuis. Het is een in die wand uitgebouwde nis of een tegen de wand geplaatste kast, ook wel een kast in een nis. Overeenkomstig haar gewijde bestemming, de bewaarderes der heilige wetsrollen te zijn, is de heilige arke ingericht en getooid. Er hangt een gordijn voor. Zó bij de Hoogduitse joden. De Portugese synagoge te Amsterdam, de beroemde, heeft voor haar heilige arke geen *Voorhangsel*.

De benamingen van heilige arke en voorhangsel – *Aròn hakkódesj* (bij de Portugese joden *Hechal*) en *Parocheth* – zijn ontleend aan de kist waarin de stenen *verbondstafelen* lagen in de *Tabernakel* en in de *Salomonische Tempel*. Die *Verbondsarke* stond in het *Allerheiligste* dat door een voorhangsel van het *Heilige* was gescheiden. In de tweede tempel, die van Erza, die later de Herodiaanse werd genoemd waren er geen verbondstafelen meer. In de synagoge zijn nog slechts de namen.

Voor de heilige arke bevindt zich de *'Amoed*, de lezenaar. Daar is de plaats van de voorlezer of voorzanger, de *Chazan* die de gezamenlijke godsdienstoefening leidt. Hij kan ook maar dan van de biema af uit de Torah voorlezen. Doch hij behoeft dit niet te doen. Dat kan ook evengoed een ander verrichten. Wie dat doet heet als zodanig niet chazan maar *Koré*, meer speciaal; voorlezer.

In het rond waar ruimte en de ruimte er voor nodig is, zijn de banken der synagogegangers. Kerkvoogden hebben gewoonlijk een afzonderlijke bank vlak voor het almemmor. Voorschrift is dat volstrekt niet, verboden evenmin. De banken zijn dikwijls allemaal naar de achterwand, de oostzijde gericht, vaak naar de tribune in het midden geschaard. Maar dit alles is bijkomstig. De zitplaatsen hebben meestal behalve een lezenaar ook een kastje als bergplaats voor de boeken en ceremoniële zaken die voor de dienst noodzakelijk zijn.

De voorlezing der Leer van af de tribune die zich midden in de synagoge verheft, geschiedt dus – zoals we terloops reeds opmerkten – niet uit een boek maar uit een rol. Deze *Rol* is geen rol papier. Streng en trouw is het oude eerwaardige karakter bewaard. De *Wetsrol* is van perkament vervaardigd. En niet alle willekeurige perkament, zo maar van de markt verkregen is geschikt en waardig genoeg om het heilige Woord te dragen. Zelfs niet uit iedere dierenhuid mag het perkament voor een Wetsrol bereid worden. Dat mag alleen van huiden van zulke diersoorten die ook als spijs ritueel geoorloofd zijn. Het looien en de verdere fabricage – het spreekt nu haast vanzelf – alles moet geschieden terwijl de gedachte daarbij gericht is op het heilige doel waarvoor het perkament bestemd zal zijn.

Niet door de druk wordt de inhoud der *Leer* op het perkament gebracht. De Wetsrol wordt geschreven. Van het begin van Genesis tot het einde van Deuteronomium. Iedere heilige Wetsrol bevat de hele Pentateuch, alle Vijf Boeken van Mozes op een doorlopend stuk perkament. Maar geen enkele huid is daartoe alleen groot genoeg. En voor het beschrijven zou dat ook al bijzonder onhandig zijn. Dus worden er een zeker aantal stukken, zoveel als er voor een hele Wetsrol nodig zijn, aan elkander verbonden, nadat de stukken ieder afzonderlijk zijn beschreven. Die verbinding wordt tot stand gebracht door middel van draden welke uit pezen van alweer ritueel geoorloofde dieren vervaardigd worden.

Ook de inkt waarmede wordt geschreven moet aan verschillende eisen voldoen, ritueel en technisch en moet zwart en bovenal duurzaam zijn en tamelijk dik liggend op het perkament en droog geworden, er toch niet afspringen. De wetschrijvers vervaardigen gewoonlijk hun eigen inkt. En menigeen heeft daarvan ook zijn eigen fabrieksgeheim.

Het schrijven zelf geschiedt met de ouderwetse veren stift, handig daartoe geschikt gesneden van een ganzepen of ook wel van de pen van een kalkoen.

In kolommen komt het schrift op het perkament te staan. Iedere kolom bestaat gewoonlijk uit minstens een veertig en uit hoogstens een zestig regels schrift. De stukken perkament worden in de regel zo groot genomen dat zij vier of vijf kolommen kunnen bevatten. Voor de Vijf Boeken te zamen moeten er een kleine tweehonderd kolommen geschreven worden zodat er in het algemeen voor een heilige Wetsrol een veertig vellen perkament nodig zijn.

Het Hebreeuws is een consonantentaal. Dat wil niet zeggen dat de woorden geen klinkers hebben en zonder klank zouden uitgesproken worden! Het had oudtijds voor de klinkers geen figuren. De tekens waarmede thans de klinkers worden aangeduid zijn eerst omstreeks de achtste eeuw der gewone jaartelling uitgevonden. Van de woorden werden dus alleen de medeklinkers opgeschreven. Toegepast op het Nederlands: vdr voor vader, knng voor koning. En aldus wordt de Pentateuch nu nog in de heilige Wetsrol geschreven.

Het schrift gaat van rechts naar links. Zo zal wel alle schrift begonnen zijn. De oude mens heeft denkelijk zijn eerste schrifttekens met de rechterhand in de rots geslagen en is dan aan die kant begonnen, waar hem dat eerst het beste scheen te handigen. De eisen der praktijk hebben dat gewijzigd.

Het is overbodig te zeggen welk een zorg er aan het schrijven wordt besteed. Zulk schrijven is een bewonderenswaardig geduldwerk, is een kunst. Mooie kolommen, gelijk van voren en van achteren, terwijl er geen woord in zijn lettergrepen mag afgebroken worden. Want, om een woord zonder vocalen vlot te kunnen lezen moet men zeker het hele woord ineens in het oog vatten en moet u bovendien de samenhang dikwijls nog helpen. Wat zoudt ge beginnen met lcht als niet de samenhang u zei of het licht of lacht moet zijn? Dus geen woord afbreken. En toch de regel van achteren gelijk houden. Alleen kan het breed schrijven, het uitrekken van sommige letters hier te hulp komen. Maar een kundig en geroutineerd schrijver maakt daarvan slechts een spaarzaam gebruik. Want het schrift, wil het mooi zijn, behoort egaal te zijn. Het moet van begin tot eind ook dezelfde hand vertonen. En het schrijven van een Wetsrol is toch waarlijk niet het werk van een enkele dag. Maanden en maanden zijn daarvoor nodig.

De schrijver weet welk een werk hij onderneemt. Geen alledaagse arbeid. Hij schrijft een heilige Wetsrol en – niet waar? – het is hem, alsof hij voortdurend het Woord neerschrijft als een rechtstreeks dictaat door de Godheid. Geen foutje hoe gering ook, mag dus zijn werk ontsieren. Hij is daarom altijd op zijn hoede, altijd waakzaam, dat geen ogenblik zijn gedachten afdwalen. Al zijn zenuwen zijn dus steeds op het hoogste gespannen opdat zijn hersens en zijn ziel onafgebroken op het werk blijven gericht. Telkens gaat hij de verrichte arbeid weer na totdat aan het einde het geheel nog eens door hem zelf en door anderen wordt gecontroleerd. Als hij zich bewust is dat hij in reinheid van lichaam en reinheid van geest het hele werk heeft volbracht dan smaakt hij de hoogste vreugde.

Als alles gereed is en kurkdroog en de afzonderlijke stukken aan elkander zijn genaaid dan wordt het eerste stuk bij Genesis aan een stok verbonden en het laatste stuk, aan het einde van Deuteronomium, aan een andere stok. Alles weer op door de praktijk bepaalde en doelmatig gebleken wijze. En het perkament wordt van voren naar achteren en van achteren naar voren om de beide stokken gerold, die lang genoeg zijn om van onderen en van boven flinke handvatten over te laten. Beneden aan de stokken, waar de handvatten eindigen en het perkament begint en eveneens boven aan de stokken waar het perkament eindigt en de handvatten beginnen, bevinden zich ronde platen waarvan de straal zo groot is, dat de Wetsrol, om de stokken gewikkeld en dan neergelegd, door deze platen wordt gedragen. Zo ingericht kan ook het oprollen en terugrollen gemakkelijk geschieden zonder dat het perkament door over de tafel te schuren al te zeer zou lijden.

Ge begrijpt nu wel welk een kostbaar bezit de Wetsrol voor de synagoge is. Kostbaar ook in de stoffelijke zin. Maar bovenal als heilig bezit. Heilig in de meest verheven, doch niettemin gewone betekenis. Waarmee ik bedoel te zeggen, dat zij niet in mystiek is gehuld en geen sacramentele strekking heeft. Ik zou er anders niet zo gedetailleerd en zo vrij nuchter over kunnen schrijven.

Evenredig aan de zorg en de wijding welke de vervaardiging vergezellen, zijn de eerbied en de godsvrucht waarmede de Wetsrol ook verder wordt behandeld. Men behartigt dit bezit en waakt er voor dat het lang, heel lang in gebruik kan blijven. Het wordt zorgvuldig omkleed en men past er voor op dat het perkament zo weinig mogelijk met de blote hand wordt aangeraakt. En men tooit de Wetsrol met mooie omhulsels en siert haar met verfraaiingen, die in de vorm van torens of van een kroon op de bovenste handvatten aangebracht worden. Zo staat zij op de onderste handvatten in de heilige arke overeind. Dikwijls wordt er van voren nog een schild op de mantel gehangen. Deze kostbaarheden zijn in den regel van zilver, soms heel oud en van bijzonder mooie vorm.

De gewaden en de versiering der wetsrollen worden gewoonlijk als geschenken verkregen. Wie zijn dankbaarheid naar aanleiding van de een of andere levensgebeurtenis zoals er zoveel zijn, op godsdienstige wijze wil tonen, doet het aldus. Of wie de nagedachtenis van een dierbare vereren en in de synagoge wil bewaren, zondert daartoe zulk een gave af. Zo wordt de synagoge ook vaak een nieuwe Wetsrol aangeboden. Dat is dan een gebeurtenis van niet geringe betekenis. Een nieuwe Wetsrol wordt met grote plechtigheid ingewijd. Zij wordt als een koningin in de synagoge ontvangen.

De zorg voor het onderhoud van gewaden en sieraden en in het algemeen voor alle kostbaarheden en ook voor de vernieuwing en voor het verrijken van het bezit van de synagoge in dit opzicht, wordt in den regel behartigd door een vereniging die daartoe in bijna iedere gemeente bestaat. En het zijn de vrouwen die dergelijke verenigingen in het leven roepen om op deze wijze de synagoge te dienen. En de synagogen kunnen getuigen dat aan de vrouw deze taak gerust kan worden toevertrouwd.

DE TORAH-VOORLEZING · IETS OVER DE KALENDER

De hele Pentateuch wordt in de synagoge in een tijdruimte van een jaar in een geregelde cyclus voorgelezen. Ieder jaar telkens weer opnieuw. Elke sabbath heeft een stuk, een wekelijkse afdeling. Dus zijn de Vijf Boeken van Mozes ten behoeve van deze voorlezing in even zovele afdelingen verdeeld, als er sabbathdagen in het jaar kunnen zijn. Dat getal is niet altijd hetzelfde.

Het joodse jaar namelijk is een zogenaamd maanjaar. Het wordt opgebouwd uit maanden. Een maand is de tijd die de maan nodig heeft om haar loop om de aarde te volbrengen. Ongeveer $29\frac{1}{2}$ dag. Een nieuwe maand kan men natuurlijk niet midden op de dag laten aanvangen. Daarom heeft de ene maand 29 en de andere 30 dagen. In den regel heeft het jaar 12 zulke maanden of 354 dagen. Gemiddeld is dat 11 dagen korter dan het gewone burgerlijke jaar, het zonnejaar. Het spreekt vanzelf, dat ook de joodse kalender rekening met de zon moet houden. Jaargetijden, plantengroei, landbouw, zijn er afhankelijk van. En de joodse feesten, bijbelse feesten, staan daarmede immers ook in nauw verband. Het Paasfeest moet in de lente vallen, in de arenmaand van Israël. En de Dag der Eerstelingen zeven weken later, op de vijftigste dag, (Pinksteren) bij het rijp zijn van de eerste tarwe. En het Loofhuttenfeest als alle veldvruchten binnen zijn. Daarom kunnen deze elf dagen, die het gewone maanjaar van twaalf maanden korter is dan het zonnejaar, maar niet buiten rekening blijven. Zij moeten op de ene of andere wijze bijgeteld worden. Anders zou het Paasfeest na enige jaren in de herfst vallen en het Loofhuttenfeest in de lente of in de winter. Het verschil wordt nu opgeheven door soms een extra maand in te leggen. Dan heeft het jaar dus dertien maanden. Zulk een jaar heet schrikkeljaar. De kwestie kan ook aldus gesteld worden: het joodse jaar heeft net zoveel maanden als er maan-maanden in een zonnejaar gaan. Dus twaalf plus een stuk. Dat stuk echter kan om begrijpelijke, maatschappelijk-organisatorische redenen, natuurlijk niet als een afzonderlijk, veel kleinere maand in de maandenreeks van het jaar ingeschakeld worden. Het wordt opgespaard met volgende stukken totdat er een volledige maand van gemaakt kan worden. Het verschil tussen de zonnejaren en de maanjaren zou in een tijdruimte van negentien jaar afgerond 210 dagen belopen. Daarom zijn er in een cyclus van 19 jaren 7 joodse schrikkeljaren.

Dus heeft niet ieder jaar evenveel weken. Het aantal sabbathdagen is daarom ook verschillend. De Pentateuch nu is in 54 wekelijkse afdelingen ingedeeld. Een gewoon jaar van gemiddeld 354 dagen heeft maar 50 of 51 sabbathdagen. Op de feestdagen, ook wanneer zij op een sabbath vallen, worden uit de Pentateuch die stukken voorgelezen, welke op de desbetreffende feestdag betrekking hebben. En de aan de beurt zijnde wekelijkse afdeling blijft dan staan tot de eerstvolgende, vrij komende sabbath. Om deze redenen moeten er meermalen twee op elkaar volgende afdelingen, tot één verbonden, te zamen worden voorgelezen. Hiertoe zijn bepaalde tweetallen aangewezen.

De Torah-voorlezing is nu op de kalender zodanig ingedeeld, dat de hele Torah met het laatste stuk – de zegeningen en de dood van Mozes – wordt uitgelezen op de laatste dag van het Slotfeest, waarmede het Loofhuttenfeest eindigt en de rij der feesten wordt besloten. Op diezelfde dag, onmiddellijk na het uitlezen, wordt opnieuw met Genesis begonnen. Dat is een gebeurtenis in het synagogale godsdienstleven en gaat met een heel ceremonieel gepaard. Deze dag van het Slotfeest draagt hierom nog de extra naam van: Vreugde der Leer, Simchàth Torah.

De openbare voorlezing der Torah geschiedt thans overal door een daarvoor aangewezen man, de *Koré*, hetzij dat deze tevens is de *Chazan*, de voorbidder of niet. Zo was het evenwel oudtijds niet. Een zeker aantal personen – en dit aantal verschillend voor Sabbath, Grote Verzoendag, Feestdagen, Tussen- en Nieuwemaansdagen, Gedenk- en

Vastendagen en enkele werkdagen – werd achtereenvolgens voor de Torah geroepen, om beurtelings een stuk der aangewezen afdeling uit de Heilige Wetsrol voor te dragen. Maar de Wetsrol bevat zoals we zagen slechts het consonantenschrift. Niets meer. Geen klankteken en geen enkel leesteken. Zelfs niet een aanwijzing waar een zin uit is. Bovendien is de voorlezing niet een plechtstatige declamatie. Oosterse volken zingen hun gesprekken. En zeker hun gewijde voordrachten. De cantilerende voordracht, zoals die van de Bijbel in de godsdienstige samenkomsten plaats vond, heeft zich al vroeg als een algemeen geldige spraakmelodie op de woorden vastgezet. En in dezelfde tijd, toen de klanktekens werden uitgevonden, zijn er ook figuurtjes voor deze spraakmelodie uitgedacht.

Zij worden in zo goed als alle gevocaliseerd gedrukte Hebreeuwse Bijbels bijgedrukt. Ieder teken stelt een bepaald complex van noten voor. En met behulp van deze zangtekens wordt de spraakmelodie geleerd en bewaard. En in deze spraakmelodie moet de voorlezing plaats hebben. Ge begrijpt dat de voordracht uit de Heilige Wetsrol dus niet zo maar ieders werk kan zijn. Integendeel. Het vereist een sterk geheugen in het algemeen en een sterk muzikaal geheugen in 't bijzonder. Niet van elk synagogebezoeker kan zonder meer ondersteld worden dat hij ieder willekeurig stuk der Torah-afdeling voor de vuist uit de Wetsrol en dan nog op de vereiste melodie, zou kunnen voordragen. En toch heeft iedereen recht op de eer om op zijn beurt, of als er een bijzondere aanleiding toe is ook buiten zijn beurt, voor de Torah geroepen te worden. De term luidt met een lichtelijk hebraïsme: *opgeroepen* te worden. De biema is immers een 'hoogte'. Bijna iedere familie-gebeurtenis kan een bijzondere aanleiding zijn. Geboorte van een kind, besnijdenis, huwelijksvreugde, rouw bij sterften, gedenkdagen van overlijden van nabestaanden. En nog veel meer. Want de synagoge wordt getuige gemaakt van heel het huiselijke, van heel het familieleven. Zou men nu alleen de deskundigen oproepen? En de ondeskundigen of de niet als deskundigen gecensureerden laten staan? En zou tot een paar beroepsmensen de voorlezing der Torah beperkt raken? Of zou men enkelen het zelf laten doen en voor anderen door een derde laten lezen? En de anderen dan beschaamd doen staan? In het openbaar? En in het aangezicht der Torah? Ge voelt, dat dit niet ging. Dus werd het zelf-voorlezen voor ieder afgeschaft. Ook voor de hoogst deskundige. Nu kan ieder 'opgeroepen' worden. Hij spreekt de voorgeschreven lofzegging ervoor en erna uit. Maar de koré leest voor.

Alleen in een paar gevallen mag de opgeroepene zelf nog zijn stuk of een gedeelte van zijn stuk voorlezen. De jongeling die de dertienjarige leeftijd, de puberteitsperiode en daarmede zijn kerkelijke meerderjarigheid heeft bereikt, wordt bij die gelegenheid voor het eerst ter synagoge onder het vereiste getal geroepenen voor de Torah opgeroepen. Dan mag hij zelf zijn onderafdeling aan de gemeente voorlezen. Ge begrijpt dat dit van te voren met zorg is ingestudeerd. En dat dit optreden voor de jongen die *Bar-Mitswah* is

23

geworden en van nu af aan zelfstandig staat ten opzichte van de vervulling der gods-dienstplichten, een feit van betekenis is, waaraan de spanning niet ontbreekt. Niet bij hem, niet bij moeder en vader en verdere verwanten. En waarin tot op zekere hoogte de hele synagoge deelt. Dit is meteen ter synagoge zowat de hele viering der kerkelijke meerder-jarigheid. Maar het is geen kleinigheid, voor de Torah geroepen te worden. En dan nog wel voor 't eerst. En dan zelf het Woord uit te zeggen!

Ook degeen, wie de eer te beurt valt op Simchâth Torah (Vreugde der Leer) het laatste stuk van de Heilige Wetsrol te mogen voordragen en hij, die op diezelfde dag bij Genesis weer mag beginnen, ook zij mogen hun onderafdeling uit de Wetsrol voor-lezen. Gewoonlijk lezen zij slechts de laatste zinnen van hun *parasjah* (stuk). Toch wordt het ene en het andere door de koré nog eens over voorgelezen 'ten einde niemand be-schaamd te doen worden'. Want de voorlezing van iemand kon wel eens zó slecht, zó foutief geweest zijn, dat een overlezing door de man van beroep noodzakelijk ware. Nu is het dus zo: slecht of goed gelezen... de koré leest het nóg eens voor.

Behalve in deze beide uitzonderingsgevallen, wordt het aan niemand meer toegestaan zelf zijn parasjah voor te dragen. Een koré die elders komt en daar wordt opgeroepen moet het zich ook laten welgevallen dat de plaatselijke koré zijn stuk aan de gemeente voordraagt. De voordracht – het behoeft nauwelijks gezegd – moet met wijding en nauwgezetheid geschieden.

De koré wijst woord voor woord bij. Maar niet zo maar met de vinger. Hij gebruikt daartoe als aanwijzer een staafje, gewoonlijk van edel metaal, meer of minder sierlijk be-werkt en uitlopend in een handje met gestrekte wijsvinger. De opgeroepene leest zachtjes mee. Want het is zijn stuk. En alle aanwezigen behoren de voordracht te volgen 'alsof ze aan de Sinaï stonden en de Openbaring uit Gods mond vernamen'. Zij volgen haar in hun gedrukte boeken, waar de woorden van klanken, lees- en zangtekens zijn voorzien. Er wordt nauwkeurig opgelet en aan een duidelijke nauwgezette voordracht, zonder fout in woord of melodie, wordt de grootste waarde gehecht. De synagogedienst komt anders niet tot zijn recht. Zinstorende fouten moeten door overlezing verbeterd worden.

De regeling van het oproepen berust bij het kerkbestuur of bij de kerkvoogden, die gewoonlijk deze taak bij beurten waarnemen. Zij hebben daarbij nog al ruim de vrije hand, binnen de grenzen der wettelijke bepalingen in de Sjoelchan'Aroeg neergelegd en de plaatselijke gewoonten, welke op dit terrein zoals vanzelf spreekt, langzamerhand ook nog al wat te zeggen hebben gekregen. De controle op het lezen, of het juist of onjuist was, is eigenlijk bij het publiek. Maar voor de goede orde is zij, waar dat mogelijk is, aan de rabbijn of een andere deskundige opgedragen. Deze heeft in ieder geval de beslis-sing.

De kerkvoogd, die de leden der gemeente naar hun rechten en beurten, door de voor-lezer, de koré, de koster, of wie daartoe anders mocht zijn aangewezen, bij hun meestal bijbelse namen in het Hebreeuws doet oproepen, heeft bij de Torahvoorlezing zijn plaats op het almemmor links van de koré, die vóór de lezenaar staat, waarop de Torah wordt uitgerold. De opgeroepene komt rechts te staan. De rabbijn of andere controlerende deskundige staat gewoonlijk ook rechts.

Zo neemt dus het publiek voortdurend actief deel aan de Torahvoorlezing, dit gewichtige bestanddeel van de synagogale eredienst. Maar ook nog op andere dan op de reeds geschetste wijze.

VOORDRACHT UIT DE PROFETEN · EREFUNCTIËN · OFFERINGEN

Alleen op sabbathochtend wordt er een hele afdeling uit de Pentateuch volledig voorgelezen. Bij de middagdienst op diezelfde dag wordt van de volgende wekelijkse afdeling een klein stuk – gewoonlijk de eerste onderafdeling – parasjah – en dan over slechts drie personen verdeeld, ten gehore gebracht. Datzelfde stuk krijgt nogmaals een beurt bij de ochtenddienst op maandag en eveneens op donderdag. Het gebruik van deze voorlezingen op de beide genoemde werkdagen wordt historisch teruggebracht tot de tijd van de reorganisatie onder Ezra. Toen waren deze wekelijkse dagen de marktdagen in de grotere plaatsen van Israël. Dan kwamen daar vele mensen uit de diverse omstreken bijeen. Dan werden de openbare rechtszittingen gehouden. En dan was er tegelijk een uitgezochte gelegenheid om de Torah te voorschijn te brengen en het volk er uit voor te lezen. Vandaar die *Kerieath-Hattorah*, d.i. Torahvoorlezing, op maandag en donderdag, die tot heden stand heeft gehouden.

Op de voorlezing van de Pentateuch-afdeling volgt op sabbathochtend en op de feestdagen altijd de voordracht van een stuk uit de Profeten. Dit heet *Haftaràh*. Het woord betekent: afscheid, besluit. De invoering van deze voorlezing uit de boeken der Profeten stamt, naar men aanneemt, uit zeer oude tijden van geloofsvervolgingen, reeds in Palestina. De voorlezingen uit de Torah mochten niet plaats hebben. Men nam toen instede daarvan, een toepasselijk stuk uit de Profetische boeken. De haftaràth werden nu vaste stukken, zodat iedere Pentateuch-afdeling haar eigen vaste haftarah kreeg. In haar inhoud kwam gewoonlijk iets overeen met iets van de inhoud van het Torahstuk, waarmee zij correspondeerde. Of haar inhoud sloeg terug – zoals op feestdagen en bijzondere sabbathdagen – op de strekking van de feestdag of op het bijzondere van de sabbathdag. Dan was de haftaràh dus gekozen met het oog op de tijd van het jaar, de geschiedkundig aanleiding van de dag. Later, toen er weer betere tijden aanbraken en de Pentateuch weer mocht voorgelezen worden, werd de Torahvoorlezing natuurlijk terstond weer in ere hersteld. Maar de haftaràh werd – en dit is haast even natuurlijk – niet afgeschaft. En sindsdien volgt er op de voorlezing uit de Torah ook een voorlezing uit de Profeten.

25

Deze profetische afdeling wordt niet zoals de Torahvoorlezing, uit een geschreven rol voorgedragen. Zó gebeurt het slechts bij hoge uitzondering op zeer enkele plaatsen. Hier te lande nergens. Zo goed als overal wordt er voorgelezen uit een gewoon boek, dat gedrukt is als ieder ander boek en waarin de woorden voorzien zijn van klank- en leestekens en ook van zangtekens. Met de voorlezing is niet een bepaald persoon, is niet de koré belast. Er zijn overal, buiten de beroepsmensen altijd nog wel een stuk of wat deskundigen, die de haftaràh in haar eigen spraakmelodie kunnen voordragen. Deze – men kent ze wel – worden voor de Torah opgeroepen om de voorlezing van de afdeling af te sluiten en dragen daarna zelf het aangewezen profetische stuk voor. In sommige gemeenten leest het publiek vrij luid mee.

Zo is er ook hierbij weer voor de gewone synagogebezoeker gelegenheid om zelf op belangrijke wijze actief deel te nemen aan de dienst. Nog meer echter komt dat uit bij het doen van vele handelingen, die de naam dragen van *Mitswoth*: godsdienstige handelingen. Hier in engere zin: functiën bij de eredienst.

De Heilige Wetsrol, zo kostbaar en met eer omgeven, de voorlezing, zo gewichtig en het middelpunt van de dienst! Dus zou het ondenkbaar zijn, wanneer het halen der Wetsrol uit de heilige arke en het brengen ervan naar de biema en de andere verrichtingen welke nodig zijn om tot de voorlezing te kunnen geraken, nu maar verder zonder enige plechtigheid zouden plaats hebben. Eveneens het terugbrengen der Heilige Wetsrol naar haar vaste plaats. En zovele andere handelingen. Aan het een en ander is nàtuurlijk een zeker ceremonieel verbonden.

Als het voorhangsel wordt weggeschoven en de deuren der heilige arke gaan open, dan worden er door de voorzanger en gemeente in beurtzang toepasselijke bijbelverzen aangeheven. En onder het zeggen of zingen van die verzen en spreuken, draagt de voorzanger de Heilige Wetsrol, gevolgd door rabbijn en kerkvoogd en door degenen, die er wegens de verrichting van zulk een erefunctie voor in aanmerking komen, langs de eerste rij zitbanken rechts, in plechtstatige optocht, naar de biema, terwijl de hele gemeente zich van de zitplaatsen verheft en degenen aan wie de Wetsrol voorbij gedragen wordt van de gelegenheid gebruik maken om de mantel der Wetsrol te kussen.

Op de biema worden de sieraden er afgenomen, wordt de mantel uitgetrokken en het windsel ontbonden, dat er stevig, om de beide delen bij elkaar te houden, omheen gewikkeld is. En als de voorlezing is volbracht wordt de rol enige kolommen schrifts uitgerold; en aldus uitgerold, hoog opgeheven den volke vertoond, onder het aanheffen van de woorden: 'dit is de Leer, die Mozes de kinderen Israëls heeft voorgelegd', (v Moz. 4, 44) met nog enkele andere bijbelverzen. Dan wordt ze weer ingewikkeld, omhuld en getooid en in even plechtige optocht waarbij weer rechts gehouden wordt, dus langs de andere zijde, onder zang of het zeggen van bijbelse zinnen en Psalmen, naar de heilige arke teruggedragen en op haar plaats neergezet.

Nu zou het kunnen zijn, dat al deze handelingen bij het halen en brengen door officiële personen, voorzanger, koster, kerkvoogd of andere functionarissen, als zodanig verricht werden. Dit ware echter in strijd met de hele aard van de synagogale eredienst. Het zijn erefunctiën. En ieder synagoge-bezoeker kan er toe komen om ze uit te oefenen. Ieder kan met zulk een verrichting vereerd worden.

Deze handelingen zijn natuurlijk geen willekeurige. Het is een bepaald stel en ze worden met vaste namen aangeduid. Zo is het wegschuiven van het voorhangsel, het openen der deuren, het nemen der Wetsrol van haar plaats en het overgeven ervan in de arm van de voorzanger en vervolgens, na de voorlezing, de inontvangstneming der Torah-rol uit de handen van de voorlezer vlak voor de heilige arke en het terugzetten op haar plaats, te zamen één erefunctie. Het opheffen en vertonen is een andere. Het omwikkelen, aankleden en tooien een derde. Er zijn er meer, er zijn tal van deze erefunctieën bij de dienst. En niemand verricht ze qualitate qua. Het is de taak, het recht, de eer van allen en van elk. Zelfs het oprollen van het windsel op zodanige wijze, dat het bij de aankleding der Wetsrol na de voorlezing weer terstond en gemakkelijk gebruikt kan worden is een mitswah. Een mitswah, die gewoonlijk aan jonge kinderen wordt opgedragen. Zij mogen dan ook op de biema komen en boven aan de handvatten de Wetsrol vasthouden en behulpzaam zijn bij de bekleding. En in de plechtstatige teruggang gaan allen mee die een functie hebben gehad. En hoe trots zijn dan de jongens.

Als de dag er aanleiding toe geeft, zoals de feestdagen en de bijzondere sabbathdagen, worden er wel verschillende stukken uit de Torah voorgelezen. En daar de wetsrol geen boek is, dat gemakkelijk kan verbladerd, maar dat terug- of verder afgerold en dan aan de andere kant opgerold moet worden, zo zou dat heen en weer rollen een zeer onesthetische stoornis in de dienst veroorzaken. Daarom leest men dan achtereenvolgens uit twee of soms uit drie Wetsrollen, die van te voren op de vereiste plaats in de Pentateuch gesteld zijn, tegelijkertijd te voorschijn en ook te zamen weer teruggebracht worden. Dan zijn er vanzelf meer erefunctiën weg te schenken. Het dragen van de tweede en derde Wetsrol zijn dan ook erefunctiën, waarmee particulieren worden begiftigd. Op het Vreugdefeest der Leer, bij het uitlezen aan het einde en het opnieuw aanvangen bij het begin, worden er bij het uitdragen en vóór het terugbrengen der Wetsrollen, of ook wel bij een expresselijke avonddienst, omgangen mee gemaakt om de biema, soms drie, soms zeven. Dan kunnen verscheidene leden bij beurt de eer krijgen een Wetsrol te mogen dragen. Bij die gelegenheid worden in Chasidische kringen en ook wel daarbuiten de Wetsrollen in een dansende beweging voortgedragen. De *bruidegoms der wet*, alweer particulieren, worden enigszins feestelijk de synagoge binnengeleid en hebben daar, op de feestdag zelf, dikwijls een afzonderlijke ereplaats vóór de heilige arke.

Sommige delen van het gebed worden bij geopende arke uitgesproken. Vooral op Nieuwjaar en Grote Verzoendag. Het gebed voor het Koninklijk Huis bijna overal, altijd.

En het openen der arke is dan weer een mitswah. En eveneens weer door de ambteloze burgers te verrichten.

Ook de toewijzing dezer mitswoth geschiedt niet door autoriteiten, door kerkvoogden of wie ook. Iedereen is in staat zich de beschikking erover te verwerven. Voor zichzelf of voor een ander. Regel is dit laatste. Vader, broer, vriend, gast, kennis is jarig, viert een familiefeest, gedenkt de sterfdag van een dierbare, is door een sterfgeval van een der naaste bloedverwanten getroffen en men wil hem een attentie bewijzen. Men bestelt zich de beschikking over een mitswah bij de bode der synagoge of wie er anders over dit onderdeel van de dienst mocht gaan. De bode komt op het juiste tijdstip de bestemming der bestelde en verworven mitswah vragen en kondigt ze volgens ontvangen opdracht uit naam van de schenker aan degene aan, die er mee wordt vereerd. Deze voert ze uit en zegt de opdrachtgever na de verrichting dank voor de hem bewezen eer. De besteller betaalt voor het recht der beschikking een, gewoonlijk maar klein, bedrag volgens vastgesteld tarief, ten bate der gemeente.

In de meeste synagogen is een aankondigingsbord aanwezig waarop de beschikbare mitswoth op duidelijke wijze zijn aangegeven, gewoonlijk op kartonnetjes of plankjes in hokjes geschoven. De bode neemt er uit wat hem wordt opgedragen, zodat ieder synagoge-bezoeker terstond zelf kan weten wat er nog beschikbaar is. Wat niet is opgevraagd blijft aan kerkvoogden om weg te schenken. Hetgeen in den regel naar vaste beurten geschiedt. Er blijft evenwel maar weinig over want over het algemeen is de vraag nogal groot. Daarvan is en wordt in sommige gemeenten en extra synagogenverenigingen die er in de grote steden bestaan, wel eens misbruik gemaakt. Men veilt er dan de mitswoth. Tijdens de dienst. En de mensen zijn daar soms aan deze uitwas zo gewend geraakt, dat ze hem niet meer willen missen. Niet om het geld. Maar omdat ze er helaas, een stukje jodendom in menen te zein. Zo krijgt men ook wanstaltigheden lief.

Een grote bron van inkomsten worden deze erefunctiën nooit. Er zijn echter gemeenten, die alle behoeften uitsluitend uit vrijwillige bijdragen, zonder enige hoofdelijke omslag kunnen bekostigen. Daar brengen de mitswoth dan ook hele sommen op. Er was een op zichzelf staande synagogengemeente bekend te Frankfurt a. M., waar grote bedragen werden betaald enkel voor het recht om gedurende een jaar de dienst te mogen voorzien van de wijn, die er bij de inwijding en bij het afscheid van de sabbath en de feestdagen nodig was.

Nog bestaat er een andere mogelijkheid om iemand ter synagoge behalve door het vereren met de een of andere functie een kleine attentie te bewijzen: als men 'opgeroepen' is en men heeft de slotlofzegging die bij de voorlezing hoort, uitgesproken, dan ontvangt men een door de voorzanger, de koré of de koster, in het Hebreeuws voorgedragen zegenwens. Daarna heeft men het recht om een dergelijke zegenwens voor familieleden of anderen te doen uitspreken. Men offert daarbij dan iets ten bate der gemeente voor de armen of voor andere instellingen van weldadigheid.

In vele grotere gemeenten vertoont zich meer en meer het streven om deze wijze van offeren en vooral het laten opnoemen van bepaalde personen bij name, uit de dienst te verwijderen. Ontegenzeggelijk gaat de gemoedelijkheid in dit opzicht soms veel te ver en lijdt het decorum der godsdienstoefening er ten zeerste onder. De maatstaf echter waarmee een synagogale dienst gemeten moet worden is aan de andere kant een bijzondere en mag niet van buiten meegebracht en aangelegd worden. Het is niet zo gemakkelijk hier het juiste midden te houden. Want het gemeenschappelijke van de dienst is zijn wezen. En decorum moet er zijn. Natuurlijk. Maar warmte. De warmte van een opgewekte, enthousiaste godsdienstoefening, die uit het medeleven van allen met elkander ontstaat en bestaat. Dat mag niet aan het decorum en zeker niet aan een stijf, koud, hoofs, vormelijk decorum opgeofferd worden. En dit moet goed begrepen worden bij het oordeel dat men zich vormt bij het betreden der synagoge en het bijwonen van de dienst. Helemaal stil, doodstil zal het wel zelden kunnen zijn in de synagoge.

CHAZAN · SJELIEACH TSIBBOER · CHAZANOETH · CHAZAN-ZANGER

Waar het karakteristieke van de synagogedienst in het gemeenschappelijke bestaat, heeft de voorlezer of voorzanger er dus een zeer belangrijke taak te vervullen. Men kan gerust zeggen, dat de dienst met hem vereenzelvigd is. Hij draagt het geheel. Hij vormt de kern en de bekoring van de godsdienstoefening en doet haar aan haar doel beantwoorden. Zó is het, als de chazan voor zijn taak berekend is.

Chazan is de Hebreeuwse benaming waarmee onze functionaris in de wandeling wordt aangeduid. Er is echter nog een andere benaming: *Sjelieach Tsibboer*, die meer in geschrifte wordt gebezigd en dieper ingaat op de betekenis van het ambt. Beide namen hebben enige verklaring nodig. Met deze verklaring is meteen de functie getekend.

De afleiding van het woord chazan zou ik niet met zekerheid volkomen duidelijk durven noemen. Naar de vorm is het van een woordstam die *zien* betekent en in de Bijbel voornamelijk poëtisch en in den regel meer voor een visionair schouwen wordt gebezigd. Het woord chazan zelf komt in de Bijbel nooit voor. Niet in de thans gebruikelijke betekenis. Hetgeen begrijpelijk is omdat in de bijbelse tijden het ambt natuurlijk niet bestond. Maar ook niet in enige andere betekenis. Men mag hieruit niet besluiten dat het woord dus niet bestond. Want er kunnen en er zullen wel meer woorden bestaan hebben, dan er voorkomen in de betrekkelijk kleine woordschat van de Bijbel.

In Talmoedische literatuur komt chazan in verschillende betekenissen voor. Het is de gerechtsdienaar, die de lijfstraffelijke vonnissen executeert. Het is ook de leraar der jeugd. En eveneens de dienaar van de synagoge, bij wie de regeling van de dienst berust en die soms aan de een of ander verzoekt of opdraagt om in het gebed voor te gaan. Hij is echter niet het hoofd der synagoge. Nog minder de vaste voorbidder. Dat is hij eerst veel later geworden. Zoals trouwens het ambt ook veel later is ontstaan.

Oudtijds kende men geen vaste voorbidder, geen ambtenaar die de taak heeft, om bij gemeenschappelijke godsdienstoefening in de oefening voor te gaan. Eén der aanwezigen werd ertoe aangezocht om zich voor de heilige arke te plaatsen. Uit de hierbij gebezigde uitdrukking – 'af te dalen vóór de Arke' – valt af te leiden dat de arke enigszins hoger stond en de plaats van de voorbidder meer in de laagte was. Zoals ook thans gewoonlijk nog. Men knoopt deze orde, meer humoristisch dan exegetisch juist, wel vast aan het Psalmvers (130,1) 'Uit de diepten roep ik U aan, o Eeuwige!'

Degene nu, die aangezocht werd om zich voor de arke te plaatsen, stemde natuurlijk niet onmiddellijk toe. Wie zou zo verwaand zijn om zichzelf geschikt en waardig te vinden voor zulk een heilige taak! Hij moest gewoonlijk met enige aandrang overreed worden. Tenzij het verzoek rechtstreeks kwam van een autoriteit, gedaan werd door iemand van hoog wetenschappelijk en godsdienstig aanzien. Dan zwichtte men terstond, uit beleefdheid en daalde dadelijk tot vóór de heilige arke om in de godsdienstoefening voor te gaan.

De tijden zijn veranderd en hebben ertoe geleid, dat er als voorbidder een vaste ambtenaar, een beroepsmens moest aangesteld worden. Hij zal wel de eerst-vastaangestelde en dan tevens de eerstaanwezende bij de latere synagoge zijn geweest. En de titel van chazan, die reeds een veelgebruikte term was voor vaste functionaris-opziener bij andere takken van dienst en ook in de synagoge, werd hem onwillekeurig toegelegd. Hij was en is inderdaad de eerste en de belangrijkste dienaar der synagoge.

Maar zijn andere titel zegt nog een beetje meer: *Sjelieach Tsibboer* is 'afgezant der gemeenschap'. Hij voert de schare aan, die zich vereend in de dienst tot God wil opheffen. Hij is haar orgaan. Hij is haar woordvoerder, die zich dikwijls in treffende gebeden of andere delen van de godsdienstoefening, namens de gemeente tot God heeft te richten. Voor zover er ook in het jodendom van een 'geestelijkheid' gesproken kan worden, is alleen de voorbidder in de synagoge een geestelijke. Hij verricht een bij uitstek geestelijke functie. Niet de rabbijn. De godsdienstcodex houdt zich bezig met de sjelieach tsibboer en omschrijft, uitvoerig en streng, de eigenschappen van geest en karakter en de eisen van levensgedrag in zijn heden, maar ook in zijn verleden, waaraan deze functionaris der synagoge moet beantwoorden en volkomen voldoen. Over de rabbijn wordt in dit opzicht niet gesproken. Hij is trouwens in wezen niet een functionaris der synagoge.

Bij voorkeur en opzettelijk sprak ik tot nu toe van voorbidder als van degene die voorgaat in de gemeenschappelijke godsdienstoefening. De volksmond spreekt van voorlezer en voorzanger. De voorlezer echter is eigenlijk de koré, de deskundige die de Torah in haar eigen spraakmelodie uit de heilige Wetsrol voordraagt. Gaarne en bij voorkeur spreekt men van voorzanger. Zo heten ook de functionarissen zelf het liefst. En ontegen-zeggelijk heeft deze dienaar der synagoge ook een zeer belangrijke taak als zanger.

Want zoals er zich van lieverlede een spraakmelodie op de Pentateuch en op de Pro-fetische boeken heeft vastgezet, zo zijn er allengskens ook ten behoeve van de hele syna-gogale dienst vaste melodieën ontstaan voor bepaalde delen van de godsdienstoefening, voor bepaalde gebeden, Psalmen en hymnen en voor bepaalde tijden en dagen. Zo heeft in het algemeen de vrijdagavond zijn eigen melodie. Zo de sabbathochtend. Zo de sab-bathmiddag. Zo het Paasfeest en de Vreugdefeesten. Zo Nieuwjaar en Grote Verzoen-dag. En zo ieder der andere bijzondere tijden. Dat complex van meer en minder vaste melodieën heet *Chazanoeth*, een abstract woord dat uit het woord chazan is gegroeid.

Het publiek is aan deze melodieën gewend en is ermede verwend. Ze zijn oud, niet te schatten op hun ouderdom. En zij zijn, althans wat de kern betreft, over de hele joden-heid verspreid. En als zodanig vormen ook zij een schakel in de eenheidsketen. En het ware een aanslag op die eenheid, deze oude wijzen, deunen, zangen te verontachtzamen of erger, ze te doen verdwijnen.

Uit het chazanoeth proeft men op vrijdagavond in de synagoge de intrede van de sabbath, die daar ook in een hymne als een bruid wordt begroet en ontvangen. En zo is het met bijna alle belangrijke diensten.

Dit en al het dergelijke wil men niet missen en kan men niet missen bij de synagogale eredienst. Daar ligt een enorm stuk traditie in van onschatbare waarde.

Alle chazanoeth is over heel de joodse wereld natuurlijk niet helemaal gelijk. Maar vermoedelijk – ik ben op dit gebied geen deskundige – zullen zelfs vele melodieën die thans niet veel meer op elkander schijnen te gelijken, in hun wezen toch wel veel overeen-komst hebben. Niettemin is er in de loop der tijden, hier en daar ook nog wel typisch plaatselijk chazanoeth ontstaan. Daar zijn de mensen, plaatselijk patriottisch, dan het meeste op verzot.

Er zijn in de eredienst ook stukken, die helemaal geen vaste melodie hebben. Daar heeft de voorzanger dan de volle vrijheid. Deze stukken draagt hij voor op een zangwijze ad libitum. Zó de begroetingszang aan de sabbath op vrijdagavond. Maar toch ook weer niet ongebreideld vrij. Ook hier weer beperkt door de betekenis van de dag of de kleur van de tijd, van de jaarkring. Zo zal hij het 'Kom mijn vriend, de Bruid tegemoet' op sabbath om en bij de vastendag van Av, die wegens de verwoesting van de Tempel en de val van Jeruzalem en de Joodse Staat gehouden wordt, natuurlijk in een heel andere toonaard zingen dan in de tijd daarna, die de naam draagt van de Troostweken. Want heel het joodse leven wordt in de synagoge gebracht. En de synagoge weerspiegelt het en draagt het. Zo is de melodie in de periode der Hoogtijden weer anders dan om Pasen en de Vreugdefeesten. Dat alles is van de woorden en de inhoud geheel onafhankelijk.

Nieuwe componisten hebben het oude chazanoeth, ongerept of gemoderniseerd, opgeschreven en van het andere dat bij de synagogale dienst ad libitum kan voorgedragen worden, eigen composities geschapen.

De voorbidder nu dient al deze oude en daarbij ook nieuwe zangwijzen te kennen. En niet alleen te kennen, maar ook steeds paraat te hebben. Er wordt dus veel muzikaliteit van hem verlangd en een bijzonder, haast ongelofelijk sterk muzikaal geheugen. Wil hij tenminste aan de eisen van het traditionele synagogale chazanoeth voldoen en kunnen voldoen.

En het spreekt vanzelf, dat hij daarbij dus ook zanger moet zijn. Maar hier komt het op de verhouding aan.

De taak van de chazan in de synagoge is zeer omvangrijk. De diensten, buiten die der werkdagen, zijn gewoonlijk niet kort en soms zelfs heel lang. En de voorzanger is bijna altijd aan het woord. Meestal beurt om beurt, zin om zin, of afdeling om afdeling met de gemeente voordragende of zingende of ook in solo zang of – en dat veelvuldig – in cantilerend recitatief. De declamatie is eigenlijk vreemd aan de dienst en al kan zij soms bijzonder treffend zijn, zij is in de synagoge een rariteit en behoort er een rariteit, in de betekenis van zeldzaamheid te blijven. Want de declamatie draagt een westers karakter. Zij strookt niet met de aard van het Hebreeuws en valt dus uit de stijl der synagoge. In het zingend reciteren en in het chazanoeth herkent men hier de meester.

Typisch is, dat het gebed voor het Koninklijk Huis gewoonlijk declamerend wordt voorgedragen. Men heeft dit gebed uit eerbied voor het hoogste gezag met bijzondere plechtigheid omgeven. Daarom wordt het bij geopende heilige arke uitgesproken en staande aangehoord. En men heeft bovendien, waar een rabbijn aanwezig is, het uitspreken van dit gebed aan deze opgedragen. En de rabbijnen, geen voorzangers en geen zangers zijnde, maar hier de plaats van de voorzangers innemende, hebben bij de voordracht de declamatie toegepast. Hetzij, dat ze die extra plechtig vonden, hetzij dat ze daartoe hun toevlucht namen als tot de mogelijkheid, die hun het gemakkelijkst was. En waar nu geen rabbijn aanwezig is, of wanneer deze ook dit gebed aan de 'afgezant der gemeente' bij de synagogale dienst overlaat, daar heeft de chazan weder de gewoonte der rabbijnen in deze overgenomen en declameert, in het bijzonder dit gedeelte, tot stichting van onze westerse oren.

Hoe lang een voorzanger soms aan het woord is, kunt ge u nauwelijks voorstellen. Nog minder, dat hij het zo lang kan uithouden. Het is heel gewoon, dat hij een paar uren, al maar reciterende en zingende, met betrekkelijk weinig pauze, voordraagt. In de grote feestmaand tisjrie – september/oktober – die met Nieuwjaar begint, wordt enorm veel van hem geëist, althans verwacht. Op beide dagen van Nieuwjaar in ieder geval telkens een ongewoon volle en zware dienst van een paar uren, waarbij het eerst recht op de oude traditionele melodieën aankomt, die als oude bekenden hun eigenaardige atmosfeer meebrengen en het verleden met het heden helpen verbinden. En dan op de tiende dag dezer

Deuren van de Heilige Arke uit de synagoge van Krakau. Beschilderd houtsnijwerk, 18de eeuw. (Collectie Hechal Shlomo Museum, Jerusalem.)

Een paar siertorens, 17de-eeuws zilver, versierd met blauw email en ciseleerwerk (hoogte 45 cm). In het midden Torah-schild, 18de-eeuws verguld zilver en filigrain. De Tien Geboden achter de open-slaande deurtjes. (Collectie Joods Historisch Museum, Amsterdam; bruikleen Portugees-Israëlietische Gemeente, Den Haag.)

Torah-schild, detail van voorafgaande illustratie.

Torah-doos met siertorens. Parijs, ca. 1860, Maurice Mayer. (Collectie The Jewish Museum, New York.)

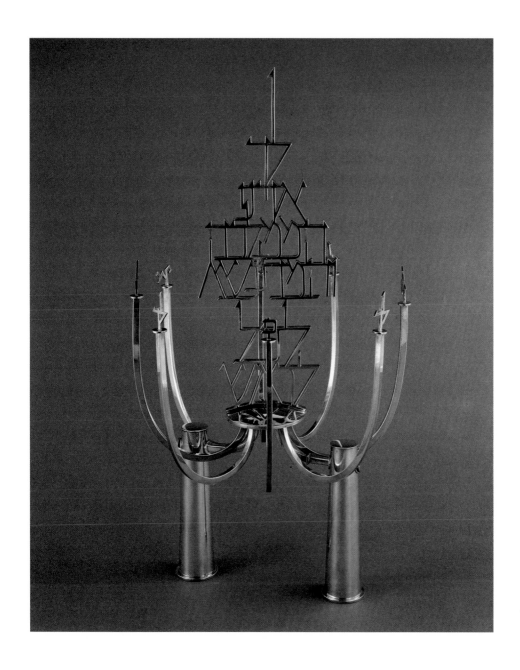

Torah-kroon. Ontwerp: Ludwig Wolpert. New York, 1953, zilver. (Collectie The Jewish Museum, New York.)

Een paar siertorens, zilver. Vervaardigd te Amsterdam in 1768 (hoogte 52 cm). In het midden Torah-schild, einde 18de eeuw, gedreven en gegraveerd zilver. Onder de Tien Geboden zijn op verwisselbare plaatjes de namen van de joodse feestdagen gegraveerd. (Collectie Joods Historisch Museum, Amsterdam. Torens bruikleen Portugees-Israëlietische Gemeente, Amsterdam.)

Waterkan en wasbekken, verguld zilver. Vervaardigd omstreeks 1630. Gebruikt voor het handenwassen der Kohaniem. (Hoogte kan 43 cm, wasbekken 84 x 73 cm.) (Collectie Joods Historisch Museum, Amsterdam; bruikleen Portugees-Israëlietische Gemeente, Amsterdam.)

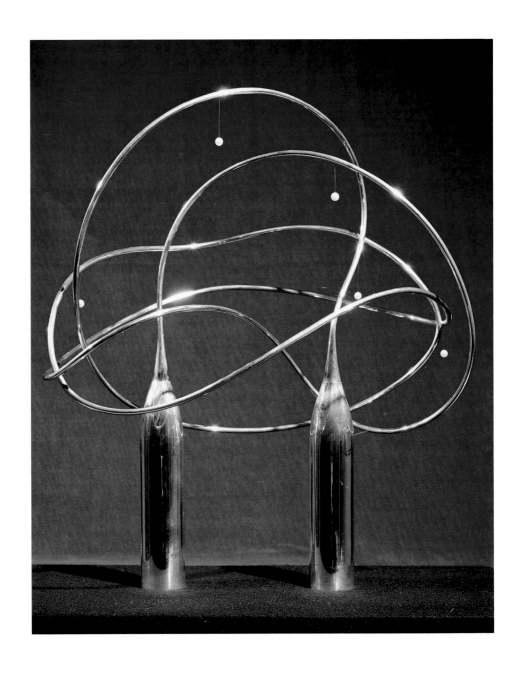

Torah-kroon. Ontwerp: Moshe Zabari. New York, 1969, zilver en parels. (Collectie The Jewish Museum, New York.)

maand, de Grote Verzoendag! Deze is immers met inbegrip van de vooravond, geheel gevuld met onafgebroken dienst ter synagoge. De dag is over vijf afzonderlijke diensten verdeeld, die aansluiten aan elkander. De avond- of Kol Nidré-dienst, de ochtenddienst, de zogenaamde Moesaf- of Bijzondere dienst, de middag- en de Slot-dienst. Een en dezelfde chazan kan bij al die diensten niet voorgaan al gebeurt hier en daar het onmogelijke.

Heel gewoon is echter de verdeling van de diensten over twee functionarissen. En wel beurtelings, zodat een van beiden voorgaat bij de avonddienst tevoren, die een paar uur vordert, de ander bij de ochtenddienst – circa vier uren – de eerste weer ongeveer drie en een half uur bij de bijzondere dienst, de tweede bij de middagdienst en de eerste bij het slotgebed, ieder weer circa anderhalf uur. En gewoonlijk worden dan ook de Torah-voorlezingen, 's morgens en 's middags door dezelfde personen verricht. Bij al die diensten staan zij. En het is maar zelden, dat zij een minuut of tien achtereen volkomen kunnen zwijgen.

Er is dus een haast onbegrijpelijk uithoudingsvermogen toe nodig. En willen zij hun keel fris houden en gezond, dan moeten deze functionarissen over een enorme techniek als zangers beschikken, natuurlijk of door scholing, of op beide wijzen. Vergeten mag bij de opsomming van zoëven bovendien niet worden, dat de chazan terstond na de Grote Verzoendag op sabbath, of althans op het vijf dagen later vallende Loofhuttenfeest, weer in conditie dient te zijn en dat hij dan opnieuw een week met vier à vijf grotere diensten voor de borst heeft.

Zo wordt onze chazan vanzelf wel een beroepszanger en zijn zangkunst onwillekeurig een integrerend deel van zijn beroep. En hoe gemakkelijker en mooier hij zingt, des te beter voor hem en voor zijn auditorium, de gemeente. Het is dus helemaal geen wonder, dat hier op het pad van de chazan gevaarlijke voetangels en klemmen liggen: het gevaar nl. dat hij de zanger meer in zich gaat voelen en naar voren brengen dan de chazan. En dat ook het publiek dat doet. En dat zo de synagoge voor de chazan de plaats wordt om er – laat ik het eens sterk zeggen – te concerteren en voor het publiek dan om er een concert bij te wonen.

Als de chazan zingt voor zich of om met muzikale prestaties het gehoor der aanwezigen te strelen en hun bijval hiervoor te verwerven, dan is daarmede voor de godsdienstoefening niets gewonnen en veel verloren. Hier is de juiste middenweg inderdaad moeilijk te vinden. Maar als de synagoge min of meer concertzaal wordt, dan is men zonder twijfel op de verkeerde weg. Want dan gaat het karakter der synagoge te loor.

Het zuivere karakter kan alleen in de synagoge uitkomen. En bij de dienst. En door de chazan. En door niemand en niets anders.

Dat de chazan dus een zanger moet zijn is buiten kijf. En een van bijzondere kwaliteiten; dat is ook vanzelfsprekend. Anders kan hij zijn taak niet volhouden en evenmin op den

duur in de synagoge en dus in 't joodse godsdienstleven der gemeente, de grote en belangrijke factor zijn, waartoe hij aangewezen is. Maar daarom is zijn zangkunst nog niet
het primair noodzakelijke. Een goed chazan moet het chazanoeth kennen en behoorlijk
beschaafd kunnen teruggeven. Hij hoeft geen bravour-zanger te zijn. Is hij het, zoveel te
beter. Hoe mooier zijn stem, hoe groter zijn muzikale beschaafdheid, des te beter komt
de voordracht tot zijn recht. Maar stem en muzikale gaven behoren in dienst te staan van
het doel van de eredienst en zich aan het godsdienstig ideaal der synagoge, in vrijheid,
ondergeschikt te maken.

De chazan moet een warm-godsdienstige ziel hebben met diep gevoel. Zijn ziel moet
hij in zijn voordracht weten te leggen. Hij moet de mensen om zich heen in de synagoge
meenemen, hen in hun ziel treffen door zijn ziels-eigene teruggave der gebeden en zangen. Zijn ziel moet daarin haar eigen goddelijkheid uitzingen. En er moeten van hem onzichtbare snaren naar het gemoed der aanwezigen uitgaan. En deze moeten hun sjelieach
tsibboer kennen en hem een waardig afgezant weten, een Godgewijd orgaan.

Dan vervullen hij en de synagoge hun bestemming.

NÉR-TAMIED · MENORÀH

Er bevinden zich in de synagoge nog een paar benodigdheden, die op de gang van de
dienst weinig of geen invloed uitoefenen. Het ene voorwerp vraagt niettemin altijd, het
andere op een bepaalde tijd van het jaar de aandacht.

In zo goed als iedere synagoge hangt een lamp, waarin het licht altijd brandend wordt
gehouden. Ten opzichte van dit altijd moet ge de konsekwentie echter niet op de spits
drijven. Want zij, die met het onderhoud zijn belast zijn ook maar mensen.

De vorm dezer lamp is willekeurig, niet voorgeschreven en ook niet als wenselijk aangegeven. Het is ook niet altijd een hangende lamp maar soms een lichtarm of wat anders.
De plek waar het licht zich moet bevinden, is ook geen vaste. In de ene synagoge –
misschien wel in de meeste – brandt het vóór de heilige arke, in de andere boven of bij de
ingang ,waar men het schip van het gebouw betreedt en elders weer aan de een of andere
pilaar. In sommige synagogen zijn er twee zulke lichten. Die lamp is het *Nér-tamied*, hetwelk graag wordt vertaald met: het eeuwige licht. Maar laten wij liever het gestage licht
zeggen. Want – behalve dat het onbewaakte ogenblik ook hier, zoals zoëven terloops is
aangeroerd, wel eens zijn grillig spel kan spelen – ook het oer-model van ons licht was
niet een altijd brandend, maar een regelmatig verzorgd licht. Het is het licht van de gouden *Luchter* of kandelaar, die in de *Tent der Samenkomst*, de *Tabernakel* en in de Tempel,
die van Salomo en die van Ezra stond.

Deze kandelaar, de *Menoràh*, stond in dat deel van Tabernakel en Tempel, hetwelk het

Heilige heet. Dit licht moet gestadig onderhouden en dag aan dag vernieuwd worden. Des morgens en des avonds.

Dat nu is het gestadige licht.

En dat wil ook het nér-tamied ter synagoge zijn als een herinnering aan de menoràh in de oude heiligdommen. Een herinnering. Niet minder, ook niet meer. Want in de synagoge is geen altaar en geen toonbrood. En de lamp is niet in de vorm van de menoràh en heeft helemaal geen bepaalde vorm. Toch schept zij sfeer. Een sfeer, die de bezoeker enigszins mystisch aandoet en waaraan het magische niet helemaal ontbreekt.

Het licht is immers bovendien ook een symbool voor de ziel. Zegt niet de spreukendichter (20, 27) 'een licht van God is de ziel des mensen?' En in het joodse huis dient daarom ook een licht als een zichtbare gedachtenis aan de dierbaren, wier stoffelijkheid voorgoed is heengegaan. Daarom wordt er terstond bij het overlijden een lichtje opgestoken, dat gewoonlijk in het woonvertrek, gedurende twaalf joodse maanden – het rouwjaar – brandend wordt gehouden en dat op de verjaardag van het overlijden die 'jaartijd' wordt genoemd, telkens weer wordt ontstoken.

Dientengevolge wordt door menigeen aan het gestage licht ter synagoge ook de betekenis gehecht van een gedachtenislicht ter ere van de afgestorven leden der Gemeente. Dat is het niet. Waar echter, zoals dat in sommige synagogen het geval is, twee gestage lichten branden, daar is het éne opzettelijk tot gedachtenis bestemd. Dan is het gewoonlijk de pieuze instelling, die alle godsdienstige handelingen bij overlijden en bij begrafenissen verricht, welke ter synagoge een gedachtenislicht ter ere van haar afgestorven leden doet branden.

Uit het joodse leven is de vorm van de menoràh der oude heiligdommen niet geheel verdwenen. Deze kandelaar doet dienst op het Maccabeeënfeest, dat *Chanoekàh* heet en dat afzonderlijk wordt behandeld.

KOHANIEM

De joodse geschiedenis is lang en het joodse volk is oud. Joodse verhoudingen en namen komen vaak uit verre tijden. En als we de dingen duidelijk willen maken, moeten we de verklaring dikwijls diep uit het verleden ophalen.

De joodse volksstam in het algemeen telt bij tientallen van eeuwen. In het bijzonder zijn er volksdelen, die hun buitengewoon hoge ouderdom gerust voor onomstotelijk vast en zeker mogen houden. Dat zijn de Levieten en zij, die tot de tak behoren, welke van de hogepriester Aron is afgetwijgd. Hoe de overige stammen door elkaar zijn geschud, is niet na te gaan. Van de Levieten en de tak der Aronieden, de *Kohaniem*, de zogenaamde priesters, is de zuivere en rechtstreekse afstamming aan geen twijfel onderhevig.

Wat er thans van oud Israël, verspreid over heel de wereld is, dat zijn de joden. Laten we dat even in herinnering brengen. Op de Kenaänietische bodem deelde zich na koning Salomo, een kleine duizend jaren vóór de gewone jaartelling, het volk in twee afzonderlijke koninkrijken. Het noordelijke, dat zich onder Jerob'am van de Davidische dynastie losmaakte, heet het rijk Israël en telt 10 stammen. De hoofdstad wordt even later Samaria. Dit rijk, dat door de profeten bij voorkeur met 'het huis Israël' wordt aangesproken, bestaat circa twee en een halve eeuw. In 722 voor de gewone jaartelling, valt Samaria in handen van de Assyrische koning Sargon. Het Israël van het tienstammenrijk wordt door deportatie geheel vernietigd. Zijn spoor verdwijnt uit de geschiedenis. In de jongste tijd is er zo goed als zeker een rest in Ethiopië teruggevonden: de Falachas. Er worden ijverige pogingen aangewend, om deze tak van de volksstam geheel gezond te maken en opnieuw aan het Oude Volk te verbinden.

De twee stammen Juda en Benjamin, samen het rijk Juda, door de profeten gaarne met 'het huis Juda' aangesproken, houden het op de aartsvaderlijke bodem vier eeuwen uit. Dan, in 586 valt Jerusalem de hoofdstad, in de handen van de Babylonische veroveraar Nebukadnezar. Deze Judeeërs zijn de *joden*. Hun geschiedenis loopt door. Tot de huidige dag. En verder.

In Jerusalem stond de *Tempel*. Bij de Tempel behoort de stam Levie. En uit de stam Levie in bijzonder de tak die uitgaat van Aron, de eerste *Kohen*, dat is priester.

De twaalf zonen van Jacob werden de 'Stammen Israëls'. Deze stammen werden in Kenaän afzonderlijke provincies. Maar de stam Levie kreeg geen grondbezit. Josef daarentegen, gesplitst in Efraïm en Menassé, zijn zonen, kreeg twee provincies. De Levieten werden aan de Tempel gegeven en voor de instandhouding en de verzorging van het godsdienstige en geestelijke leven in het algemeen bestemd. Aron, broeder van Mozes, achterkleinzoon van Levie, werd *Hogepriester*. Zijn zonen werden priesters en al hun afstammelingen in de mannelijke linie bleven 'kohaniem'.

Voor het meerdere grondbezit, dat de twaalf andere stammen hadden gekregen, moesten zij voor Levie en de Aronieden zekere belastingen in natura afgeven en andere gewijde opbrengsten en al wat verder nodig was voor het onderhoud van de algemene tempeldienst.

In het rijk Juda bevinden zich dus de Levieten en de priesters. En zij gaan met de Judeeërs in de Babylonische ballingschap en vandaar met de joden door de hele diasporageschiedenis. Tot op heden. En verder.

Er zullen zich natuurlijk ook nog wel een massa Israëlieten – dat wil hier in engere zin niets anders zeggen dan burgers van het rijk Israël – toen het met dit rijk spaak liep, bij Juda geborgen en gered hebben. En even natuurlijk ook reeds vroeger velen, die het oude nationale heiligdom op de Zionsheuvel liever hadden, dan het politieke surrogaat, door Jerob'am voor zijn onderdanen in Dan en Beth-El ingericht.

De joden van thans zijn daarom niet enkel uit de stammen Juda en Benjamin. En niemand kan zeggen tot welke stam hij behoort. Er zijn enkele joodse families, die menen hun stamboom tot David te kunnen opvoeren. Maar zij, die van Levie zijn, zijn van hun afstamming verzekerd. En de afstammelingen van Aron zijn absoluut zeker van deze oude afkomst. Ook wanneer ze geen enkele aantekening omtrent hun afstamming bezitten.

De tempeldienst en het tempelleven waren met tal van voorzorgen omgeven. Een der eerste eisen is de zogenaamde *reinheid*. Cultische reinheid. Dat is volstrekt niet hetzelfde als sanitaire reinheid, al is de laatste ten dele ook wel een voorwaarde voor de eerste. Het is een wijding. Heiliging voor het Hogere, het Abstracte, het Ideeële. Heffing uit het gebied van het aardse, het lage stoffelijke, lichamelijke, dierlijke: het onreine. De mens is de wonderbare eenheid van deze tegengestelde elementen. Zijn lijk, zijn stoffelijk overschot is niet meer te heffen uit dit gebied van het 'onreine'. Als men dit zou menen, vergist men zich met een noodlottige vergissing. Het leven is de plaats voor het Leven. In de dood is niets meer te winnen. Niet door de gestorvene en niet door anderen voor de overledene. Daarom is de dode in *deze* zin 'onrein'. En dat moet metterdaad altijd ondubbelzinnig in het bewustzijn staan.

Dus is het lijk de bron van deze cultische onreinheid. Wie er aan raakt of dichtbij komt of er zich mede onder een dak bevindt, wordt zelf 'onrein'.

Wie lijdende is aan zulke lichamelijke ongevallen of ongesteldheden, waarbij het dierlijke op de voorgrond komt, is eveneens 'onrein'.

En niemand mag het aan God behorende Heiligdom in zulk een 'onreinen' staat betreden of dan nuttigen van offerdelen.

Overigens staat hem alles vrij en is hij in niets van wie ook onderscheiden.

De kohen mag zich nooit aan een lijk 'verontreinigen'. Hij mag er dus niet aankomen, er niet bijkomen, zich niet bevinden onder een dak met een dode. Zijn naaste bloedverwanten – ouders, kinderen, broer, zuster en vrouw – vormen een uitzondering. Eveneens een lijk, waarvoor anders niemand ter beschikking zou zijn, om het de laatste eer der lijkverzorging te bewijzen. Dan komt deze laatste, nog hogere plicht, weer boven alles uit.

Het tempelleven heeft reeds hierdoor, de kohen met de grootste zorgvuldigheid op zichzelf gesteld en verbijzonderd.

En na het tempelleven zijn deze bepalingen met de allergrootste nauwgezetheid gehandhaafd. De selectie van de Aronieden is bovendien nog door tal van andere bijzondere levensvoorschriften voor goed bewerkstelligd.

De afstammeling van Aron zijn, boven de gewone zoon van Israël, nog enkele huwelijken verboden; zoals bijv. het huwelijk met een gescheiden vrouw.

Hij heeft in het godsdienstleven een afzonderlijke plaats en geniet er zekere voorrechten. Hij wordt ter synagoge bij de voorlezing uit de Heilige Wetsrol, het eerste 'opgeroepen'. Een Leviet het tweede.

De kohaniem spreken de zegen over de gemeente uit, die in IV Moz. 6 vrs 24-26 is aan-gegeven. Dat geschiedt tegenwoordig in de meeste gemeenten op de feestdagen, in enkele ook op sabbath. Zij doen dat, nadat de Levieten hun de handen 'gewassen' hebben en zij plaatsen zich daartoe op de *Doegan*, dat is het platform voor de heilige arke, met het gezicht naar de gemeente toe en heffen daarbij hun handen op een bepaalde wijze zegenend op. Het is ondenkbaar, dat zich ooit een niet-kohen naar de doegan zou be-geven.

Iedere gemeente kent haar kohaniem. En ook haar Levieten. Worden de kohaniem 'opgeroepen', dan komt achter hun naam altijd de titel Hakkohen=de afstammeling van Aron. En deze genealogische bijvoeging komt ook te staan in alle registers en akten. Van de oudste tijden tot nu toe. Ditzelfde geldt eveneens voor de zonen uit de Levieten-stam.

En wie de zorgvuldigheid kent der rabbinaten en het intense medeleven van de joden door de eeuwen heen in het synagogale leven, twijfelt geen ogenblik, dat zij, die zonder twijfeling in de joodse gemeenten als kohaniem bekend zijn, ook inderdaad afstammelin-gen zijn van Aron en dat zij de oudheid van hun geslacht dus met enige tientallen van eeuwen kunnen berekenen.

De cultische reinheid van het tempelleven is er natuurlijk niet meer. Maar de Aronie-den mogen niet aan een lijk komen.

Er wordt voor gezorgd, dat zij op de begraafplaats langs afzonderlijke, afgeschutte paden kunnen lopen. Op sommige begraafplaatsen is het dienstgebouw zo gebouwd, dat zij de plechtigheden daar van dichtbij kunnen bijwonen, door er vertrekken voor hen in te richten, die een afzonderlijk dak hebben en bij begrafenissen van het hoofdgebouw afgescheiden worden.

DE PRIESTERZEGEN

Aan Aron en zijn zonen is in IV Mozes 6, 23 de plicht opgelegd om een zegen over de kinderen Israëls uit te spreken. De bepaalde Zegen. De zegen, die daar in de volgende drie verzen woordelijk wordt genoemd:

'God zegene en behoede u. God late Zijn aangezicht naar u stralen en geve u Zijn ge-nade. God wende Zijn aangezicht u toe en verlene u vrede.'

Bij welke gelegenheid of gelegenheden zij die zegen moeten zeggen, staat er niet bij. Dat werd derhalve als bekend ondersteld. En hier kunt ge weer een bewijs aantreffen, dat het Schriftwoord stilzwijgend uitgaat van reeds bekende en aanvaarde zaken en dus aan een bestaande traditie en aan in zwang zijnde gebruiken aansluit.

Het ligt voor de hand, dat de zegeningsplechtigheid bij godsdienstige samenkomsten in het Heiligdom geschiedde en het onderdeel of slot van de een of andere dienst uitmaakte. We vinden deze zo voor de hand liggende onderstelling natuurlijk ook bevestigd. In v Moz. 10, 8 en 21, 5 staat het zegenen met de naam van God vanzelf geplaatst naast de taak der priesters, om in dienst van God in het Heiligdom te staan. Inderdaad vond het uitspreken van deze zegen plaats na het brengen der verplichte offers, welke dagelijks gewoon en op sabbath, feestdagen en nieuwemaansdagen nog extra, namens de gemeenschap gebracht moesten worden. Daar ter plaatse blijkt meteen dat het voorschrift omtrent de zegen niet beperkt was tot Aron en diens zonen in de enge zin, maar dat het zich uitstrekte over zijn nakomelingschap.

Het was echter niet zó onafscheidelijk aan heiligdom en offerdienst verbonden, dat het tegelijk met de ondergang van de Tempel en zijn eredienst kwam te vervallen. Het gold en geldt voor alle tijden. Ook voor nu.

Het was en is meer plicht dan voorrecht voor de kohaniem om de zegen te zeggen. Al was en is het op zichzelf een voorrecht voor hen, dat zij de speciale plicht ertoe en het uitsluitend recht op deze taak hebben. Maar toch: zij *moeten* het doen.

Doch niet zij zijn het die zegenen. Opzettelijk koos ik telkens de uitdrukkingen: de zegen uitspreken, de zegen zeggen. Er staat hun bij het voorschrift heel nadrukkelijk bevolen: 'zegt tot hen!' Héél nadrukkelijk. Met dezelfde indrukwekkende vorm van het Hebreeuwse werkwoord, waarin bijvoorbeeld in de Sinaïtische Openbaringswoorden het 'Gedenkt de Sabbath' gegeven staat. En we maken ons, geloof ik, niet schuldig aan letterknechterij, wanneer we in dit: zegt tot hen, iets vinden als 'zeggen *moet* ge, maar ook niets anders dan *zeggen*! Niet van u is de zegen maar van Mij.'

Ook hier worden we gesteund door de zin, die op het formulier van de priesterzegen volgt, welke zin tekenachtig klinkt aldus:

'Zij zullen Mijn Naam leggen op de kinderen Israëls en Ik zal hen zegenen.'

De 'Naam' leggen op de schare, de heilige Naam op hen overdragen, aan hen hechten: dat betekende de plechtigheid, dat hield de zegen in. Daarom was het nu ook de vierletterige Naam in de werkelijke uitspraak, die de priesters hadden uit te zeggen en die anders nooit dan nog bovendien op de Grote Verzoendag door de Hogepriester, over iemands lippen kwam.

Zij waren dus orgaan, niets minder, maar ook niets meer. Niemand hunner die dienst had mocht zich aan de plicht onttrekken en ook aan niemand van deze kon de vervulling dezer taak belet worden. En zij hadden uit zich zelf niets te zeggen. Het formulier staat vast. En zij kunnen niet komen met: 'wij zegenen u in de naam van God.' Maar met het: 'God zegene u!'

Thans is de priesterzegen thuis bij de erediensten op dezelfde tijdstippen als waarop hij eertijds in tabernakel en tempel werd uitgesproken. Een eerbiedwaardige rest uit verre dagen. Het plechtige uitspreken echter door de kohaniem geschiedt evenwel in het algemeen alleen nog maar op de feestdagen. En natuurlijk alleen als er manspersonen aanwezig zijn, die in mannelijke linie Aronieden zijn. Anders blijft het uitspreken van de priesterzegen in deze officiële plechtige vorm achterwege. Telkens als het uitspreken ervan op de ervoor geldende momenten niet plaats vindt, last de voorzanger hem in het hoofdgebed, de sjemoné esré – in en laat hij er een korte inleidende bede aan voorafgaan: 'Onze God en God onzer vaderen, zegen ons met de drievoudige Torahzegen, die neergeschreven is door Uw dienaar Mozes en gezegd moet worden door Aron en zijn zonen, de priesters, Uwe heilige schare; en wel:'

Dan volgt de zegen woordelijk.

Ook thans heeft de plechtigheid plaats in dat gedeelte van de synagogale eredienst, waar in het hoofdgebed gesproken wordt van de vroegere tempeldienst. Voordat de voorzanger tot dit deel genaderd is, maken de kohaniem, die hun bijzondere plicht vervullen willen, zich daartoe gereed. Behoort de voorzanger zelf tot de Aronieden, dan neemt iemand anders zolang zijn taak als voorzanger over. Niemand kan ertoe genoodzaakt en bijna niemand kan er geweerd worden. Wie niet wil, gaat heen. Hij verlaat de synagoge alvorens de plechtigheid begint en kan, als hij wil, daarna terugkeren. Allen die de taak, hun opgelegd willen uitvoeren, treden nader, nadat zij hun voeten van leren schoeisel hebben ontdaan. Dan stellen zij zich op tussen biema en lezenaar en moeten zich daar de handen laten 'wassen'. Daartoe wachten hen daar de Levieten, met wie zij uit dezelfde stam gesproten zijn en die hun deze dienst bewijzen moeten, zoals ook in de tijden van weleer de Levieten voor de eredienst aan de priesters waren toegevoegd. Als er geen Levieten zijn, moeten de eerstgeborenen het doen. En bij gebreke van deze, verrichten de priesters zelf de wassing. Het is, zoals vanzelf spreekt geen wassing die tot reiniging in de zin van schoonmaken dient, doch slechts een overgieten ter symbolische wijding voor de dienst. De kan, waaruit het water over hun handen wordt gegoten en de schaal, waarboven dat geschiedt, vormen vaak een oud en kostbaar bezit der synagoge, dat soms uit een ver verleden als geschenk tot haar is gekomen. Er bestaan van deze schalen en kannen prachtige exemplaren.

Nu wachten de priesters na de handenwassing, naast de voorzanger op het eerste woord van dat gedeelte van het hoofdgebed, waarin de zegen zal gezegd worden. Zodra dit woord uit de mond van de voorzanger vernomen wordt, bestijgen zij de trappen van de *Doegan*, het platvorm, de hogere vloer vóór de heilige arke. Van dit woord doegan heeft de volksmond een werkwoord, doegenen gevormd, dat begrijpelijkerwijze een kort, gemakkelijk woord wil zijn voor het uitspreken van de zegen vanaf deze verhoging door de priesters. De kohaniem hullen hun hoofden in hun gebedsmantels en blijven staan met het gelaat naar de heilige arke gericht, totdat de voorzanger hen oproept. Een korte pauze in de dienst. De voorzanger zegt stil de inleidende bede: 'Onze God en God onzer vaderen…' Zoals ook de priesters in alle stilte voor zich een kort gebed uitspreken. Als de voorzanger tot het Hebreeuwse woord voor priesters is gekomen, breekt hij de stilte met de luide roep van dit woord Kohaniem![1]

Dat is de oproep aan de priesters. Dat is de oude opdracht herhaald. Geheel in de geest van het voorschrift. Want zij zullen niet zegenen uit eigen believen, maar ook nu in opdracht der gemeente zelf, bij monde van haar afgezant hun toegeroepen. De bijbelwoorden 'zegt tot hen', wil men zelfs gaarne in deze zin opvatten, of als steun ervoor gebruiken.

Als het woord kohaniem door de synagoge klinkt, wenden de priesters zich om en staan dan met het aangezicht naar de gemeente. Zij heffen hun handen onder hun gebedsmantels ter hoogte van hun schouders op. Bijna horizontaal uitgestrekt. Zij leggen immers de 'Naam' – nu als *Adonai* d.i. Heer, uitgesproken – en daarmee de zegen op de schare. Hun vingers zijn niet aaneengesloten maar op bepaalde wijze uitgespreid. Want niet in hun gesloten handen dragen zij de zegen. Die kan slechts uit den Hoge dalen en niet uit hun handen komen. Dat moeten zij en dat moeten wij wel weten.

En als zij nu eerst samen luid de wijdingsspreuk gezegd hebben, zoals er altijd een aan de vervulling van een godsdienstplicht voorafgaat, dan geeft de voorzanger hun ieder woord van het formulier der drie bijbelverzen aan en zeggen zij op deze wijze, woord na woord, de zegen.

Zo wordt hun zelfs ieder woord in de mond gelegd. En al dient dit ook om verwarring te voorkomen, toch zegt het tevens hun en ons alweer, dat zij aan deze plicht, die een voorrecht voor hen is, geen rechten kunnen ontlenen, noch ook, ten gevolge ervan een waan of enige verbeelding moeten gaan koesteren of krijgen. Hun handen blijven bij de hele handeling in dezelfde houding. En met het tallith overhuifd. Dit is niet enkel ter wille van de aankleding der plechtigheid maar ook om te voorkomen, dat er bij deze of gene uit het publiek een aanvechting op zou komen tot een kritisch kijken naar de opgeheven handen. Want iedere Aroniede is opgeroepen. En ieder bestijge en bestijgt vrij de doegan. Ook hij, wiens ambacht soms op zijn handen en vingers onuitwisbare sporen achterlaat. Er is geen keur. Niet bij de gemeente over hen, die de zegen zeggen. Noch bij de priesters over de gemeente en haar leden. De ene geven niets van zich en de anderen, als zij wat ontvangen krijgen het van Elders. Dit alleen mag men verlangen van de priesters: godsdienstige overgave, plechtige stemming, mild gevoel. En de gemeente behoort helemaal niet naar de priesters op te kijken maar zich aandachtig plechtig op te stellen in de houding van mensen, die hopen dat er zegen zal nederdalen en die die zegen gaarne op hun daartoe enigszins gebogen hoofden in ontvangst willen nemen.

De twee geheven handen met de duimen tegen elkander zijn een soort embleem geworden voor hen, die Arons afstammelingen zijn. En de schaal met een schenkkan schuin

1. Daarom wordt er niets gezegd als er maar één priester aanwezig is. In het enkelvoud past het hier niet.

erboven waaruit water in de schotel vloeit of door een hand erin gegoten wordt, is als een wapenschild voor hen, die tot de stam Levie behoren. Ge kunt deze versierselen op verschillende dingen vinden. Ontdekt ge deze handen op een zerk, dan kunt ge zeker zijn, dat hieronder een zoon van Aron sluimert en vindt ge op een andere grafsteen de kan en kom afgebeeld, dan weet ge, dat hier een kind van Levie ter ruste is gelegd.

Het is haast overbodig te vermelden, dat ook de priesterzegen niet declamerend wordt voorgedragen. Er zijn melodieën bij in zwang en deze variëren gewoonlijk naar de typerende zangwijzen der onderscheidene feestdagen.

Die zang wordt bij het laatste woord van ieder der drie verzen wat langer aangehouden. In de meeste gemeenten door de kohaniem samen als in koor. In enkele door de voorzanger. Maatregelen dan van decorum. De gemeente zegt tijdens de voordracht wel toepasselijke bijbelverzen bij ieder woord en bij ieder slotwoord ook nog wel korte beden. Amen volgt op elke zin en aan het einde van het geheel soms een plechtig samenzingen. En als daarna de voorzanger het volgende en laatste deel van het hoofdgebed inzet, wenden de priesters zich andermaal met het aangezicht naar de heilige arke. Zij onthullen hun hoofden en zeggen stil voor zich: O, God, wij hebben onze plicht vervuld. Geeft Gij nu Uwen zegen.

De priesterzegen is geëindigd. Even daarna klinkt het laatste woord van het hoofdgebed uit de mond van de voorzanger. De kohaniem dalen van de doegan en gaan naar hun plaatsen.

DE PREEK IN DE SYNAGOGE · HALACHÀH EN AGADÀH

Ook de predikatie heeft haar lotgevallen. In de synagoge is zij nog maar betrekkelijk jong. Openbare voordrachten over godsdienst en jodendom in het algemeen en uitgaande van de Bijbel of in verband er mede – dan immers heet een voordracht preek – zijn heel, heel oud in Israël

Het jodendom, naar de Leer en in zijn leven, op ieder gebied en in al zijn uitingen, werd steeds tot het Schriftwoord teruggebracht. Iedere wetsbepaling, ook iedere ceremonie en gaarne ook ieders gebruik, indien niet rechtstreeks en ondubbelzinnig in de Schrift te boek gesteld, moest er in elk geval uit voortvloeien, aan ontleend, uit afgeleid, uit verklaard worden. Dan kreeg het wijding en kracht. Het mocht niet los zijn van de Bron, het mocht niet in de lucht hangen. Er kon immers maar één Leer zijn. Wat niet direct in de Schrift stond maar zich niettemin in het leven als theoretische denkbeelden en praktische handelingen openbaarde en zo van mond tot oor was gegaan en verder ging van mond tot oor: dat alles kon niet anders dan uit een en dezelfde Bron zijn voortgekomen. Dus moest het erin teruggevonden, moest het eruit geschept kunnen worden.

Daartoe waren geleerdheid en vaardigheid nodig. Deze te verwerven, vormde een voornaam deel van de studie van de aanstaande leraar. Voor het doceren in deze richting en in het bijzonder voor het populariseren van deze kennis in openlijke voordrachten, waren redeneerkunst en redenaarsgaven voorname vereisten.

Deze methode van het opsporen van de samenhang van het leven met de Leer, dus ook een bronnenstudie, heet in de talmoedische terminologie *darasj*. De geleerde, die haar toepast en zijn resultaten in een openbare rede voordraagt, voert de titel van *Darsjàn*. De redevoering zelve is een *derasjàh*. In deze zin waren de grote stichters van scholen reeds darsjaniem. In zeer oude tijden, nog voor het ontstaan van het christendom.

Toen de synagoge de plaats van samenkomst en middelpunt van het joodse leven werd, zal deze derasjàh ook wel eens, misschien zelfs dikwijls, daar gehouden zijn. Maar met de synagogedienst als zodanig had zij slechts weinig uit te staan. Aanvankelijk ging het in hoofdzaak over de dingen der praktijk, over wetsbepaling, ceremonie en gebruik, die het leven leiden langs vaste lijnen: over de *Halachàh*.

Doch door allerlei oorzaken en omstandigheden breidde het terrein der derasjàh zich al vrij spoedig uit. Ook de onzichtbare achtergrond van het leven; de beginselen, waarnaar de tastbare werkelijkheid zich richt of heeft te richten; de ideeën, die in de daden belichaamd zijn; de geestelijke begrippen en waarden, die het leven bepalen: zij verlangden ook belicht te worden. De behoefte ook aan verinnerlijking en troost kon natuurlijk niet voorbijgezien, op den duur niet vernalatigd worden. En zoals de richtsnoeren voor het praktische leven aan de Bijbel ontleend waren, zo werden ook alle levensgedachten in de Schrift teruggevonden.

Ook dan oefent de darsjàn zijn functie nog volstrekt niet geregeld en niet altijd bij de godsdienstoefening in de synagoge uit. Zulke voordrachten werden gewoonlijk afzonderlijk gehouden en tot opzettelijke samenkomsten gemaakt in het beth-hammidràsj, of in de bijeenkomsten elders door extra verenigingen belegd of ook wel in de synagoge, maar dan bij uitzondering in de godsdienstoefening.

In de eerste eeuwen, waarin deze soort van derasjàh opkwam, ontstond er dientengevolge het begin van die grote en belangrijke literatuur, die de naam draagt van *Midràsj* – een woord, dat ook uit de stam *darasj* is gevormd – en waarin deze eigenaardige bijbelexegese is neergelegd. Hier begint de derasjàh heel in de verte de predikatie te naderen. Althans wat haar stof en haar onderwerpen betreft. De behandeling der stof en de indeling van het onderwerp zijn evenwel volkomen anders. De derasjàh doet alsof het gaat om de verklaring van een bijbelvers of van een bijbelplaats, die, werkelijk of ook wel schijnbaar, verklaring behoeven. Er zijn moeilijkheden en er worden moeilijkheden geconstrueerd. Om de moeilijkheden in het licht te stellen, worden er andere verzen aangehaald, die met de eerste schijnen te strijden. En dan dienen weer andere plaatsen, om de tegenstrijdigheid op te lossen. En daar tussendoor: verhalen, gelijkenissen, allegorieën, soms zeer koene, waarin bijbelse personen en soms ook hemelingen een rol spelen. De verklaring pretendeert hier het primaire te zijn, de tendens van heel de opzet. Schijnbaar terloops wordt in de tekstbehandeling de moraal naar alle kanten uitgestrooid. In deze dichterlijke midràsj wordt een schat van diepe wijsheid verborgen. En in wezen is het daar uitsluitend om te doen en is de tekstverklaring bijzaak. Daarom is het vaak ook geen *uit*legging, meermalen veeleer een *in*legging van gedachten, die van buitenaf worden meegebracht.

Zó gehanteerd, heet de behandeling van het schriftwoord *Agadàh*, ook wel eens *Hagadàh* geschreven. Pas op, dit dan niet te verwarren met het boekje, waarin de huiselijke voordracht voor de beide eerste Paasavonden staat en dat ook Hagadàh d.i. vertelling heet en dat ook wel agadische stof bevat en agadische behandelingswijze vertoont. De waarschuwing is nodig omdat de vergissing gemaakt is en gemaakt wordt.

De derasjàh gaat vervolgens een nieuw, een derde stadium in. De darsjàn der latere tijden neemt naast het bijbelvers nu ook de midràsj als gegeven. Als uitgangspunt. Welk een rijke kans voor een vernuftige geest! Want, waar de midràsj in zijn uiterlijkheid als tekstverklaring – wat hij voorgeeft te zijn maar in werkelijkheid niet is – op tal van plaatsen natuurlijk gelegenheid biedt om er tegenstrijdigheden in te ontdekken, daar kan de redenaar nu én met tekst én met midràsj op dezelfde wijze opereren als voorheen met de tekst alleen geschiedde. Een derasjàh op deze wijze is soms bewonderenswaardig om de vorm, om het tentoongespreide vernuft, om de geestigheid en meer nog om de geest, die overal uitborrelt en om de bezieling en de warmte, waarmede tegelijkertijd de godsdienstige moraal verkondigd wordt. Dit laatste komt in deze periode meer en meer als het opzettelijke doel der rede op de voorgrond. Waarmede de preek, zoals wij ons die denken, meer en meer benaderd wordt.

Maar nog altijd treedt ook in dit stadium de derasjàh als zodanig de synagoge nog niet binnen. Wel worden er langzamerhand enkele sabbathen voor het houden van redevoeringen in de synagoge aangewezen. Maar dan moeten het voor het merendeel nog halachische voordrachten zijn. In de orde van de synagogedienst kon zulk een voordracht ook moeilijk ingelast worden. Vooral moeilijk bij de Hoogduitse joden. Want deze hadden, veel meer dan de Portugese joden, hun liturgie in de loop der tijden telkens met nieuwe stukken – pijoetiem, verbasterd Grieks=gedichten – opgevuld en uitgebreid. Er was geen plaats en geen tijd meer voor een derasjàh. En in het wezen der synagoge was er ook maar weinig behoefte aan.

De taal van de darsjàn bij zijn mondelinge voordracht was – het behoeft nauwelijks gezegd - Jiddisj. Opgeschreven en uitgegeven werd zij natuurlijk in het Hebreeuws. Deze literatuur heeft geen geringe omvang.

De Franse Revolutie en de tijd van Napoleon hebben ook in het leven der joden, vooral van West-Europa, een algehele omwenteling teweeggebracht. Sindsdien werden de joden langzamerhand als gelijkgerechtigde burgers in de maatschappelijke samenleving toegelaten. Zij spanden zich nu met koortsachtige ijver in om van die opname gebruik te maken, zich harer in allen dele waardig te maken en zich in alle opzichten overal aan het heersende leven en aan de in zwang zijnde levensvormen aan te passen. Sommige vorsten streefden er, volgens hun beste weten naar, om de joden gelukkiger en voor hun staten tevens nuttiger te maken. Het Jiddisj vooral moest opgeofferd worden. Enkelen gelastten het gebruik van de landstaal op de joodse scholen en in de godsdienstige leerredenen der rabbijnen. Lodewijk Napoleon stuurde hier te lande ook in deze richting.

In het koninkrijk Westfalen, waar Napoleons broer Jerome regeerde, richtte Israël Jacobson, die aan het hof te Kassel als financier en bij de joden als voorzitter van hun consistorie een belangrijke plaats innam, de hele synagogedienst in naar het model van de eredienst in de protestantse kerken. Hijzelf – geen rabbijn – schoot toga en baret en bef aan en besteeg in zijn synagoge de kansel. En kansel en preek werden toen het middelpunt van de dienst. Deze reform, die meer of minder consequent is doorgezet en die orgel en koor – gemengd of niet – en de landstaal in plaats van het Hebreeuws als uitsluitende of overheersende gebedstaal heeft ingevoerd in de synagoge, dan gaarne tempel genoemd, deze reform heeft zich van daar uitgebreid over sommige steden der Duitssprekende landen en over Amerika en ook over andere werelddelen, waarheen gedurende de laatste eeuwen joden zijn getrokken. Die nieuwe godsdienstvoordracht in de landstaal, naar vorm en strekking geheel aangepast aan de kerkelijke predikatie en de moderne joodse kanselredenaars in de reformtempels, maakten veel opgang. Vele niet-joden kwamen luisteren. En mannen als Schleiermacher vertoonden zich vaak onder het gehoor der joodse predikanten, die van hem wenken ontvingen en bij wie ook hij kwam leren.

Een zeer groot deel van Israël heeft die hele reform, uiterlijke assimilatievrucht, afgewezen. Maar enige concessie heeft het moeten doen. De preek heeft het geaccepteerd. De preek natuurlijk in de landstaal. En de kansel in de synagoge. En de toga met baret en bef. Maar de orthodoxie heeft ook de hele liturgie, die uit het verleden tot haar is gekomen, met pijoetiem en tegelijk met alle overgeërfde melodieën, evengoed vastgehouden. Zij heeft ter wille van de predikatie niets geschrapt. En zij schrapt er ook nooit tijdelijk iets voor. Dus is de preek in de orthodoxe synagoge eigenlijk een inschuifsel en volstrekt niet het hoofdbestanddeel, nog minder het middelpunt van de dienst. Daardoor komt het ook, dat menige synagoge, die oorspronkelijk niet met een preekstoel is ontworpen en gebouwd, daar soms verlegen mee zit en er geen goede plaats voor heeft. Dan wordt er het spreekgestoelte maar tijdelijk geïmproviseerd, telkens als er een predikatie wordt uitgesproken.

Dat geschiedt nu gewoonlijk wel op gezette tijden, maar volstrekt niet iedere sabbath. Wordt er niet gepreekt, dan wordt er in ieder geval geleerd. Want de rabbijn moge ook predikant zijn, hij is vóór alles leraar der gemeente, haar docent in de kennis van het jodendom, die het naar binnen en naar buiten heeft te dragen en ook van de kansel heeft te verkondigen. Reeds de oude derasjàh stond altijd min of meer in het teken van zijn tijd. De predikatie in de synagoge houdt zich met alle joodse belangen bezig. Zij geeft, als homiletische beschouwing, de plaats en de richting van het jodendom aan, in het heden en de naaste toekomst, zoals de predikant zich die als de juiste denkt. De godsdienstprediking staat op de voorgrond. Evenals bij de profeten, ook wanneer deze politieke problemen behandelen. De tegenwoordige joodse predikant maakt gaarne gebruik van de midràsj, doch gewoonlijk spaarzaam en alleen om de kern en niet als tekstverklaring, al wordt de schijn daarvan volstrekt ook nu niet altijd vermeden.

Ook de oude derasjàh leeft nog. Maar dan eigenlijk buiten de synagogale dienst. Als er een kansel in de synagoge is opgeslagen en als er een godsdienstvoordracht wordt gehouden, dan is het de preek. De halachische voordracht heeft zich nog in slechts enkele grote gemeenten op een paar bepaalde sabbathdagen staande gehouden.

DRIE 'TEKENS'

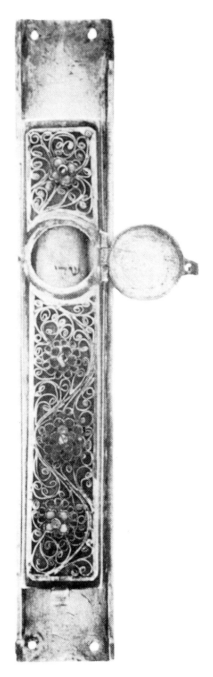

Mezoezàh, filigrain zilver met glassteentjes. Vervaardigd te Venetië in 1750. (Collectie Joods Historisch Museum, Amsterdam.)

שמע ישראל יהוה אלהינו יהוה אחד ואהבת את
יהוה אלהיך בכל לבבך ובכל נפשך ובכל מאדך והיו
הדברים האלה אשר אנכי מצוך היום על לבבך ושננתם
לבניך ודברת בם בשבתך בביתך ובלכתך בדרך
ובשכבך ובקומך וקשרתם לאות על ידך והיו לטטפת
בין עיניך וכתבתם על מזוזת ביתך ובשעריך
והיה אם שמע תשמעו אל מצותי אשר אנכי
מצוה אתכם היום לאהבה את יהוה אלהיכם ולעבדו
בכל לבבכם ובכל נפשכם ונתתי מטר ארצכם בעתו
יורה ומלקוש ואספת דגנך ותירשך ויצהרך ונתתי
עשב בשדך לבהמתך ואכלת ושבעת השמרו לכם
פן יפתה לבבכם וסרתם ועבדתם אלהים אחרים
והשתחויתם להם וחרה אף יהוה בכם ועצר את
השמים ולא יהיה מטר והאדמה לא תתן את יבולה
ואבדתם מהרה מעל הארץ הטבה אשר יהוה נתן לכם
ושמתם את דברי אלה על לבבכם ועל נפשכם וקשרתם
אתם לאות על ידכם והיו לטוטפת בין עיניכם ולמדתם
אתם את בניכם לדבר בם בשבתך בביתך ובלכתך
בדרך ובשכבך ובקומך וכתבתם על מזוזות ביתך
ובשעריך למען ירבו ימיכם וימי בניכם על האדמה
אשר נשבע יהוה לאבתיכם לתת להם כימי השמים
על הארץ

Facsimile van de tekst op het – uitgerolde – perkament uit de Mezoezàh. (Collectie Joods Historisch Museum, Amsterdam.)

Open (boven) en gesloten (onder) Tefillien. Rechts die voor de arm; links die voor het hoofd.

וידבר יהוה אל משה לאמר קדש לי כל בכור פטר כל רחם בבני ישראל באדם ובבהמה לי הוא ויאמר משה אל העם זכור את היום הזה אשר יצאתם ממצרים מבית עבדים כי בחזק יד הוציא יהוה
אתכם מזה ולא יאכל חמץ היום אתם יצאים בחדש האביב והיה כי יביאך יהוה אל ארץ הכנעני והחתי והאמרי והחוי והיבוסי אשר נשבע לאבתיך לתת לך ארץ זבת חלב ודבש ועבדת את העבדה
הזאת בחדש הזה שבעת ימים תאכל מצת וביום השביעי חג ליהוה שבעת ימים יאכל את מצות ולא יראה לך חמץ ולא יראה לך שאר בכל גבלך והגדת לבנך ביום ההוא לאמר בעבור זה עשה
יהוה לי בצאתי ממצרים והיה לך לאות על ידך ולזכרון בין עיניך למען תהיה תורת יהוה בפיך כי ביד חזקה הוצאך יהוה ממצרים ושמרת את החקה הזאת למועדה מימים ימימה

והיה כי יבאך יהוה אל ארץ הכנעני כאשר נשבע לך ולאבתיך ונתנה לך והעברת כל פטר רחם ליהוה וכל פטר שגר בהמה אשר יהיה לך הזכרים ליהוה
וכל פטר חמר תפדה בשה ואם לא תפדה וערפתו וכל בכור אדם בבניך תפדה והיה כי ישאלך בנך מחר לאמר מה זאת ואמרת אליו בחזק יד
הוציאנו יהוה ממצרים מבית עבדים ויהי כי הקשה פרעה לשלחנו ויהרג יהוה כל בכור בארץ מצרים מבכר אדם ועד בכור בהמה על כן אני זבח ליהוה בכל
פטר רחם הזכרים וכל בכור בני אפדה והיה לאות על ידכה ולטוטפת בין עיניך כי בחזק יד הוציאנו יהוה ממצרים

שמע ישראל יהוה אלהינו יהוה אחד ואהבת את יהוה אלהיך בכל לבבך
ובכל נפשך ובכל מאדך והיו הדברים האלה אשר אנכי מצוך היום על לבבך
ושננתם לבניך ודברת בם בשבתך בביתך ובלכתך בדרך ובשכבך ובקומך
וקשרתם לאות על ידך והיו לטטפת בין עיניך וכתבתם על מזזות ביתך ובשעריך

והיה אם שמע תשמעו אל מצותי אשר אנכי מצוה אתכם היום לאהבה את יהוה אלהיכם ולעבדו בכל לבבכם ובכל נפשכם ונתתי מטר ארצכם בעתו יורה ומלקוש ואספת דגנך ותירשך ויצהרך
ונתתי עשב בשדך לבהמתך ואכלת ושבעת השמרו לכם פן יפתה לבבכם וסרתם ועבדתם אלהים אחרים והשתחויתם להם וחרה אף יהוה בכם ועצר את השמים ולא יהיה מטר והאדמה לא תתן את
יבולה ואבדתם מהרה מעל הארץ הטבה אשר יהוה נתן לכם ושמתם את דברי אלה על לבבכם ועל נפשכם וקשרתם אתם לאות על ידכם והיו לטוטפת בין עיניכם ולמדתם אתם את בניכם לדבר בם
בשבתך בביתך ובלכתך בדרך ובשכבך ובקומך וכתבתם על מזוזות ביתך ובשעריך למען ירבו ימיכם וימי בניכם על האדמה אשר נשבע יהוה לאבתיכם לתת להם כימי השמים על הארץ

De vier afdelingen der Tefillien, facsimile. (Uit particulier bezit.)

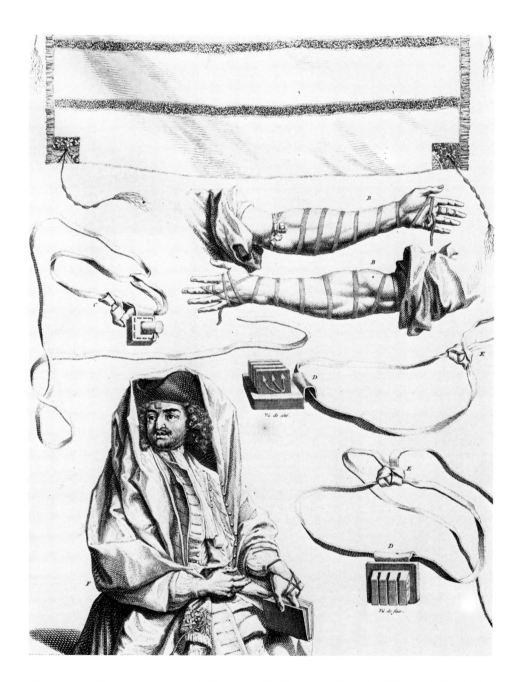

Gravure van Picart waarop het gebruik van de Tefillien getoond wordt. (Uit particulier bezit.)
De afgebeelde gravures van Picart zijn uit de 'Nauwkeurige beschrijving der uitwendige Godsdienstplichten', 1723.

Zakje voor het opbergen van de Tefillien. Eind 19de eeuw, Nederland.
(Collectie Joods Historisch Museum, Amsterdam.)

Twee Tallith-hoeken op zijde geborduurd, met de initialen van de eigenaar. Portugees-Joods, 19de eeuw. (Collectie Joods Historisch Museum, Amsterdam.)

Gebedenboek, sloten en beslag filigrain verguld zilver, het boek gedrukt in 1711 bij Proops. Dergelijke kostbare boeken werden alleen bij zeer bijzondere gelegenheden gebruikt, b.v. bij de eerste gang van een vrouw naar de synagoge, na een bevalling. (Collectie Joods Historisch Museum, Amsterdam; bruikleen L. Morpurgo.)

Menigeen heeft aan één der deurposten van een huis, bewoond door joden wel eens een kokertje zien zitten en zich dan afgevraagd, wat daarvan toch wel de oorsprong, de betekenis en de strekking zouden zijn. Hier te lande ontdekt ge die kokertjes niet zo maar, voor de voet aan, als ge op straat loopt en er de joodse huizen op zoudt inspecteren. Want hier zitten ze in den regel niet aan de buitenkant der deurkozijnen. Elders in grote joodse centra met een enigermate speciale jodenbuurt en vooral in Israël, kunt ge de mezoezàh huis aan huis, buiten op de deurpost zien prijken.

Het Hebreeuwse woord *Mezoezàh* zelf betekent uitsluitend deurpost, een staande stijl. Maar het is in dit geval overgedragen op het symbool, dat aan de stijl gehecht moet worden, is term geworden, als benaming van het 'teken' aan de post.

Het teken, het symbool aan de deurposten:

We zijn op oud-testamentische bodem. We slaan het ve Boek van Mozes op en lezen Caput vi, beginnende vers 4:

'Hoor Israël, Adonai[1] is onze God, Adonai is Eén. En gij zult Adonai, uwen God, liefhebben met heel uw hart en heel uw ziel en heel uw vermogen. En deze woorden, die Ik u heden gebied, zullen zich op uw hart bevinden. En gij zult uwen kinderen inprenten en ervan spreken, als ge zit in uw huis en als ge gaat op de weg en bij uw ter ruste gaan en bij uw opstaan. En gij zult ze binden tot een symbool op uwe hand en zij zullen tot een voorhoofdsteken zijn tussen uwe ogen. En ge zult ze schrijven aan de deurposten van uw huis en aan uwe poorten.'

In hoofdstuk xi van hetzelfde Boek vinden we vanaf vrs 18 tot en met vrs 20 bijna precies hetzelfde en vrs 20 stemt letterlijk overeen met de laatste, hierboven in vertaling teruggegeven zin.

Daar hebt ge de oorsprong. Daar staat het voorschrift twee maal, dat er iets, dat heel belangrijk wordt geacht ter onophoudelijke herinnering, tot een heilig symbool, tot een heiligend teken, op de deurposten van ieder huis en op de poorten der steden geschreven moet worden. Maar het wordt er niet regelrecht op geschreven. Hier spreekt de overlevering weer mede. En overeenkomstig haar interpretatie is het zó geworden, dat het hele hierboven vertaalde stukje en de andere pericope uit hoofdstuk xi van vrs 13 tot en met 20, op perkament wordt geschreven. Natuurlijk in het Hebreeuws. De bepalingen omtrent het perkament en de wijze van het schrijven komen ongeveer overeen met die, welke op een heilige Wetsrol betrekking hebben. Het beschreven stukje perkament, de mezoezàh, ziet er dan uit, als op de illustratie.

1. Adonai is de heel oude, door de overlevering voorgeschreven, joodse uitspraak van de vierletterige Godsnaam, die als Eigennaam bedoeld is en het beste door Het Eeuwig Zijnde wordt benaderd. Adonai betekent (mijn) Heer!

Dit aldus beschreven stukje perkament wordt nu opgerold of losjes opgevouwen van achteren naar voren, dat is hier van links naar rechts. Want Hebreeuws wordt van rechts naar links geschreven en gelezen. Zodat men, als men het documentje ontrolt, direct het begin onder de ogen krijgt. Zo opgerold of gevouwen, wordt het in een busje of kokertje gedaan. Gewoonlijk heeft dit omhulsel een opening, een luikje, waardoorheen de rug-zijde van het perkament zichtbaar is. Op die rugzijde staat het woord 'Sjaddai' hetgeen Almachtige betekent. En het perkamentje wordt zodanig in het busje gedaan, dat dit woord Almachtige, door het luikje heen, naar buiten kijkt. Bovendien worden aan de bovenrand van het perkament enige letters geschreven. Daaraan kan men, ook bij het op-gevouwen of opgerolde stuk herkennen, wat boven- en wat onderkant is. En dit voorkomt, dat de mezoezàh ondersteboven in het kokertje wordt gedaan. Die letters worden aan de rugzijde precies daar geschreven, waar zich aan de voorzijde de drie woorden bevin-den, welke betekenen: 'Adonai is onze God, Adonai'. Hierdoor is meteen aangegeven, waar van boven aan de binnenkant het schrift begint en de plaats bepaalt der woorden, die al zeer bijzonder tegen beschadiging beschermd moeten worden. De letters, die hier-voor gebezigd worden, zijn de volgletters van die, waaruit de drie bedoelde woorden bestaan. Waar dus aan de binnenzijde een aleph staat, bevindt zich op de buitenkant een beth. En zo verder. Het is niet nodig in deze letters en hun verbindingen mystische be-doelingen te zoeken.

Het busje met de mezoezàh erin – nu te zamen ook wel mezoezàh genoemd – wordt met een paar spijkertjes bevestigd aan de deurpost. Het moet er zó aan zitten, dat het van-zelf in het oog valt, zowel bij het verlaten als het betreden van huis en woonvertrekken. Daarom: aan de deurpost rechts. Rechts als men binnenkomt. Maar niet op de buiten-zijde, doch aan de binnenkant van de stijl, die uitziet op de binnenkant van de ander. En dan zo ongeveer op een manshoogte, in de lijn van het oog. Het kokertje zit er niet recht-op aan, ook niet dwars, maar in schuinse richting, met de bovenzijde naar binnen gekeerd. Ge hebt die kokertjes van allerlei stof. Van blik – en dat zijn eenvoudige en oude soorten en dan gewoonlijk ook met het luikje, waarvan ik boven sprak. Er zijn er ook, in dezelfde oude geest vervaardigd, van bijzonder fijn zilverwerk, uit de joodse kunstnijverheids-school Bezalel te Jerusalem en van vele joodse kunstenaars. Daartussenin hebt ge ze van glas, van celluloid, van hout, van koper. Glad of wat bewerkt.

Het vastslaan der mezoezàh aan de deurpost geschiedt weldra, nadat het huis betrok-ken is. Het is, zoals vanzelf spreekt, een godsdienstige handeling en gaat gepaard, min-stens met het uitspreken van een erbij behorende lofzegging. Bovendien heeft er dan ge-woonlijk een bescheiden, huiselijke plechtigheid plaats: de inwijding der woning, onder het houden van een kleine leeroefening en het gezamenlijk reciteren van enige Psalmen. De uitgebreidheid van deze huiselijke dienst heeft iedereen in handen en kan men bijna geheel naar eigen inzicht regelen.

Niet enkel aan de buitendeur der huizen bevindt zich de mezoezàh. Als er joodse steden met poorten zijn, dan zullen ook daar aan de ingangen mezoezoth aangeslagen zitten. Maar binnen in de huizen wordt zij ook gehecht aan alle toegangen tot die kamers, welke tot woonvertrekken dienen. Pakhuizen of zolders hebben geen mezoezàh. Ook badkamers niet en toiletten natuurlijk ook niet.

Maar ook de synagoge heeft geen mezoezàh. En nu moet ik om de strekking der mezoezàh naar voren te brengen, even in het algemeen en kort, hier weer een beginsel vastleggen hetwelk dit symbool en zovele andere ceremoniën beheerst: Aanvaarding der stoffelijke wereld, voetstootse aanvaarding, onvoorwaardelijke dierlijke aanvaarding van al het aardse, verwerpt het jodendom. Verachting van het ondermaanse als een onontkomelijk maar vervloekt kwaad verwerpt het evenzeer. Het huldigt: heiliging van het leven dezer wereld.

En in dit systeem past het symbool der mezoezàh. Zij wil het altijd zichtbare, het in het oog vallende herinneringsteken zijn, dat voortdurend zegt: heilig uw huis! Uw huis zij niet uw dak, ook niet uw kasteel: het zij uw tempel!

Daarom heeft het Godshuis zelf natuurlijk geen mezoezàh.

Velen strekken, wanneer ze het huis verlaten of betreden, de hand naar de mezoezàh uit en kussen deze, als ze de mezoezàh zelf niet met de mond kunnen bereiken. Velen zien er niet naar om en merken in de sleur het vragend en wekkend symbolische teken niet meer. Velen voelen het als een soort talisman.[1] Dat dit niet haar strekking is zal nu wel duidelijk zijn. Maar ongetwijfeld heeft ook de mezoezàh in de lange loop der vele eeuwen het joodse huis beschermd. En zij heeft ook thans haar heiligende en zegenrijke invloed gewis nog lang niet overal verloren.

TEFILLIEN · 'TEKEN' OP DE ARM EN OP HET HOOFD

Ze zijn wat minder algemeen bekend dan de mezoezàh, deze huisjes met hun inhoud. Want ze prijken niet voortdurend zichtbaar aan huis of poort. Het zijn symbolen, die op het hoofd en op de arm gebonden, moeten meegedragen worden. Van hen spreekt datzelfde hoofdstuk VI in het vijfde Boek van Mozes, waarvan ik een stukje, van het vierde vers af, in het vorige hoofdstuk vertaalde:

'En gij zult ze binden tot een symbool op uwe hand en zij zullen tot een voorhoofdsteken zijn tussen uwe ogen'.

Zo luidt vrs 8.

Welzeker. Er is daar volstrekt niet gezegd, dat deze tekens zich niet steeds op de aan-

1. Tegenwoordig wordt een kleine zilveren mezoezàh vaak als sieraad aan een halsketting of aan armband gedragen.

gewezen plaatsen van het lichaam moeten bevinden en dat ze slechts nu en dan moeten aangelegd worden. Heil hem, die ze steeds kan dragen!, ware misschien geen erg dwaze uitroep. Maar in het algemeen gaat dat niet. En dit begrijpt iedereen. Het is nu eenmaal niet doenlijk, in het verkeer onder de mensen en bij werk en handel en bij alle lichamelijke verrichtingen, ceremoniële ingrediënten op het lichaam bevestigd, mee te dragen. Zij vragen vanzelf enigermate naar omgeving. En, willen ze ook stemming geven, zo is toch stemmingsmogelijkheid evenzeer een natuurlijke vereiste. Daarom worden de *Tefillien* niet de gehele dag gedragen. Zij worden enkel aangelegd bij het gebed, in den regel bij het ochtengebed, soms bij het middaggebed, nooit 's avonds. De dag is de tijd der tefillien Maar als de dag in zichzelf reeds is geheiligd, zelf helemaal symbool is, dan zijn deze tekens vanzelf overbodig geworden en komen dan derhalve te vervallen. Daarom zult ge op sabbath en feestdagen bij de bidstonden in de synagoge, ook bij de ochtenddiensten, geen tefillien zien. Wel 's morgens op de werkdagen. Dan zoudt ge ze ook bij menigeen kunnen opmerken, die thuis het gebed verricht. In sommige joodse centra en in Israël zoudt ge misschien wel eens iemand met tefillien aan, op zijn weg naar het bedehuis kunnen ontmoeten, of bij zijn gang uit het huis des gebeds naar de leerzaal, waar hij zich dan nog, zolang zijn zaken hem de tijd gunnen, met deze huisjes op arm en hoofd, achter het boek neerzet om te leren. Maar in het westen met schaarser joodse bevolking en in veel geringere afgeslotenheid en zeker in een kleine stad of in een dorp, ware zulk een ontmoeting wel een zeer grote zeldzaamheid. Daarom zijn ze u minder bekend dan de mezoezàh.

Voor het mezoezàh-voorschrift zijn er – zoals we zagen twee plaatsen in de Pentateuch. Beide in het v^e Boek, hoofdstuk VI en hoofdstuk XI. In diezelfde hoofdstukken staan ook de symbolen der tefillien voorgeschreven. Vrs 8 van Cap. VI en vrs 18 van Cap. XI. We gaven het eerste, bij de behandeling der mezoezàh reeds in extenso in vertaling. Maar behalve op deze twee plaatsen komen dezelfde gedachten, in bijna dezelfde woorden, nog voor in het IIe Boek van Mozes. En wel hoofdstuk XIII vrs 9 en hetzelfde hoofdstuk vrs 16.

Hier hebben we dus viermaal het voorschrift. Belangrijke woorden en denkbeelden schrijven op de posten der deuren, regelrecht erop schrijven, dat zou mogelijk zijn. Maar woorden binden op de hand of elders, dat gaat minder gemakkelijk. Zo leert terloops, het ene iets omtrent het ander. Dit binden dier gewichtige uitspraken op bepaalde plaatsen van het lichaam kan, als het moet gebeuren, moeilijk anders worden gedaan, dan het op de een of andere stof geschreven woord mèt die beschreven stof, of met de bladen waarop het woord geschreven is, op de aangewezen plekken te bevestigen. Zo wordt het inderdaad gedaan. De vier afdelingen, die het voorschrift behelzen, worden afgeschreven op perkament. Alweer op perkament, dat aan bepaalde eisen van afkomst en bereiding voldoet. En geschreven op een wijze, die aan de daarvoor gestelde normen beantwoordt. En dit, met die afdelingen beschreven perkament wordt, opgerold in kokertjes of huisjes gelegd. Die huisjes zijn nu niet van metaal of hout of glas of van een andere, vrijwel willekeurige stof, zoals bij de mezoezàh, maar uitsluitend, eveneens van perkament vervaardigd. Ze hebben de vorm van een kubus, kleiner of groter, in ieder geval van een blokje, waarvan de lengte en breedte gelijk zijn, al kan de hoogte in afmeting wat verschillen.

Deze – laten we nu maar zeggen – kubus verheft zich op een vierkant grondvlak, waarvan de lengte en de breedte wat groter zijn dan van de kubus en dat dus aan de vier zijden met een overal even brede rand onder om de kubus heen, uitsteekt. Dit grondvlak is zó gemaakt, dat er aan één der zijden, die we de achterzijde zullen noemen, een opening is ontstaan, een schuif. Door deze schuif heen wordt een riem getrokken, waarmede het huisje als het bij het gebed wordt aangelegd op arm en hoofd, op bepaalde wijze wordt vastgemaakt. Die huisjes met die riemen, dat zijn de tefillien, welk woord gewoonlijk in het Nederlands met gebedsriemen wordt teruggegeven, ofschoon in het Hebreeuws de stam alleen wat zegt van gebed, niet van riemen.

Op twee plaatsen moeten ze aangelegd worden. Twee huisjes zijn er dus nodig. En zijn er dus ook voor. Deze twee huisjes zijn niet helemaal precies gelijk aan elkander. Want tweemaal moeten nu de vier bijbelplaatsen op perkament worden overgeschreven. Dat gebeurt. Maar een beetje verschillend: éénmaal alle vier te zamen op één reepje perkament en éénmaal ieder afzonderlijk op vier aparte reepjes perkament. Het éne reepje wordt opgerold en in een huisje gedaan. En de vier reepjes worden ieder afzonderlijk opgerold of opgevouwen ,en in het andere huisje gedaan. Maar dit huisje heeft van binnen vier afzonderlijke vertrekjes – laatjes zou men ook kunnen zeggen – naast elkaar. Dat is aan het huisje ook van buiten zichtbaar aan de voren of groeven, die erin zitten, tengevolge van de bewerking van binnen. Het eerste huisje is van buiten helemaal glad. En de beide huisjes zijn glanzend zwart gemaakt, zoals ook de riemen, waarmee de huisjes worden aangelegd, zwart zijn gemaakt aan hun buitenkant.

Twee huisjes voor de twee in de bijbelplaatsen genoemde lichaamsdelen. Eén voor de arm. Het Hebreeuwse woord, hetwelk we met 'de hand' hebben vertaald, betekent volstrekt niet enkel de hand maar evengoed de arm met de hand of de hand met de arm eraan. Het woord betekent zelfs zijde en zelfs oever.

Het huisje wordt nu op de bovenarm gelegd, op het dikke gedeelte, waar de spieren een bal vormen. De arm wordt gewapend! Niet met het wapen des gewelds, maar met het Woord, dat wijst naar God. De riem wordt om de arm gewikkeld, zeven malen (d.i. vele malen; als het kon: een oneindig aantal malen) en verder om de vingers en de hand afgesloten. Niet op de rechterarm is de plaats der tefillien. Maar met de rechterarm worden zij op de linkerbovenarm gebonden, zodanig dat het huisje naar de zijde van het hart zij toegewend. Want het hart en het Woord: op deze immers, in samenhang met elkander, komt het aan. Het andere huisje wordt hoog op het voorhoofd gelegd.

'Tussen de ogen'. De aanwijzing der plaats in de Hebreeuwse woorden, die ervoor gebruikt worden, is duidelijk genoeg. Die woorden bedoelen volstrekt niet het plekje boven de neus tussen de wenkbrauwen maar inderdaad de schedel, waar deze aan het voorhoofd aansluit en in den regel met haar is begroeid. De rand dus van de deksel der hersenpan, de voorrand, tussen de ogen. En daar komt het huisje te liggen. Het woord van God en het centrum van het intellect in harmonie verenigd: ziedaar, wat het symbool te zeggen heeft.

Met zijn riem, die de hele schedel omgeeft en waarvan de knoop in de nek komt te liggen, daar waar de hersens in het ruggemerg overgaan, wordt het huisje vastgelegd. De twee uiteinden van de riem, die uit de knoop komen, worden naar voren over de borst gehangen.

Ook hier ontbreekt het woordt Sjaddai niet, hetwelk Almachtige betekent. Het Hebreeuwse woord bestaat uit drie letters. De eerste letter staat op de tefillien van het hoofd, zelfs op twee manieren, gewerkt in het perkament waaruit het huisje is gemaakt. De knoop in de nek is in de vorm van de tweede letter. De derde is aan de knoop aangebracht, waarmee het huisje op de arm wordt aangetrokken.

Zo getuigd en getekend staat de jood, nu in het bijzonder in zijn gebed. Hij is in de tefillien nu zelf met symbolen omgeven, draagt nu zelf ook het merk 'Sjaddai'.

Zo staat gij in de schepping, die van God is vervuld. Goddelijk is alles. Ook gij. Dat moet ge leren. Dat moet ge weten. Dat moet ge beseffen. Altijd.

TSITSITH · 'TEKEN' AAN DE KLEDING

Een 'teken' aan de kleding, symbool aan het gewaad, dat willen de *tsitsith* zijn. Het woord betekent lok, kwast, franje. In de vertalingen vindt ge vaak wat anders. De Statenvertaling spreekt van snoertjes. De joodse vertalers hebben meestal schouwdraden. Het laatste geeft meer de strekking van het symbool dan de betekenis van het woord terug. Het eerste lijkt me niet met het een noch met het ander overeen te komen. Het voorschrift der tsitsith vindt ge in IV Moz. XV van vrs 38 tot het einde van het hoofdstuk, luidende aldus:

'Spreekt tot de kinderen Israëls en zegt hen, dat zij zich franjes maken aan de hoeken hunner kleren in al hun nageslachten en dat zij bij die hoekfranjes een draad voegen van hemelsblauwe wol. Het zal u slechts tot franje zijn en ge zult het zien en alle geboden Gods gedenken en ze doen; en niet achter uw hart en ogen aanlopen, in welker spoor gij tot afval komt. Opdat gij al Mijn geboden zult gedenken en doen en heilig zult zijn voor Uwen God. Ik ben Adonai, uw God, die u uit Egypte heeft gevoerd, om u tot God te zijn, Ik, Adonai, uw God'.

De strekking staat hier duidelijk.

Aan de hoeken der kleren moet iets zijn, dat als een gestage waarschuwing tegen de zinnelijke verleiding worde meegedragen en dat met dit doel voortdurend de gedachte op God en Zijn geopenbaarde Wil moet richten.

Die kleren worden stilzwijgend als met hoeken gedacht, omdat de gewone bovenkleding waarschijnlijk wel met een soort omslagdoek om hoofd en schouders of om beide voltooid zal zijn geweest. En daar moest dan, aan de hoeken een franje of een kwast zitten. Niet met een technisch doel, om de einden aan elkaar te knopen of om er iets mee dicht te maken, vast te binden of iets dergelijks. Ook niet als garnering, ornament, tooi. Alleen maar als herinneringsteken met een religieuze strekking. Deze, technisch daar geheel overbodige franje, welke zich ostentatief als overbodig aandient, deze draden met de ene hemelsblauwe draad, verlangen slechts gezien te worden. Zien en herinnerd worden zal één zijn. En die aanschouwelijke herinnering zal u telkens een memento zeggen: Ziet naar God! En laat dat het bewustzijn bij u levendig houden, dat ge Gods kinderen zijt en heilig kunt zijn en blijven. En dit wapene u tegen de verleiding van hart en ogen, welke in staat zijn om de wegen naar de afval voor u te verkennen.

Ik geloof, dat ik op deze wijze de inhoud en de strekking van de tekst objectief terug geef en er niets inleg.

Het is opmerkenswaardig, dat de Pentateuch zelden zelf zijn symbolen verklaart. Het behoort in het algemeen tot de eigen verhaaltrant van de Bijbel, inzonderheid der Torah, dat er feiten en niets anders dan feiten in worden verteld. De handelingen worden geschetst, niet de innerlijke aandoeningen van de personen, die in het concrete gebeuren optreden. Wat zij doen wordt ons medegedeeld; niet wat er in hen omgaat vóór en tijdens en na hun daden. Het is aan ons, hun zieleleven – indien mogelijk – te peilen en aldus de achtergronden van al het gebeuren te herscheppen. Of te scheppen.

Zo is het ook met de symbolen. Hier met deze franje en de hemelsblauwe draad erin. Want hoe zit juist in deze dingen deze symbolische strekking? Dat zegt de Torah er niet bij. Maar zou men wel erg mistasten, wanneer men aanneemt, dat de kleur van de hemel bij deze ostentatieve franje bedoeld en bestemd is om een gedachtenassociatie te wekken? De gedachte: hemel! De gedachte: God! Zo heeft in ieder geval de aloude opvatting het gevonden, de traditie het genomen. Al wordt het symbool zelf hier niet in de onderdelen verklaard, de strekking staat er wel zeer duidelijk, haast nergens zo duidelijk als hier.

Het is gegeven 'voor alle nageslachten' dus voor alle tijden. Maar de gewaden zijn anders geworden en de tijden hebben andere omstandigheden gekregen. En ook de hemelsblauwe wollen draad is er niet meer, omdat de bedoelde blauwe kleur niet verkregen kan worden. De slak die deze kleur leverde is niet te vinden, gelooft men niet meer te kennen. Doch Israël heeft niet losgelaten. Wat het niet geheel in zijn oervorm kon vasthouden en voortplanten, heeft het op de een of andere wijze geconserveerd, om het voor de mogelijkheid van toekomstige, wellicht geschiktere tijden te bewaren. Het heeft aldus ook de tsitsith tot in onze tijd meegebracht. Maar, als ge het kleed met de tsitsith er-aan, uit onze tijd kent, dat kent ge het meestal slechts als kerkkleed. Zo kunt ge het meer-malen in de synagoge gezien hebben en zo kunt ge het er zien, haast zo vaak als ge wilt. Iedere morgen, op werkdagen, op sabbath en op feestdagen, wordt het als regel bij de bidstonden omgeslagen. Zeker door hen, die in de synagoge, en gewoonlijk ook door hen, die thuis hun gebed verrichten. Soms geschiedt het ook bij andere dan de ochtend-diensten. De voorzanger zal het bij iedere godsdienstoefening aandoen. Het neemt nu de plaats in van een expresselijke gebedsmantel en biedt zich aan als een kerkelijke benodigd-heid of als een kerksieraad. Het draagt zijn naam niet naar de tsitsith die eraan zitten, maar heet eenvoudig *Tallith*, hetgeen 'kleed' betekent en niets meer. Maar het is in de dagelijk-se omgang speciaal dit kleed met de tsitsith geworden. Het ziet er uit als een omslagdoek. Gewoonlijk van wol, wit met zwarte strepen. Ook wel van zijde en dan gewoonlijk met blauwe strepen. De grootte is vrijwel onverschillig, als het maar groot genoeg is om hoofd en schouders te bedekken.

De tsitsith zijn van wol, alleen bij een zijden tallith wel van zijde. De hemelsblauwe draad mankeert. Alle draden zijn wit. Het zijn er acht, die uit een soort vlechtwerk af-hangen. Het tallith wordt geweven. Hier te lande zijn geen tallithweverijen. Deze moet ge zoeken in joodse centra als b.v. in Amerika en vooral in Israël. Aan het maken der tsitsith zijn enkele voorwaarden verbonden. Niet iedere voor welk onverschillig doel ook vervaardigde wollen draad kan maar zo tot tsitsith gepromoveerd worden. Ook de tsitsith worden hier te lande niet vervaardigd.

Als het tallith voor het ceremoniële gebruik wordt in gereedheid gebracht, dan wordt eerst op een der zelfkanten een smal strookje lint genaaid. Dat zal dan voortaan de boven-kant zijn. Dit lint wordt tegelijkertijd wel eens voor een toepasselijke inscriptie gebezigd, soms van borduurwerk, goud- of zilverstiksel voorzien. Hier is vrijwel volledige vrijheid gegeven. Men ziet wel eens, vooral in reform-synagoge, een heel brede rand van goud galon, waaronder dan het hele tallith netjes in een strook is opgevouwen. En deze strook hangt dan om nek en over schouders, heel keurig en koket. Bij anderen ziet ge ook wel brede en rijke, gewoonlijk zilveren galonnering. Maar het tallith, groot en statig hangt dan toch in brede plooien.

Op elke der vier hoeken van het tallith wordt vervolgens een klein vierhoekig stuk, gewoonlijk van zijde, gezet. Voornamelijk ter versteviging. Ook deze hoekstukjes, een goede hand breed en wat meer, in het vierkant of meer rechthoekig, geven een vrije ge-legenheid tot versiering met borduurwerk.

En nu komen de tsitsith eraan. In iedere hoek van het tallith wordt, niet vlak op de rand maar toch dicht er bij, door de stof van het kleed en het opgezette hoekstukje heen, een gaatje gemaakt, hetwelk natuurlijk netjes en stevig wordt omzoomd. Daar doorheen worden vier draden gestoken, drie even lang, één een eindje langer. De acht afhangende uiteinden worden nu op een bepaalde wijze met elkaar geknoopt en gestrikt. De langere draad wordt een aantal keren om de zeven andere gedraaid en gestrikt. En in de wijze, waarop dit geschiedt, heeft men het ontbrekende hemelsblauw trachten te vervangen. Het getal omwikkelingen bedraagt negenendertig, dat is net zo veel als de letters der Hebreeuwse woorden Adonai echad als cijfers gebruikt, aan getallenwaarde vertegenwoordigen. En deze woorden betekenen: Adonai – d.i. de eeuwig Zijnde – is Enig.

Zó heeft Israël het symbool in de Torah omschreven, vastgehouden en in oude strekking en met dezelfde bedoeling en kracht van uitdrukking, getracht te benaderen. Het heeft niet kunnen verhinderen, dat het zichtbare symbool aan het gewaad, als overal meegedragen onophoudelijke waarschuwing, in hoofdzaak is beperkt gebleven tot het tallith en dat dit kleed de kerkelijke of ook huiselijke gebedsmantel is geworden.

Toch is er, behalve dit zogenaamde 'grote' tallith ook nog het 'kleine'. Maar dit ziet ge niet. Het wordt inderdaad altijd gedragen, doch onder de bovenkleding. Een eenvoudige vierhoekige lap is de gewone vorm. Uit het midden is een rechthoekig stuk weggeknipt, groot genoeg, dat het hoofd er gemakkelijk doorgaat. En dan worden aan de vier hoeken de tsitsith bevestigd op dezelfde wijze als aan het grote tallith. Dit is het 'kleine tallith', dat ook wel *Arba' Kanfoth* heet, hetgeen niet anders betekent dan vier hoeken en voluit bedoelt: kleed van vier hoeken.

Dit heeft de jood overal en altijd aan. En als hij bij het gebed geen groot tallith ter beschikking kan hebben, dan bezigt hij de tsitsith van zijn arba' kanfoth. Zodra het joodse jongetje het spreken goed machtig is en moeder hem een kort Hebreeuws ochtendgebedje gaat leren, dan is het de vreugde van grootmoeder, om hem het eerste arba' kanfoth te breien of op andere wijze te vervaardigen. Zo worden nog de geslachten aaneengeregen.

En zo is het tsitsith-voorschrift bij de tefillien en de mezoezàh de derde in de rij. In deze symbolentrits heeft het jodendom altijd veel vertrouwen gehad:

'Wie tsitsith aan zijn kleed, tefillien aan zijn lichaam draagt en de mezoezàh aan zijn deurposten heeft – zegt een oude Talmoedwijze – zal niet gemakkelijk zondigen'.[1]

En onwillekeurig grijpt hij – kan het anders? – naar het bekende woord van de Prediker (4.12): 'een drievoudige draad wordt niet gauw verbroken'.

1. Talm. Babl. Menach 43b.

SABBATH

Koningin Sabbath. Inderdaad. Geen Koningin is er ooit met groter eer bejegend, met hartelijker liefde ontvangen, met zo kinderlijk genot begroet. Wel staat – als het goed is – de hele werkweek in de glans van de sabbath maar de laatste dagen zijn, en speciaal de vrijdag is geheel aan de voorbereiding voor de ontvangst der Koningin gewijd. Alles moet in huis een beurt hebben, alles moet 'gedaan' worden. Drie maaltijden – niet minder – moeten er te harer ere worden voorbereid: het vrijdagavondmaal, de sabbathochtendtafel en de derde sabbathmaaltijd, gewoonlijk voor de late namiddag.

Vroeger – maar dat is alweer vrij lang geleden – veroorzaakte de voorbereiding van het maal veel meer drukte dan thans. Doch gaf het ook meer wijding. Wij hebben de tijd en de omstandigheden nog gekend, dat ieder gezin genoodzaakt was het eigen brood te bakken en dat een grote trog ook tot het huisraad behoorde. Het bakken van het sabbathbrood was toen nog iets bijzonders. Wie de hele week met roggebrood tevreden leefde, bakte ter ere van de sabbath toch witte broden. En hoe wit! Zo blank als er maar bloem te krijgen was. De beroemde *Challoth*!

De *Challàh* (enkelvoud) betekent broodkoek, een brood.

De Torah zegt in IV Mozes XV vrs 18 tot 21:

'... als gij komt in het land, waarheen ik u voer; – dan zal het zijn, als gij eet van het brood van het land, dan zult gij er een heffing ter ere van God van afzonderen; – als eersteling van uw troggen zult gij er een brood als gewijde heffing van nemen, evengoed, als de 'heffing' der schuren, zult gij ook deze 'heffing' doen; – van de eerstelingen uwer troggen zult gij Gode een 'heffing' wijden, ook bij uwe nageslachten.'

Dit voorschrift geldt – het staat er duidelijk – in het land en bij het bestaan van een Tabernakel of Tempel met de priesters voor de dienst. Maar Israël heeft ook dit symbool in de verstrooiing niet losgelaten. En van het deeg wordt, al is er nu geen Tempel en al zijn er geen dienstdoende priesters, een stukje afgezonderd. Een klein stukje slechts, want het is maar een herinnering. En dat stukje deeg wordt nu, omdat het de gewone bestemming niet kan krijgen, eenvoudig verbrand. Het kneden van het deeg en in ieder geval het nemen der 'heffing', die nu ook challàh heet – het *Challàh nemen* dus – onder het uitspreken van een toepasselijke lofzegging, dat hoort bij moeders taak. O, het maken der sabbathbroden! Daar stonden we als kinderen bij. Dikke vlechten worden er van het deeg gemaakt. Voor ieder brood worden een paar vlechten – ik meen gewoonlijk drie – door elkaar gestrengeld. Een dun, ook gevlochten strengeltje wordt midden over de rug gelegd. Misschien wordt er ook nog eiwit of iets anders van dien aard, boven overheen gestreken. Soms ook de bovenkant met maanzaad bestrooid. Dan is het brood, naar vorm en toebereiding en wijding, gereed om verder afgedaan en in de oven gaar gebakken te worden. Moeder is trots, als de challoth hagelwit en mooi zijn uitgevallen.

Dit alles is natuurlijk niet meer de taak van de huisvrouw. De bakker heeft het haar uit de hand genomen. In het begin heeft menige huisvrouw het challàh-nemen niet aan de bakker afgestaan maar liet zij zich het deeg voor deze wijdende handeling bij zich thuis brengen. Om alle mogelijke redenen is ook dit, in het algemeen vervallen. Maar de challoth zijn er nog: in de oude vorm van het sabbathbrood. Voor de drie maaltijden ter ere van de Koningin Sabbath.

En dan is er de wijn om er de Koningin mee te begroeten. Wie geen rode wijn in een betere kwaliteit bekostigen kan, neemt een minder prijzige soort. En wie helemaal geen rode kan krijgen, verschaft zich goedkope witte wijn. En als de beurs ook dat niet toelaat, dan maakt moeder zelf wijn. Van rozijnen. Maar wijn zal er zijn. Al is het maar één glas vol. Voor vrijdagavond.

Dan wordt de Sabbath ingehaald.

Vroegtijdig, vóór het invallen van de nacht is alle werk in huis gedaan. Ter synagoge, als eerst het gewone middaggebed is verricht, worden zes Psalmen gereciteerd, 95-99 en 29. En dan zingt de voorzanger zijn mooiste melodieën op de hymne aan de sabbath, nu de Sabbathbruid, die wordt verwacht. De hymne met het refrein: 'Kom, mijn vriend, de Bruid tegemoet! Laat ons de Sabbath begroeten.' Bij de laatste strofe staat alles op: 'Treed binnen in vrede, gij sieraad uws mans; treed binnen in vreugde en met jubel; bij de trouwen van Israël, het eigene volk, treed binnen, o bruid, treed hier binnen!'

Overal in het buitenland, waar ik een vrijdagavond heb meegemaakt, richt heel de gemeente zich mèt de voorzanger met het gezicht naar de ingang der synagoge en buigt daarheen beleefd, alsof de Bruid in al haar tooi en gratie daar komt aangeschreden. Hier blijven we staan met het gelaat naar het Oosten en buigen even links en rechts. Dan volgt het recitatief van Psalm 92, die het opschrift draagt: 'Psalmgezang aan de Sabbathdag' en ten slotte Psalm 93. Dan wordt de Sabbath geacht te zijn binnengetreden.

De Koningin heeft haar troon bestegen.

Het avondgebed wordt verricht.

Aan het einde van de dienst wordt de Sabbath ingewijd. Een wijnbokaal wordt volgeschonken en de voorzanger in de hand gegeven en, met opgeheven beker, zingt hij nu de lofzegging over de wijn en over de heiliging van de dag, als huldigend met de erewijn de Sabbath.

Dat heet *Kiddoesj*.

Intussen heeft moeder thuis de tafel aangericht met het beste wat zij heeft. En zij heeft het licht ontstoken. Niet enkel het gewone licht, om het vertrek te verlichten, maar ook een extra sabbath-licht om de kamer te beschijnen. Het zijn bijvoorbeeld een paar kaarsen in kandelaars op de tafel of op de schoorsteenmantel. Of ook afzonderlijke, maar vaste lichten aan de schouw of ergens anders in de kamer. Tegenwoordig hebben we ook deze geëlektrificeerd. Maar die oude, eerwaardige sabbathkandelaars, meest van zilver, soms familie-erfstukken, hebben onze broeders op hun vake vlucht altijd overal mee heengedragen. Meermalen waren deze het haast enige geredde uit de ruïne van hun bestaan. We hebben in de oorlog berooiden hier zien aankomen met niets. Doch mèt hun tallith en tefillien. En mèt hun grote, mooie zilveren kandelaars, als met een schat, een talisman. De nood kon haast niet zó hoog gekomen zijn, dat zij hun sabbathlampen verkochten of beleenden!

Vroeger brandde men hier een zeer bijzondere sabbathlamp. Zij zag eruit als een omgekeerd klein regenscherm, gewoonlijk met twee, soms met meer verdiepingen. Uit de punten, als tuitjes, kwamen enige, vaak zeven, pitjes in het rond in de olie gelegd. En aangestoken glinsterden dan zeven vlammetjes in het glanzend geschuurde koper of zilver van deze oude sabbathlamp. Ze is uit de mode. We hebben haar nog bij de grootouders in gebruik gekend. We hebben de oliepitjes later door kaarsen, rechtopstaand op de plaats van de tuitjes, vervangen gezien. Later zelfs geëlektrificeerd. Ze is niet meer. Ze bevindt zich, in allerlei exemplaren in musea, bij particulieren, bij de handelaren in antiek en bij de kopers.

Het licht van de sabbath is ontstoken. Moeder zal ook hier de wijdingsspreuk over spreken. Zij houdt haar beide handen een wijle tussen het licht en haar ogen in, de handpalmen naar het licht gekeerd en sluit de ogen en zegt in het Hebreeuws de gebruikelijke lofzegging. En neemt haar handen weg van voor het licht. En bij het ontsluiten van haar ogen zal het haar zijn alsof nu voor het eerst het sabbathlicht haar opgaat. En zij spreidt haar handen, rechts en links en zaait het sabbathlicht in heel de kamer uit naar alle hoeken.

De Koningin komt binnen: het is Sabbath.

Men komt thuis uit de synagoge en begroet elkander met 'goeden sabbath'. Neen, in het oude nog bevriende Jiddisj van het ghetto: 'gut sjabbos'!

De kinderen naderen. Zij treden één voor één voor vader en voor moeder en buigen het hoofd om een zegen te ontvangen. En de ouders leggen hun beide handen op de hun geboden hoofden en zeggen tot de jongens, in het Hebreeuws, de bijbelse zegen, die de haast stervende Jacob aan Josefs zonen gaf en tot blijvende zegenwens verhief: 'God late u worden als Efraïm en Menassé'. (1 Moz. 48, 20). En tot de meisjes eveneens in het Hebreeuws: 'God late u worden als de aartsmoeders Sara, Rebekka, Rachel en Lea!' En ieder voegt erbij, volgens eigen verlangen en bespraaktheid. Velen sluiten met de priesterzegen: 'God zegene u en behoede u. God late Zijn aangezicht naar u stralen en geve u Zijn genade. God wende Zijn aangezicht u toe en verlene u vrede'. Aanstonds kan men zich nu scharen om de eerste sabbathdis.

De Talmoed zingt van twee engelen: Twee engelen begeleiden u op vrijdagavond. En als zij u in het gebed de bijbelse zinnen horen zeggen, die aan het einde van het scheppingsverhaal staan en van de eerste sabbath spreken: 'toen waren voltooid…' – dan leggen zij de handen zegenend op uw hoofd en zeggen: 'Weg is uw zonde, uw vergrijp is verzoend!' (Jes. 6,7.).

En verder: twee engelen begeleiden u op vrijdagavond van de synagoge naar huis. Eén goede engel en één boze. En als ge thuis komt en het licht vindt branden en de tafel gedekt en de sofa's gespreid, dan zegt de goede engel: 'Moge het de volgende sabbath wederom zo zijn.' En de boze engel zegt zijns ondanks: 'Amen.' Doch als het niet aldus wordt aangetroffen, dan zegt de boze engel: 'Moge het de volgende sabbath wederom zo zijn.' En dan zegt de goede engel zijns ondanks: 'Amen'.

Van deze engelen neuriet menig huisvader thuis gekomen, stil of luider, voordat de maaltijd wordt begonnen: 'gezegend zij uw komst, gij dienende engelen, gezanten van de Allerhoogste, van de Koning aller Koningen, de Heilige, geloofd is Hij. Zegent mij, gij dienende engelen, gezanten Gods, des Konings aller Koningen, de Heilige, geloofd is Hij…' uitklinkende in deze Psalmwoorden: 'Zijn engelen zal Hij bevelen om u te hoeden op al uw wegen' (91,11) 'God bewake uw gaan en uw komen, van nu tot in de eeuwigheid!' (121,8). En nog is vader niet gereed. Hij reciteert ook nog de Lof der Huisvrouw, welke de spreukendichter (laatste hoofdstuk vrs 10 tot het einde) alfabetisch heeft bezongen.

Nu nadert het hoofd van het gezin zijn plaats aan de tafel. Daar staat de wijn met het glas of de beker, wel of niet van zilver, bij fles of karaf of kostbaarder schenkkan. Daar ligt het sabbathbrood gereed. Twee challoth. Gedekt deze broden met een extra kleedje, dat gestikt of geborduurd is, gewoonlijk met Hebreeuwse spreuken en toepasselijke lofzeggingen of met joodse emblemen en ook wel op beide manieren versierd. Niet bloot ligt het brood hier nu op de sabbathdis. Want het zal zo terloops ook vertellen van de spijs waaraan in de woestijn eens de sabbath werd gemanifesteerd: van het manna, dat dagelijks in voldoende hoeveelheid bij Israëls tenten was te vinden, dat er op de zevende dag niet was, maar daarom ook op de zesde dag der week in dubbele mate van de hemel viel. En dat op de dauw naar beneden kwam en eveneens met een laag dauw werd overdekt. Daaraan zal dit, van onderen en van boven gedekte brood herinneren. En deze twee broden zullen naar de lering van het dubbele manna wijzen: dat God ook in zes dagen genoeg voor zeven schenken kan! (II Moz. hoofdstuk XVI.)

Daar staat ook een zoutvaatje. Fijn aardewerk, glas, kristal, edel metaal of wat het ook zij. Met zout erin. Want er moet zout zijn op de dis. De tafel is gewijd, gelijk een altaar. En zout – zo getuigt de Bijbel (IV Moz. 18,19, II Kron. 13,5) – is het symbool van duur

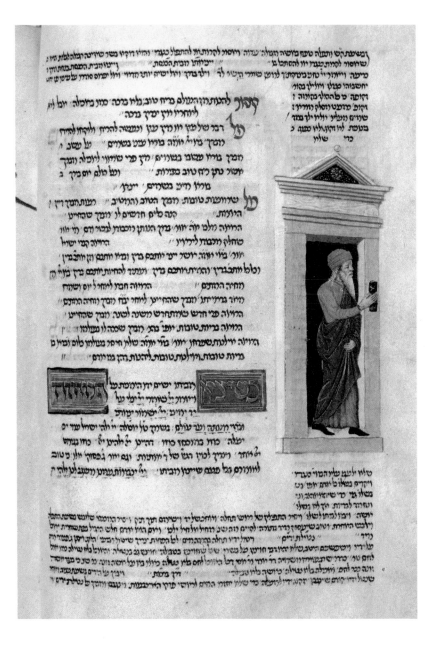

Mezoezàh aan de deurpost en gebed bij het verlaten van het huis. Rotschild Manuscript. Italië, 1470–1480. (Collectie Israël Museum, Jerusalem.)

זכור
את יום השבת
לקדשו

Challekleedje. *Vermoedelijk Oost-Europa, 19de eeuw.* (Collectie Joods Historisch Museum, Amsterdam.)

Links: Zilveren Sabbath-lamp. Te Amsterdam vervaardigd door Otto Knoop in 1730 (hoogte 70 cm). (Uit particulier bezit.)

Links: Kiddoesj-beker, goud. Frankfort, 1765. Rechts: Kaarshouder voor Havdalàh, zilver. Frankfort, eerste helft 18de eeuw. (Collectie Israël Museum, Jeruzalem.)

Sabbath-stel. (Kiddoesj-beker, kandelaar, challàh-bord en mes, zoutvaatje), zilver en notehout. Ont-werp: Moshe Zabari. New York, ca. 1963. (Collectie The Jewish Museum, New York.)

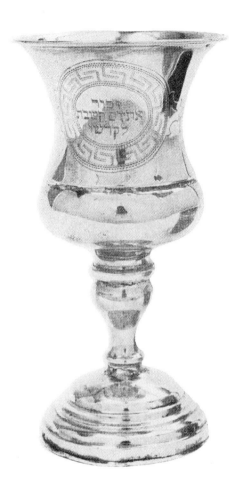

Kiddoesj-bekers. Links, zilver 1875. Rechts, zilver, gedeeltelijk verguld. Midden 18de eeuw. (Collectie Joods Historisch Museum, Amsterdam.)

Antieke specerijbus, beker, bord en gevlochten kaars voor de Havdalàh. (Uit particulier bezit.)

Havdalàh-stel. (Beker, specerijbus, kaarshouder), zilver. Ontwerp: Ludwig Wolpert. New York, 1965. (Collectie The Jewish Museum, New York.)

en onvergankelijkheid. En de Torah beveelt: 'Al uw spijsoffers zult gij van zout voorzien en gij moogt het zout – voorstelling van het duurzame verbond van Uwen God – aan uw spijsoffers niet laten ontbreken; bij al uw offers zult gij zout brengen' (III Moz. 2,13).

Vader schenkt zijn bokaal nu vol en zet hem op de handpalm van de rechterhand. Dan begint hij, eerst zacht: 'en het was avond en het was morgen... de zesde dag!' Vervolgens luid: 'Toen waren voltooid de hemel en de aarde en al hunne scharen. En God had met de zevende dag Zijn werk voltooid, dat Hij gemaakt had en Hij hield met de zevende dag van al Zijn werk op dat Hij gemaakt had. En God zegende de zevende dag en heiligde hem, want met deze dag had God met het maken van al Zijn werk, dat Hij geschapen had, geëindigd'. (I Moz. II 1–3).

Op deze Bijbelverzen volgen nu de gewone lofzegging over wijn en de lofzegging ter wijding van de Sabbath. Dan drinkt vader van de wijn het eerst en gaat de beker rond. Of ieder der anderen krijgt in een eigen bekertje een scheutje uit de wijdingsbeker ingeschonken.

Thans zal het brood gebroken worden. Doch eerst wast men de handen. Dit is geen reiniging. De reiniging van het lichaam immers heeft, net zo goed als die van de woning, vóór de sabbath plaats gevonden. Er wordt slechts water over de handen heengegoten, zoals – afgescheiden van de reiniging – bij de aanvang van iedere dag en zoals steeds voordat men brood gaat nuttigen. Natuurlijk ontbreekt ook hier de toepasselijke lofspreuk niet. Het challàh-dekje wordt van de broden genomen; beide challoth worden opgeheven en terwijl in een lofspreuk de Schepper wordt geloofd, 'die de broodspijs uit de aarde doet komen,' wordt er één der broden ingesneden, afgebroken; neemt vader een stukje voor zich, doopt het in het zout en deelt aldus aan ieder der disgenoten eveneens hun stukje rond. Nu kan de maaltijd beginnen.

Tal van Hebreeuwse vrijdagavondzangen zijn er reeds van vroege datum in de gebedenboeken bij de huiselijke eredienst opgenomen. Er zijn gedichten onder, maar ook rijmelarijen. Zij hebben haast allemaal ook hun melodieën verworven en door de tijden meegenomen, wel meer dan één voor ieder. Ze worden tijdens of na de dis gezongen. Niet overal allemaal. En niet overal worden steeds dezelfde uitgekozen. In ieder geval wordt de maaltijd met het zingen van Psalm 126 – de gewone Tafelpsalm voor sabbath en feestdagen – en met het uitspreken van het dankgebed na het eten besloten.

Ook deze Tafelpsalm heeft vele wijzen. Volstrekt niet allemaal expresselijk ervoor vervaardigd. Noch van gewijde aard. Ze zijn hier of daar, aan iets ontleend, zijn gehoord, zijn ingeslagen, zijn meegedragen.

Een vrijdagavond, vooral een lange winter-vrijdagavond is hiermee niet om. Er wordt bij thee en gesprek en onder het snoepen en verorberen van dit of dat – ja ook dit gebeurt op vrijdagavond – gelezen en geleerd. Onze vaders en grootvaders, als ze niet genoeg geletterd waren om tot de bronnen der bijbelse en na-bijbelse geschriften en hun commentaren te gaan, vonden stichtelijke lectuur naar hun smaak in het Jiddisj, hetwelk ze thuis nog als omgangstaal spraken en prettig lazen. Onze grootmoeders hadden eveneens dergelijke boeken. Ons geslacht kan geen Jiddisj meer lezen. Hier te lande niet en in het algemeen in West-Europa niet. Onze smaak is natuurlijk ook anders. Iets dergelijks als onze vaders hadden, is voor onze smaak bepaald niet voorhanden. Maar er is lectuur genoeg. De joodse weekbladen komen op tafel en brengen het nieuws uit de joodse wereld, uit alle einden en van dichtbij en trachten ook geschikte, stichtelijke en andere lectuur te geven. In menig gezin komt men ook tot de beoefening van Bijbel, Misjnàh, Talmoed, Codex of iets anders uit de schat der joodse wetenschap of letteren. En de Hebreeuwse en Judaïstische literatuur is in onze dagen zó rijk, dat men ook voor de vrijdagavond niet naar de stof behoeft te zoeken, die mooi is en goed en geschikt om het stille genot dezer uren te verdiepen.

Hoeveel dichters hebben deze avond hun zangen gewijd! Ongetwijfeld heeft hier of daar reeds menig lied der nieuweren een plaats aan de dis of in de avond veroverd. Ook het Nederlands kent sabbathzangen. Ge vindt er enige in 'Het Joodse Lied' van Jacob Israel de Haan.

Het is niet mijn bedoeling en het staat mij niet vrij, om de indruk te wekken, alsof het in Israël met de viering van de vrijdagavond in de praktijk ook overal volgens mijn beschrijving is gesteld. Dat in de verste verte niet. Er is veel weg. Maar ook veel over. En er zijn betrekkelijk nog maar weinig gezinnen, waar niet het licht en het tafelkleed en de maaltijd zijn overgebleven. En iets van de rust. En toch nog enige wijding van de vrijdagavond. En velen, die alles of veel ervan verloren, maar zijn glorie gekend hebben, snakken ernaar terug. Als naar een verloren paradijs.

DE SABBATH-DAG

De sabbath-zelf overdag draagt een ander gewaad dan de vrijdagavond. Ook een gewijd gewaad, maar een ander. Als de vrijdagavond is geëindigd dan is het intiemste, het innigst poëtische deel van het grote sabbath-gebeuren voorbij. 's Avonds ziet men vanzelf de beweging van het leven minder druk en hevig. Het is dan, alsof de wereld langzamer gaat. Met het verdwijnen van het licht der zon vervloeien de omtrekken der dingen. En als de duisternis haar wijde wade over alles heeft gespreid, dan is het alsof in de stilte daaronder de éénheid van het Al zich duidelijker dan anders openbaart. En de huisdeur is gesloten, blijft gesloten. De luiken zijn dicht. De gordijnen neergelaten. De huisbel houdt zich heel de avond merkwaardig stil. Men krijgt het gevoel alsof het haasten en jagen een wijle is gestaakt en dat de wereld rust. Dan komt er ook rust over ons. En men zit allemaal te zamen in het rond, in hetzelfde vertrek en niemand ontbreekt er van allen, die aanwezig verwacht kunnen worden. En als de wijdingswoorden in de kamer zijn gevallen en het vriendelijk feestelijke licht over het kleine stukje schijnt, dat nu als afgebakend leven in de grote stille duisternis staat, dan zijn we thuis. Dan glijdt het werkpak weg. Helemaal weg. Weg zijn de zorgen. Eén zucht, één diepe ademhaling en de geest die zes dagen in ons zat, gaat heen. Een nieuwe ziel komt in ons. En deze heerlijkheid blijft gans den dag. Maar het feest van haar komst is op de vrijdagavond.

De dag is licht en de geest heeft reeds van de sabbath-geneugten gedronken. Sabbath-zelf wacht nu met zijn heiliging en zijn werkonthouding. Heiliging, ook en vooral door werkonthouding.

Want sabbath is niet enkel rustdag. Het Hebreeuwse woord betekent dat niet eens, maar wil zeggen: ophouden, staken. En dit is de kern van de joodse sabbath-gedachte: onttrek uw handen en uw geest aan de Schepping en leg haar weer, gedurende die éne van telkens zeven dagen aan de voeten van de Schepper. Weet en toont te weten, dat ge geen scheppers zijt. God is Schepper. Hij alleen. Eens heeft Hij het heelal geschapen. Eerst een kiem, of beginselen van een wereld of van werelden. Of anders. Wilt ge weten hoe, wanneer? En dat precies omschrijven en als waarheid absoluut en onomstotelijk stellen? Zoekt. Het Bijbelwoord geeft u de ruimte. Hij ordende uit de chaos licht en lucht en aarde en zee en planten en dieren en mensen en de harmonie van alle sferen des heelals en erin, de eeuwige wet van duur en de noodzaak en de kracht van regelvaste ontwikkeling. Toen was de schepping klaar en *hield Hij op met scheppen*. Toen brak de Sabbath der Schepping aan.

De mens werd heerser. Met lichaam en geest te zamen. Met het lichaam door zijn geest, in dienst van zijn geest, als werktuig van zijn geest. De stof kwam in zijn handen. Hij werd bezitter, beheerser, herschepper. Maar nooit schepper. Wij kunnen het heelal bespieden, beluisteren, ontleden; de wetten der natuur vinden, omdat het wetten en geen grillen zijn: de materie overwinnen en er naar onze vermogens van lichaam en geest uit produceren. Het gegevene herscheppen. Wij echter, in de schijn onzer almacht, wanen ons allicht ook scheppers. Die waan evenwel mag ons nooit bevangen. En daarom treedt ge, telkens om de zeven dagen, voor één dag van de troon uwer vermeende heerlijkheid en legt ge de heersersstaf uit uw handen. Doet afstand voor een wijle van uw heerschappij over de stof, voor zover die heerschappij zich openbaart in de macht tot herscheppende arbeid, tot produceren.

Hier ligt het beginsel van de werkonthouding op de sabbath. En bij het beginsel behoren de konsekwenties. De konsekwenties tot in het uiterste. Maar aan de andere kant is niets verboden, wat niet onder het beginsel valt of tot de konsekwenties behoort of ook er mee verward zou kunnen worden, of met de geest van de sabbath strijdig is. Dat alles is in de loop der eeuwen gecodificeerd en vormt lijvige delen van de godsdienstwetboeken en een ontzaglijke literatuur op het gebied van ritueel en casuïstiek. Hier kunnen we slechts trachten de heersende gedachte te doen begrijpen.

Naar deze gedachte is het leven van de hele sabbath geregeld.

's Morgens en 's middags nodigen de synagogediensten. Dan worden de gebeden gelezen. De heilige arke opent zich. De Leer wordt ontrold, gelezen, geheven, zoals we dat vroeger beschreven hebben. Er wordt 'geleerd' die dag. Godsdienstvoordrachten, leeroefeningen in Bijbel. Commentaren, Codex, Talmoed, Midrasj en zo meer. In het openbaar en in besloten kringen; in synagogen, leerzalen of bij groepjes ergens thuis: zij vormen de geestelijke spijzen van de dag.

Voor het lichaam zijn nog de twee maaltijden, die van de drie, na die van de vrijdagavond, resten: het ontbijt na de ochtenddienst en de derde maaltijd, die geen bepaalde tijd heeft, maar gewoonlijk in de namiddag, of volgens andere gewoonte tegen het verstrijken van de dag, genoten wordt. Bij beide maaltijden zijn wederom de twee broden, de challoth, op de tafel onder hun challàh-dekje. 's Morgens gaat er ook nog eens de wijn rond, nadat natuurlijk eerst de zegenspreuk is uitgesproken. Niet echter daarbij nogmaals het wijdingsformulier van vrijdagavond. Wel, als inleiding enige zinnen uit de leer van Mozes IIe Boek XXX, vrs 16 en 17, en uit de Tien Geboden IIe Boek XX, vrs 8–12. Nu kan de wijn desnoods ook door een andere drank vervangen worden. Bij de derde maaltijd gaat deze wijding met wijn of andere drank helemaal niet vooraf. De challoth zijn dan bij sommigen ook niet bedekt. Er is namelijk gezegd, dat de bedekking der broden óók is voorgeschreven, omdat de wijding met de wijn hun voorafgaat en het niet behoorlijk ware, hun te laten zien, dat een andere ceremonie de voorkeur heeft voor hen. Van fijn gevoel is deze gedachte zeker niet verstoken en de les is gewis waard behartigd te worden. Er volgt echter, voor ons geval, praktisch uit, dat de bedekking der broden zou komen te vervallen, als zij niet voor een andere ceremonie gepasseerd behoeven te worden. De symbolische verwijzing naar het manna blijft evenwel ook bij de derde maaltijd nog over en van kracht.

Zo glijdt de dag voorbij. In geestelijke bevrijding en daarmede in lichamelijke rust. Spieren en zenuwen ontspannen zich. De hele mens legt zich aan de boezem van de sabbath en zijn ziel laaft zich en verkwikt zich. En de telkens nieuwe sabbathziel die in hem is getogen, herschept hem van een slaaf tot een vrijgeboren en zich vrij voelend kind van de Schepper.

Wie het zó voelt, dankt God ieder einde van de week voor de nadering van de Sabbath. En voelt, bij het neigen van de dag, de weemoed van het scheiden.

DE SABBATH-UITGANG

Als de zon onder aan de westelijke hemel begint te komen, dan maakt de sabbathgeest – de nesjamàh jetheràh, de 'extra ziel' zoals zij wordt genoemd – zich meer en meer gereed hen, die de sabbath trouw en liefderijk bewaren, weer te gaan verlaten. Dat geeft een gevoel, alsof er langzaam aan, iets in ons sterft. En de laatste momenten van de sabbath, in het twijfellicht van de schemering, zijn in een eigenaardige weemoed gedompeld. Een hemelse wereld gaat weg. Hemelingen stijgen opwaarts. Het zorgenvrije paradijs verlaat ons. Straks staan wij weer middenin de ons voortjagende, aardse wereld. We moeten er even aan wennen. En we wennen er natuurlijk wel aan. Zelfs heel gauw. Dat eist het leven.

In sommige kringen wordt tegen die tijd de derde maaltijd van de sabbath gehouden. Geen overvloedig maal. Want bij hun sjalosj seoedoth – zo is de officiële term ervoor – zijn eten en drinken maar toespijzen en het samenzitten en de wijze van het samenzijn de maaltijd. Onder de Chasiediem is het 'derde sabbathmaal' een der grootste evenementen. Dan zit de aangebeden rabbie, die vaak de roep geniet van een wonderrabbie te zijn, met zijn talrijke adepten aan de dis, veeltijds in de open lucht, soms in het wit gekleed. En als hij iets van het maal genuttigd heeft, beijveren al zijn vereerders zich, om het geluk te mogen smaken, iets machtig te worden van hetgeen de rabbie heeft overgelaten. En dat is alles wat hij niet gegeten heeft. Ook, wat hij niet heeft willen eten. Maar boven alles laten zij zich zijn wijze woorden smaken. Zijn godsdienstvoordracht aan de dis is méér, dan welk aards genot ter wereld ook. Dit brood voedt hen voortdurend met extase.

Uit eigen aanschouwing kan ik echter van dit derde sabbathmaal bij de Chasiediem niet spreken. Wel heb ik bij niet Chasiedische broeders uit het Oosten de laatste momenten van de sabbath medegeleefd en bij dezen ook wel aan het laatste sabbathmaal aangezeten. De eerste keer was dat vlak voor het uitbreken van de oorlog.[1] Wij hadden in Hamburg een conferentie der Mizrachie[2], waarheen ook de stichter en leider, toen reeds oud, nu wijlen rabbie Jitschak Jacob Reines uit Lida was gekomen. De conferentie zou zondag beginnen. Maar de meeste afgevaardigden waren op sabbath al in Hamburg en natuurlijk ook Reines. Wij zochten hem en vonden hem tegen het eindigen van de sabbath in de zeer eenvoudige woning, waar hij bij particulieren, zijn intrek had genomen. Het begon al zeer te donkeren toen wij de smalle, natuurlijk niet verlichte trap opstrompelden. En in het vertrek, waarheen een stem, met diepe stilte er omheen ons tot baken diende, was volledige duisternis. Wij konden niets onderscheiden, zagen geen enkele gestalte. Alleen maar stem. Het was de stem van Jitschak Jacob Reines, die een godsdienstvoordracht hield. Reeds lang stonden de sterren aan de hemel, toen de stem ophield. Ik verstond de rabbie niet gehee!. Hij sprak wat binnensmonds en een eigenaardig Jiddisj, hetwelk ik toen nog niet geleerd had te verstaan. De oorlog heeft ons daarna het Jiddisj beter geleerd en ook dat Jiddisj. Maar het slot zijner rede kon ik best onderscheiden aan het enthousiaste 'dank u' – in een Hebreeuwse term – dat tegelijk uit alle kelen losbarstte. Daarna werd het avondgebed verricht en werd er licht gemaakt om ons heen.

1. De eerste wereldoorlog. 2. Orthodoxe falanx der Zionistische beweging.

Meer officieel en wat meer Chasiedisch was het in Lemberg een paar jaar na de eerste wereldoorlog. Daar werd 'de derde maaltijd' in het beth–hammidràsj – leerzaal en synagoge tegelijk – genoten. De maaltijd immers is meer geestelijk dan lichamelijk. De rabbie, zittend op een erezetel, houdt tot de aangezetenen, zijn meer intiemen en getrouwen, een gemoedelijke voordracht: veel bijbelverzen; talmoedische sententiën, allegorieën; gelijkenissen, aan natuur en leven ontleend, met het doel om diep-menselijke moraal in het licht van Bijbel en overlevering in het algemeen en in het bijzonder van de joodse godsdienst, te verkondigen. Het stoffelijke maal was sober, bijzonder sober. Misschien nog soberder dan gewoonlijk, nu onder de druk van de na-oorlogse tijd. De handen werden gewassen; er werd brood gegeten, grof brood met een stukje haring en er werd een glaasje drank gedronken. Eerst nuttigde de rabbie iets, dan gebruikten ook de anderen. De rabbie nam lang niet al het weinige wat geboden werd. Maar zijn rabbinaatsbode, als zijn schaduw overal bij hem en naast hem, nam het wel voor zijn rekening. De rabbie zuchtte veel. Alsof hij worstelde met de sabbathgeest die hem wilde verlaten en die hij poogde vast te houden. Na de tafelrede werd er gezongen. De rabbie nodigde een der genoten, die hij kameraadschappelijk bij de voornaam in het Jiddisj aansprak uit, om in te zetten. En daar begon het. Weldra zingt alles in extase de Hebreeuwse diszangen van de 'derde maaltijd' mee. De heldere volle warme mannenstemmen doen de wanden van de kleine bidzaal dreunen. De lichamen beginnen de zang in geregelde beweegcadans te begeleiden en de armen en zelfs de vuisten blijven niet in rust en accompagneren het lied met voorzichtige slagen op de tafel. Het officiële tijdstip van het sabbatheinde heeft allang geslagen als men hier nog zingt en als wij de echo's nog horen van de liederen uit de vensters van rechts en links en aan de overzijde, vlak tegenover en verder, in de vrij smalle straat van het Lembergse jodenkwartier. Maar eindelijk wordt het dankgebed na de maaltijd aangeheven. En het avondgebed bij het einde van de sabbath, heft ook hier de zitting op en vormt het slot van de dis en bijeenkomst. En van de sabbath.

Zo gaat de sabbath hier te lande en in het algemeen bij de joden in het Westen, niet uit. De dag is anders ingedeeld. Het derde sabbathmaal is een maaltijd. Een maaltijd. En deze wordt, naar gelang van de tijd van het jaar, zo tussen halfvier en vijf à zes uur in de namiddag genuttigd. In de winter komt bij velen dit maal eerst in de avond, na de sabbath aan de beurt, terwijl sommigen dan vóór 'nacht' een kleinigheid als 'maaltijd' gebruiken. Van samenkomsten bij het derde sabbathmaal of als sjalosj seoedoth met derasjàh als hoofdschotel, is in het algemeen geen sprake. Ook disliederen op de sabbathmiddag zijn zelfdzaam, behalve dan de gewone Psalm, die aan het tafelgebed voorafgaat.

In de lange zomernamiddagen hebben er wel leeroefeningen plaats of worden er hier en daar godsdienstvoordrachten gehouden. Maar die staan op zichzelf en hebben met de 'derde maaltijd' niets te maken.

De nadering van het scheiden echter besluipt ook hier iedere rechtgeaarde vierder van de sabbath met een verdrietelijk gevoel van weemoed, haast van smart. En tot stille mijmering in de laatste gewijde momenten van de sabbath, geeft men zich dan licht en gewillig over. Dat brengt ook de schemering vanzelf mede. De schemering, die uit de huiskamer niet door het opsteken van het licht verdreven kan worden, voordat het 'nacht' is. Zodat het wachten is op 'nacht'. En daarmede op licht. 'Nacht' heet het tijdstip na zonsondergang als er sterren aan de hemel staan. Dit tijdstip is berekend en in uur en minutencijfers op alle joodse kalenders opgetekend en wordt steeds in alle joodse weekbladen aangegeven. Ik herinner mij de tijd, dat we – wij dorpelingen – geen kalenders bezaten en geen weekbladen kregen. En dan begluurden we op heldere en minder heldere dagen de hemel, net zo lang totdat we drie sterren ontdekten. Of we wachten op donkere dagen zó lang totdat we zeker wisten, dat het wel 'nacht' was, de sabbath zonder enige twijfel geëindigd en de nieuwe werkdag was begonnen.

Als het nacht is begint het avondgebed. Eerst worden er samen twee Psalmen gezongen – 144 en 67 – op een oude melodie, die door de hele joodse wereld schijnt te zijn gegaan. En daarna, als het avondgebed tot voorbij de belijdenis van het Sjemàh Jisrael – Hoor Israël – is gekomen, dan wordt in de woningen het licht ontstoken. In de synagoge is van de nood een deugd gemaakt. Daar brandt het kleine 'eeuwige licht' altijd. En vóór de aanvang van de dienst is het ook met groter licht, door niet joodse hulp vermeerderd, opdat de bezoekers niet in het duister of bijna duister hoeven rond te grabbelen.

De sabbath gaat heen. Maar het afscheid is nog niet genomen.

HET UITGELEIDE

Als er drie sterren aan de hemel staan, is het nacht en als het nacht is, dan is de sabbath uit. Ook zonder woordceremonieel, ook zonder daadsymbool. Het avondgebed van de werkdag wordt uitgesproken. Toch worden er in het gewone formulier enige zinnen ingevoegd. Daarmede wordt de scheiding tussen de sabbath en de werkweek volbracht. In het hoofdgebed, dat het gebed der achttien (Sjemoné-Esré) lofzeggingen heet, ofschoon het sinds onheugelijke tijden door inschuiving en andere indeling, uit negentien bestaat,[1] het gebed, hetwelk stil statig, staande met de voeten aan elkaar en met het gelaat naar Eretz-Israël wordt verricht, in dit gebed wordt bij de uitgang van de sabbath een afzonderlijk stukje ingelast. Het geschiedt in de vierde lofzegging, die de eerste eigenlijke bede

1. Alleen op de werkdagen bestaat dit hoofdgebed uit dit aantal lofzeggingen. Anders uit zeven of negen. Maar ook dan noemt men het toch gewoonlijk sjemoné-esré. De drie eerste en de drie laatste lofzeggingen zijn overigens altijd gelijk.

van dit gebed bevat en welke aanvangt aldus: 'Gij bedeelt de mens genadiglijk met kennis en leert de sterveling verstand.'

Daarop volgt bij sabbathuitgang:

'Gij waart zo goed om ons te begunstigen met de kennis Uwer Torah en Gij hebt ons onderricht om Uwen geopenbaarden Wil te volbrengen. En Gij, Adonai, onze God hebt het heilige van het ongewijde afzonderlijk gesteld, het licht van de duisternis, Israël van de andere volkeren, de zevende dag van de werkdagen. O, Vader, o Koning! Laten de dagen, die ons tegemoet komen, in vrede voor ons beginnen, vrij van alle zonden, rein van alle misdaad, verbonden aan de eerbied voor U.'

Dan gaat het gewone formulier weer verder:

'En verleen ons van U: kennis, verstand en oordeel. Geprezen zijt Gij, Adonai, die de kennis schenkt.'

Hiermede is de sabbath ook verklaard ten einde te zijn.

Er worden tot slot van het avondgebed nog enkele bijzondere stukken gereciteerd. Zoals de hele 91ste Psalm, ingeleid met het laatste vers van de vorige: 'Moge de welwillendheid van de Heer, onze God, ons deel zijn. Doe het werk onzer handen gedijen voor ons, doe slagen het werk onzer handen.' En dan, na de zo vrome en bemoedigende eenennegentigste Psalm, nog vrij vele losse stukken, goede wensen en zegeningen uit de Bijbel bijeengegaard. Doch het afscheid van de sabbath blijft niet bij verklaringen en verliest zich niet in woorden. Er wordt *Havdalàh*, d.i. scheiding, afscheid, gemaakt. Bij wijn, bij geurige kruiden en bij licht.

De wijn, de officiële drank ter begroeting dient hier ook tot de laatste dronk als een vaarwel aan de hoge dierbare gast. Nog éénmaal bij het scheiden, bij het heengaan van de heilige sabbath, bij het uitblazen van de extra-sabbathziel – de nesjamàh jetheràh – wil de geest een moment de geur van de sabbath smaken. En men legt na het uitspreken van een lofspreuk, de neus aan een reukdoos, die geurige kruiden bevat en snuift hun aroma, symbolisch het aroma van de vervagende sabbath, op. Een afzonderlijke kaars, gevlochten uit een stuk of wat dunne witte of gekleurde stengels, is ontstoken. In een lofspreuk wordt de Schepper van het licht – de schepping van de eerste scheppingsdag naar de eerste verzen van I Moz. Cap. I – geprezen. Bij dit licht wordt opzettelijk iets bekeken: licht doen ontstaan is zeker wel een sprekend voorbeeld van de beheersing der stof door de mens en van zijn producerend vermogen. We aanvaarden dus weer onze tijdelijke heerschappij en zullen er gebruik van gaan maken. En we belichten met dit vlammetje even onze handen, onze vingertoppen, laten ze beurtelings in duister en in licht. Dan wordt de kaars gedoofd in de wijn, die over de rand van de beker is gestroomd. Want ten teken van geluk en als wens voor de komende werkdagen, is de beker meer dan boordevol geschonken. En uit de beker wordt nog een scheutje over het licht gestort, waarna de resterende inhoud wordt gedronken.

Zo geschiedt het in de synagoge, aan het einde van de avonddienst. Zo geschiedt het daarna in huis, in de verzameling van alle huisgenoten.

De oudere generatie onder ons, die thuis nog het Jiddisj als omgangstaal gekend of alleen tussen vader en moeder hebben horen gebruiken, bewaren misschien ook nog de herinnering aan de Jiddisje inleiding van de havdalàh:

> *Gott von Avrohom, Jitschok und Jaäkov*[1]
> *Hüt' dein Volk Jisraël in deinem Laub.*
> *Lieber Schabbos Koudesch*[2] *get ahin*
> *die Woche soll ons kommen zum Glück, zum*
> *Scholoum*[3] *und zum allen Frommen!*
> *Omein, we omein, seloh*[4]

Dit werd door vader driemaal innig uitgesproken alvorens het eigenlijke havdalàh-formulier begon. Als de kaars was gedoofd in de wijn, die over de rand van de beker op het bord of op het blad eronder was gevloeid, dan werden en worden ook nu nog door sommigen de voorste vingers van beide handen in die wijn gedompeld en daarmede verder de oogleden bevochtigd. Want 'de Leer van God is louter; zij verlicht de ogen' zegt Psalm 19 vrs 10. En deze woorden worden in het Hebreeuws erbij gezegd in aansluiting aan de bede van straks in het avondgebed en als goede wens voor de beoefening der Leer in de komende dagen. Met de rest van deze wijn besprenkelde grootmoeder de vloer van woonvertrek en voorhuis. Men geloofde, dat het zegen strooide in de echtelijke woning.

Het Jiddisj heeft afgedaan en de zucht, dat de lieve heilige sabbath weggaat, wordt op deze wijze niet hoorbaar geslaakt. Het uitzaaien van de wijn der havdalàh vrezen de mensen uit de tijd der nuchtere rede, in het algemeen, als bijgeloof. Wij hebben dus slechts het symbool van het afscheid, ontdaan van het een en van het ander.

Na deze ceremonie klinkt, bijna overal, nog een enkel gedicht, met weder een oude zangwijs, die heel het verspreide Israël schijnt te kennen en te gebruiken. Bij sommigen ten slotte, een reeks van zangen met allerlei refreinen, in een waarvan de profeet Elia, de Tisjbiet, een ruime plaats inneemt. Waarom ook, – als de hemelse sabbath verdwijnt en het grauwe leven weer langzaam komt aangeslopen – zouden we dan niet in het bijzonder zingen van hem, die verwacht wordt als de heilbode van de Messiaanse tijd?

Zo is alles in symbolen gekleed en in symbolische woorden en gedachten gestoken. Over heel de avond na de sabbath ligt dikwijls nog iets van de sabbathgeest. En er zijn nog altijd kringen en gezinnen, waar Koningin Sabbath ook met een feestelijk maal op zaterdagavond wordt uitgeleid. Dat maal draagt de rechtstreekse naam van *Melawèh Malkàh*, dat is: het uitgeleide der Koningin.

1. Abraham, Izak en Jacob. 2. Heilige sabbath. 3. Vrede. 4. Amen, amen immer.

DOOR HET FEESTJAAR HEEN

DE ONTZAGWEKKENDE DAGEN

Het joodse Nieuwjaar valt niet op de eerste dag van de eerste maand van de joodse kalender. Dit klinkt vrij ongerijmd. Het is echter een heel eenvoudige kwestie, gevolg van een overoude verandering in de kalenderindeling. Over de joodse kalenderberekening hebben we bij de synagoge gesproken. Het gewone jaar heeft twaalf maanden, het schrikkeljaar dertien. Elke maand begint met de nieuwe maan. De eerste maand is die, waarin bij volle maan – de 15de – het Pésach (Paas) feest valt, naar het voorschrift in II Moz. 12,2: 'Deze maand zij u het hoofd der maanden, de eerste zal zij u zijn van de maanden des jaars.'

De uittocht uit Egypte heeft dus, volgens deze bijbelplaats, aanleiding gegeven tot een verandering in de volgorde der maanden. De maand, waarin Israëls volkswording plaats vond, zou voortaan als eerste geteld worden. Zij was dit vroeger niet. Toen was de eerste maand – zo nemen we aan en gewis met heel veel recht – die maand, welke thans de zevende is. Zij heet Tisjrie, een naam, die evenmin als de namen der andere maanden, Hebreeuws is maar die wel allemaal uit Babylonië zullen stammen. Tisjrie dus was oorspronkelijk – maar dan zonder deze naam – de eerste maand. Zij werd de zevende. toen de maand van de uittocht uit Egypte de eerste werd. Het geval is dan te vergelijken met hetgeen aan de vier laatste maanden van het burgerlijke jaar, van september tot en met december, is overkomen. Hun namen zeggen 7e, 8e, 9e en 10e, terwijl zij de 9e, 10e, 11e en 12e zijn. Eens stonden zij inderdaad in de rij, zoals hun namen aangeven. Toen door een andere kalenderindeling hun plaats veranderde, bleef toch hun naam behouden. Zo valt het joodse Nieuwjaar op de eerste Tisjrie, dat is de eerste dag van de zevende maand.

Nieuwjaar is, overal en bij iedereen, een tijdstip van gewicht. We hebben er behoefte aan, soms even stil te staan en rond te zien. Nieuwjaar roept ons dat vanzelf toe. Het is natuurlijkerwijze, het tijdstip der afrekening in allerlei vorm en met allerlei strekking. Tijd van herinnering en als het mogelijk ware, van het peilen der toekomst. Wij blikken achterwaarts en zouden voorwaarts willen schouwen. Maar het voorwaarts is onbekend. En niet altijd bemind maar veelal meer gevreesd. Bron, ook daarom van veel wensen en veel beden. Hieraan zijn wellicht ook, althans voor een deel, de gebruiken en de symbolen aangepast, waarmee dit gewichtige tijdstip wordt begroet en de dag als feestdag wordt gevierd. En dan liggen in deze gebruiken en symbolen ook nog mogelijkheden voor de studie der volkeren- en rassenpsychologie. Want er is nogal wat variatie in.

Hier te lande, als op 31 december 's nachts de klok dichtbij het twaalfde uur genaderd is, dan is het alsof er alom een gespannen stilte beeft. De sfeer is vol van hartgebons. Maar plotseling, als de klok van de twaalfde slag nog niet koud is, is de lucht opeens vol van allerlei geluiden, die elkaar trachten te overdaveren. Dan barst de spanning uit in luidruchtigheid.

Of is het vreugdebetoon, de behoefte om blijdschap te uiten en luide te verkondigen over het feit, dat de nieuwe jaarkring is bereikt en dat men het nieuwe stukje leven aanvaardt met levensvreugde en met vertrouwen en met de heilige wil om het goed te gebruiken en het voor zich en anderen ten zegen te doen zijn?

Er is ook wel eens beweerd, dat deze luidruchigheid haar oorsprong zou vinden in de oude tijden, toen men zou gepoogd hebben met spektakel de boze geesten weg te jagen, die het geluk van het nieuwe jaar zouden kunnen bedreigen.

In de begroeting en de viering van het joodse Nieuwe Jaar is niets, dat hiermede enige overeenkomst heeft.

In de Bijbel komt nergens de benaming: Rosj-Hasjanàh=Nieuwjaar voor. De woordverbinding Rosj-Hasjanàh vinden we maar een keer en wel Ezechiel 40, 1, waar zij echter 'begin van het jaar' betekent, getuige de volgende woorden; 'op de tiende maand'. Het feest van de 1e tisjrie heet: 'Dag van Bazuingeschal' (IV Moz. 29, 1). Of 'Dag van Herinnering door bazuingeschal' (III Moz. 23, 24). Ook hier hebben we derhalve. een geluid, maar niet de wedijver van allerlei geluiden, geen luidruchtigheid.

Overdag bij de dienst wordt er op de *Sjofàr*, de *Bazuin* geblazen. Die sjofàr is een heel eenvoudig instrument. De horen van een ram of bok, zelden van een ander dier, bijvoorbeeld van een antilope. Daar wordt de pit uit verwijderd. En het omhulsel om die pit, nu hol en zo goed mogelijk geschikt gemaakt, wordt met de spitse kant, waar de punt af is om er doorheen te kunnen blazen, aan de mond gezet. En zo worden rechtlijnige, roepende, gebroken en klaterende, schallende of jammerende geluiden erin, er doorheen eruit gestoten in een bepaalde volgorde.

Het instrument is oud en bekend uit verre tijden en van velerlei gelegenheden. De sjofàr, of anders de zilveren trompet, diende tot de bijeenroeping der volksvergadering. Hij gaf in de woestijn ook sommige marssignalen. Hij verkondigde alarm bij de nadering van een vijand of van een ander onheil (IV Moz. 10, 1-10, Joël 2, 15, Amos 3. 6 en tal van andere plaatsen). Hij klonk bij de openbaring op de Sinai (II Moz. 19, 19), verkondigde de slaven het Jowel- of Vrijlatingsjaar (III Moz. 25, 9). En Jesaja (27, 13) spreekt van de Grote Bazuin, welke eens de grote herzameling zal blazen.

Aan deze aanduiding hebben we hier genoeg. De sjofàr omvat nu al deze herinneringen, vertegenwoordigt al deze gedachten. Hij en zijn tonen zijn derhalve een symbool met rijke inhoud.

Maar hierbij blijft het niet.

Het joodse Nieuwjaar is zeer bij uitstek het tijdstip der afrekening. Het komt uitdrukkelijk met de eis, om de balans op te maken van het zedelijk en godsdienstig leven in het afgelopen jaar en zó voor God te treden met de gebeden voor de toekomst. Het wil ons door elkander schudden en ons zondebesef weer eens heel opzettelijk helder wakker roepen. Het heet in de liturgie als zodanig: *de Dag der Herinnering!* Aan het weder wekken van het bewustzijn onzer zondigheid, onzer behoefte aan Gods genade en vergiffenis, zijn de eerste tien dagen van het nieuwe jaar gewijd. De eerste dezer tien is de Dag der Herinnering, de laatste is de *Grote Verzoendag.* De voorbereiding begint zelfs reeds vroeger. We zullen daarover in het volgende hoofdstuk meer vernemen.

Maar boven al deze waarschuwingen gaat de sjofàr uit. De overlevering brengt de ramshoren nog bovendien in verband met de ram, die Abraham slachtte op het altaar waarop hij, als God het inderdaad zou gewild hebben, zijn enige zoon had willen afstaan. En als het zondebesef gewekt is en wij ons bewust geworden zijn, dat wij aan onze deugden geen rechten kunnen ontlenen, dan wagen wij het te wijzen op de aartsvaderen en nu in het bijzonder op de heros Abraham en te zeggen, dat het misschien toch nog iets is, dat wij door de geschiedenis zijn heengegaan en er nog zijn. En ook die gedachte wordt aan de bazuin verbonden. Zodat er wordt gezegd: dat de sjofàrtonen steeds door de historie gaan van eeuwigheid tot eeuwigheid.

Maar bij en naast en boven al deze symbolen is het bazuingeluid een luide kreet, die tot het joodse gemoed wil doordringen en tot het hart wil zeggen dat, wat Maimonides onder de volgende woorden heeft gebracht: 'ontwaakt gij, die in de dommel en gij, die in diepe slaap verzonken zijt. Onderzoekt uwe daden en brengt u tot inkeer en denkt aan uw Schepper! Gij, die in het onwezenlijke van de tijd de waarheid hebt vergeten of het ganse jaar achter nietigheden dwaalt waar geen baat bij is, schouwt in uw binnenste en kijkt naar uw handelingen en gedragingen. En ieder wie het aangaat, verlate de verkeerde weg en verwijdere alle lelijke gedachten en slechte voornemens!'

Dat is de rechtstreekse strekking van het sjofàrblazen.

Met dat al is Nieuwjaar een feestdag. Wel een ernstige, maar toch een feestdag. In het vertrouwen op de oneindige liefde van God, die Rechter en Koning, maar bovenal Vader, de Vader der barmhartigheid is.

Zo wordt het feest ook thuis gevierd. Een bepaalde huiselijke eredienst, zoals bijvoorbeeld het Paasfeest, heeft *Rosj-Hasjanàh* niet. Maar natuurlijk komt de betekenis van de dag er toch in vele dingen tot uiting. Ook in dat, wat men eet en drinkt. Als de eerste avond na de synagogedienst, thuis de gewone feestwijding is uitgesproken en men zich aan de dis zal zetten, wordt er eerst een zoete appel genuttigd, gedoopt in honing en dan meteen nog eens de wens geuit, dat het de Heer van dood en leven moge behagen ons jaar te vernieuwen tot een zacht en heilzaam jaar. Hier en daar is het de gewoonte, om de maaltijden uit zodanige spijzen te doen bestaan, waaraan min of meer stilzwijgend een wens verbonden is. Waar men kalfskop of schaapskop at of eet, deed of doet men het met de wens, om niet tot staart d.i. afhankelijk en getrapt te worden, maar zelfstandig te mogen blijven of worden[1].

In ieder geval vermijdt men zure en bittere spijzen. Zo zijn er nog enkele zinnebeeldige handelingen meer. Sommigen wandelen 's middags bij voorkeur langs een stromend water en zeggen dan het woord van Micha 7 vrs 18-20 na, waarin o.a. voorkomt: 'en wil hun zonden werpen – Hebreeuws: *tasjliech* – in der zeeën diepten.'

Maar ver over de grenzen van het eigen leven en over de belangen van Israël alleen roept de Dag van het Bazuingeschal. De hoofdgebeden richten ons op de ganse mensheid en op het waarachtige universele heil der wereld. In het middelpunt staat dit: 'dat de ondeugd haar mond sluite en alle slechtheid als rook verdwijne en dat Gij de heerschappij van het geweld van de aarde zult doen weggaan.'

Deze roep laat ook de sjofàr klinken. En in deze grote bazuin moet gans de mensheid blazen.

BOETETIJD EN TIEN BEKERINGSDAGEN

Een sabbath is de *Jom Hakkippoeriem,* de grote dag van het joodse jaar, die bestemd is om gans en alleen gewijd te zijn aan eigen onderzoek van binnen, aan volle inkeer in zichzelf. Een sabbath in'wezen en een sabbath ook in viering. Een diep ernstige dag voorzeker maar niet een dag, die met bangheid en angstige spanning is omneveld of waarop onrust en beving hun donkere vlekken laten vallen.

Een extra-sabbath, een sabbath bij uitnemendheid, noemt hem de Torah in III Moz. 16,31, het hoofdstuk, waar zijn bijzondere tempeldienst gegeven en zijn algemene viering is omschreven. Het is niet de wekelijkse, het is de jaarsabbath.

Week aan week, telkens na zes werkdagen, leggen wij – zo is immers de sabbathgedachte – onze menselijke scheppingsmacht over de stof, die God in onze hand heeft gegeven, ter neder. Wij treden uit onze heerschappij en als dienaren, die des Scheppers werk op Zijn bevel verrichten, erkennen wij, dat wij dienaren en ten allerhoogste herscheppers zijn en dat Hij alleen de Schepper der wereld was. En is. Zó zullen wij ons dan nimmer zetten op de Troon van God, Wiens stedehouders op aarde we bestemd zijn te zijn; Wiens wil ons werk is; en die wij als Zijn evenbeelden moeten vervangen, als Godsgestalten op aarde hebben te manifesteren. Week aan week zet aldus de sabbath God op Zijn troon als Schepper en ons als dienaren eromheen, ontdaan van onze macht en van het recht onzer, ons telkens weer voor zes dagen afgestane en opgedragen heerschappij. En op de Grote Verzoendag, die ene sabbath voor het hele jaar, die grote jaar-sabbath, dan leggen wij eveneens onze macht en heerschappij aan de voeten van de Goddelijke Troon. Ook dan

1. Voor het beeld kan verwezen worden naar v Moz. 28,44.

Bladzijde met gebed voor de sabbath uit handgeschreven gebedenboek door Arjeh Judah Loeb ben Elhanan Katz. Inkt en gouache op perkament, Wenen 1716-1717. (Collectie The Jewish Museum, New York.)

Het aansteken van de Sabbath-lamp. Afbeelding uit een Minhagiem-boek. Een houtsnede zoals vele malen in de 17de en 18de eeuw in Amsterdam gedrukt. (Uit particulier bezit.)

De Sjofàr in verschillende uitvoeringen. Op de bovenste staat: 'Blaast op de bazuin op nieuwe-maans-dag, bij het begin van de maand van onze feestdag.' Ps. 81,4. (Uit particulier bezit.)

Bord voor Rosj-Hasjanàh. Aardewerk. Delft, begin 18de eeuw. (Collectie The Jewish Museum, New York.)

Rechts: Delfts porseleinen borden, 17de eeuw. Boven: 'Prettige feestdagen'. Onder: de wens 'ten goede ingeschreven' voor het komende jaar. (Collectie Israël Museum, Jerusalem.)

ERTOONING DER BOEKEN VAN MOZES, OP DEN VERZOENDAG, IN DE PORTUGEESCHE JOODSCHE KERK, te AMSTERDAM

Kol-Nidré bij de Portugees-Israëlietische Gemeente te Amsterdam. Gravure van Kulk, 1782. (Uit particulier bezit.)

Kol-Nidré.

LEWANDOWSKI.

Kol ni - dre we e so re wa-cha-ro me w' ko-no me w'chi nu je w' ki nu se u-sch' wu-os, din - dar-no u d' isch t'wanoh,u d' a - cha rim-noh w' di - a - sar - no al naf - scho-so - noh. Mi-jom ki pu rim seh ad jom ha kipurim ha — bo o - le-nu l' to - woh. Kol hon icha rat no wo-hon kol hon j' 'hon scho-ron, sch'vikin sch' vi - sin, b' te - lin um vu to-lin lo sch'-ri - rin w' lo ka jo-min, nidro no lo - -nid - re, we e-so-ro no lo e-so-re,usch'wuo-so-nu lo sch wuos.

Melodie en tekst van Kol–Nidré, dat gezongen wordt aan de vooravond van de Grote Verzoendag.

Zilveren gesp voor een ceintuur. Te gebruiken op de Hoge Feestdagen. Holland, 1909. (Collectie The
Jewish Museum, New York.)

is het sabbath voor ons in diezelfde zin, dat wij onze handen aan alle arbeid onttrekken moeten en onze scheppende geest aan de dienst van lichaam en stof. Dan is God weer op de Troon gezet als Schepper. En dan staan wij er weer rondomheen met lege slappe handen. Maar dan ligt er bovendien ons werk. Tot onderzoek. En boven dat ons werk, zweeft de vraag: Is dat uw werk? Wat hebt ge gemaakt van de taak die u is opgegeven? Hebt ge als mens uw plicht gedaan? Als jood geleefd? Zie uw daden na. Toets uw woorden. Peil uw gedachten. En oordeel. Niet of ge zelf tevreden zijt, niet of een ander u toejuicht of verguist. Maar neem de maatstaf van God en Zijn Wil en vraag of Hij tevreden kan zijn. Wees u een streng rechter. Ge komt te kort. Ge kunt voor de Rechterstoel van God niet standhouden. Laat het u niet verontrusten of ontmoedigen en u daarom misschien liever de eigen ogen half of heel voor uw feilen doen sluiten. Als ge slechts waar wilt zijn en eerlijk en streng en onverbiddelijk en zien wilt en niet verschonen, dan moogt ge ook als zondig wezen voor de Rechter verschijnen. Want die Rechter is immers ook uw Vader. Een Vader, Wiens liefde nooit is uitgeput en Wiens genade ook in eeuwigheid niet eindigt. De Vader, die in de hemel is maar ook – vergeet dit niet – Koning der gerechtigheid op aarde. Vader en Rechter. En de Vader staat niets aan de Rechter af en de Rechter niets aan de Vader. Als beiden zijn zij absoluut. En samen: de Eenheid.

Voor deze Troon van God of – wat hetzelfde is – voor de Troon van deze God brengt ons de Jom-Kippoer. Hij is de Sabbath. Een hoogst ernstige maar geen onrustige dag. Een stichtende, letterlijk stichtende, die het opbouwwerk, dat iedere andere gewone wekelijkse sabbath aan ons verrichten moet, wil voltooien; voltooien als geheel en in alle onderdelen, tot in het kleinste.

Dat wil de Grote Verzoendag zijn. Zo staat hij in de joodse Leer; zo gaat hij door het joodse leven; zo trekt hij door de eeuwen der historie heen van het jodendom van Torah en traditie.

Jom-Kippoer valt in de zevende maand van het joodse kalenderjaar. Op de tiende tisjrie. De eerste van deze maand is het, zoals we zagen Nieuwjaar. Rosj-Hasjanàh. En de Grote Verzoendag werpt zijn schaduwen heel lang voor zich uit. Reeds bij Nieuwjaar komt – bescheiden nog – de Jom-Kippoer gedachte aangetreden. De voorbereiding. Rosj-Hasjanàh immers is 'de Dag der Herinnering' en de Dag van het Bazuingeschal'. De dag van de sjofàr om de slapenden te wekken en wakker te schudden hen, die in diepe dommel zijn gekneveld. Dan liggen in de hemel voor God de boeken geopend, waarin de namen van ieder en zijn daden zijn opgetekend. En andere boeken, waarin elks lot voor het volgend jaar zal ingeschreven worden.

Zo hebben de volksziel en de dichters de gedachten gezegd van zelfonderzoek en inkeer, van boete en vergelding, van berouw en herbouwing.

En zo begint Rosj-Hasjanàh met dat, waarmede Jom-Hakkippoeriem besluit. Zij vormen het begin en het slot der tiendaagse periode, die de naam draagt van de tien bekeringsdagen. Dat wil niet uitsluiten, dat ook ieder andere dag tot inkeer roept en dwingt. De fixering van deze 'tien bekeringsdagen' geeft geen vrijheid, om nu anders het zondebesef maar te laten indutten. Een wijze heeft gezegd: 'bekeer u één dag voor uw dood!' Is dat genoeg? Is dat niet te laat?... Weet ge dan – zo is er geantwoord – welke dag de dag van uw dood is? Iedere dag immers kan het zijn. Welnu dan!

Maar behalve elke dag is u de aanvang van ieder jaar nog eens afzonderlijk gegeven, aangewezen, om ernstig stil te staan en niet enkel de balans van uw stoffelijke bezit, van uw winst en verlies en van uw hebben en streven op te maken, maar ook om de staat van uw vermogen als evenbeeld van God vast te stellen, uw hebben te schatten en uw willen te wegen en te proeven uw hart en uw nieren. Nu extra en intens.

De aanvangstijd van het joodse jaar heeft altijd in de voorgrond gestaan van het hele joodse leven. Nieuwjaar en Grote Verzoendag zijn: de *Ontzagwekkende Dagen*, de *Jamiem Noraiem*. Hun komst wordt lang van te voren door bazuingeschal aangekondigd. In de synagogen wordt reeds gedurende de hele maand eloel, de voorgaande van tisjrie, dagelijks bij de twee bidstonden op de sjofâr geblazen.

En steeds waren er en zijn er nauwgezette en zich hunner ontoereikendheid bewuste zielen, die reeds lang voor de Jom-Kippoer, de grote Sabbath-Vastendag, een aantal halve dagen tot de middag vasten. Vasten wil zeggen: niet eten of drinken, volkomen nuchter blijven. Zij houden tien van zulken vastendagen. Maar in de tien bekeringsdagen is nooit een tiental bijeen te brengen, omdat de beide Nieuwjaarsdagen zelf van vasten uitgesloten zijn en omdat er dan in ieder geval een gewone sabbath invalt, waarop het vasten niet geoorloofd is en omdat ook de dag vóór Jom-Kippoer in geen geval vrijwillig gevast mag worden, ten einde het verplichte vasten van de dag zelf niet in gevaar te brengen.

De hele week, waarin Nieuwjaar valt – en als dat op maandag of dinsdag is, dan reeds de hele vorige week – staat in het teken der voorbereiding op de komst der Ontzagwekkende Dagen. Niet enkel door het tien-halvedaagse vasten van enkelen. Maar in het algemeen en overal. Dan wordt de ochtenddienst ter synagoge in de werkdagen vervroegd, want dan worden er iedere morgen, behalve op sabbath, bijzondere gebeden uitgesproken. Die gebeden heten: boetgebeden, *Seliechoth*. Hun schering en inslag is: Vader wij hebben gezondigd, wees ons genadig.

De dagen waarop deze gebeden in het vroege morgenuur ter synagoge worden aangeheven, hebben de naam gekregen van *Seliechothdagen*.

Op de eerste dezer seliechotdagen is het vrij algemeen gebruikelijk, om een soort bedevaart naar de begraafplaatsen te ondernemen. Dit geschiedt ook wel op de dag vóór Nieuwjaar en elders op de dag die aan de Grote Verzoendag voorafgaat. En weer ergens anders zijn in deze tijd van het jaar de begraafplaatsen altijd open en trekken er dagelijks mensen heen, die in deze tijd van peinzen en stil verkeer met zichzelf meer dan anders behoefte hebben, om zich in gedachte te verenigen met de dierbaren, die zijn heengegaan; en zulks op de plaats, waar hun stoffelijke rest ter ruste ligt. En dat oord – 'gut Ort', verbasterd tot 'gedort', noemde men eertijds, toen men nog Jiddisj sprak, de begraafplaats – dat oord predikt ons in alle stilte en statigheid en sterkte onze vergankelijkheid. En die stemt tot weemoed en tot inkeer. En de bedevaart geeft dus eveneens een goede voorbereiding.

Zo gaat men dus met de maand eloel, met de seliechothdagen en wat er bij behoort, met het Nieuwjaar en zijn symbolen en met de Bekeringsdagen en hun lering, de Grote Verzoendag tegemoet.

ONTHOUDINGEN EN VOORBEREIDINGEN

Een vastendag is de Grote Verzoendag. Een dag, waarop aan het lichaam alle voeding wordt ontzegd en alle anders gewone levensbehoeften worden onthouden. De Torah noemt dat algemeen: 'ge zult u ontzeggingen opleggen' (III Moz. 16,31). De traditie preciseert deze ontzeggingen: in volmaakte onthouding van spijs en drank; in het nalaten van ruime, van zelfs gewone lichaamswassing en van het gebruik van zalvingen of dergelijke lichamelijke genotmiddelen en in het afleggen, niet dragen dus, van het gewone – derhalve lederen – schoeisel. Zo wil de Jom-Kippoer ons niet enkel de stof uit de bewerkende, de producerende handen nemen, maar ons, zover het kan, helemaal uit het aardse heffen. Hij wil ons geestelijk wezen hebben en verlangt, dat wij ons dan uitsluitend met de Goddelijke zijde van ons mens-zijn bezig houden. En dat wij daarin onze eigenlijke, onze enige bestemming zien. En dat hij, deze dag, ons brenge, ons terugbrenge, telkens terugbrenge tot het besef dezer hoge roeping.

Aldus is de vastendag met deze spijs- en drankontzegging, aanvulling en consequentie van de werkonthouding van de sabbath. En uit het begrip van deze grote Sabbath-vastendag volgen eveneens de andere ontberingen. Het lichaam treedt geheel op de achtergrond. Het wordt gewassen alleen voor zover dit terwille van reinheid en hygiëne niet nagelaten kan worden. Al wat daarboven gaat wordt deze dag, deze ene keer, overgeslagen. Ogen en handen, de vingers alleen, krijgen slechts een kleine beurt. En niet gelaarsd en gespoord treden we op. We stappen zelfs niet met geschoeide voeten in het rond. Vilten pantoffels, althans voetbedekking van wat anders dan van leer, vormen onze dracht. Een dracht, die gewoonlijk de heersende, de gebiedende mens niet staat en die hij gemeenlijk in deze hoedanigheid niet aantrekt.

Maar ofschoon dag van allerlei ontberingen, die zwaar te dragen zijn, blijft toch zijn sabbathkarakter ongeschonden. Het is sabbath in de synagoge, sabbath in huis, sabbath overal, in geest en gemoed.

De hele dag tevoren ontvangt reeds de voorglans van het licht, dat met de Jom-Kippoer stralend binnenvalt. De voorbereiding houdt moeder in de weer, maar ook ieder ander reeds in gedachte bezig. De dag is in het verschiet en men is niet geheel en al meer in de alledaagse dag van heden verdronken. Als de middag is gekomen, gaat men ter synagoge het gewone, dagelijkse middaggebed verrichten. En dan, voor het eerst zegt men aan het einde de belijdenis van zonden, de *Widdoei*, die op Grote Verzoendag van elk der bidstonden een belangrijk bestanddeel vormt. Men heeft zich in het algemeen dan reeds lichamelijk gereinigd en voor deze bijzondere sabbath gereed gemaakt. De tijd voor de maaltijd nadert. Deze maaltijd is een sabbathmaal. Op de sabbath-vastendag zelf kan het natuurlijk niet genuttigd worden. Maar ditmaal, op de namiddag tevoren, heeft het het karakter en de stemming, die de sabbathmaaltijden kenmerken. En het is het laatste voor de vastendag en moet ons meteen wapenen tegen de anders te grote bezwaren der spijs- en drankonthouding, waaraan wij nog iets meer dan volle vierentwintig uren weerstand moeten kunnen bieden.

Toch wordt het niet maar een eetpartij. De ervaring heeft – als de rituaal-geschriften het niet gedaan hebben – iedereen al wel gewaarschuwd, dat overlading van de maag allerminst een weerstand vormt en dat zelfs het voller laden dan gewoonlijk geen baat brengt maar veelal ongemak en minder genoegen. Wie de Grote Verzoendag inderdaad in geestelijk beleven smaakt, wordt waarlijk maar weinig geplaagd door dorst of honger. En hij kan het uit de verte als vrij natuurlijk ook verstandelijk begrijpen, dat Mozes kon verklaren in zijn verkeer met God gedurende veertig dagen en nachten 'geen brood gegeten en geen water gedronken' te hebben (v Moz. 9,9).

Als de dis, de feestdis, met de bede bij het breken van het brood begonnen en met dankgebed geëindigd, opgeheven is, dan legt men de laatste hand aan alle voorbereiding en staat men aanstonds gereed, om in sabbathgewaad op te gaan naar het bedehuis.

De tafel is gespreid als op sabbath. De lichten branden. Ook de extra sabbathlichten. En er wordt een kaars ontstoken, die groot genoeg is om heel de Jom-Hakkippoeriem te blijven branden. Want het licht zal deze hele dag niet uitgaan. En aan het einde, morgenavond, zal deze kaars gebruikt worden bij het afscheid – de havdalàh – hetwelk dan, evenals bij de uitgang van iedere sabbath, ook van deze sabbath zal genomen worden. Niet overal, maar in sommige landen of kringen, bestaat bovendien het aandoenlijk gebruik om iedere Jom-Kippoer ook lichtjes te laten branden ter nagedachtenis en ter verering van ouders, die niet meer zijn. Het vlammetje is ook in de Bijbel symbool der ziel (Spr. 20,27).

Als het witte tafelkleed gespreid is en de lichten glanzen, dan zegt moeder, net als bij de ingang van de sabbath de zegenspreuk over het licht, nu het licht van de Grote Verzoendag en strooit het, als het ware weer door gans de woning heen. Dan is de heilige dag begonnen. En de kinderen bieden hun hoofden aan vader en moeder om de zegen uit hun handen, hun mond en hun hart te ontvangen. En wensen worden dan – niet waar? – gewisseld. Uitgesproken en gestamelde wensen. En stille wensen.

Reeds een poos voor de schemering vult zich de synagoge. Zij is in licht gehuld en in het wit gekleed. Zo was het ook op Rosj-Hasjanàh en in al de tien bekeringsdagen. Wit zijn de dekkleden van biema en lezenaar, het voorhangsel voor de heilige arke en de mantels der Wetsrollen daar binnen. En de voorzangers en leraren dragen het witte opperkleed, dat hun eens bij hun doodsgewaad zal aangetrokken worden. Ook dit was eveneens reeds op Nieuwjaar het geval.

Dit doodsgewaad roept luide het memento mori uit. Denkt aan de dood! Hoe wilt ge hem ontmoeten?

Ook sommige anderen hebben hun doodshemden aangetrokken.[1]

Ze zijn nu te tellen. Doch er was een tijd, dat het algemeen gebruikelijk was. En er zijn nog streken, waar het vrijwel zo is. Overigens is iedereen in het beste feestgewaad gestoken.

Er is nu enige spanning in het bedehuis, een spanning, die op wijding wacht.

Voordat de schemering daalt, begint de dienst. Het tallith, de zwart-gestreepte witte wollen of ook wel blauw-gestreepte wit zijden omslagdoek, aan welks vier hoeken de tsitsith, wordt uit de vouw gedaan. En luid spreken eerst degenen, die de gemeente in gebed en eredienst zullen leiden, de lofzegging uit en hullen hoofd en schouders in hun gebedsmantel. En dan volgen de gemeenteleden en doen desgelijks.

De dienst is begonnen.

Het is *Kol-Nidré-avond* in de synagoge.

KOL-NIDRÉ

Nog stond de voorzanger op de biema, toen hij zich in het tallith hulde en daarmee het sein gaf voor de aanvang van de dienst. Nu schrijdt hij naar de lezenaar voor de heilige arke ,waar zijn eigenlijke plaats is als voorganger in het gebed. Maar deze keer komen er nog twee andere mannen naar dezelfde plaats aangeschreden. Het zijn bij voorkeur geestelijke ambtsdragers, de andere voorzangers, of ook wel administratieve autoriteiten, bestuurderen of kerkvoogden, of mannen, die om hun bijzondere kwaliteiten geëerd, voor deze handeling expresselijk zijn aangewezen. De twee stellen zich rechts en links van de voorzanger, die deze avond de dienst zal leiden. Zij vormen met hun drieën een college. En als college verkondigen zij de schare nu, formeel en plechtig, in naam des Hemels en uit naam van aardse autoriteit, dat de Verzoendag daar is, en dat men met gebeden voor de Godheid treden kan. Allen die er zijn. De hele gemengde menigte: de rein-ge-

1. Voor doodskleren zie blz. 264.

85

dachten met de erkende zondaars. Niet de roep derhalve: zondert u af van de zondigen; gaat weg, gij braven, van de slechten. Maar andersom: Verbeeldt u niet, in uw eigengerechtigheid, dat gij alleen bij God welkom zijt; en vreest in wrede braafheid niet, dat het u zou kunnen schaden in het gezelschap van anderen, die wet en overlevering schenden, op deze heilige dag voor de Koning der Gerechtigheid te verschijnen. Integendeel. De poort des Hemels is geopend. Nu stijge het gebed omhoog, het gebed van allen, het gemeenschappelijke. Mét de zondaars.

Driemalen spreekt het college, vormelijk als in een rechtszitting, het formulier dezer verklaring uit. Ze zeggen het natuurlijk niet declamerend maar op de zangerige toon, tussen spraak en melodie, die bij de synagoge past. En dan eerst zet de voorzanger de eerste tonen van *Kol-Nidré* in. Kol-Nidré zijn de twee aanvangswoorden van een andere verklaring, die bij de ingang van de Grote Verzoendag, voor het eigenlijke avondgebed, ook formeel en driemaal wordt uitgesproken. Deze twee woorden hebben hun naam op de hele dienst en op de hele avond gedrukt. Maar niet om hun inhoud of de inhoud van het hele stukje. Daarover zullen wij nog afzonderlijk spreken. Maar om de stemming, die noch de woorden, noch de strekking van dit formulier raakt, maar die door het gevoel wordt gewekt, dat de aanvang, het openingsmoment van een betekenisvolle, plechtige gebeurtenis teweegbrengt. Om de spanning der zielen in deze stonde.

De druk der harten, die in deze momenten gejaagder slaan dan anders; het zinnen der gemoederen, waarin het voorbijgevlogen jaar en zijn ondervindingen woelen; de verwachtingen, die grillig de ene de andere verjagen; de sfeer die er gloort in de glans van het verlichte bedehuis... Zij met elkander hebben een melodie gebaard: een lied zonder woorden. Dit is Kol-Nidré. Een lied zonder woorden als opening van de heilige dag, de Jom-Hakkipoeriem. Die melodie wordt nu gezongen op de woorden van het Kol-Nidré-formulier, maar heeft met de woorden of de inhoud niets te maken.

Het zangstuk is in de synagoge van heel de joodse wereld klassiek geworden. En het heeft in de bekende instrumentale bewerking van Max Bruch ook een plaats in de concertzaal verworven.

Driemalen achtereen draagt de voorzanger het formulier Kol-Nidré voor. Eerst zachtjes, als peinzend, gebonden, nog gedempt. Dan wat vrijer, luider. Eindelijk los, uit volle borst. En dan, haast jubelend, er achteraan, het bijbelvers: (iv Moz. 15,26) 'En het zal vergeven zijn aan de ganse gemeente der kinderen Israëls en aan de vreemde, die onder hen vertoeft. Want immers gans het volk verkeerde in dwaling.'

Dat bijbelvers wordt luid door de verzamelde schare opgezegd. En de voorzanger spreekt daarna voor allemaal de lofzegging uit, die bij het begin van iedere feestdag en bij vele gewichtige gebeurtenissen, rust- en keerpunten in het leven, wordt uitgesproken: 'Geloofd zijt Gij, Eeuwige, onze God, Die ons het leven hebt gegeven en gelaten en ons tot deze stond hebt doen komen.'

Dan gaat hij over tot het gewone avondgebed. Het college van drie is ontbonden. De twee andere verlaten hun tijdelijke plaatsen bij de lezenaar en begeven zich naar hun gewone plaatsen. En de voorzanger leidt de dienst. Hij heft daarbij de melodieën aan, die deze avond in de loop der tijden als eigene heeft verkregen. Geen goed voorzanger, die ze niet zou kennen. Geen goed voorzanger ook, die ervan zou afwijken. De gemeente zou hem niet dankbaar zijn, ook wanneer hij driemaal fraaiere en tienmaal treffender zou zingen. Men wil hier de stemmen van oude bekenden horen. Dat alleen doet goed, slaat aan in de ziel, sluit aan bij de stemming. En bij de vorige jaren; bij de voorgeslachten; bij het verleden. En bij de kinderen, die diezelfde bekenden zullen horen spreken; bij de geslachten die volgen; bij de toekomst.

Traditie. Traditie is óók eenheid.

En thans geen woord van de kansel?

Het woord van de kansel is zeldzaam in de synagoge.

Wij bespraken dat reeds vroeger afzonderlijk. De kanselrede immers moet altijd in de godsdienstoefening worden ingeschoven. Want de synagogale eredienst is er, naar oorsprong ontwikkeling en inrichting, niet op berekend. Maar in de tijd der tien bekeringsdagen is het wat anders. Dan wordt er, over het algemeen, wel naar verlangd. Dan is de predikatie haast overal schier ingeburgerd en bijkans een eis geworden. Op Nieuwjaar, maar vooral op de Grote Verzoendag. En ook wel op de sabbath die er tussen valt. Die was trouwens van oudsher bestemd voor een openbare voordracht. Hij en de sabbath die aan het Paasfeest vooraf gaat. Een openbare voordracht door de hoogste Torah-leraar der gemeente. Niet een zedebeschouwing, niet moraalfilosophie, niet godsdienstig vermaan, maar een joods-wetenschappelijk juridische verhandeling. Een halachische voordracht.

Begrijpelijkerwijze kan hiervan slechts sprake zijn op plaatsen, waar én een joods geleerde én het nodige auditorium aanwezig is, die over de nodige kwaliteiten beschikken om, respectievelijk zulk een voordracht te houden en aan te horen en te genieten. Waar dat niet het geval is, wordt de halachische voordracht door een predikatie vervangen. Of er gebeurt helemaal niets.

Op Jom-Kippoer echter wordt er waar het maar enigszins mogelijk is, gepredikt. In sommige plaatsen overdag, in andere op Kol-Nidré-avond. Hier en daar helemaal vooraan, voordat de dienst begint, terwijl de mensen nog binnenkomen. Sommige laatkomers althans, die nergens ontbreken. Elders, nadat de gemeente de stille sjemoné-esré-bede, die staande wordt verricht en het eigenlijke gebed van de avondbidstond vormt, ten einde heeft gebracht. Voordat de speciale liturgie begint van de Kol-Nidré-avond. Dat is de goede plaats.

Na de sjemoné-esré, of na het kanselwoord van de predikant, wordt door de voorzanger de liturgie begonnen. Voor de eerste maal wordt het voorhangsel terzijde geschoven en gaan de deuren der heilige arke open. De voorzanger zingt het schone gedicht *Jaäleh*: 'Nu rijze onze bede van avondstond aan...' Na de zang van dit gedicht wordt de heilige arke weer gesloten.

De ceremonie van het openen en sluiten der heilige arke wordt gedurende deze bidstond en de hele volgende dag, telkens bij bepaalde liturgische gedeelten, verscheidene keren herhaald. Ieder kan, behoudens de getroffen nodige administratieve maatregelen, de beschikking krijgen over de verrichting van zulk een erefunctie. Voor zichzelf of om er een ander mede te vereren. Regel is het laatste.

Met zangerig recitatief wordt de dienst thans voortgezet. Alweer door de voorzanger. Nu echter antwoordt hem de hele gemeente, zo dikwijls hij een zin heeft voorgedragen, met een volgend vers. Zoveel mogelijk in dezelfde toon.

Er wordt vanavond en deze dag, trouwens altijd, van de voorzangers inderdaad veel gevergd. Zij moeten over een enorm muzikaal geheugen beschikken en over volmaakte techniek en over een bijzonder uithoudingsvermogen. Eén man voor de hele dienst van de Grote Verzoendag... het is erger dan een bravourstukje, dat evenwel soms hier of daar, maar dan uit noodzaak, wel wordt uitgehaald. Wanneer twee voorzangers elkander afwisselen, dan hebben zij nog beurtelings diensten van meer dan drie of van omstreeks anderhalf uur, staande te verrichten, bijna aanhoudend zingende of reciterende. Het lijkt ondoenlijk. Zij echter schijnen daar niets van te voelen. Zij leiden de schare en nemen haar mee. En de uren snellen heen en men merkt het haast niet, voordat telkens alweer een deel van de dienst ten einde spoedt.

Kol-Nidré-avond wordt besloten met gemeenschappelijke zang bij open arke, van *Jigdal*: een kunstig lied, waarin de zogenaamde dertien geloofspunten zijn verwerkt en waarmee vele bidstonden worden besloten; alsmede van het mooie *Adon Olam*, Heer der Wereld, hetwelk eindigt aldus: 'In Zijn hand vertrouw ik mijn geest, wanneer ik slapen ga en weer ontwake. En met mijn geest, mijn lichaam: God is met mij, ik vrees niet!'

Dan wordt de heilige arke gesloten. De gebedsmantels worden afgelegd en het bedehuis loopt langzaam leeg.

Maar de synagoge wordt deze nacht niet gesloten en de lichten worden niet gedoofd. Althans niet allemaal. Er wordt natuurlijk voor bewaking zorg gedragen. Wie nog wil blijven om te bidden of om Psalmen te zeggen of om het belangrijke gedicht na te peinzen van de grote zanger-wijsgeer Salomon Ibn Gabirol, die in de elfde eeuw in Spanje leefde – de *Kéther Malgoeth*=de Koningskroon geheten – dat gewoonlijk is afgedrukt in de gebedenboeken voor Kol-Nidré, die kan het doen. En wie de hele nacht wil blijven hoeft dit niet te laten. Maar in ieder geval wacht ons het open bedehuis. Vroeg, in de volgende morgen.

Vroeg begint de ochtenddienst. Het is vaak buiten nog niet helder licht, wanneer in de synagoge het gebed geopend wordt met het Adon Olam, waarmede Kol-Nidré-avond werd besloten. Niet waar? 'Abraham stond vroeg op in de morgen' – 1 Moz. 22,3 – toen hij geroepen was tot een onvoorwaardelijke, ontzettende gehoorzaamheid en zich gereed moest maken, om zijn enige zoon aan God te geven. Hij had alle reden om te talmen en had, zelfs voor uitstel, gemakkelijk voorwendsels kunnen vinden. Maar hij stond vroeg op en ging. Hij gehoorzaamde. Zonder meer. En deed terstond, zo snel hij kon, wat hem bevolen was. Zo wil dit, in het vroege morgenuur zich stellen voor God, die deze dag bijzonder dringend roept, gaarne een bescheiden volgen uit de verte aanduiden van het zo ontzagwekkende voorbeeld, dat de eerste der aartsvaderen heeft gegeven: bereidwilligheid, onderwerping, overgave.

Al begint de dienst nu reeds vroeg, hij duurt de hele dag en wordt niet onderbroken. Maar met de gewone gebeden van de ochtend – *Sjacharieth* – het daar aansluitende specifieke gebed van de dag – *Moesaf* –, het middaggebed – *Minchàh* –, en het ook weer speciale slotgebed – *Ne'ielàh* –, van de Verzoendag, met de vaste hoofdgebeden alleen van deze bidstonden, ware de ganse dag niet te vullen. En toch had en heeft men behoefte om heel de Grote Dag met godsdienstoefeningen in het bedehuis door te brengen, sinds na de tempel te Jeruzalem, het huis des gebeds de verzamelplaats werd voor alle godsdienstig samenzijn en het centrum voor de gemeenschappelijke godsdienstige levensuitingen. Er werd in voorzien. Reeds de eerste dichters, *de Paitaniem* – dat zijn de poëten uit de vroegste periode der ontluikende Nieuwhebreeuwse poëzie in de 9e à 10e eeuw – begonnen het gebedenboek met *Pijoetiem*, dat zijn gedichten, liturgische stukken in dichtvorm, aan te vullen. En vele volgende geslachten leverden nieuwe bijdragen. Zo volgt er nu zang na zang, gedicht op gedicht. Het zijn niet allemaal liederen, niet allemaal gedichten, die in het *Machzor* – dat is de cyclus der feestgebeden – zijn opgenomen en er nu een vaste plaats verkregen hebben, waarvan zij niet meer te verdringen zijn. Maar er zijn ook vele zangen bij van grote dichtervorsten. En ook al wat er aan ware poëzie te kort komt, wat dichterlijke waarde mist en soms niet boven het peil stijgt van gewone rijmelarij, is toch nog hoog van religieuze verheffing en warm van heilige godsdienstgloed.

En bijna al deze stukken hebben door de eeuwen heen ieder een eigen melodie aangenomen, of ten minste wel een eigen recitatief. Er zijn er ook onder, die de voorzanger geheel of gedeeltelijk de vrijheid laten, om bestaande zangwijzen te variëren of geheel nieuwe samen te stellen, of ook om als het hart hem dringt, uit zijn gevoel en zijn muzikale ingeving te fantaseren. Zo reciteert en zingt men onder de leiding der voorzangers door de dag heen.

Elk der afzonderlijke bidstonden: het ochtendgebed, het moesaf-gebed, het middagen het slotgebed, wordt met *Seliechoth* of boetgebeden besloten. Verscheiden stukken uit de seliechoth der werkdagen van voor Nieuwjaar uit de tien bekeringsdagen worden dan nog eens plechtig herhaald en de belijdenis van zonden wordt telkens weer, stil door ieder voor zichzelf in de hoofdgebeden en luid te zamen aan het slot der seliechoth met de voorzanger uitgesproken.

Tweemaal deze dag wordt de heilige Wetsrol uit de arke naar de biema gedragen en een stuk eruit voorgelezen. 's Ochtends, als het ochtendgebed in omstreeks vier ruime uren is verricht, dan wordt de Wetsrol op Cap. 16 van III Moz. opengerold en dit hele hoofdstuk voorgedragen in de alleen voor de Ontzagwekkende Dagen – de Jamien Noraïem – gebruikelijke spraakmelodie, onderverdeeld, als Jom-Kippoer op een werkdag valt in zes en op sabbath in zeven stukken, waarbij dus zes of zeven personen voor de Torah worden 'opgeroepen'. In dit hoofdstuk staat de tempeldienst voor de Grote Verzoendag. Uit een tweede Wetsrol wordt IV Moz. 29 vrs 7-11, dat voorschriften voor de viering van de dag en voor de offerdienst bevat, met een zevende, respectievelijk achtste opgeroepene voorgelezen. En deze leest daarna uit een boek, niet uit een geschreven rol, aan de gemeente de *Haftaràh*, de profetische voordracht voor: Jesaja Cap. 57 van vrs 14 en met Cap. 58, waarin vasten voor de vorm zo fel gegeseld en menselijkheid zo heerlijk bezongen en ieder aan het hart wordt gelegd.

Later op de dag, bij de aanvang van het middaggebed, wordt ten tweede male de Torah opengerold. Nu worden er drie personen 'opgeroepen' met wie van III Moz. het 18e hoofdstuk wordt voorgelezen, dat waarschuwt tegen de onkuisheid en de uitspattingen van een verdierlijkt heidendom en tot levensheiliging vermaant. De derde der opgeroepenen leest nu, weer uit een boek, heel het boek Jona voor. Leest voor van Jona, die God en zijn plicht niet ontlopen, kon, van het grote heidense Ninivé, dat luisterde naar de Godsgezant en vastte, dat terugkeerde van de weg van slechtheid en onrecht en geweld en dat vergeving en genade vond.

De tempeldienst, zoals die is omschreven in het stuk der Torah, dat 's morgens wordt voorgelezen en dat in de Talmoed (traktaat Joma) in bijzonderheden is uitgewerkt, vormt de stof, die een Paitan in een liturgisch dichtstuk heeft neergelegd, dat in het moesafgebed is ingelast en daarvan het hoofdbestanddeel uitmaakt. De hele dienst in de tempel van weleer gaat dan aan ons oog voorbij. Wij leven alles mede. Wij doen zelfs alles mede, wat mede is te doen.

Nooit wordt er in de synagoge geknield dan alleen op Nieuwjaar en op Grote Verzoendag. Op Nieuwjaar in het stuk 'Alenoe', een deel van het moesafgebed, waar het heet: 'en wij knielen en werpen ons ter neder voor de Koning aller Koningen, de Heilige, geloofd zij Hij'. Dat geschiedt bij geopende arke, eerst door de gemeente, dan door de voorzanger, onder de zang der betreffende Hebreeuwse woorden.

Zo gebeurt het eveneens op de middag van Jom-Kippoer bij datzelfde deel van het moesaf-gebed. En dan volgt het verhaal en het zien en het meeleven van de tempeldienst van weleer.

Zo wordt daar ook verhaald: dat de Hogepriester voor het verrichten van offerhandelingen binnen ging in het Allerheiligste, hetwelk hij nooit anders dan op de Grote Verzoendag mocht betreden en dat hij bij het verlaten van het Allerheiligste, als hij weer voor het oog der in spanning wachtende menigte verscheen, haar het bijbelwoord toeriep: 'Want op deze dag zal Hij u verzoening schenken om u te reinigen; voor de Eeuwige zult ge rein zijn'. (III Moz. 16,30); en dat hij dan de vierletterige Naam van God niet met de aanduiding Adonai, is Heer, uitsprak, maar voluit zoals het woord in werkelijkheid luidde. En dan: 'de priesters en het volk, die in de tempelhal stonden, als zij hoorden de Naam, de geëerbiedigde en ontzagwekkende, voluit te voorschijn komen uit de mond van de Hogepriester in heiligheid en reinheid... dan knielden zij en wierpen zij zich neder en vielen op hun aangezichten en riepen: 'Geloofd zij de Naam van de heerlijkheid van Zijn Koningschap, immer en eeuwig!'

En nu doet het de schare in de synagoge al de drie malen, dat het verhaal ervan voorkomt in deze herdenking. En de voorzanger doet het telkens daarna onder plechtige zang van oude melodieën.

In aandoenlijke zuchten klinkt dra dit eigenaardige epos uit:

'Zó was het eens!

En nu...?'

Waarop in bittere klachten het leed der ballingschap wordt uitgezongen. In roerend, eenvoudig, haast klassiek poëtisch proza.

Zo wisselen elkander de momenten af, die altijd weer opnieuw de aandacht vermogen te boeien. De voorzangers worden niet moe en vergezellen de woorden met oude en nieuwe, maar immer frisse zang. Wie zich trouw door hen laat leiden, vergeet vanzelf naar de tijd te vragen. En zo nadert snel het einde van de grote dag.

'Als de schaduwen buiten langer en langer worden en de zon over de toppen der bomen heen begint weg te gaan', dan is het tijd om in de synagoge het slotgebed – ne'ielah – te beginnen. Een groot uur, voordat de sterren in het uitspansel staan. Dan komt nog eenmaal de aanvangsstemming van Kol-Nidré-avond binnen. Straks zullen de hemelpoorten achter het licht van de dag gesloten worden. De poorten des gebeds staan nu nog open! En met vernieuwde innigheid stijgen nu de roerende smekingen op, die de inhoud van ne'ielàh vormen. Alle lichten gaan weer aan. Een oude wellicht in gans de joodse wereld inheemse melodie gaat, gezongen door de voorzanger, door de ruimte en vult de sfeer. En zodra hierop in stilte door allen staande het hoofdgebed is uitgesproken, worden de deuren der heilige arke geopend. Nu voor het laatst. Zij blijven thans open tot het einde van de dienst, dat onder mooie liturgie en afwisselende zang ongemerkt heel spoedig nadert.

Het is 'nacht'. De schare hult de hoofden in de gebedsmantels. Er wordt *Sjémoth* gezegd:
'Hoor Israël! Adonai is onze God. Adonai is één!'
'Geloofd zij de Naam van de heerlijkheid van zijn Koningschap immer een eeuwig!'
'De Eeuwige, Hij is God! De Eeuwige, Hij is God!'

Ziedaar, hetgeen aan de sponde van een stervende broeder of een zieltogende zuster door allen, die bij het verscheiden van een kind van de joodse stam aanwezig zijn, te zamen wordt uitgesproken. Nu, bij het einde van de Jom-Hakkippoeriem, stroomt het uit alle monden en harten. Wie gaat er de eeuwigheid in? Ieder onzer kan het zijn. Welnu, wij zijn bereid! Bereid voor alles, in de Naam van de Eeuwige, de God van Israël!

De voorzanger ontboezemt weer het eerst deze geloofsbelijdenis. De gemeente zegt hem iedere zin afzonderlijk na. De eerste zin eenmaal, de tweede driemaal en de derde zevenmaal. En als de laatste geluiden van het Sjémoth zijn weggestorven en het snikken, dat er soms door allerlei herinneringen bij is opgewekt, niet meer vernomen wordt, dan gaat er een langgerekt bazuingeschal, één sjofàrtoon slechts, over de hoofden.

De deuren der heilige arke worden gesloten. De dag zweeft weg.

MELODIE EN FORMULIER VAN KOL-NIDRÉ

De Kol-Nidré-muziek der concertzaal heeft het wel haast tot een soort zegetocht over de wereld gebracht. Zij heeft tot op heden haar overwinning weten te handhaven en haar roem nog niet overleefd. De melodie der synagoge is haar bron. Ook zij kent de hele joodse wereld en, omdat de joodse wereld zich schier overal bevindt, is zij overal thuis. De hele joodse wereld, ook die haar niet zingt, kent haar. Wie deze kern-melodie met het bekende Kol-Nidré van Max Bruch in staat is te vergelijken en daar plezier in heeft, die kan de een of andere componist van synagogale gezangen raadplegen. Op de volgende bladzijde hebt ge daartoe de compositie van Lewandowski, een der vruchtbaarste en grootste componisten, chazan en componist tegelijk. Zij is volgens mijn deskundigen, getrouw traditioneel.

Deze melodie is zeker heel heel oud. Hoe oud weet ik niet. De woorden waarop zij nu wordt gezongen, zijn nog veel ouder. Het stuk is helemaal geen Hebreeuws. Het is zogenaamd Chaldeeuws. Er bevinden zich in de synagogale liturgie nog enkele andere Chaldeeuwse stukken, die bijkans allemaal reeds met het feit, dat zij Chaldeeuws zijn, hun bijzondere ouderdom bewijzen en welke uit de tijd stammen, toen deze taal als volkstaal in het toenmalige Palestina werd gesproken. Dat is in de eeuwen om het begin van de christelijke jaartelling heen.

De melodie heeft met deze woorden niets te maken. Zij vormen de inhoud van een formulier, een verklaring, welke vertaald aldus luidt:

'Alle geloften of onthoudingen of ontzeggingen onder welke benamingen ook en alle eden, die wij onszelf als geloften of ontzeggingen in enige vorm, of als eden zullen hebben opgelegd, van deze Grote Verzoendag af tot de volgende – die wij ten goede mogen bereiken–... over deze allemaal hebben wij nu reeds berouw; zij zullen allemaal geacht worden ontbonden, opgelost, ongeldig, vernietigd, nietig te zijn; niet van kracht zijn, niet bestaan; zulke geloften zullen geen geloften, zulke eden geen eden zijn.'

Deze verklaring werd vóór de aanvang van de Grote Verzoendag, formeel en driemaal uitgesproken. Waarom, en met welke strekking, zullen we aanstonds zien. De melodie is een lied zonder woorden, dat ontstond in de atmosfeer van de wijding en spanning in de heilige stonde van de nadering van de zo Grote Dag. Verklaring en zang ontmoetten elkander allengskens. En zij groeiden met elkander op en werden één.

Over dit Kol-Nidré-formulier is al heel wat te doen geweest.

Wat? De jood verklaart al zijn geloften en eden, die hij gedurende een heel jaar zal doen, bij voorbaat voor ongeldig! En hij verklaart dat in het gezicht van zijn Grote Verzoendag? Wat hebt ge nu aan het woord van zulk een mens? Wat baten u zijn eden? Ge begrijpt, dat de antisemitische agitatie zich van dit stuk heeft bediend en dit formulier zo heftig mogelijk en zo vaak als zij maar kon op hare wijze heeft uitgebuit. Het ontbreekt nergens, in geen enkele tijd en in geen enkel gedeelte van de uitgebreide antisemitische literatuur. Zij haalt er het bewijs uit voor haar aanklacht, dat de jood geen enkele belofte heilig is, dat hij geen enkele eed behoeft te houden en dat hij gerechtigd is er lustig vals op los te zweren, daar hij zich van te voren tegen de verbintenis zijner beloften en eden gevrijwaard heeft. Dat aldus de leer van zijn godsdienst luidt!

Een waarlijk niet malse beschuldiging.

Waarvan echter niets overblijft, wanneer men maar even in de rondte kijkt in Leer en Codices. En in het formulier zelf:

Wat in de Torah staat heeft niets aan verbindende kracht verloren. Twee van de Tien Geboden zijn hier van toepassing: 'Gij zult de Naam van Adonai, uw God, niet valselijk gebruiken'. 'Gij zult geen vals getuigenis tegen uw evenmens afleggen.' En om nog een paar zulke woorden te grijpen: 'Verbreidt geen vals gerucht' (II Moz. 23,1). 'Houdt u ver van leugenzaken' (23,7). 'Gij zult niet loochenen en elkander niet beliegen en bij Mijn Naam niet vals zweren' (III Moz. 19,11 en 12).

De Talmoed in Sjewoeoth, het traktaat, dat over de eden handelt (folio 38 en 39). zegt: 'Bij de eed voor het gerecht zegt het college tot degene, die een eed moet afleggen: denk eraan, dat de hele schepping beefde, toen God op Sinai sprak: gij zult de Naam van Adonai, uw God, niet valselijk gebruiken!' En verder: 'Weet wel, dat wij u geen eed afnemen, volgens hetgeen gij in de gedachte zoudt nemen, maar naar de bedoeling van God en naar de bedoeling van de Rechtbank.' Het is enerlei, of men zelf iets bezweert of 'amen' zegt op de eed van een ander. Het is evenzeer verbindend.

Wat de Torah leert en de Talmoed nader uiteenzet, kunt ge in de Godsdienstcodex van Maimonides[1] en in de Sjoelchan 'Aroeg van Josef Karo[2] in paragrafen geordend terugvinden. Bij de laatstgenoemde zult ge ook dit nog treffen: 'Een eed is ook verbindend, als men de Naam van God daarbij niet uitdrukkelijk noemt en alleen maar zegt: "Ik zweer, dat ik dit of dat zal doen of niet doen": en het is hetzelfde in welke taal men zweert en of men de uitdrukking "zweren" of een andere van gelijke betekenis gebruikt en of men "amen" of bijvoorbeeld Ja zegt op de eed van een ander, jood of niet-jood.'

'En iemand, die verdacht is op het stuk van zweren, behoort men geen eed af te nemen, zelfs niet, wanneer de tegenpartij, die van deze onbetrouwbaarheid op de hoogte is, zich uitdrukkelijk bereid verklaart, de eed te willen erkennen'.

Doch genoeg verweer.

En als iemand nu wijst op het Kol-Nidré-formulier en de vragen herhaalt: wat hebt ge nu aan het woord van zulk een mens? Wat baten u zijn eden, als hij zich bij de intrede van zijn Jom-Kippoer bij voorbaat van alle dergelijke verbintenissen ontslaat...?

Wat dan?

Wel, al die geloften en ontzeggingen en eden gaan u niets aan en gaan geen sterveling ter wereld wat aan. Met deze van mij heeft een ander en met die van een ander heb ik niets te maken. Zij hebben niet de minste betrekking op enig denkbaar geval of op enige praktische of theoretische te stellen verhouding in de gemeenschap tussen de mensen onderling. Het gaat hier over geloften, die men in enigerlei vorm en onder enigerlei benaming *zichzelf* oplegt. Vrijwillig oplegt. Waartoe men zich tegenover God meent te moeten verbinden en waarvoor men dus alleen tegenover God en zijn geweten verantwoording schuldig is.

Er overkomt bijvoorbeeld iemand iets heel ellendigs of iets heel goeds. Hij is zeer bewogen. En in de onstuimigheid van zijn gevoel legt hij zich een gelofte op tot een daad, of doet hij een eed voor een onthouding: dingen, waartoe hij tegenover niemand verplicht is en die geen sterveling van hem kan eisen of zelfs vragen.

Van zulke zaken spreekt het Kol-Nidré-formulier en van niets anders. Het staat er uitdrukkelijk in: 'die wij *onszelf* als geloften of ontzeggingen in enige vorm of als eden zullen hebben opgelegd'.

Het is ontstaan uit religieuze voorzichtigheid; als ge wilt: angstvalligheid. Als bij hevige gemoedsaandoeningen of bij onstuimig godsdienstige opwellingen de golven van het gevoel over ons heen slaan, dan slaken wij somwijlen half verdronken, voornemens, die wij bij een volkomen evenwichtig bewustzijn, wellicht niet geheel zouden gekoesterd hebben. Dat leert de ervaring.

Men vreest daarvoor. Want men wil vrij blijven en zich tegenover God niet in overspanning met onmogelijkheden belasten. Men waarschuwt zichzelf en in het gezicht van

1. Zie blz. 299. 2. Zie blz. 301.

de Grote Dag, waarop men als het ware vergeestelijkt voor God moet treden, legt men de verklaring af.

Doch als men desniettemin in een dusdanig geval geraakt is en het blijkt, dat men zich in eigen toezeggingen of ontzeggingen heeft verstrikt, dan is men niet klaar met deze ontbinding bij voorbaat. Dan kan de strik wel losgemaakt worden. Maar eerst moet blijken, dat er niet gedacht is aan de omstandigheden, die nu het net gevlochten hebben. En als het dan vaststaat, dat toezegging of ontzegging a priori voor deze omstandigheden niet golden, dan zijn zij eigenlijk hiervoor nooit van kracht geweest en dus vanzelf vervallen. Maar dat mag de belanghebbende zelf niet beoordelen. Dat moet objectief door anderen geschieden.

Zo staat het met Kol-Nidré.

Oud is Kol-Nidré. Zang en woorden, afzonderlijk en tezamen. En Kol-Nidré-avond.
Zij zullen met elkander nog vele eeuwen zien.

FEESTEN EN FEESTELIJKE GEDENKDAGEN

SOEKKÀH EN LOELÀV

De Grote Verzoendag is voorbij. En daar staat het *Feest der Loofhutten* voor de deur en klopt bij ons aan.

Het *Soekkothfeest* is vol symbolen. Allereerst heeft het de *loofhut*, waaraan het zijn naam ontleent. 'In hutten zult ge wonen, zeven dagen' Opdat uw nageslachten zullen weten dat Ik de kinderen Israëls in hutten woning heb verschaft, toen Ik hen uit het land Egypte voerde'. Zo staat het voorschrift in III Moz. 23, vrs 42 en 43. Gij trekt nu naar een eigen land, zult vaste bodem onder de voeten krijgen. Van nomaden-familie in Kenaän en slavenmassa in Egypte wordt ge een zelfstandig, onafhankelijk, vrij volk binnen eigen grenzen, op nationale bodem, waar ge uw eigen leven zult hebben en de zelfbeschikking over alles wat ge hebt en wat er in u is. Dan zult ge thuis zijn. Dat zal ommekeer brengen in uw bestaan. Dat mag het. Dat moet het. Naar alle kanten. Behalve naar deze, dat ge zoudt gaan denken: Ik ben er! 'Mijn eigen aanleg en het vermogen mijner handen hebben mij deze macht geschapen!' (v Moz. 8,17). Ook dit streven: het Land, is ten slotte niet het levensdoel. Het bezit is nooit doel van het leven. Middel is het. Dat zult ge weten en moet ge u altijd weer duidelijk maken. Gij, geslacht van de uittocht, zult misschien de dag van gisteren niet zo snel vergeten. Maar uw kinderen, de nakomelingen van morgen en overmorgen en later, die vandaag en gisteren en eergisteren niet gekend hebben, moeten uw historie leren beleven. Zij moeten beseffen, dat hun vaderen ook in de woestijn veilig waren onder de hoede van hun God. Dat men in vaste burchten heel onzeker kan zijn en gelukkig en blij ook in wankele hutten. Daarom zullen zij, jaar in jaar uit, een volle levensweek symbolisch als het zwervende volk in de woestijn leven, hun vaste woningen verlaten en onder het broze dak der hut gaan zitten, waar de sterren van de hemel doorheen kijken. Dat moet hun het gevoel van de vergankelijkheid van al het tijdelijke, overgave in God en tegelijkertijd vertrouwen op Hem brengen of bij hen bestendigen.

Dit symbool moet aan het einde van de ganse oogst van het land gegrepen worden; juist als de successen, de triumfen van het werk der handen zijn binnen gehaald.

Predikt dit misschien de ontkenning van de betekenis der aardse goederen? Verwerping, verachting van werelds bezit, van al het ondermaanse? Stempelt dit het tijdelijke leven tot een verdoemenswaardig 'tranendal'?...

De *vreugde* is het kenmerk van het Feest der Soekkoth. Het Loofhuttenfeest is het Vreugdefeest bij uitnemendheid. Ja, het heet Feest, zonder meer! In de bijbelse tijden steeg in Kenaän op het Oogstfeest de blijdschap ten top. Dan gold inzonderheid de goede raad: eet en drink en geniet naar hartelust, 'gij en uw zoon en uw dochter en uw knecht

Palmtak (Loelàv), met takjes myrthe en beekwilg,
en de Ethrog, voor gebruik op het loofhuttenfeest.

De Ethrog-doos van de schrijver, hem aangeboden bij zijn 40-jarig ambtsjubileum bij de Joodse Ge-meente te Haarlem.

Ethrog-doos, zilver filigrain, zonder merk. (Portugees-Israëlietische Gemeente, Amsterdam.)

REPAS des JUIFS pendant la FÊTE des TENTES.

In de loofhut. Gravure Picart. (Uit particulier bezit.)

Linksboven : Exterieur van de loofhut van de Portugees-Israëlietische Gemeente te Amsterdam.
Linksonder : Interieur van de loofhut van de Portugees-Israëlietische Gemeente te Amsterdam.

Vreugde der Wet-viering in de oude synagoge van Livorno. Schilderij door Salomon Alexander Hart.
(Collectie Oscar Gruss, New York.)

Bank voor 'De bruidegom der wet'. Vervaardigd door de meubelmaker Besartaux in Frankrijk omstreeks 1745. Fijn gebeeldhouwde notehouten romp, bekleed met Royal Aubusson Tapisserie, voorstellende: vruchten, vogels en een rivierlandschap. (Portugees-Israëlietische Gemeente, Amsterdam.)

PROCESSION des PALMES chez les JUIFS PORTUGAIS.

De ommegangen met de palmtakken op het loofhuttenfeest. Gravure Picart. (Uit particulier bezit.)

en uw maagd en de Leviet en de vreemdeling en de wees en de weduwe, die binnen uw poorten zijn.' 'En wees enkel blijde!' (v Moz. 16 vrs 14-15).

Is dit soms de regelrechte tegenstelling der verwerping, der ontkenning van het aardse bestaan? Ligt hierin nu weer de onvoorwaardelijke aanvaarding, de erkenning, de verering van het stoffelijke leven?... Op dit blijde Oogstfeest zult ge, naar III Moz. 23,40, van de voortbrengselen van natuur en land, vier bepaalde plantensoorten nemen en er u zeven dagen mee verheugen 'voor het aangezicht van de Eeuwige, uw God'. Met deze bundel van plant en vrucht treedt ge voor de Schepper en zegt tot Hem: van U – aan U! En dit is slechts een greep uit alle produkten. Een voorbeeld! Zoals wij het zeggen van dit, zo voelen wij het van alles.

Geen verkondiging derhalve van wereldverachting, noch prediking van haar vergoding. Maar wijding van de levensmiddelen en de levenskrachten als van God gegeven mogelijkheden aan Hem.

De storm van Israëls historie heeft de loofhut niet weggevaagd. Ook de val van de Staat en het verlies van het land hebben haar niet meegesleept in de ondergang. Nog staat zij jaarlijks midden in het joodse leven.[1]

Gewoonlijk is de bouw of de voorbereiding van de bouw reeds vóór de Grote Verzoendag begonnen. Want de 15e tisjrie – vijf dagen dus na deze Grote Dag – begint het Loofhuttenfeest. Dan moet de hut gereed zijn om haar bewoners te ontvangen. Zodra de Jom-Kippoer – de Verzoendag – is geëindigd, dezelfde avond nog, gaat men althans iets ten behoeve van de loofhut doen. 'Zo schrijdt men' – om zoals gaarne wordt gedaan, een Psalmwoord (84,8) te bezigen – 'van kracht tot kracht'. Er wordt voor de familie een hutje in gereedheid gebracht, een prieeltje, een tuinhuisje. Soms ziet het innig, lief, mooi en tamelijk geriefelijk uit, soms ongelofelijk primitief. Staat wel eens op een balkonnetje, de openslaande deuren eenvoudig naar buiten open, een derde wand ter verbinding er achter tussenin en een dak erop. Op het dak daar komt het op aan. Het is van produkten van de bodem: twijgen, stro, hooi, riet. Los of er extra voor in de vorm van matten gevlochten. Zo mogelijk werken alle huisgenoten mee aan de voorbereiding en de inrichting der Soekkàh. Ieder tracht wat voor de versiering en de gezelligheid aan te brengen. Het moet een heerlijk hutje worden. Het wordt een soort kamperen, een kampweek. Maar vlak bij huis. De loofhut is nu de eetkamer, de huiskamer, de ontvangkamer voor de visite. En visite komt er! In de soekkàh is het een voortdurend komen en gaan en gaan en komen. En de avonden zijn natuurlijk het culminatiepunt der gezelligheid.

Alleen: de regen komt hier zo dikwijls de vreugde bederven. In Israel denkt men in tisjrie nog niet aan regen. Die komt eerst in de volgende maand. In de liturgie van het Slotfeest, dat de rij der Tisjriefeesten sluit en op het Loofhuttenfeest volgt, heeft het gebed om de regen een vaste plaats. Maar in tisjrie is het droog en nog warm. De hitte is

1. In het nieuwe Israël heeft de loofhut weer haar volle inhoud gekregen en is zij alom aanwezig.

voorbij. Dáár op het veld, bij de oogst en er na, is de hut verzekerd tegen regen. Maar hier zijn we haast in geen enkele zomer een volle week gevrijwaard en zeker niet in de herfst of in de tijd van overgang tussen herfst en zomer. We moeten dus maatregelen nemen, dat we niet ieder ogenblik voor het hemelwater op de vlucht moeten gaan, of dat ons maal niet met regen worde overspoeld. Dus ligt er een zeil gereed of er zijn luiken aan de hut gemaakt, die gemakkelijk en snel tijdelijk over het dak getrokken of neergelaten kunnen worden, telkens als de regen het samenzijn in de loofhut dreigt op te heffen.

Zo heeft de soekkàh zich steeds onder alle hemelstreken gehandhaafd.

Naast de loofhut ook de *plantenbundel*. Die staat afzonderlijk en is een symbool op zichzelf, ook zonder de loofhut. Het ene is geen voorwaarde voor het andere. Niet ieder is er naar bewoond, om zich een loofhut aan te schaffen. Maar een plantenbundel heeft geen inrichting nodig. Die kan men thuis overal hebben en overal gebruiken. Hij wordt gebezigd, bij voorkeur ter hand genomen bij het gebed en dan liefst bij het ochtendgebed. Maar ook dit is niet conditio sine qua non. Als het niet anders kan, is ieder moment van de dag ook geschikt. Gewoonlijk gaat hij mee ter synagoge. De bundel bestaat uit een palmtak – een *Loelàv*, die omdat hij het grootst en dus overheersend is, zijn naam aan het hele stel gegeven heeft – gaarne nog groen, maar ook wel reeds geel uitgedroogd; drie geurende mirthentakken rechts; en twee onnozele wilgentakjes links van de middenschacht aan de loelàv bevestigd. En afzonderlijk een *Ethrog*. De ethrog ziet eruit als een citroen en behoort ook tot deze familie. Men spreekt gewoonlijk van cederappel, maar dat deugt niet. De ethrog, een vrucht met fijne geur, heeft met de ceder niets te maken. Zij werd hier te lande meest uit Korfu of van Triëst ingevoerd. Tegenwoordig uit Israël.

Ieder, die zijn symbolen lief heeft en koestert, beijvert zich, deze planten met deze vrucht zo mooi mogelijk aan te schaffen. Het is er niet genoeg mee de plicht te doen, er zich even van te kwijten. Er ligt ook in het *hoe* natuurlijk veel waarde.

Bij het Hallèl, de Psalmen 113 tot en met 118, die op het Loofhuttenfeest dagelijks worden aangeheven, wordt dit symbool in de hand genomen en bij het zingen der verzen 1-4, vrs 25 en vrs 29 van Ps. 118, worden er op bepaalde wijze bewegingen mee gemaakt: naar alle windstreken en naar boven en beneden om te zeggen wat boven reeds is aangeduid: 'Van U – aan U. En zoals dit zo alles overal ter wereld!'

En ten slotte wordt ter synagoge de heilige arke geopend; door iemand een Wetsrol eruit genomen en op de biema midden in de synagoge geplaatst. En achter de voorzanger volgen nu allen, die een plantenbundel hebben, in een ommegang rondom de Torah als centrum.

Dit geschiedt dagelijks bij het ochtendgebed éénmaal. Maar op de zevende of laatste dag van het Loofhuttenfeest worden er zeven ommegangen gemaakt. Het refrein der gebeden, die bij deze rondgangen worden aangeheven luidt telkens Hosja'na, dat is help toch! Daarom heet de zevende dag van het Loofhuttenfeest, waarop zo vele malen het Hosjà'na weerklinkt, ook wel: Hojha'na-rabbàh. Het laatste woordje betekent 'veel.'

Met loelàv en soekkàh is het Loofhuttenfeest in het joodse leven het hoogtepunt van godsdienstige huiselijke vreugde.

SLOTFEEST MET VREUGDE DER LEER

Het feest der Weken is een der *Sjalosj Regaliem*, der drie Vreugdefeesten: Paas–, Weken– en Loofhuttenfeest, waarop het ten tijde van het volle Palestijnse leven voor al wat man was in het volk Israël, plicht was om dan naar Jerusalem te gaan en in de Tempel te verschijnen. (II Moz. 23, 14-17; 34,23; V Moz. 16,16). Maar niettemin draagt *Sjaboeoth* geen vrolijk feestkarakter. Het is thans bij ons, geheel en al als het Feest der Wetgeving gestempeld en vormt overigens het vooral plechtige slot van het Paasfeest.

Zo heeft ook het Loofhuttenfeest zijn afsluiting in een afzonderlijk feest. Maar daar volgt het slot onmiddellijk. Het is de achtste dag, Hebreeuws: *sjemienie*, die in de Bijbel (III Moz. 23,36 en IV Moz. 29,35) *'Atséreth* wordt genoemd[1] en nu de naam draagt van *Sjemienie Chag-ha 'Atséreth*.

Een speciale viering met eigene symbolen heeft ook dit *Slotfeest* niet.

De loofhut is ontruimd, verlaten. De achtste avond heeft men er nog het feestmaal genuttigd en verblijf gehouden. Ook des ochtends daarna is er nog het ontbijt van het Slotfeest gebruikt. Dan echter heeft men de loofhut officieel vaarwel gezegd.

De palmtak hebben we al eerder neergezet. Dat geschiedde op de zevende dag zelf, toen de zeven ommegangen geëindigd waren, welke wij ermede onder Hasja'na-gebeden in de synagoge op de biema, met daarop een heilige Wetsrol hadden gemaakt. Bij die laatste maal van het gebruik van de loelàv waren er ook nog extra wilgentakjes gebruikt. Want eens, in de tempel was deze zevende dag een zeer bijzonder feest van ommegangen om het altaar, dat dan met wilgentakken was omgeven. Het was 'de Vreugde van het Waterscheppen' en van het waterplengen, dat als een feest van uitbundige vreugde wordt beschreven en dat aan het einde van de zomer en de ganse oogst gehouden werd, in de hoop op een overvloedige vroege regen, die voor het land en voor het gehele leven in het land zo onontbeerlijk is.

Wij hebben er in de synagoge feestgedichten van over. En wat op de eerste dag van het Paasfeest 'het gebed om de dauw' is, is op de achtste dag van het Loofhuttenfeest 'het gebed om de regen'.

Deze liturgische onderscheiding is de enige van Sjemienie Chag-ha 'Atséreth.

1. De laatste – d.i. in de Torah de zevende – dag van het Paasfeest heet, V Moz. 16, 8, trouwens ook 'Atséreth.

Doch er komt nog een negende feestdag bij. Dat is eerstens de extra-feestdag, die oorspronkelijk is ontstaan uit de twijfel omtrent de juiste datum en daarna voor altijd aanvaard en voor goed door en voor het hele diasporajodendom is gesanctioneerd. En bovendien is deze negende dag nu tot een treffend Vreugdefeest geworden: het *Vreugdefeest der Torah*.

Gewoonlijk wordt er van Vreugde der Wet gesproken. We hebben die vertaling van Torah met Wet van het Grieks der Septuaginta geërfd. Zoals ook de Tien Geboden. Dat is nu eenmaal term geworden en wordt stilzwijgend aangehouden. We moeten hier echter even vaststellen, dat deze vertaling en dus ook de term, niet deugt. Wet is veel te eng voor Torah. De Leer van Mozes bevat gewis ook wetten maar oneindig veel meer algemeen menselijk levensonderricht. Ook al het gebeuren immers, dat er in behandeld wordt, staat er met geen andere bedoeling dan als zulk een Leer. Het wettelijke is daarvan slechts een onderdeel. Dat deel voornamelijk, hetwelk voor de samenleving met de nodige sancties in wettelijke regels is vastgelegd. Gewoonlijk wordt dit woordje wet als term gedachteloos nagezegd. Wie het echter opzettelijk doet en daarmee meent de Torah juist te karakteriseren, of soms ook op deze wijze bedoelt haar te degraderen, moet weten dat hij fout denkt en verkeerd handelt. We moesten ook nooit van wetsrol spreken maar van Torahrol, wanneer we er naar streefden, ons altijd zuiver principieel uit te drukken. De Torah is geen wetboek. Niet in de gewone en zelfs niet in meer uitgebreide zin. Zij is de grondslag van de Bijbel.

En de voorlezing dezer Torah, als middelpunt van de synagogale eredienst, wordt telkenjare op de laatste dag van het Slotfeest ten einde gebracht. Maar – om in psalmtaal te spreken – 'al zien we een einde aan iedere onderneming, het Woord van God is wijd oneindig' (Psalm 119, 96). Dus wordt terstond aan het einde weer bij het begin begonnen. En dat is een feest op zichzelf. Want deze Torah is Israël de zichtbare heilige rest uit de schipbreuk van zijn eens normale volksbestaan. Zij is zijn bodem nu en zijn levenskracht. Zij is zijn getuige, zijn tolk, door wie het tot de wereld heeft gesproken en nog altijd tot de mensheid spreekt. Zij is immer nog zijn Bondsboek met God.

En behalve haar tastbaarheid heeft zij voor hen daarbij de slechts in schroom van verre aan te voelen stralenglans der eeuwen en de onzegbare aandoening der heiligheid. Zij is hun bovendien een Hemelse Oorkonde. Uit de eeuwigheid voor alle tijden. Men wordt haar dus nooit lezensmoede.

Op de dag dat deze Oorkonde tot het einde toe is uitgelezen en bij de aanvang opnieuw wordt opengerold, dan heerst er vreugde in Israël. Dan is het, alsof er met dit contract opnieuw een ideële band gelegd, een echtverbindenis verjongd wordt. En zo telkenjare. Dat is de *Vreugde der Leer, Simchàth Torah*.

Het is natuurlijk een hoge eer, het laatste stuk der Torah voor te mogen dragen, een onderscheiding met het eerste weer te mogen beginnen. Degenen, aan wie deze eer te beurt valt, zijn de *Bruidegoms* – de *Chathaniem* – der Leer. De eerste heet *Chathàn Torah* de andere *Chathàn Beresjieth*: 'In 'n begin...' Deze bruidegoms mogen bij uitzondering ook zelf hun onderafdeling of de laatste drie zinnen ervan uit de Torah-rol aan de gemeente voorlezen. En de koré leest het nog eens over, zoals vroeger reeds beschreven werd.

Op de vooravond voor Simchàth Torah, dus de tweede avond van het slotfeest, beginnen de vreugde en het ceremonieel. Ceremonieel in de gewone, alledaagse betekenis. Het is niet in bepaalde ritus vastgegroeid en ook niet overal hetzelfde. Veelal worden de bruidegoms met hun dames, de bruiden, van huis gehaald, of door kerkbestuur, kerkvoogden, geestelijke ambtsdragers, in plechtige zitting in vergaderzaal ontvangen en vervolgens naar de synagoge geleid. Daar wordt hun dan, bij de intrede, door de voorzanger of door de gemeente of door allen tezamen, een welkom toegeroepen of toegezongen. Bijvoorbeeld Psalm 118 vers 26: 'Gezegend gij, die daar komt in de naam des Eeuwigen; zegenend begroeten wij u uit des Eeuwigen Huis.'

Dan nemen de bruidegoms gereserveerde plaatsen voor de heilige arke in op , in sommige gemeenten, hiervoor aanwezige antieke zetels van bijzondere waarde. De dienst, met veel licht en in opgewekte melodieën, is op vreugde afgestemd. Er zijn synagogen, waar die avond met Torah-rollen ommegangen om de biema worden gemaakt, natuurlijk onder het aanheffen van bijbelverzen en toepasselijke gezangen. Bij iedere ommegang groeit de vreugde, die ten slotte tot extase stijgt. De eerst wiegelende gang, met de Torah-rollen in de armen, wordt tot formele dans en de vreugde wordt tot uitbundigheid. Er wordt nu ook wel gedronken. Zonder voorschrift van de ritus! En meer dan anders. Maar de uitbundigheid wordt toch geen uitgelatenheid. De vreugde blijft altijd binnen de perken van een enthousiast godsdienstige vrolijkheid. Westerse ogen echter zullen aan zulk een schouwspel in de synagoge nog moeten wennen. Wij, als we ommegangen houden, gaan natuurlijk heel statig met de Torahrollen rond, zeggende daarbij in dezelfde stijl onze bijbelverzen en zingende aldus de gezangen mede. Maar gewoonlijk worden er 's avonds geen ommegangen gemaakt. Waar het ten enenmale geschiedt, gebeurt het dan meestal bij de ochtenddienst, vóór de torahlezing.

Gedurende die voorlezing, of ook wel tijdens de hele godsdienstoefening zitten de bruidegoms dan weer op hun zetels, en onder de torahlezing met een Torahrol in de arm, totdat zij worden opgeroepen: de een om de Torah uit te lezen, de ander om haar weer aan te vangen. Die oproeping geschiedt in een uitvoerige Hebreeuwse toespraak, waarin hun veel mooie wensen worden aangeboden.

Na de dienst is er traktatie voor de kinderen. Bruidegoms en bruiden delen suikergoed uit en veel anderen doen daar ook aan mee. Het is een en al pret voor het jonge volkje. Het is haast overbodig te vermelden, dat deze pret niet in de synagoge plaats heeft maar bij de uitgang in de voorportalen.

De bruidsparen houden verder op de dag ook vaak receptie. Niet altijd en volstrekt niet verplicht. Dat spreekt vanzelf. De eer zou te kostbaar worden en de keuze der personen te beperkt. Doch hier en daar had men ook in deze aangelegenheid voorzien door een expresselijke vereniging, welke voor de leden de kosten droeg, aan de functieën verbonden. Alweer een onderlinge verzekering.

De sabbath na Simchàth Torah heet *Sabbath-Beresjieth*. Op het Vreugdefeest is slechts het begin van het Begin gelezen. Die sabbath echter wordt het eerste wekelijke pensum van de jaarcyclus, aanvangende met de afdeling Beresjieth, helemaal voorgelezen. Niet overal wordt dan het ceremonieel met de bruidegoms herhaald. Indien wel, dan verwisselen de functionarissen van plaats. Was op Simchàth Torah de Chatàn Torah de man, nu is de Chatàn Beresjieth de hoofdpersoon. Hij leest ook dan nogmaals zijn verzen zelf voor. Maar alles is volstrekt geen regel en hierin zijn haast zoveel variaties als er gemeenten zijn. Er wordt gehandeld naar omstandigheden.

De liturgie van het Vreugdefeest der 'Wet' heeft natuurlijk de Torah tot onderwerp. Maar ook haar Leraar en diens dood. De dood van Mozes wordt immers in het laatste hoofdstuk der Vijf Boeken beschreven.

Wat er verder soms aan feestelijkheden wordt georganiseerd, zoals allerlei uitvoeringen, heeft met de Torah -vreugde niets te maken. Die uit zich bij de viering in de synagoge. En in huis. Anders en uitbundiger dan op het Wekenfeest. Maar niettemin alleen als Torahjubel. De jubel van het volk, dat deze Torah heeft gedragen en dat er wederkerig altijd door getroost, gesterkt en gedragen is.

CHANOEKÀH · DE HISTORISCHE OORSPRONG

Chanoekàh betekent inwijding.

Er wordt mee bedoeld de inwijding van de tweede Tempel van Ezra, gesticht na de Babylonische ballingschap in het jaar 516 voor de gewone jaartelling; de tempel die 500 jaar later de naam van Herodiaanse Tempel ontving, omdat Herodes hem toen, voornamelijk uit bouwwoede en praalzucht – twee woorden, maar één begrip in dit geval – liet herstellen en verfraaien; dezelfde Tempel, die – voordat daarna een eeuw verlopen was – in het jaar 70 dezer jaartelling door de Romeinen bij de vernietiging van de Joodse staat, werd verwoest en waarvan nu nog een brokstuk van de westelijke muur overeind staat: de thans zeer genoegzaam bekende *Klaagmuur* te Jeruzalem.

Maar niet de oorspronkelijke inwijding van deze Tempel wordt bedoeld. Daaraan is geen herinneringsdatum met een enigszins feestelijke viering verbonden. Het gaat hier om een tweede inwijding, een her-inwijding. En om latere, historische zeer belangrijke gebeurtenissen:

Cyrus de Grote, die op de puinhopen van het Babylonische rijk de Perzisch-Medische heerschappij der oude wereld vestigde, had de ballingen van Judea grootmoediglijk en natuurlijk ook niet zonder eigene politieke bedoelingen, een schone kans gegeven om hun nationaal tehuis op de aartsvaderlijke bodem van Kenaän weer op te bouwen en in te richten. Bij een declaratie, die aldus begint: 'Zo zegt Cyrus, de koning van Perzië: "alle rijken der aarde heeft de Eeuwige, de God des hemels mij gegeven en Hij heeft mij opgedragen Hem een Huis te bouwen in Jerusalem, hetwelk in Judea is' (Ezra 1,2, en verder). En toen, na een goede eeuw de Perzische-Medische macht ineenstortte en voorgoed uit de historie verdween, was het nieuwe Judea, dat met een armzalige kolonie van omstreeks vijftigduizend zielen was begonnen, reeds innerlijk en uiterlijk verjongd en al sterk genoeg om door Alexander de Grote van Macedonië als een bezit van betekenis aan zijn heerschappij te worden toegevoegd.

Hier staan we aan het begin van een nieuwe, ontzagwekkende fase in de beschavingsgeschiedenis der mensheid.

Alexander de Grote bracht op zijn wapenen de cultuur van Hellas mee naar Azië. En in het nieuwe tehuis van Judea ontmoette het neo-Hellenisme nu de Bijbelse Openbaring. Het nieuw gestichte Alexandrië werd een cultuurcentrum, waarin het weldra begon te gisten en waar de vraag Athene of Jeruzalem tot een geestelijk proces werd, welke oplossing de inzet werd der komende eeuwen en welks uitslag besliste over de loop der verdere mensheidshistorie. Athene of Jeruzalem. Hun synthese of niet.

Hier staan we ook op de drempel van het christendom. En hier staan we ook midden in de grootste cultuurkamp die het jodendom van Torah en traditie in de oudheid ooit gestreden heeft. Want nooit tevoren heeft het een Hellas tegenover zich gevonden. En daarna evenmin. Ten minste niet onder dezelfde of met toenmalige te vergelijken omstandigheden.

Nadat met de dood van Alexander in 323 diens rijk uiteengevallen was, veranderde het Palestijnse jodendom intussen politiek nog tweemaal van me ster. Het kwam eerst een eeuw onder de Egyptische Ptolemeeën en daarna onder de Seleuciden van Syrië.

Maar de stoot met Hellas trilt het jodendom voortdurend door merg en been. Er is in Israël een sterke Hellenistische stroming aan het wassen. Het begint er te koken. De voorvechters voor Hellas, de dusgenaamde Hellenisten, zitten overal. In alle kringen en standen. Ook in de priesterstam. Ook onder de dienaren van de Tempel, de Tempel, die nu alweer de leeftijd telde van een drietal eeuwen. Nu begon van binnen, in de boezem van het jodendom, eerst recht de strijd met Hellas. Een strijd op leven en dood. De partij van het behoud ontstond. Zij noemde zich de partij der *Chasiediem*, de vromen, de toegewijden aan het oude jodendom van Leer en overlevering. De Hellenisten werden vijanden van het joodse volk, verkochten zich aan de Syrische politiek, bewogen de koning, Antiochus IV Epiphanes, om met geweld van wapenen de zege aan het Hellenisme te verschaffen en het jodendom nu voorgoed te vernietigen. De gewetensdwang ving aan. De Tempel werd aan Zeus gewijd en voor de dienst ervan ingericht. Het godsdienstleven werd overal verboden en een ontzettend martelaarschap trad in. Toen grepen de Chasiediem naar de wapenen. Op het voorbeeld van een oude man, Mattithjahoe uit de priesterfamilie der Chasjmoneeën en onder zijn aanvankelijke leiding. Dat was in het jaar 167 voor de christelijke jaartelling. Het volgende jaar stierf Mattithjahoe. Zijn zoon Juda, die als de grootste veldheer onder de vijf heldhaftige broeders werd erkend, werd de aanvoerder der getrouwen, wier aantal met de dag tot drommen van duizenden opstandelingen groeide.

Juda sloeg de Syriërs in iedere slag. 'Gods lof in de mond en het tweesnijdend zwaard in de hand' (Psalm 149,6) was zijn parool en dat zijner helden. Juda kreeg de naam van Macbi. Het staat niet vast waarom. En de afleiding en betekenis van het woord zijn helemaal niet zeker. Het kan hamer betekenen en dan zou het zoiets als strijdhamer willen zeggen. Dan zou echter de Hebreeuwse spelling van het woord anders moeten zijn dan zij is. Het kan zijn, dat het woord gevormd is uit de beginletters van de Hebreeuwse woorden, welke voorkomen in het lied van Mozes aan de Schelfzee (II Moz. 15,11) en die betekenen: 'wie is u gelijk, o Adonai, onder alle machten!' Dan zouden deze letters als wapenspreuk op de vaandels van de legers der Maccabeeën geprijkt hebben. Met de spelling is het dan in orde. Ook is een derde onderstelling niet geheel onmogelijk, hoewel het minst waarschijnlijk: dat het woord namelijk zou zijn ontstaan uit de initialen van Mattithjahoe Cohen (d.i. priester) ben (d.i. zoon van) Iochanan. M.c.b.i., aangevuld met de nodige vocalen ten behoeve van de uitspraak als een woord.

In de volgende drie jaren joeg Juda Macbi de Syrische legers uit het heilige erf der vaderen. In het jaar 163 op de 25e van de negende joodse maand, die kislev heet, marcheerden de Maccabeeïsche scharen weer Jerusalem in en betraden zij het voorplein van de Tempel, precies op dezelfde datum, waarop vier jaren vroeger Antiochus de Tempel in bezit had genomen en voor zijn Zeus herschapen.

Toen was de strijd eigenlijk reeds gestreden, ofschoon er nog een grote worsteling volgde, die na circa vijfentwintig jaar met een tijdelijke politieke zelfstandigheid bekroond werd, welke duurde tot aan de Romeinse overheersing. Maar de cultuurstrijd was gewonnen. Dat pleit was voor altijd beslist. Deze prooi moest Hellas loslaten. Jerusalem had zich gehandhaafd voor alle tijden. Het jodendom bleef.

De Tempel werd gereinigd en opnieuw ingewijd. En er was feest. En er werden lichten ontstoken. Overal. Op het voorplein van de tempel plantten de Maccabeeën hun lansen en ze hingen er lichten aan, die hun overwinningsglorie over de Heilige Stad en ver in de omtrek deden glanzen.

Maar er leeft hierover nog een andere overlevering, een wonderverhaal, hetwelk dient om het Maccabeeïsche lichtenfeest te verklaren. Toen de Tempel was gereinigd en alle sporen van de dienst van Zeus waren uitgewist, moet het *Gestage Licht*[1] weer op de luchter ontstoken worden[2].

Men vond echter nog maar één kruikje olie, olijfolie, in zodanige toestand, dat het ter ontsteking gebruikt kon worden. Niet reeds aangebroken was, ten dele opgebruikt of voor Zeus bestemd. Dat kruikje bevatte voor één dag de toereikende olie. Maar zie: de luchter brandde van deze kleine voorraad aanhoudend acht volle dagen en nachten door, de hele duur der tempelwijding, zonder uit te gaan, totdat er nieuwe olijfolie in voldoende mate voor de *Menoràh*, de luchter, was bereid.[3]

Het feest der Inwijding, het *Chanoekàhfeest*, werd ingesteld voor alle volgende tijden. Gedurende de acht dagen, die met de 25ste kislev beginnen, herdenkt Israël nu, jaar in jaar uit die geweldige cultuurkamp met het neo-Hellenisme. En de overwinning der Maccabeeën, die het jodendom zijn autonomie, zijn zelfstandigheid heeft doen behouden, welke het ook daarna, tot op de dag van heden, nooit verloren heeft.

DE MENORÀH

Chanoekàh is geen feest, dat met werkonthouding gepaard gaat. Dat zijn alleen de bijbelse feesten die in de Pentateuch staan voorgeschreven. Het Inwijdingsfeest wordt gevierd door het aansteken van extra feestlichtjes. De eerste avond wordt er één vlammetje ontstoken. Maar het licht groeit en iedere avond komt er één vlammetje bij. De laatste avond, de achtste, is het helemaal licht.

Natuurlijk is er een lamp voor het ontsteken van het chanoekàh-licht onstaan. Een toestel met acht oliebakjes op een rij naast elkander. In de een of andere ornamentvorm. Ge kent deze dingen wel. Ge hebt er misschien wel een als pronk op een richel aan de wand. Of ge hebt er allicht ergens een gezien, in de een of andere vestibule of elders, als werkelijke of nagebootste antiquiteit. Of soms in herschapen vorm als tijdelijke bewaarplaats voor brandende sigaren van bezoekers.

Dit toestel zal wel de oudste vorm zijn. Dit is de ouderwetse chanoekàh-lamp, het chanoekàh-ijzer in de volksmond, dat echter nooit van ijzer maar van blik of koper of ook wel van zilver is. Sommige menen daarom, corrigerend, van chanoekàh-wijzer te moeten spreken. Doch deze taalzuivering lijkt vrijwel overbodig, zolang er koperen vuilnisblikken en gouden ooirijzers bestaan.

Er bestaan van dit model lamp zeer fraaie, zeer oude en ook inderdaad antieke exemplaren.

Het lag voor de hand, dat voor het gebruik op Chanoekàh de vorm der oude menoràh uit Tabernakel en Tempel zou herleven, nagebootst zou worden. De overlevering immers

1. Zie blz. 34. 2. Zie o.a. II Moz. 27, 20. 3. Talm. Babli Sabbath folio 21b.

brengt de acht gedenkdagen van het Inwijdingsfeest in nauw verband met de gouden luchter.

Van de luchter, de bijbelse menoràh, vindt ge een beschrijving in II Moz. 25 vrs 31-40 en met een enkel woord in IV Moz. 8 vrs 4. Hij is het onderwerp van een der visioenen van de profeet Zecharja (Cap. 4) Een afbeelding ervan als van een der wapentrofeeën van Titus, is op de Arco di Titi te Rome te zien, welke afbeelding echter niet met de bijbelse beschrijving overeen komt.

De menoràh heeft, naar het voorschrift der Torah, een middenschacht, waaruit aan weerszijden drie stangen uitsteken, in boogvorm naar boven gekeerd. De middenstang en de zes zijstangen dragen in één horizontale rechte lijn ieder een lichtbakje voor olijfolie, met een tuitje en een pitje, zodat er als de luchter is ontstoken, in één rechte lijn zeven vlammetjes branden. De bakjes op de zijstangen zijn, naar de meest aannemelijke opvatting der beschrijving, met hun tuitjes zo geplaatst, dat de zes zijlichtjes met hun vlammetjes, drie aan drie ter weerskanten, naar het middenlicht streven. De luchter is massief, van zuiver goud gedreven en heeft kelken, knoppen en bloemen ter versiering, in bepaalde vorm en in voorgeschreven hoeveelheid.

De plaats van deze gouden kandelaar in Tabernakel en in Tempel is dat deel, hetwelk het Heilige heet. Daar staat in het midden, gekeerd naar het voorhangsel voor het Allerheiligste, waar de Heilige Arke met de Stenen Tafelen erin zich bevindt – in de tweede Tempel ontbreekt dit – het *Gouden Reukwerkaltaar*. En aan de wand, waarschijnlijk overlangs, ter rechterzijde van de toegang tot het Heilige, staat de menoràh en aan de wand er tegenover de *Gouden Tafel* met *Toonbroden*.

Een heel symbolen-complex.

De Bijbel, zeer in het bijzonder de Pentateuch, heeft bij alles wat hij heeft ook dit treffend eigenaardige: waar hij gebeurtenissen verhaalt en personen laat optreden, plaatst hij deze gebeurtenissen en mensen als schilderij voor u. Zonder toelichting, zonder eigene beschouwing erover, zonder motivering. En van symbolen wordt evenmin een verklaring gegeven, wordt de symboliek er niet bijgevoegd. De gelijkenissen bij de Profeten zijn hier natuurlijk van uitgezonderd.

Zo blijft alles altijd fris en immer weer nieuw aan de gesteswerkzaamheid van iedere lezer en onderzoeker aangeboden. Het is altijd weer aan u en mij, om met onze blik al de diepten der schilderij tot in de verste verten te doorschouwen, het aangebodene te doorgronden, na te voelen, geheel zelfstandig te beleven. De symbolen zijn er neergezet. Het staat aan ons, de symboliek te vinden. Zo is er ruimte aan de fantasie gelaten en recht gegeven aan het denkende verstand. Dus laat de Bijbel zich niet *lezen*, maar *zien*.

En ook hieraan dankt de Bijbel zijn eeuwige bekoring.

Het Heilige met zijn symbolen-complex laat ons niet veel te twijfelen of te gissen over. Het is altijd mogelijk, verschillende verklaringen van symbolen te vinden en er diverse opvattingen in te leggen. Hier echter schijnt de keuze niet moeilijk. De joodse opvatting heeft in ieder geval haar keuze gedaan.

Het Altaar is van oudsher de hoogte, waarop alle macht en wil, alle gaven van geest en have, alle bezit en schoonheid in de dienst der Godheid worden gesteld en waar de samenhang met Haar wordt gezocht of getracht wordt te herstellen. De Luchter is een tot hoogste bloei zich ontplooiende lichtboom. Het licht, dat hoog opbloeit tot God en waarheen alle licht streeft om erin op te gaan, om één ermee te worden. Deze Luchter spreidt zijn licht in het Heilige en bestraalt, over het Altaar heen, het Brood.

We hoeven er niet meer van te zeggen.

Dit is de menoràh, die in de dagen der Maccabeeënhelden volgens de overlevering, de volle acht dagen van de herinwijding van de tweede Tempel brandde van het éne kruikje olie, dat er nog in ongeschonden staat teruggevonden werd.

Geen wonder dus, dat er ornamenten voor het chanoekàh-licht ontstonden in de kandelaarvorm der bijbelse menoràh. Die van Chanoekàh echter moest natuurlijk acht lichtpunten hebben. En sinds het koper erg voor ornamenten en versieringssnuisterijen in zwang gekomen is, ziet ge nu overal van die koperen kandelaars, grote en kleine en miniatuur modelletjes in winkeluitstallingen of in hallen of voorportalen van woonhuizen of in antieke kamers of antiek aandoende salons. Zeven-armige en acht-armige. De acht-armige hebben aan weerskanten van de middenschacht vier zijstangen, dus acht uiteinden. Alleen deze acht uiteinden dragen lichtkokertjes. Op de middenstang van boven komt geen licht maar gewoonlijk een versiering. Deze acht-armige kandelaar is de menoràh van het Chanoekàh-feest. Het staat er soms in Hebreeuwse letters op.

Gewoonlijk worden er in deze menoràh kaarsen gebrand. Het was en is geen voorschrift, dat er op Chanoekàh juist olie voor het licht gebruikt moet worden, nog minder, dat het olijfolie zou moeten zijn. Het is ook geen voorschrift dat er een lamp of een kandelaar, die acht lichtpunten bevat, voor gebezigd moet worden. Men kan ook acht afzonderlijke bakjes of lampjes nemen er iedere avond zoveel op een rijtje laten branden als er dagen in de feesttijd zijn gekomen. Men kan zich daar mee als het moet, op de primitiefse wijze behelpen. Menigeen heeft er bijvoorbeeld op reis, wel eens een plankje of een stuk glas genomen en daarop het naar de dagen vereiste aantal kaarsen vastgekleefd. Het komt dus alleen aan op het ontsteken en het branden van het licht. Velen geven onder gewone omstandigheden, de voorkeur aan olie en aan het ouderwetse chanoekàh-ijzer. En sommigen, die de achtarmige kandelaar gebruiken, veranderen de kaarshouders in oliebakjes en gebruiken olie en – als ze het kunnen krijgen – olijfolie.

Maar dat alles is bijzaak.

Het gaat om het ontsteken van het chanoekàh-licht.

Het chanoekàh-licht wordt in huis en in de synagoge ontstoken. In de synagoge wordt er vrijwel overal de menoràh – de kandelaarvorm – voor gebruikt. In vele gemeenten heeft deze luchter in de synagoge een vaste plaats waar hij altijd staat, ook het hele jaar door, zonder dat het Chanoekàh is en hij dus voor de dienst niet nodig. Hij is dan bijna altijd ornament en niets meer en wordt slechts acht dagen in het jaar voor de dienst gebezigd.

De vaste plaats voor de menoràh of haar tijdelijke op het Chanoekàh-feest is op de verhoging voor de heilige arke maar ter zijde van deze, aan de rechterhand van hem, die met het gezicht naar de arke staat gekeerd. Daar staat de luchter zó opgesteld, dat haar lichtpunten parallel lopen met de zijwanden der synagoge, dus van west naar oost. In de Portugese synagoge te Amsterdam gebruikt men de ouderwetse chanoekàh-lamp met de bakjes en de olie. En zij wordt opgehangen aan de rechter – dat is de zuidelijke – zijwand en daar ontstoken.

Het ontsteken gaat natuurlijk van plechtigheid vergezeld. In grote gemeenten ziet men de opperkoster even voordat het moment der ceremonie is aangebroken, de trappen der heilige arke bestijgen. Hij houdt vervolgens de brandende kaars gereed, die hij aanstonds overreikt in de hand van de voorzanger, als deze eveneens de trappen heeft beklommen om het verbeide, zo vriendelijke en bekende en toch altijd geheimzinnige vlammetje het aanzijn te schenken. Lofspreuken gaan vooraf. De chazan zingt de lof van God, 'Die ons godsdienstplichten tot levensheiliging heeft opgelegd en uit Wiens Naam en tot Wiens Eer ons ook het ontsteken van dit chanoekàh-licht geboden is. De Heer, de Koning der wereld, Die de vaderen toenmaals zo wonderbaar heeft bijgestaan'. En op de eerste avond klinkt bovendien de dank op aan Hem, 'Die ons het leven heeft geschonken en gelaten en ons dit tijdstip weer heeft doen bereiken'. Dan als de zanger zijn laatste woord heeft uitgezongen, doet hij de luchter branden en gaat het eerste lichtje gloren. En de dienst gaat verder, terwijl het eenzame vlammetje als een sterretje in het luchtruim flonkert.

De tweede avond worden met hetzelfde ceremonieel twee lichtjes aangestoken. Gisteren was het het eerste lichtpuntje aan de rechterhand van de voorzanger. Nu is het datzelfde licht en het licht ernaast. Maar vandaag wordt eerst het nieuwe lichtpunt aangestoken en dan het andere van gisteravond. De derde avond komt het derde vlammetje erbij en dit het eerst en dan het tweede en dan het eerste. En zo gaat het de vierde, de vijfde en de verdere avonden tot de achtste avond. Want het lichtwonder van toen werd immers groter met iedere nieuwe dag. En met de groei van het wonder groeit nu onze lichtglans. En het vlammetje van de zoveelste dag in de rij der acht dagen is van de viering van die dag in het bijzonder, het symbool.

Het spreekt welhaast vanzelf, dat ook de liturgie en de dienst der synagoge in het algemeen de invloed van het Chanoekàh-feest ondervinden, al gaat op de werkdagen de arbeid op bijna geheel gewone wijze door. Op sabbath worden er afzonderlijke gezangen en andere dichtstukken – pijoetiem – ingelast. Iedere dag wordt bij het ochtendgebed het Hallèl – Psalm 113 tot en met 118 – gelezen, respectievelijk gedeeltelijk gezongen. En iedere morgen wordt er een stuk uit de Heilige Wetsrol voorgelezen. En wel: de offeringen bij de inwijding van de Tabernakel, welke in v Moz. Cap. 7 staan beschreven, de toenmalige twaalf dagen echter nu over deze acht feestelijke dagen verdeeld. Op de sabbath in Chanoekàh zijn er daardoor twee wetsrollen nodig. Want met de gewone wekelijkse voorlezing die op deze sabbath ook voortgang moet hebben, is men dan eerst in het einde van het eerste boek gekomen. En verrolling der wetsrol van het eerste naar het vierde boek zou teveel stagnatie veroorzaken en de dienst storen. Als de nieuwemaansdag van teweth – de tiende maand – die niet anders dan in Chanoekàh kan zijn, eveneens op sabbath valt, dan moet er zelfs uit drie wetsrollen gelezen worden.

Met dit al: de grote gebeurtenis van de chanoekàh-viering is het ontsteken van de lichtjes in huis. Dit gebeurt als het kan, bij het begin van de avond, wanneer de duisternis pas ingevallen is. Maar in ieder geval nog liever als alle huisgenoten thuis zijn. Vóór de maaltijd bijvoorbeeld, opdat ze branden tijdens het eten. Want ze hoeven niet de hele avond te branden. Ze mogen wel uitgaan als ze een poosje – maar toch minstens een half uur – gebrand hebben. Het licht moet zelfs uitgaan om de volgende dag opnieuw in meer vlammetjes ontstoken te worden. Het licht der chanoekàh-lamp of der menoràh mag – het hoeft nauwelijks gezegd te worden – natuurlijk niet als verlichting van het woonvertrek dienen. Het is immers symbool. Daarom wordt het ornament in de huiskamer op zodanige wijze ergens neergezet, dat reeds daaruit blijkt, dat het niet ter verlichting dient. En de gewone verlichting in de kamer moet evengoed branden.

Daarom ook heeft ieder toestel voor het chanoekàh-licht nog een negende lichtpunt buiten de rij der acht bakjes of der acht kaarsenhouders. Hoger en naar voren of ter zijde uitstekende. Dat is de *Sjammàsj*, de dienaar van het licht. Dit is de kaars, die de opperkoster de voorzanger brandend aanbiedt en waarmee deze in elk geval, ook als hij haar zelf uit de houder heeft moeten nemen, de lichtjes van de luchter ontsteekt. Met de sjammàsj worden ook thuis de eigenlijke vlammetjes aangestoken. En als er thuis soms onwillekeurig bij vergissing van het licht gebruik werd gemaakt, om er iets nauwkeurig bij te bekijken, dan staat immers deze dienaar vooraan en verleent dan hoofdzakelijk de niet gewilde maar toch ingeroepen dienst!

Thuis steekt niet enkel vader het chanoekàh-licht aan. Alle manspersonen hebben ieder een lamp of luchter. Ook de kleine jongens. Het is een evenement in het familieleven, als de kleuter zo oud – laat ons zeggen zes of zeven jaar – en zo knap is, dat hij de Hebreeuwse lofspreuken uit het hoofd kan opzeggen of, nog mooier, geleerd heeft ze keurig te zingen. Een gebeurtenis voor hem en voor de oudere broertjes en zusjes. En voor vader en voor moeder! Zijn licht brandt natuurlijk het fijnst. En hij wedt, dat het ook het langst zal branden. Hij wint het niet altijd maar verdient toch immer wat!

Er wordt gezongen. Dadelijk, nadat allen op de rij af, hun lichtjes aangestoken hebben; of ook wel later, aan het einde van de dis vóór het gewone dankgebed na de maaltijd. Een mooie hymne, die in heel de joodse wereld bekend is en op een melodie, die eveneens overal waar joden zijn, gezongen wordt. Een kwart eeuw geleden[1] hoorde haar op Chanoekàh eens onverwachts weerklinken in Meran, toen Oostenrijks Tirol en ik had daarmee opeens het geluid van een lieve kennis gevonden.

Zolang de feestlichtjes branden, wordt het gewone werk gestaakt. Ook moeder laat haar huiselijke arbeid liggen. En de avonden van Chanoekàh worden méér dan gewone familieavonden, waarbij allerlei spelletjes met de kinderen en tussen hen onderling dienen, om de gezelligheid te verhogen.

Sinds met Herzl en het zionisme het jodendom tot nieuwer leven is opgewekt, is Chanoekàh overal heel sterk op de voorgrond gekomen. Het is een feestgetij met weinig eisen, met eenvoudige mooie symbolen en met een grote historische inhoud, die in de tijd ener nationale renaissance terdege begrepen en diep wordt gevoeld. Daarom wordt Chanoekàh sinds tientallen jaren veel algemener en hartelijker en frisser gevierd dan daarvoor. Het is de tijd geworden der kinderfeesten, der uitvoeringen van clubs en jeugdverenigingen. De Maccabeeën-helden leveren onuitputtelijke stof voor voordrachten en liefhebberij-toneelvoorstellingen. In de nieuwste joodse literatuur heeft Chanoekàh zich geen geringe plaats veroverd. Onder Herzls mooie geschriften en opstellen is 'de Dienaar van het licht' nog altijd een juweeltje. En de sierkunstenaars hebben in de menoràh een dankbaar motief gevonden. Ge treft het overal. In kunstvoorwerpen en als boekverluchting.

Ge komt tegenwoordig de menoràh haast op de straat overal tegen. Daaraan is Chanoekàh niet vreemd. Chanoekàh en zijn opbloei. En de opleving van joods gevoel en leven door de beweging, welke door het zionisme is veroorzaakt.

HET NIEUWJAARSFEEST DER BOMEN

In de laatste decennia is er in het joodse leven heel wat veranderd. En er groeit voortdurend wat. Het is te voelen overal. Maar daarom voelt het nog niet iedereen. Want bij menigeen gaat het gevoel niet voorop, is het althans niet zó levend en levenskrachtig, dat het bewust aan de leiding in de levensrichting deelneemt. Bij hen gaan verstandelijkheid en daaruit verworven en daarmee en daarin vastgeklonken opvattingen, voorop. En naar hun inzichten regelt zich ook hun gevoel. Dezulken merken de veranderingen niet,

1. Een kwart eeuw voordat de schrijver dit hoofdstuk schreef.

welke zich in het gemoed en in de uitingen van het joodse leven reeds hebben voltrokken en aanhoudend bezig zijn, zich te vormen en naar buiten te treden. Die wijzigingen zijn ook te zien. Maar ook zien is een kunst, die niet ieder bezit. En ook de ogen volgen vaak het verstand en de door de rede gevormde en dan in haar vastgewortelde inzichten. En deze inzichten belemmeren vaak het gezicht en verbieden soms te zien.

Aan de viering van sabbath en feestdagen, aan de uitvoering van hun ceremoniële voorschriften, zal men moeilijk enige verandering kunnen bespeuren. Hun vorm staat vast. En daar is weinig speling over. Bijbel en Talmoed en traditie van eeuwen hebben hier hun werk gedaan en er is een stabiliteit ingetreden, waarbinnen zeker verlevendiging en steeds frisser ontplooiing mogelijk zijn, maar waaaraan van buiten bezwaarlijk nog wat toegevoegd zou kunnen worden. Hier is volheid van symbolen, die verdiept kan worden maar niet vraagt om meer of andere. Tenminste in de verstrooiing niet. Het kan daar binnen lauwer of warmer worden, onverschilliger of inniger, losser of vaster: de norm is er en blijft.

Wat met zijn oorsprong niet in de Torah wortelt en waaraan de traditie dan aan inhoud en geest niet verder heeft gewerkt, dat heeft in dit opzicht kans. Want daar is groter ruimte en dus groter mogelijkheid.

Het joodse leven heeft enige feestelijke *gedenkdagen*, die niet uit de Torah ontbloeien en enkele, die ook nauwelijks in de Talmoed behandeld of vermeld worden. Die, welke met ceremonieel omgeven zijn vallen op en zijn altijd opgevallen en hebben hun vaststaande viering verkregen en behouden. Zoals Chanoekàh.

Er zijn echter nog enkele dagen, die zo goed als geen viering, geen ceremonieel hebben, geen symbool of symbolische ondergrond bezitten. We moeten nu al bijna zeggen: hadden en bezaten. Want dit alles vormt zich zienderogen. Zij waren: een aantekening op de joodse kalender. Weinig meer. Zij komen te staan in het leven van ouden en jongen. Vooral van de jeugd.

Daar hebt ge de *vijftiende sjewàt*. Sjewàt is de elfde joodse maand. De elfde maand is in de regentijd. De ergste regendagen zijn dan gewoonlijk voorbij. De vijftiende dezer maand is in een gewoon jaar precies twee maanden vóór Pésach (Pasen), in een schrikkeljaar – zeven keer in de negentien jaren – drie maanden. Ge begrijpt nu: Pésach is in de arenmaand en in den regel is het vroege graan dan reeds rijp. Dus is in sjewàt – deze elfde maand – de bodem toch zeker al zwanger van nieuwe groeikracht en ontluikt er een frisse vruchtbaarheid. Zo heet de vijftiende sjewàt – *Chamisjàh-'Asar-bisj'wàt* – al van oudsher het *Nieuwjaar der Bomen*.[1] Dat had ook praktische betekenis ten opzichte van hetgeen er ieder jaar in natura van de jaarlijkse opbrengst der boomvruchten moest opgebracht worden. Praktisch dus van wettelijke werking, toen en zolang het leven in Palestina nog in volle gang was. Maar nadat de verstrooiing was voltooid had een dag

1. Misjnàh Rosj-hasjanah I, I.

als deze zijn bestaansgrond verloren. Hij kwam als een herinnering op de kalender. Het joodse volk hield hem behalve dit ook vast, en trachtte er ook in de diaspora nog iets van te maken. Men vierde hem in het synagogale leven en onderscheidde hem daar in zoverre, dat bij de bidstonden, en niet overal bij alle, een enkel onderdeel - het zogenaamde tachanoen = smeekbede - werd uitgesloten. Men vierde hem ook in het gezinsleven aldus, dat de kinderen op die dag een kleine extra snoeperij ontvingen. Men vierde hem op dezelfde wijze in de joodse godsdienstschool. Ik herinner me flauw, dat we meester dan chamisjàh-'asar-geld meebrachten - enige centen, stuivers of dubbeltjes - en dan in ruil daarvoor een paar koekjes kregen. Daar zit zeker pedagogische wijsheid in. Men heeft sporadisch ook de viering uitgebreid. Kringetjes gevormd, in welke men een chamisjàh-'asar-dis ging aanrichten. Zich 's avonds schaarde aan een fruittafel, die van alle mogelijke fruit was voorzien, en waarop de vruchten niet mochten ontbreken, welke eens de roem waren van het heilige land: druiven, vijgen, granaatappels, olijven en dadels.[1] De exemplaren op die fruittafel kwamen natuurlijk volstrekt niet altijd of bijna nooit uit het joodse land. Nog niet. Maar men deed en doet moeite om de soort machtig te worden. En dan liefst in verse toestand. Hetgeen met enkele ervan begrijpelijkerwijze niet altijd gemakkelijk is. Er hebben zich hier en daar zelfs verenigingen gevormd met het doel om chamisjàh-'asar op deze wijze gezamenlijk te vieren. En er bestaat zelfs een handleiding van de dienst, een orde van de Hebreeuwse stukken uit de bijbelse en nabijbelse literatuur, die tijdens de dis door de tafelronde worden opgezegd.

Met dit al greep deze viering toch niet in het joodse leven. Allerminst in het volksleven. Een treffend bewijs hiervan is dit: in de schoolboeken wordt de dag even vermeld maar van viering wordt niet gesproken, behalve dan van de synagogale bijzonderheid. Zeker niet van de zoëven verhaalde viering. Ik heb in een boek als Choreb van de beroemde Rabbiner Hirsch, dat in 118 capita met meer dan 500 bladzijden 'Jisroéls Pflichte in der Zerstreuung' behandelt, niets over deze dag gevonden, behalve als datum, waarop het smeekgebed vervalt.

Ook heb ik tevergeefs naar een behandeling ervan gezocht in het grote werk van dr. M. Friedlaender: The Jewish Religion. Daar staat de dag in de kalender genoemd en in een aantekening wordt de misjnàh, die ik boven citeerde, heel even besproken. Meer niet. Zo is het ook in het kleinere maar toch uitvoerige boek van L. Stern: Amoedé Hagolah, ein Lehrbuch der Religion für Schule und Familie. En al deze werken zijn betrekkelijk jong.

Hoe is deze dag een andere geworden.

Het is bij uitnemendheid de dag der jeugd. In Israel: het Chagh-hannetioth, het Plantingsfeest, het grote feest vooral voor de schooljeugd. Israël moet weer bebost wor-

1. Zie v Moz. 8, 8. Denk erom, dat onder honing, die daar genoemd is, dadelhoning verstaan moet worden.

Chanoekàh-lamp, koper. Holland, 17de eeuw. (Collectie The Jewish Museum, New York.)

Menoràh, zilver, 1754 (hoogte 105 cm, breedte 133 cm). (Ned. Isr. Hoofd-synagoge, Amsterdam.)

Rechts: Detail van de voorafgaande illustratie met inscriptie van de naam van de schenker en de datum: eerste dag Chanoekàh 1754.

זאת
המנורה מהמנוח
פו"ב חיים בן פו"מ
כ"ן זפאל וייזל ואשתו
מ'שרה בת פו"מ כ"ה
פאלק רינטל ז"ל
יום א' דחנוכה
תק"ל
לפ"ק

Menoràh, zilver. Op de middelste arm: Judith met het hoofd van Holofernes. Augsburg, Duitsland, 1759. (Collectie Israël Museum, Jerusalem.)

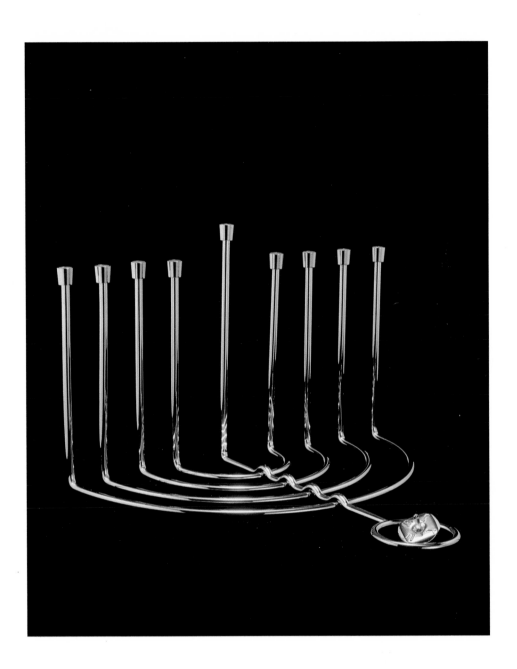

Menoràh met 'Dreidel' (tol), verguld koper. Ontwerp: Moshe Zabari. New York. (Collectie The Jewish Museum, New York.)

Boven: Reis-Menoràh, dichtgeklapt. (Uit particulier bezit.)
Onder: Reis-Menoràh, open.

Chanoekàh-lamp, gedreven zilver. Vervaardigd te Amsterdam, in 1705. (Collectie Joods Historisch Museum, Amsterdam; bruikleen W.J. Wolf de Beer.)

Poeriem-bord, met afbeelding van de triomf van Mordechai. Beschilderd porselein. Frankrijk, 18de eeuw. (Collectie Israël Museum, Jerusalem.)

den. En op deze dag trekt de hele schooljeugd naar buiten, school bij school in enorme optochten, met slaande trommen en vliegende vaandels, om de stekjes in de grond te zetten op de plekken, die van tevoren zijn aangewezen. Groot en klein onder leiding van leraren en leraressen. Toespraken, zang en spel en traktatie vullen de planting aan. Ooggetuigen spreken en schrijven roerend over de enthousiaste optocht der jeugd en de indrukwekkende dag. Zo is het thans in Erets-Israël.

De jeugd in de verstrooiing poogt de kameraden ginds de hand te reiken. De jeugdbijeenkomst en daarbij de fruittafel zijn al meerdere jaren geregeld in zwang. Ook begint men hier en daar de behoefte te gevoelen aan het symbool en men plant al sporadisch een stekje. In een bloempot of ook wel buiten. En men zorgt voor de aanwezigheid van vruchten, die werkelijk in Erets-Israël gegroeid zijn: boden van Israëlische grond, die behalve hun smaak nog wat anders meebrengen. En de jongelui gaan rond langs de huizen der joden en bieden er Israëlische vruchten te koop aan: sinaasappelen of amandelen of dergelijke, die reeds aan de Europese markten zijn. De opbrengst is voor het fonds, waaruit de bodem van het Joodse land wordt gekocht.

Zo wordt de 15e sjewàt een nieuw symbool en een nieuwe daad. Daden en symbolen verjongen zich. Voor hen, die het nog gevoelen kunnen en ogen hebben om te zien, manifesteert dat duidelijk deze Chamisjàh-'asar-bisj'wàt, de 15e van de elfde maand.[1]

POERIEM · OORSPRONG EN VIERING

Poeriem, het Lotenfeest is in Israël altijd de dag van pret, van jool geweest en is nog altijd populair. In populariteit kan geen andere feestelijke dag ermee wedijveren. Poeriem vraagt geen offers dan alleen zulke, die men gaarne brengt. Het verlangt geen werkonthouding, geen sluiting van zaken, geen stoornis in bedrijf, beroep of ambt. De bezigheden gaan door. Het vraagt het houden van een maaltijd, gebiedt te eten en te drinken. Het gebiedt de vreugde. Het gebiedt de weldaad aan armen: het maal van Poeriem met de vreugde van Poeriem ook in hun huizen te brengen.

De historische aanleiding van deze feestelijke gedenkdag vindt ge in het Bijbelboek: 'de Rol van Esther'. Leest ge haar over, doe het dan eens in de volgende belichting:

Wij zijn in het Perzisch-Medische rijk. De grote stichting van de grote Cyrus. Deze Cyrus was de verlosser geweest, de door God gekozen held[2], die aan de Judeeërs de vrijheid uit de Babylonische ballingschap had verkondigd: 'Gaat henen, gij kinderen van het volk Gods. Terug naar uw haardsteden. De God van hemel en aarde heeft mij geboden u dit te zeggen[3]'.

1. Men bedenke, dat het bovenstaande werd geschreven vóór de stichting van de Staat Israël.
2. Zo heet hij bij Jesaja 45, 1, 2. 3. Zie Ezra 1, 2.

En er gingen er maar weinigen. Die begonnen de opbouw van het vaderlijk erf. Hoe zij zich opofferden, streden, worstelden! De goed gesitueerden bleven in de landen hunner nieuwe inwoning maar moesten aanvankelijk op hoog bevel de kolonisten, de pioniers, met geld of goederen ondersteunen. Maar in het oude-nieuwe land hadden de voortrekkers met ontzettende moeilijkheden te kampen. En niet enkel met economische zorgen. De politieke tegenstanders[1] wonnen aan invloed bij de Perzisch-Medische regering. En het grote woord van Cyrus werd er van lieverlede kleiner. De emigratie naar het land van Israël – toen Judea – hield daarmee gelijke tred. En de steun uit het ballingschapsland verminderde. Het grote rijk der 'honderdenzevenentwintig gewesten' kwam vol problemen. En een dier problemen was het Judeïsche.

In welke toestand kwamen toen de Judeeërs te staan, die indertijd in Perzië-Medië waren gebleven en niet vol geestdrift van Cyrus' grote woord hadden gebruik gemaakt? Thans, nu er aldaar ten opzichte van het oude-nieuwe land en zijn opbouw tot het nationaal-Judeïsche tehuis een andere wind woei? En inzonderheid zij, die 'in de poort des konings zaten!': de eersten, de voornaamsten, zij die een Judeïsche stamboom hadden! Aan welke kant moesten zij zich nu stellen: aan de Perzische of aan de Judeïsche ?

Wij hoeven hier onze toevlucht niet te nemen tot de midràsj, die niet schroomt ons te vertellen dat de Judeeërs in Susan zonder enig bezwaar aan de ritueel natuurlijk ongeoorloofde maaltijden door koning Ahasveros[2] aangericht, hebben deelgenomen. Wij kunnen ons – ook zonder deze steun – gemakkelijk hun leven en hun gedragingen denken. Zij gedroegen zich en manifesteerden zich naar buiten overal als Perzen, als erge Perzen, meer koningsgezind dan de koning. Zo genoten zij een zekere uiterlijke vrijheid, doch waren echte slaven in de vrijheid. Zodat, wellicht ook daarom, Esther, later zo maar zonder blikken of blozen (hoofdstuk 7 vrs 4) kon verklaren, dat zij gezwegen zou hebben, als ze enkel tot slaven en slavinnen verkocht waren geworden.

Dus verstopten zij hun afstamming. Dus droegen ze maskers! 'En een Judeeër leefde er in de burcht Susan, die Mordechai heette en van hoge Judeïsche afkomst was. En die zat in de poort des Konings…' (hoofdstuk 2 vrs 5 en 19). En wat Mordechai nu deed en aan zijn pleegkind beval – nl. haar afkomst te verheimelijken – toen de schone maagden uit Perzië en Medië bijeen werden gebracht, opdat de monarch een keuze zou doen, dat was volkomen in overeenstemming met de verhouding en met de mentaliteit der Judeeërs te midden der Perzisch-Medische maatschappij en de daar heersende nationaal-politieke toestanden, verhoudingen en stromingen.

Doch de tijden kenterden. Er kwam een Haman. En het duurde niet lang of de maskers hielpen niet meer. Zij begonnen integendeel te drukken. De oer-Perzen kenden toch hun mensen wel. De mensen 'in de poort des Konings' in wier gezelschap Mordechai verkeerde, wisten wel, dat hij een Judeër was. En toen hij zich niet dadelijk aan het bevel

1. Samaritanen, Ammonieten en anderen. 2. Waarschijnlijk Xerxes.

des konings en van Haman, om voor deze te knielen, onderwierp, konden zij zich dat ten enenmale niet voorstellen. Een Judeeër, die zich niet wilde buigen! Dat was een unicum! Daar moesten ze meer van hebben. En zij vertelden het aan Haman om te zien of Mordechai – of een Judeeër – hierin woord zou houden. Doch Mordechai had de kentering der tijden nu gevoeld en begrepen. En zij hadden hem innerlijk veranderd. Zij hadden hem gerevolutioneerd. En toen de beproeving voor hem kwam te staan, rukte hij het masker af. En stond hij overeind als een echte Judeeër, als een nieuw mens, als een man van de daad, in innerlijke vrijheid, in vrede en harmonie met zichzelf.

En hij waagde alles. En hij won.

Dit de belichting.

Het conflict tussen Haman en Mordechai wordt een plotselinge bedreiging voor heel het Judeïsche volk. Haman, de machtige, de geweldige, heeft niet genoeg aan Mordechai; verlangt het leven van alle Judeeërs in de honderdenzevenentwintig gewesten des konings, van Indië tot Ethiopië. En hij krijgt het ter eigenmachtige beschikking. Letterlijk. Haman stelt bij loting de datum der uitroeiing vast. De 14e adar. Vandaar de naam Poeriem, hetwelk een Perzisch woord voor lot moet zijn. En de aanwijzingen voor deze uitroeiing worden als wetten uitgevaardigd en door het hele rijk verzonden.

Vóór-pogromstemming bij de bevolking van Susan en overal. Pogromangst bij de Judeeërs. Maar de schone Hadassah, het pleegkind van Mordechai, was indertijd uit alle maagden uitverkoren en leeft nu als koningin Esther in een der koninklijke paleizen. Tussen haar en Mordechai is er nog altijd een levendig contact en een sterke band. Mordechai beweegt haar, dwingt haar, voor haar volk op te treden en als het moet, daarvoor haar leven te wagen. Zij doet het: zij houdt haar ziel en krijgt het volk. Het lot is gekeerd. Er is jubel.

Het geval, dat de Rol van Esther behandelt, heeft zich in de joodse geschiedenis haast ontelbare malen herhaald. Dus is het in de geest van het volk vanzelf veralgemeend. Haman, in de Rol een Agagiet genoemd, en zó via Agag[1], de koning der Amalekieten uit Samuels dagen, een afstammeling van de aartsvijand Amalek, werd het prototype van iedere op de voorgrond tredende jodenhater, werd de benaming van het vleesgeworden antisemitisme. En Poeriem werd het bewijs van de onmacht van de loerende haat; het symbool van de altijd verzekerde redding. Wat deren ons antisemitisme en pogroms! Wij sterven niet!

De viering van Poeriem is hiermede in overeenstemming. Eerst, de dag van tevoren, vastendag. De *vastendag van Esther*. Esther en de bedreigde Judeeërs in Susan en overal hebben ook gevast, voordat Esther de kritieke gang naar de koning ondernam. Dan, 's avonds, aan het einde van de vastendag, ter synagoge! Naar de voorlezing van de Rol van Esther! De geschiedenis wordt opgefrist. En hoe! De voorlezing geschiedt uit een op

1. Sam. 15.

perkament geschreven rol en wordt door de gemeente gevolgd, zo behoort het althans, uit eveneens aldus vervaardigde rollen. De stemming is meer prettig dan plechtig. De voorlezer zorgt gewoonlijk voor de nodige afwisseling, voor nadrukkelijkheid waar het erop aankomt en voor bijzondere intonatie waar het te pas komt. De mensen leven mee. Men laat zich zelfs niet onbetuigd als de naam van Haman bij de voorlezing weerklinkt. Dan geven sommigen telkens een klap of een klapje op hun lezenaar. Men heeft daartoe zelfs hamertje gehad en jongens, die speciaal met het kloppen waren belast. Hamankloppers. Decorum gaf het niet. Wijding was ver te zoeken. Maar het is nu eenmaal Poeriem! En de haat in de rondte was zo fel. Men leefde steeds in zo ontzettende angst. Men troostte zich zo graag met de historische zekerheid, dat er altijd redding kwam en de vijand afgeslagen zou worden. En het instinct sloeg de oude Haman op de kop en bedoelde de levende, de eeuwige.

Het Poeriemmaal, de volgende dag, is een feestelijk maal. Ieder naar vermogen. Er hoort ook wijn bij als het kan. Maar niet, zoals op sabbath, ter plechtige begroeting van de dag, de gast, de Koningin. Hier dient de wijn heel eenvoudig om gedronken te worden. Nu mag, nu moet men eens drinken. Natuurlijk ontbreekt het in de rituaal-boeken hierbij niet aan waarschuwingen, dat het drinken niet tot uitgelatenheid, tot dronkenschap, tot losbandigheid mag leiden. Maar drinken is plicht. Het is immers Poeriem!

Vrienden en kennissen sturen elkander geschenken voor de maaltijd. Etenswaren en dranken. Er is een bijzonder poeriemgebak: uit een deeg, dat dun gerold, eruit ziet als licht gekleurd zeemleer, worden lapjes gesneden, welke in een pan worden gebakken. Zij krullen dan om en met een beetje fantasie kan men uit deze gebakjes wel oren maken. Men noemt ze daarom wel eens Hamansoren. Maar ze heten Kiechelich, hetgeen natuurlijk niets anders betekent dan koekjes.

De armen, vooral de armen, moeten op Poeriem extra bedacht worden. Dat gaat voor. Vóór smullen en drinken. De betreffende literatuur laat het ook aan waarschuwingen in deze richting niet ontbreken. Geen vreugde in uw huis, als ge niet naar krachten ook wat vreugde in het huis der armen hebt helpen brengen. Minstens aan twee moet ge een gave geven.

Natuurlijk leent een feest als Poeriem zich verder tot allerlei pret. Vroeger waren de jodenwijken in de grote steden vol van maskeradegrappen. Haman werd in effigie, jaar in jaar uit, het mikpunt van de spot. Plomp en geestig, naar het uitviel. Mordechai werd verheerlijkt. Esther koninklijk onderscheiden. Verklede poeriemgangers kwamen overal binnen en zetten hier en daar op vrij onschuldige wijze de boel aardig op stelten. Een en ander is van de straat en van de particuliere woningen naar de poeriembijeenkomsten verhuisd en naar de poeriembals, die in menigte georganiseerd worden. Natuurlijk niet op de avond van de 14e adar of op de avond ervoor of erna. Want die worden thuis gevierd. Maar op een avond in de buurt.

Nieuwe kleur heeft Poeriem niet gekregen. Het is een galoethfeest: feestelijke herdenking en viering van ballingschapsangst en van redding in de ballingschap. Blijvende zege heeft Poeriem niet gebracht. Perzië is verdwenen. Pogroms zijn gebleven. Haman leeft nog. En Mordechai is niet dood.[1]

PAASFEEST · HET EGYPTISCHE PÉSACH

Niesan is de maand der wonderen. In de Torah draagt deze maand de naam van arenmaand. Later, veel later, heet zij niesan. Toch komt zij ook reeds in de Bijbel, maar in de jongste boeken onder deze benaming voor. Twee maal: Esther 3, 7 en Nehemia 2, 1. Deze maand werd de eerste in de rij der joodse maanden.

Het is de maand van de *Uittocht uit Egypte*. En die Uittocht uit Egypte is de alef en de taw – eerste en laatste letter – van de joodse geschiedenis. En tot op de dag van heden tevens van het joodse godsdienstleven, voor zover het in symbolen wordt uitgedrukt en in ceremonieel en ritus is vastgehouden. Er is in dit opzicht bijkans niets te bedenken, dat niet met de Uittocht uit Egypte wordt in verband gebracht. Dáár immers begint de wonderbare historie van het volk Israël.

Vóór dat alles beheersende tijdstip is het de geschiedenis der aartsvaderen, die van hun leven als voorbeeld, van hun streven als ideaal, van de hun geworden beloften: als verwachtingen voor hen en als de onveranderlijke hoop hunner nazaten. Hun geschiedenis loopt uit op de lotgevallen der Jacobsfamilie in Kenaän en ten dele in Egypte. Maar dan verder is het geen familie meer en ook geen stam in de gewone beperkte zin. Maar een miljoenenvolk. Zolang ze in Egypte zijn echter, niet meer dan een miljoenenmassa. Een miljoenenmassa van slaven. Maar ná Egypte: een miljoenenvolk van vrije mensen.

En dan: Een nieuwe Dag. Een nieuwe Era.

Dus wordt de maand van de uittocht de eerste maand. Zij was dat vroeger niet, maar werd het nu. 'Deze maand zij u thans het hoofd der maanden, de eerste zal zij u zijn van de maanden des jaars' (II Moz. 12,2).

Het is de maand, waarin het vroege graan de akkers kleurt en de sikkel tegemoet rijpt. Niet hier, maar ginds. In het Land der Vaderen. De maand, waarin de natuur daarginder reeds uit de winterslaap ontwaakt is en de moeder Aarde haar grote gaven al met milde hand begint te geven. De lentemaand ook hier, die alle leven buiten zichtbaar doet ontluiken. En waarin de hoop weer jong wordt.

1. In Israël wordt Poeriem thans uitbundig gevierd met grote optochten, feesten, op straat lopende, verklede kinderen. Een beeld, dat aan carnaval doet denken. Men noemt de optocht 'Ad-lo-jada' d.i. 'tot men niet weet'. Deze woorden zijn ontleend aan een uitspraak, dat men op Poeriem moet drinken tot men het verschil niet weet tussen 'gezegend zij Mordechai' en 'vervloekt zij Haman.'

In die maand stapt er een volk de historie binnen. Een jonggeboren volk treedt er in de volkerenfamilies der mensheid. Niet tijdelijk, maar voorgoed. Niet voor eeuwen, maar blijkbaar voor de eeuwigheid. Met dit wellicht grootste aller wonderen wordt niesan de maand der wonderen bij uitnemendheid. En in deze maand der aren wordt het Feest van de Uittocht vastgelegd.

Geen feest zo vol symbolen als het Paasfeest. Daar hebt ge eerst, vooraan, het paaslam. Paas is het Hebreeuwse *Pasah*, welke laatste letter half naar de h, half naar de ch wordt uitgesproken. *Pasach* betekent springen.

De laatste der tien rampen, de sterfte der eerstgeborenen, was over Egypte gekomen. En nu zou voor de Hebreeuwen de vrijheid doorbreken. Midden in de nacht bij de volle maan, dus midden in de maand. Dan moesten zij gereed staan. Kant en klaar om de nieuwe Dag, de nieuwe Tijd, in te treden. De plotseling gekregen nieuwe Dag, de wonderbaar hun geschonken nieuwe Tijd.

Onder de maaltijd.

Zij moesten een lam eten. Van het bloed moesten zij een veeg aan de deurposten en aan de bovendorpel strijken. Niet aan de buitenkant, maar van binnen. Want het moest *hun* een symbool zijn. En het hoefde niet een onderscheidingsmiddel hunner huizen te zijn, opdat zij kenbaar zouden zijn en de sterfte dus hun woningen zou weten te vermijden. Het was voor hen een teken. En het verderf ging niet binnen bij hen, stapte hun voorbij, oversprong hun woonsteden: *Pasach*.

In allerijl nuttigden zij naar voorschrift hun *Pésach*. Zo heet het maal. Dat is het Hebreeuwse zelfstandig naamwoord bij het werkwoord pasach. Het pésach was gebraden. Niet langzaam toebereid, gekookt: maar snel gebraden aan het spit. Niet zorgvuldig in stukken gesneden, om het des te beter te kunnen hanteren en elk onderdeel goed gaar te maken: geen been mocht er aan gebroken worden.

En niet een feestmaal werd het. Niet aanliggend, breeduit aan de dis, genoot men het pésach. Maar staande, in bevend afwachten, reisvaardig, met de voeten geschoeid, de stok in de hand en de lendenen omgord, etend in haast en niets overlatend. Want de morgen zou hen daar niet vinden. En zij zouden er de ochtend niet aantreffen en dus ook geen resten, als die overbleven (II Moz. Cap. 12)

Dat is het pésach.

Ook toespijs kregen zij bij het pésach te genieten. Ongezuurd brood: *Matzàh*. Brood van meel en water. Maar in allerijl tot deeg tezamen geworpen, gekneed, gebakken. Als deeg blijft staan en een poosje met rust wordt gelaten, dan zal het ook vanzelf min of meer gaan rijzen. Maar ook dit brood moest de stempel van overhaasting dragen en mocht niet rustig rijzen. Het zou zijn: het ellende-brood, dat zij in de slavernij gegeten hadden, toen hun geen tijd werd gelaten om rustig het brood der eerste levensbehoefte te bakken. En het zou zijn: hun eerste vrijheidsbete, toen onverhoeds de stonde hunner bevrijding sloeg. Dus ongerezen broodkoeken bij het pésachlam. En bij deze maaltijd ook *bittere groenten : Maròr :* Want Egypte had hun leven immers zo ontzettend bitter gemaakt.

Nu, op de drempel der vrijheid, zouden zij dat nog eenmaal proeven. Als symbool. Opdat zij zouden weten, hoe zij van dienstbaarheid naar vrijheid togen. En opdat zij het zouden waarderen en op de juiste waarde blijven schatten.

Dit eigenaardige haastige eten werd hun eerste vrijheidsmaaltijd. Dat was het Pésach in de arenmaand. En deze arenmaand, die later niesan heette, werd de eerste der maanden. Het Feest der Herinnering, der lering en behartiging, werd op de vijftiende niesan gezet. Het lentefeest, dat de natuur viert in de arenmaand, werd tegelijk het Lentefeest van Israëls volksgeschiedenis. En andersom.

En de Uittocht uit Egypte werd bij het volk van Israël van alles de schering en inslag. Er is nauwelijks een viering, een voorschrift, een gebruik of een zede, waaraan niet de Uittocht is verbonden of waarover niet zijn geest en inhoud zweven. Dat alle andere feesten ermee in verband staan is zonder meer begrijpelijk en ligt vanzelf voor de hand. Waar zouden die andere feesten vandaan gekomen zijn, indien niet ook uit het feit der volksgeboorte! Maar ook de sabbath heet 'een herinnering aan de Uittocht uit Egypte'. In de Torah zelf. In de Dekaloog van v Moz. 5, 15. En overal in de gebedenboeken en de lofspreuken bij de sabbathwijding. Dat de humane vreemdelingenwetten gemotiveerd worden met de verwijzing naar de eigen vroegere slavernij (o.a. II Moz. 23,9 v Moz. 10, 19) ligt eveneens voor de hand. Maar ook de gebedsriemen worden aan de bevrijding uit Egypte vastgeknoopt (II Moz. 13 vrs 9 en 16).

Toen de uittocht was volbracht en het Land der Vaderen werd bewoond en het Heiligdom, later de Tempel te Jerusalem stond, ging het pésachlam ten dele tot de offer-dienst behoren. Toen werd het een feestmaal. De bereiding bleef en de toespijzen ver-anderden niet. Maar het nuttigen geschiedde niet meer in reisgewaad, staande met ge-schoeide voet en de lendenen omgord en de stok in de hand. Het slachten en de offerings-ceremoniën op de middag van de veertiende niesan waren onvergelijkelijke plechtig-heden, die in Jerusalem een overstelpende drukte teweeg brachten. Voor het nuttigen van het pésachmaal verenigde men zich in feestelijke groepen. En bij de maaltijd werd de Uittocht verteld en in bijzonderheden uitgesponnen. En de Hallèlhymne, Psalm 113-118, aangeheven.

In de diaspora, na de ondergang van de Tempel, verviel het pésach. Maar de matzàh – en de maror – de bittere groenten – bleven. En het Hallèl en het vertellen van de Uittocht uit Egypte op de eerste avonden van het Paasfeest, het *Feest der Ongezuurde Broden*, het *Chag-hammatzòth*, dat alles hield zich staande en bleef heilig.

De matzàh beheerst het hele feest. Zij kleurt de hele helft der maand vóór de intrede van 'het Feest der Ongezuurde Broden' en reeds verscheidene weken vroeger, het ganse leven in de joodse gezinnen. Wel bakt er tegenwoordig zo goed als niemand meer in huis zijn eigen brood. En het is ten enenmale uitgesloten, dat enige huisvrouw zelf de matzoth voor het Paasfeest zou bereiden. De bakkerijen, de speciale fabrieken, hebben dit werk, met alle voorzorgen en moeilijkheden, moeder gelukkig uit de handen genomen. Wat al maatregelen moeten er vóór en tijdens de bewerking niet genomen worden, om er zeker van te kunnen zijn, dat het deeg niet rijst en dat het brood, als het klaar is volstrekt niet is gedesemd. Konsekwent tot in het uiterste. Techniek en ingewijdheid in de leer van de ritus moeten hiertoe elkander in vol vertrouwen de hand reiken. Daarom zijn de best ingerichte fabrieken, met deskundig en nauwgezet rabbinaal toezicht, de grote bakkerijen van de matzoth voor het Feest der Ongezuurde Broden.

Doch niet het brood alleen moet ongedesemd zijn. Niets wat gedesemd is mag genuttigd worden. Geen spijs en geen drank. En niet enkel het eten en het drinken ervan zijn verboden, maar bovendien mag er hoegenaamd niets, dat zelf gedesemd is, in huis gehouden worden en ook niet iets anders, waar in *Chamèts* – d.i. gedesemd – vermengd kan zijn, of dat ermee in aanraking kan zijn gekomen. Nog meer: het kookgerei, het vaatwerk in keuken en eetkamer, alle huishoudelijke voorwerpen, die door het jaar gebruikt worden en meer of minder doortrokken zijn van de bestanddelen der dagelijkse gekookte of op andere wijze bereidde, natuurlijk dan wèl gedesemde spijzen en dranken, mogen op het Paasfeest niet zo maar in gebruik gehouden worden. Zij moeten van te voren – voor zover de stof, waaruit en de wijze waarop ze zijn vervaardigd, het toelaten – van deze chamèts-bestanddelen gezuiverd worden op een manier, welke een chemische reiniging nabij komt. Of zij moeten, gewoon schoongewassen, aan de kant gezet en door andere nieuwe of uitsluitend voor paasgebruik bestemde, vervangen worden.

Zo komen er dus op het joodse Paasfeest van de kruidenier een aantal afzonderlijke waren in huis. Allemaal voor de zekerheid onder rabbinaal toezicht bereid of behandeld. En uit de, het hele jaar afgesloten, bergplaatsen verschijnen de afzonderlijke paasserviezen in de keuken en op tafel. Het wordt een hele verhuizing en een haast nieuwe huishouding. Welk een drukte! En welk een bekoring!

Ge spreekt van schoonmaak! Die heeft er in het algemeen tegelijkertijd ook plaats! Maar hier moet bovendien alle zuurdesem weg. Overal vandaan. En zelfs de kleinste kleinigheid. Uit alle schuilhoeken en uit alle poriën. Het is, alsof er een nieuw leven moet begonnen worden. Rein en nieuw. Als bij het wondere begin, toen Israël, aan de hand van God, als vrije natie zijn geschiedenis begon bij de Uittocht uit Egypte. Hier wordt de schoonmaak tevens tot symbool. En zo wordt het allergewoonste in een andere sfeer geheven en het noodzakelijk alledaagse van de grond getild. De dag vóór het Paasfeest verdwijnt 's morgens het laatste chamèts. Dadelijk na het eerste ontbijt, dat reeds om ongeveer negen uur genuttigd moet zijn. 's Avonds van te voren is bij een rondgang door het huis in alle vertrekken, waar door het jaar wel het gewone brood en het andere eten komen, een onderzoekingstocht, ook in de kisten en kasten, gehouden en officieel vastgesteld, dat er nergens iets anders gedesemds meer aanwezig is dan dat, hetwelk de volgende morgen nog gegeten zal worden. Wat er eventueel nog is aangetroffen, is zorgvuldig opgeborgen en bewaard. En als nu 's morgens na het ochtendeten daarvan ook nog resten over zijn, dan wordt dat alles bij elkaar verzameld. De laatste kruimels worden weggeveegd, de laatste hand wordt aan schoonmaak en reiniging gelegd en aanstond, om uiterlijk een uur of elf, wordt het laatste restje nog overgebleven chamèts verbrand. Verbrand in een afzonderlijk vuurtje, een paasvuurtje dus, expresselijk hiervoor aangestoken. Dat gebeurt liefst buitenshuis in de tuin of op een plaatsje. In grote steden, waar veel joden bij elkaar wonen en waar er bij de woningen de gelegenheid veelal ontbreekt, kon ge dit verbranden van het chamèts ook wel op straat aanschouwen. Daar hadden sommige lieden – vaak kinderen – van de nood een deugd en van de deugd een klein bedrijf gemaakt, hetwelk hen op de dag voor Pasen het dure feest wat hielp bekostigen.

Na het verbranden wordt officieel verklaard en vastgelegd, dat alle zuurdesem en al het van zuurdesem doortrokkene, weg is en niet meer tot ons bezit behoort.

Natuurlijk heeft de sleur hier grote vat gekregen, Veel symboliek is in harde vorm verstijfd. Het zou dom zijn en erger, dit niet in te zien en zondig. het te ontkennen of te miskennen. En het ware misleiding, zelfs onwillekeurig de indruk te doen ontstaan, alsof alle joodse gezinnen, die dit joodse leven praktisch leven, daarbij ook altijd denken aan de inhoud der handelingen, die zij als rituele, als godsdienstige handelingen verrichten. Zij hebben het gezien van vader en moeder en ook zonder alles te begrijpen, lief gekregen. Zij hebben het leren aanvoelen als iets anders dan zuiver gewoon menselijke dingen. Er zit heiligheid voor hen aan, al kunnen zij het niet onder woorden brengen. Het zegt hun wat. Niet tot hun hoofd, maar tot hun innerlijkheid. Ze kunnen en willen het niet missen, al zouden zij er niets van begrijpen. En al geven ze soms toe, dat het weinig meer dan vorm voor hen is en sleur.

Sleur is dikwijls het zuivere normale, de reinste natuurlijkheid. Doch alleen in normale toestanden en bij natuurlijke verhoudingen. Symbolen en vormen moeten passen in de bouw en het cultuurbeeld van het hele leven. Dan kunnen ze zonder dodelijke gevaren door het roestend proza van de sleur aangetast worden. Maar bij de tweeslachtige toestand, waarin het jodendom met zijn eigen cultuurbeeld staat in de andere cultuurwereld eromheen, zijn sleur en louter formalisme wel zeer verschrikkelijke vijanden. En de kinderen dier geslachten, die getrouwelijk navolgden hetgeen zij van hun vaders en moeders hebben afgekeken, hebben bijna altijd minder piëteit voor dat, wat deze ouders –

navolgers – hun trachten voor te doen. Of helemaal geen piëteit. Hun gemoed blijft on-beroerd. Waarom zou hun verstand er nog ja op zeggen?

De mensen kijken vaak verkeerd iets af. Ook hier hebben ze soms heel verkeerd ge-keken en zeer slecht nagedaan, wat ze als heilig menen goed gezien te hebben. Zo gaat er aan het officiele onderzoek naar het chamèts op de vóóravond van de dag voor Pasen, zoals aan elke godsdienstige handeling, een wijdingswoord vooraf. En er waren altijd vreesachtige zielen, die dachten, dat het wijdingswoord in het ijdele vervliegen en daar-door geprofaniseerd zou worden, als het niet door de werkelijke vondst van een kleinig-heid vergeten chamèts gevolgd werd. Dus zorgde moeder de vrouw er altijd opzettelijk voor, dat het onderzoek enig tastbaar resultaat opleverde. En dat zagen de kinderen en ze deden later desgelijks in hun gezinnen. Hoe? Moeder legt hier en daar een paar stukjes brood voor de hand. Men zegt de wijdingsspreuk, veegt de brokjes brood bij elkander. En het officiële onderzoek is afgelopen. Men bewaart het gevondene en verbrandt het de volgende ochtend met de andere resten van het nog aanwezige chamèts. De kinderen van thans, die dit ergens als ceremonie zien, zullen door zulk een aanschouwing niet veel rijker worden. En als ze niet langs andere weg de nodige lering en bezieling ontvangen, zal reeds de schijn van het belachelijke ook hier in den regel wel dodelijk zijn.

Dit is een voorbeeld uit meerdere.

Maar, met dit al is de glans van Pasen nog heel groot. En als de geur der reinheid en de atmosfeer van de anders en nieuw uitziende huishouding op de middag van de dag, die aan het Paasfeest voorafgaat in de joodse woningen zweven, dan zien allen opgewekt en in zekere spanning verlangend uit naar de eerste *Séder-avond*, waarop het Paasfeest met al zijn glorie in de huizen nederdaalt. Allen, oud en jong. Zij, die helemaal het ceremoniële joodse leven leven, en zij, die er voor kleiner of groter deel zijn buiten komen te staan. De *Séder* boeit toch vele massa's joden.

DE SÉDER-TAFEL

Met het vallen van de avond is de 15e niesan aangebroken. De synagoge wacht op het Feest van de Ongezuurde Broden en op degenen die ten Feeste zullen opgaan. Het zijn voornamelijk de mannelijke leden der gezinnen, die zich naar de synagoge begeven. Het avondgebed wordt verricht. De paitaniem hebben natuurlijk weer gezorgd voor de liturgische stukken in dichtvorm, die tussen het gewone gebed worden ingelast en waar-in de betekenis van de feestdag naar alle kanten wordt bezongen. En meer in het bijzonder de betekenis van deze avond, van de Nacht van de Uittocht. De heilige Nacht der God-delijke beschutting: de *Lèl-Sjimmoeriem*. Zo heet de ganse avond. Zo vangen ook de strofen van de feestgedichten aan. En zo is hij geheel getekend en gekleurd.

Aan het eind van de avonddienst wordt er nu eens niet een wijdingsspreuk bij wijn ter synagoge uitgesproken, zoals anders bij de intrede van de sabbath en van alle andere feesten. De wijn ontbreekt. Deze ceremonie immers geschiedt op al die tijdstippen óók met het oog op vreemden, die in de gemeente geen tehuis en geen tafel hebben en die dan alleen in de synagoge die inwijdingszegen van sabbath of feestdag horen. Maar op de séder-avond, de lèl-sjimmoeriem, wordt iedere jood en iedere jodin geacht een tehuis, een dis te hebben. Als het maar enigszins kan, komen allen, die anders buitenshuis vertoeven en zich nog geen eigen huis hebben gesticht, weer onder het ouderlijke dak tezamen. Zij komen als duiven naar hun tillen gevlogen. En nog meer dan anders staan nu de joodse huizen open voor gasten en aan de séder is overal plaats voor vrienden, die het eigen huis of dat der hunnen niet in staat zijn te bereiken.

Thuis wordt nu de tafel klaar gemaakt. Moeder bereidt er met de vrouwelijke gezinsleden de ontvangst van de lèl-sjimmoeriem. Alles is in feestgewaad. Mens en woning. En overvloedig licht bestraalt de tafel, die met het beste en het fijnste dat men heeft, is gedekt en gesierd.

Als zij, die uit de synagoge huiswaarts keren, de woning binnenkomen, vinden zij de séder gereed. De Uittocht uit Egypte zal symbolisch gevierd, en zijn historische betekenis en gevolgen zullen verhaald en in het licht gesteld, overdacht en levendig opnieuw tot het bewustzijn gebracht worden.

Séder, als woord, betekent slechts orde. Maar als term wil het zeggen: de hele huiselijke eredienst op de beide eerste avonden van het Paasfeest. En in engere zin: de schotel midden op de tafel, met de ingrediënten, die als de aanschouwelijke tekenen dienen bij het verhaal, dat aanstonds wordt gegeven uit het vertelselboek – de *Haggadàh* – dat ieder vóór zich neemt en dat bestemd is om, bij de behandeling van het onderwerp, als leiddraad te dienen.

De *Séder-schotel* kan eenvoudig een groot bord zijn, waarop in de eerste plaats matzoth liggen. Eerst een matzàh. Dan een servet erover. Een mooie. De mooiste die moeder bezit. Daarop de tweede matzàh. Daarover weer zulk een mooie servet. Dan het derde paasbrood. En nu de laatste servet daarover.

Och, het kan ook wel zonder schotel en met één servet, gevouwen in een lange strook: eerst een deel ervan op tafel, daarop een paasbrood, dan de servet daarover heengeslagen, en nu weer een matzàh, de servet dan terug er overheen. Daarop dan de derde matzàh en deze met het laatste deel van de servet gedekt.

En men kan ook een toestel hebben met drie verdiepingen, waarin men de matzoth boven elkander kan behuizen, en op welks bovenvlak men de andere symbolische benodigdheden van deze eredienst kan neerleggen. Ook zulke toestellen heten séder-schotels. Hier gelden geen voorschriften maar alleen doelmatigheid en smaak.

Het paasbrood voor de séder is minder tot voeding dan tot symbool, tot godsdienstig rituaal bestemd. Gedurende de dagen van het feest is het het gewone dagelijkse brood, om er zich aan te verzadigen. Het moet dan alleen maar ongezuurd brood zijn. Daarom is gewoonlijk het ongezuurde brood voor het ceremonieel van deze huiselijke eredienst – deze *Matzàh-sjel-mitswàh* – extra voor het doel bereid en door een dikkere vorm van de gewone paasbroden onderscheiden.

Op de schotel, boven de matzoth, ligt een botje, met een weinig vlees eraan, bijna kaal. Het is gebraden in het vuur of in de oven, afzonderlijk.

Er komt vanavond, al is het Pasen, geen paaslam op de tafel. Want het kan buiten de Tempel immers niet volgens de offervoorschriften geslacht en behandeld worden. En alleen de Tempel en Jerusalem kenden het pésachlam. Maar een aanschouwelijk symbool moet er zijn. Dat is het *Gebraden Beentje*.

Er zijn ook *Bittere Kruiden*. Daar ligt een mierikwortel, die zelf heel bitter smaakt en waarvan het loof als ge er zo rauw een kleinigheid van gaat kauwen, u wel haast terstond de tranen uit de ogen zal persen. Daar ligt ook als surrogaat, minder bitter, radijs of latuw of alles tezamen. Er is ook toespijs aanwezig, om, naar de tafelgewoonten der ouden, de spijzen erin te dopen: een mengsel van klein gesneden rozijnen, amandelen, appelen, met wat kaneel, suiker en een scheutje wijn. Dat heet *Charoseth*. Wat de kleur betreft, behoort het er enigszins uit te zien als klei. Immers: 'de Egyptenaren verbitterden het leven der kinderen Israëls met harde arbeid in leem en tichelen' (II Moz. 1,14).

Op de séderschotel ligt nog meer. Want toen het werkelijke paaslam eertijds in Jerusalem bij het bestaan van de Tempel, inderdaad werd genuttigd, ging het immers vergezeld van een maaltijd met nog andere gerechten. En ook deze zijn vertegenwoordigd: er is een *ei*. Wat kunt ge eenvoudiger als symbool van een gerecht op deze schotel der symbolen brengen dan een ei? Een gebraden kippenei dus. En er is wat *peterselie* ook of selderij. Een een bakje met *azijn* of *zoutwater*. Men doopte bij de ouden de spijzen bij het nuttigen immers in vloeistoffen.

Men zal u misschien wel eens komen vertellen, dat het ei een symbool is van rouw. Dat is zo. Het eerste gerecht, hetwelk aan rouwbedrijvenden wordt aangeboden, wanneer zij huiswaarts keren van het graf, waarin zij de stoffelijke rest van een dierbare ter eeuwige ruste hebben neergelegd, bestaat uit brood en eieren. En ook is het waar, dat de eerste séderavond altijd op dezelfde avond der week invalt als de vóóravond van de 9e av, de ongeluksdag van de val van de Staat en Tempel, de rouwdag, de vastendag derhalve om de verwoesting van Jerusalem. Maar daarom hoeft het nog niet waar te zijn, dat het ei om deze reden op de séder-schotel prijkt. Die reden is bij het eindeloze verklaren en bij het verklaren van verklaringen ontdekt en erbij ingebracht.

Zo kent ge nu de séder-schotel.

Maar er is ook wijn op tafel. Niet één beker, zoals op de sabbath en op andere feestdagen, ter begroeting van de heilige dag. Maar wij gaan nu werkelijk wijn drinken.

Wijn bij de feestelijke herdenking. Want wij vieren de Uittocht uit Egypte. Wij vieren de aanvang onzer volkshistorie. Wij vieren onze geboorte als een vrij volk. Wij zullen dat feit vertellen, willen het opnieuw gaan beleven. En wij zullen erbij toasten. Ieder der aanzittenden heeft zijn glas of beker. Allemaal, de mannen en de vrouwen en de kinderen. En allen zullen vier keer de kelk heffen en heel of half of ten dele leeg drinken. Voorzichtig aan, al naar gelang men kan verdragen. Het is geen drinkgelag. Het is een symbool, een feestelijk gewijde dronk. Maar telkens zullen toch de bekers weer gevuld of bijgevuld worden en bij iedere toast zal er uit volle bekers worden gedronken.

Volle bekers met wijn overal. Bij voorkeur rode wijn. Maar och, het gaat ook – als het moet – met aftreksel van rozijnen. Kelken met rozijnenwijn!

Er staat nog een *vijfde beker* op de tafel. Ook deze wordt gevuld. Hij blijft vol. Niemand nipt eraan. Het is de beker voor de profeet Elia.

Vier bekers. Waarom juist vier?

Er staat in II Moz. 6, 6 en 7: 'Ik zal u uitvoeren van onder de lastdruk van Egypte en Ik zal u bevrijden van hun dienst en Ik zal u redden met uitgestrekte arm en grote strafgerichten en Ik zal u nemen voor Mij tot volk en Ik zal u tot God zijn…'

Daar staat dus in enige uitdrukkingen het doel van de Uittocht geschetst. Op vier of vijf manieren. Dat hangt ervan af, hoe ge gaat lezen, scheiden of tezamen voegen. Derhalve, hoe ge gaat tellen. Ge kunt vier er of vijf uitdrukkingen in vinden. En ge kunt de een de ander niet overtuigen van de juistheid uwer opvatting. Zulke, en alle andere onoplosbare kwesties en kwestietjes blijven liggen. Totdat de oplossing vanzelf komt. Of niet komt. Of, zoals de Talmoed dat uitdrukt 'totdat Elia komt'.

Dat aangelegenheidje van de vijfde beker is er zo een. Voor Elia. En zo staat daar de vijfde beker: de beker voor de profeet Elia. Doch die verklaring is, hoewel niet zonder geest toch maar nuchter proza.

De volksgeest is dichterlijk:

Eens, als de grote Dag der Verlossing in aantocht is, dan zal vooraf Elia komen, om hem aan te kondigen. 'Zie, – zo zingt de laatste der profeten (Mal'achie 3, 23) – Ik zend u de profeet Elia vóórdat de Dag, de grote en ontzaglijke Dag des Eeuwigen komt'.

En het is vanavond lèl-sjimmoeriem, de heilige nacht van Goddelijke Bewaking, die eens de Nacht der Verlossing was. Wat zou er natuurlijker zijn, dan dat hij, Elia, nu zou komen? Vanavond, nu Israel in heel de wereld, hoever ook uit elkaar gedreven en hoe in kleine splinters ook geslagen, overal aan de séder zit en de verlossing gedenkt en viert. En verbeidt. De wijn staat klaar voor Elia. En wij zullen straks, bij het ceremonieel, ook nog opzettelijk de deur een ogenblik wagenwijd voor hem openzetten.

Zo heeft de volksgenius gezucht, gehoopt en gedicht.

Wij zetten ons aan de séder-tafel. Vader zal natuurlijk de leiding van de gebeurtenis in handen hebben. Morgenavond, de tweede, vereert hij daarmee of met een gedeelte ervan – de na-séder – misschien een ander der disgenoten.

Eerst de begroeting van het feest: de gewone inwijding met de wijdingsspreuk bij wijn, de kiddoesj, zoals op vrijdagavond en op alle vóóravonden der bijbelse feestdagen. Maar nu heft niet enkel vader de kelk met wijn ter ere van God en van het Feest, de heilige Gast, en krijgen alle aanzittenden van zijn beker mee te drinken. Allen hebben nu hun eigen volle bekers. In koor te zamen met vaders stem erbovenuit natuurlijk, wordt nu de kiddoesj uitgesproken. En dan drinkt ieder plechtig zijn beker: het eerste glas van séder-avond. De eerste vrijheidsdronk.

Vrijheidsdronk.

De ouden zaten niet als wij aan tafel. Hun dis was heel laag. Zij strekten zich op sofa's uit en lagen aan. Ze vlijden zich aan hun maaltijd gemakkelijk neer, op voornamelijk hun linkerzijde. Want ze vatten hun beten en hun kelken natuurlijk met de rechterhand. Slaven lagen niet aan! Dat was het privilege van de vrijen.

Dus als wij onze vrijheidsdronk gaan nemen, dan leggen we ons naar links een beetje en drinken, leunende op de linkerarm! Voor vader is er zelfs een soort van sofa gereed gemaakt met twee kussens en de mooiste slopen die het huis bezit; of met extra prachtige omhulsels, van zijde, geborduurd. Dat is de 'laan'. Dat wil zeggen over Duits-Jiddisj heen: de leun!

Nu begint de speciale séder-dienst. Vader zal aanstonds aan alle leden van het gezelschap wat van de ingrediënten die op de schotel liggen, gaan ronddelen, zij zullen allen iets nuttigen van de peterselie of selderij, nu naar de trant der ouden, ingedoopt in vocht, in azijn of zoutwater. Wij gaan vader evenwel eerst de handen wassen. Dat is wassen en niets anders dan wassen. Geen symbool. Dus ook geen lofzegging. Maar vader is vanavond in het bijzonder koning. Wij komen daarom bij hem en brengen hem de schaal en kan. Hij staat niet op, maar laat zich bedienen.

Het was en is vrij algemeen bij de joden die uit het Oosten stammen, de gewoonte van de heer des huizes, van hem, die de séder 'geeft' – d.w.z. leidt – om ook op deze avonden het opperste kleed van zijn doodsgewaad aan te trekken. Het opperkleed van de Priester. De toga bij de dienst. De doodsgedachte hoort hier niet. Plechtig is het zeker.

Nu wordt er een matzäh gebroken. Van de middelste wordt door de leider natuurlijk, een stuk genomen en opgeborgen. Zoals het heet voor nagerecht, *Aphikoman*. Straks na de maaltijd zal het rondgedeeld worden. Maar het zal dan, hoewel achteraan, toch geen nagerecht, maar symbolisch vlees van het paaslam zijn. Want in de lang vervlogen tijd van het tempelleven werd er immers wel bij het lam een maaltijd gehouden, maar na het pésach toch geen ander eten meer genuttigd. Nu is er geen pésach. Als symbool wel een beentje op de séder. Maar in elk geval geen vlees om als herinnering of als teken te verorberen. Gebraden vlees – gebraden op de wijze als eens het pésach – zou op deze eerste avond en en zelfs overdag en zelfs op de middag van te voren ten enenmale niet toelaatbaar zijn. Men doe niets des Tempels daarbuiten!

Daarom een stukje matzàh! Maar het moet goed opgeborgen en straks niet vergeten worden. Vader legt het tussen de kussens van de 'laan'.

En nu gaan wij spreken over de Uittocht. Vertellen.

Wij heffen de séder-schotel. Allen dragen mede. Maar wacht even: vader heeft eerst het beentje en het ei eraf gelegd. Want die passen niet in hetgeen we daar gaan zeggen. Zij zijn boden der vrijheid. En hoor nu maar: als de schotel wordt geheven:

'Dit is het brood der ellende, dat onze voorouders in Egypte gegeten hebben.'

Dit stukje uit het vertelselboek – de *Haggadàh* – is geen Hebreeuws. Het is in het Arameïsch, de volkstaal van het Babylonisch jodendom. Eerwaardig oud derhalve.

We zeggen nog meer bij het opheffen van de séder-schotel. Wij roepen op dit moment aan onze tafel de mensen binnen, die wellicht verstoken zijn van viering van de séder.

'Al wie honger heeft, kome en ete mede; al wie er behoefte aan heeft, kome en viere het Pésach met ons mede.'

En dan de hoop, de oude, onverbleekte hoop:

'Thans nog hier, het volgende jaar in Erets-Israël. Nu nog afhankelijk, het volgend jaar zelfstandige, vrije mensen!'

De séder-schotel staat weer op tafel. Wij hebben de eerste beker gedronken en onze eerste toast gezegd. De glazen worden weer gevuld.

Hoor, een kinderstem. De jongste spreekt en vraagt:

Mah-nisjtanàh.

'Waarom is deze avond zo geheel anders dan andere avonden? Andere avonden eten we naar believen chamèts of matzàh, vanavond enkel matzàh. Andere avonden eten we allerlei groenten, vanavond bitterkruid, maròr. Andere avonden dopen we onze spijzen helemaal niet in, vanavond twee malen. Andere avonden eten we in zittende of leunende houding naar believen, vanavond liggen wij allemaal aan!'

De kleine zegt die vragen uit de haggadàh op. In het Hebreeuws. En daarna in het Hollands, woord voor woord vertalende en het niet voorlezende uit de Nederlandse vertaling, die er in het boekje wel naast gedrukt zal staan. Natuurlijk niet. Dat ware geen kunst! En geen verrassing. En moeder zou dan niet zo triomfantelijk kunnen kijken. Zij was in het geheim. De kleuter heeft het stilletjes geleerd. Op school of bij een extra les, of van een broer of zus. Om vader met zoveel kennis van het Hebreeuws bij de eerste deelname aan de séder te verrassen. En vader glundert. De onnozele!

De kleine vroeg voor allen. En als er geen kleine is, doet het een grote. En anders vraagt men zichzelf.

Het verhaal is begonnen.

De haggadàh ligt open. Men gaat er langs heen en gebruikt haar als leidraad. Zij wordt veelal slechts afgezegd. Wie kan het verhinderen? Maar zij is geen boek des gebeds. Niet eens stichtelijke lectuur in de gewone betekenis.

Er staat in de Torah geboden (II Moz. 13,8): 'Op die dag zult gij het uw zoon vertellen en zeggen: daarom is het, om hetgeen mij God gedaan heeft, ten tijde toen ik uittoog uit Egypte!'

En dáárom is de séder-avondviering. En de vertelling is gegroeid. De vertelling: dat is de haggadàh. En de haggadàh als boekje is ook gegroeid. Op deze Uittocht is geweven. Effen doek en met figuren. Grof en fijn. Er is omheen gestikt en geborduurd. Naïef en kunstig. Plat en diep en verheven. Nuchter en wonderbaar.

Dat alles bevat de haggadàh. En men kan het overlezen en er wat uit lezen en er wat in lezen. Naar kennis en smaak. Men kan oude commentaren ophalen of nieuwe verklaringen zelf ontdekken. Al naar aanleg en vermogen. En naar gelang van deze behandeling zal de 'vertelling' gevarieerd zijn.

Er staat in de Torah nog driemaal meer van die vertelling aan de kinderen gesproken. 'En het zal zijn – zo luidt het in II Moz. 12, 26 en 27 – wanneer uw kinderen eens tot u zullen zeggen: "wat is deze dienst voor u?" – Dan zult ge zeggen...' In hetzelfde boek (II Moz. 13, 14) 'En het zal zijn als uw zoon u morgen zal vragen: "wat betekent dat?" – Dan zult ge tot hem zeggen...' En ten slotte v Moz. 6, 20: 'Als uw zoon u morgen zal vragen: "wat betekenen de getuigenissen en de wetten en de rechten, die Adonai, onze God, u geboden heeft?" Dan zult ge zeggen tot uw zoon: "Slaven waren wij bij Pharao in Egypte en God heeft ons met sterke hand uit Egypte gevoerd..."'

Met deze woorden vangt vader nu zijn antwoord aan.

Maar weldra slaan wij zijwegen in. Wij komen te spreken over die grote plicht, om te gedenken en om te verhalen van dat wondere gebeuren der verlossing uit Egypte. Hoe meer des te prijzenswaardiger. Ook de geleerdsten, ook de wijzen zijn er niet boven verheven en hebben het nooit beneden zich geacht, zich op de lèl- sjimmoeriem in die ontzaglijke herinnering te verdiepen.

Wij krijgen een staaltje daarvan.

Wij dwalen verder af. Wij belanden bij het feit, dat de Torah vier maal het voorschrift geeft:

'Ge zult ervan verhalen aan uw kinderen!'

Iedere keer anders uitgedrukt. En drie keer het telkens in andere woorden gegeven

Bomen planten in Israël op Chamisjàh-'Asar-bisj'wàt. (Fotoarchief Keren Kajemeth, Jerusalem.)

Rol van Esther in zilveren koker, 17de eeuw. (Uit particulier bezit.)

Beker. Afbeelding uit de Haggadàh getekend door Arthur Szyk. Jerusalem/Tel Aviv, 1960.

De vier zonen. Afbeelding uit de Haggadàh getekend door Arthur Szyk. Jerusalem/Tel Aviv, 1960.

שאינו יודע לשאל   תם   רשע   חכם

צורת ארבעה בנים דברי תורה

De vier zonen. Gravure uit oude Haggadàh. Nederlands, 1881. (Uit particulier bezit.)

Oude Haggadàh, handgeschreven en handbeschilderd perkament. Vervaardigd door Joseph uit Darmstadt, te Amsterdam. (Collectie Joods Historisch Museum, Amsterdam.)

פסח

סדר

Links: Het maken van matzàh-balletjes in de soep. Lithografie vervaardigd door Alphonse Levy 1843-1918. (Uit particulier bezit.) Rechts: De séder-schotel met de ingrediënten. Lithografie vervaardigd door Alphonse Levy 1843-1918. (Uit particulier bezit.)

Séder–schotel, 18de-eeuws zilver. (Uit particulier bezit.)

antwoord ingeleid met de zinswending: als uw kroost zal vragen. En elk dier drie vragen ook gevarieerd. Welk een schone gelegenheid voor de homileticus, voor de prediker, voor de dichter, voor ieder, die het Woord gaarne neemt als bron om er wijsheid en zedeleer uit te scheppen en daarmede anderen te drenken en te laven!

Hier is er gretig gebruik van gemaakt. De haggadàh, het vertelselboek, wordt nu agadàh de moraliserende bespiegeling, de vrije soms symboliserende, maar altijd door dichterlijke wijsheid gedragen hantering van bijbelteksten, welke doet alsof ze op verklaring, op exegese uitgaat, maar die inderdaad meestal een inlegging is van schone gedachten. Eeuwigheidswoorden bevatten trouwens vanzelf ook eeuwigheidswaarden.

Zo krijgen wij hier aanstonds pedagogische lessen:

Er zijn in de Torah – zo stelt de agadische behandeling der teksten het voor – vier verschillende karaktertypen van kinderen in deze eigenaardige probleemstelling ondersteld: Een braaf, wijs, godvruchtig vrager; een ruw, onverschillig spotter; een eenvoudig middelmatige; en een, aan wie alles voorbijgaat en die niets weet te vragen. Er was immers één antwoord, waarbij als inleiding geen vraag werd ondersteld. In de drie vragen liggen de drie andere karakters. Hun vorm spreekt voor zichzelf. En de toon, die erin gedacht, gebonden en desnoods wordt ingedragen, doet de rest. En het sluit. Het sluit schitterend. Aan de vragen worden de antwoorden, die in de bijbelverzen staan, aangepast. Met enige vrijheid van verplaatsing doorelkander. Maar ook dat klopt uitstekend. Het is alles vol geest en scherpzinnigheid. En vol wijsheid. 'Leid het kind naar zijn aard' (Spr. 22:6) wordt in dit schone spel met voorbeelden geïllustreerd. Peil de karakters en voed daarnaar op. Dit is een der pedagogische lessen welke de séderavond ons zo terloops maar even meegeeft.

Er bieden zich nieuwe bijbelverzen aan, die op gelijksoortige wijze ontleed worden. Waar dat pas geeft, worden de bekers geheven, maar nog niet gedronken. De tien Egyptische plagen passeren de revue. Hoe kan het anders? En ook zij worden nog even op de ontleedtafel der agadàh gelegd.

Maar rampspoedige woorden nemen de mensen niet gaarne in de mond. Zij schudden ze liever van zich af. Of ook, als zij iets goeds, iets gelukkigs van zich getuigen, dan 'kloppen' ze de kwade invloeden of andere dergelijke gevaarlijkheden 'af'. En als er aan de séder, bij het opnoemen der plagen, nu telkens een druppeltje wijn uit de beker wordt gedaan, dan zal daar wel zo'n soort bedoeling aan ten grondslag liggen. Een ernstige ceremonie is dit niet. Het is helemaal geen handeling, die de naam van ceremonie verdient of draagt, maar die zich toch handhaaft. Vanwege de gemoedelijkheid misschien.

Tegenover deze rampen, die dienden om ons te redden, staan de rechtstreekse weldaden van God aan ons. Elk dezer – zo zeggen we telkens in koor – ware ons voldoende geweest.

Zo komen we aan de symbolen van het feest, die op de séder-schotel liggen. En als zij verklaard zijn, dan heffen we nog eens even de beker, zonder ervan te drinken, zetten het Hallèl in, zingen er de twee eerste Psalmen van (113 en 114) en wij besluiten met een lof- en dankzegging voor de verlossing en met de bede om de eindelijke Verlossing naar lichaam en ziel.

Daarop drinken wij.

De tweede beker.

Aanstonds gaan wij aan de maaltijd. Eerst gaan wij natuurlijk het brood breken, zoals we dat bij ieder sabbathmaal en voor iedere feestmaaltijd doen. In ons geval, aan de séder, zoals vanzelf spreekt: het ongezuurde brood, de matzàh. Maar voor het eten van het brood gaan we ook nu de handen wassen. Allemaal. En nu een wassing als wijding, als rituele handeling en dus met een wijdingsspreuk. En ook gaan wij nog eerst van het bitterkruid eten. Wij dopen nu ten tweeden male in. De maròr in de charoseth, de als klei uitziende toespijs. En we denken aan het bittere slavenleven, waaraan de uittocht uit Egypte een einde heeft gemaakt.

En dan wordt de maaltijd genuttigd. Aan het einde haalt vader het nagerecht – het aphikoman – te voorschijn, het stuk der matzàh, dat hij bij de aanvang heeft weggelegd en deelt ervan rond onder de aanzittenden. Als hij het niet terugvindt, dan heeft een der jongeren, de jongste waarschijnlijk, het hem heimelijk weten te ontfutselen. En dan krijgt hij het niet weer in handen, voordat hij er een prijsje voor uitgeloofd heeft. Hij is voor de gek gehouden en moet het boeten. Heeft hij zich misschien opzettelijk laten foppen?

Dit spelletje schijnt bij velen burgerrecht verkregen te hebben. Het is begonnen als een der middeltjes om de kindertjes wakker te houden en hun aandacht nog meer te boeien. En ook wel om het nagerecht – dit nagerecht – niet te vergeten. Het dient immers symbolisch als het vlees van het pésachoffer.

De maaltijd is geëindigd en de derde beker wordt gevuld. Het tafelgebed wordt uitgesproken. En deze keer heeft ieder daarbij een volle beker wijn. Wel vaker wordt er bij wijn het tafelgebed uitgesproken. Zoals op sabbath en feestdag. Maar niet als regel. Soms ook als regel. Bijvoorbeeld bij bruiloftsmaal en het feestmaal der besnijdenis. Maar nu behoort ook dit bij de plechtigheid van de séder. Deze beker behoort bij de maaltijd. Hij wordt door allen aan het einde van de dankzegging gedronken. En dat is het einde van de dis.

Wij zullen de séder voortzetten, de na-séder beginnen.

De deur wordt wijd geopend. Het is lèl-sjimmoeriem, de nacht der Goddelijke Genade en Bescherming. Wie zou ons nu ten kwade naderen? Wie zou ons overvallen?

Voor ons, hier, is dit een gebaar, dat niet de minste moed vereist. Maar de Middeleeuwen kennen verhalen van beloering en overval, van plundering en slachting, juist op de séderavond. Verhalen zonder tal. En de Middeleeuwen hebben voor Israël lang geduurd en zijn zelfs in deze eeuw nog niet geëindigd. Maar ook in de Middeleeuwen en de tijden waar men het gevaar zo goed als zeker op de loer wist liggen, zette men de deur open in de nacht der Verlossing. Wie anders zou er binnen komen, dan de Profeet Elia!

En ook als wij onze deur door een der séder-genoten laten openen, dan komt er toch iets als van enige huiver van mystieke aandoening over ons. En dan schenken we de vierde beker in, waarbij wij vervolgens het grote Hallèl helemaal ten einde zingen: de Psalmen 115-118, met 136; besloten met het overschone Nisjmath: 'de ziel van al wat leeft looft Uw Naam, o Adonai onze God,' dat ook in de sabbath- en feestgebeden voorkomt; en afgesloten met de slotlofzegging van het geheel. En als we dan nog op oude melodieën een paar gedichten der synagogale dichters – de paitaniem – hebben aangeheven, dan komt het slotakkoord. We grijpen de bekers voor de laatste toast, kijken elkaar in de ogen en zeggen en wensen 'lasjnàh habbaàh biroesjalàjim, het volgende jaar in Jerusalem'. En wij drinken daarop, na hernieuwde wijdingswoorden, de vierde beker leeg!

Daarmee is de séder eigenlijk gesloten en we konden ons vertelselboek wel dicht doen. Maar de haggadàh bevat nog een paar volksliederen, die we ook niet vergeten. Eigenaardige kettingliederen, heel oud. Het laatste is in het Arameïsch over 'een lammetje'. Chadkadja. Een lammetje, dat vader voor mij kocht voor twee zoeziem.[1]

Toen kwam er een kat, die het lammetje opat, dat vader voor mij had gekocht voor twee zoeziem.

Toen kwam er een hond, die de kat doodbeet, welke het lam had opgegeten, dat vader voor mij had gekocht voor twee zoeziem.

Toen kwam er een stok... een vuur... water...

Zo wordt het lied bij elk couplet al dikker en dikker. De laatste die er komt is God.

'Toen kwam de Heilige, geloofd is Hij, en slachtte de engel des doods, die de slachter had geslacht, die de os had geslacht, die het water had opgedronken, dat het vuur had geblust, dat de stok had verbrand, die de hond had verslagen, die de kat had doodgebeten, die het lammetje had verslonden, dat mijn vader voor mij had gekocht voor twee zoeziem.'

En velen zien in dat lammetje het arme Israël, dat in stukken is gescheurd en waarvan brokken worden verslonden door vijanden na vijanden, die elkander vernietigen. Totdat God er een einde aan maakt.

Daarmede staan we op van de séder.

1. Kleine geldstukken.

Het Paasfeest is in de Bijbel niet enkel het feest van de Uittocht uit Egypte. Het is er ook, en niet in mindere mate, het Lentefeest van de landbouw in Kenaän. In de arenmaand, die we nu als niesan kennen, begint de oogst. De eerste gerst is rijp en zal gesneden worden. Maar voordat van het nieuwe graan brood gebakken en genuttigd, of ook slechts verse of geschroeide aren op het land ervan gegeten mogen worden, zal er eerst een eerstelinggave van in de Tempel worden gebracht. Zo zegt het de Torah in III Moz. 23, vrs 9-14. De hoeveelheid van dit wijdingsgeschenk, te leggen in de handen van de priester, moet een *Omer* zijn. Omer is garve. En gewogen is het aan meel ongeveer drie en een half pond. De aanbieding is natuurlijk een plechtigheid en er komen dan nog andere offers bij. Ook het snijden van deze omer garst is – het spreekt vanzelf – een plechtige handeling. En deze heeft plaats, als de avond na de eerste dag van het Feest der Ongezuurde Broden is gevallen. Zeven dagen zijn er voor de viering van het Paasfeest in de Torah voorgeschreven, waarvan echter alleen op de eerste en de zevende dag werkonthouding is bevolen. Zo o.a. in dezelfde samenhang III Moz. 23 vrs 7 en 8. Op de dagen daartussen, die tussen- of middendagen, *Chol-hammoëd*, genoemd worden, blijven alle bepalingen der viering van het feest betreffende het eten van matzàh en het verbod van chamèts, van kracht. Maar de eerste en de zevende dag is er werkverbod. Zij zijn in dat opzicht ongeveer een sabbath. Als zodanig heet de eerste dag op onze plaats ook sabbath. De dag nu na de eerste werkonthoudingsdag, of – zoals vrs 11 hem noemt – de sabbathdag van het Paasfeest, heeft de plechtigheid plaats van het brengen van de omer. En als deze plechtigheid heeft plaats gehad, dan begint er een telling. Een telling van dagen en weken. Van zeven weken, en van de negenenveertig dagen van die zeven weken. Op de dag, nadat de zevende week en de dagen dezer week ten einde zijn geteld, op die vijftigste dag, is het weer feest.

De oogsttijd is intussen voortgeschreden en de tarwe is rijp. Een nieuwe wijdingsgave wordt van haar in de Tempel gebracht. Twee broden uit tarwebloem, niet ongezuurd, maar gedesemd, ieder van een omer. Ook hierbij weer andere offers. Het feest van deze vijftigste dag heet naar de weken: *Wekenfeest.* Pinksteren, dat immers vijftigste betekent, is naar de dagen genoemd. Met het Wekenfeest is de telling gesloten en de oogst van het graan geëindigd.

Een andere datum dan de vijftigste dag, gerekend van de 16e niesan, de eerste maand, is er in de Bijbel nergens voor het Wekenfeest vastgelegd. Dat kon trouwens ook niet. De duur der maanden immers is de tijd, die de maan behoeft om haar kringloop af te leggen. Dus gemiddeld negenentwintig en een halve dag. Maar iedere nieuwe maand moet om redenen van maatschappelijke orde bij het begin van een dag aanvangen, kan begrijpelijkerwijze niet midden op een dag beginnen. En het vaststellen van het begin der nieuwe maand hangt, na het verschijnen der nieuwe maan en eerst na goed gedocumenteerde waarneming, van de overheid af. Zij moet aan de maand die ten einde loopt, negenentwintig of dertig dagen geven. En zij komt in de tijdruimte van deze zeven weken twee maal voor deze vraag te staan: bij het begin der tweede en bij het begin der derde maand. Als dus niesan 29 dagen krijgt en ook de tweede maand, die nu ijar heet, slechts 29 dagen, dan zal de vijftigste dag, van de 16e niesan af, op de zevende vallen der derde maand, die nu siewan heet. Maar als beide maanden ieder dertig dagen krijgen, dan zal het Wekenfeest op 5 siewan zijn. Gaat het om en om, de een dertig en de ander negentwintig, dan valt de vijftigste op de 6e der derde maand. Daarom kan in de Bijbel de datum van het Wekenfeest niet gefixeerd zijn. Zo zien we derhalve, hoe door deze telling Paas- en Wekenfeest in de Torah, als feesten van de landbouw in Kenaän, aan elkaar geschakeld zijn.

De kalender is nu, reeds sinds onheugelijke tijden, vastgelegd. En de datum van het Wekenfeest is de 6e siewan. De 6e en 7e. Want buiten Palestina werd, gedurende de eeuwen vóór het vastleggen van de kalender, aan ieder feest een dag toegevoegd, om zeker te zijn, dat in ieder geval de voorgeschreven dag als feestdag werd gevierd. En ook die eeuwenlange viering van die extra dag, die thans met nog meer eeuwen is vermeerderd, werd natuurlijk voorgoed door alle joden aangenomen en in de kalender opgenomen. Daarom hebben we een Paasfeest van acht dagen, een Wekenfeest van twee en een Loofhutten- met Slotfeest van negen dagen. In Israël echter tellen deze feesten de bijbelse zeven, een en acht dagen.

Natuurlijk hebben deze feesten in de diaspora de kant van hun karakter als landbouwfeesten ingeboet. Het Paasfeest heeft alleen zijn wezen als het Lentefeest van Israels volksbevrijding overgehouden. En het Wekenfeest is er uitsluitend het feest der Sinaïtische Openbaring. Deze vond naar 11 Moz. 19 in het begin der derde maand na de Uittocht uit Egypte plaats. Traditie leert: de 6e dag dezer maand, de 6e siewan. En de telling verbindt de Openbaring aan de Volksgeboorte.

De telling is gebleven. Zij heet de *Omertelling*.

Het is zeker nu wel duidelijk waarom.

Zij begint de tweede séderavond. Dan wordt de eerste dag geteld. Plechtig, staande, wordt er een wijdingswoord gezegd, zoals er altijd een lofzegging voorafgaat aan de vervulling van een godsdienstplicht. En dan luidt het: Heden is het één dag van de omer. De volgende avond, liefst terstond na het invallen van de nacht, telt men: Heden is het twee dagen van de omer. Zo de derde, de vierde avond en verder. De zevende heet het: Heden is het zeven dagen, dat is één week van de omer. De achtste: Heden is het acht dagen, dat is één week en één dag van de omer.

Zo telt men de dagen en de weken door de zeven weken met hun negenenveertig dagen heen. En zo kan men dus wel de oneindige waarde van weken en van dagen leren en in het bijzonder de historische betekenis van deze tijd van het joodse jaar beseffen.

De omertelling wordt avond aan avond ook ter synagoge verricht. Bij het avondgebed. Dan, in de omertijd, wordt de avonddienst daarom gewoonlijk bij het invallen van de nacht gehouden. Behalve, in ieder geval, op vrijdagavond: dan – zoals steeds – bij de intrede van de sabbath, die vóór de nacht begint. Maar het tellen van de omer is niet aan de synagoge en zelfs niet aan een dienst of aan een bidstond of gebed verbonden. Het kan overal en de hele avond en de hele nacht gebeuren. En zelfs overdag nog, als het 's avonds is vergeten. Dan echter vervalt de inleidende lofzegging, omdat de plicht niet op de eigenlijk juiste tijd wordt vervuld. En men moet geen dag overslaan. Want dan is er een schakel weg en de dagketting dus verbroken. Men brengt daarom gaarne in huis ergens een teken aan, waardoor men iedere dag aan de telling wordt herinnerd. Vooral ook voor de vrijdagavond. Want dan wordt er in de synagoge de omer niet geteld.

In de synagoge, waar van vergeten of overslaan overigens geen sprake kan zijn, hangen gewoonlijk toestellen, waarin voor verschillende gelegenheden de nodige bordjes worden ingeschoven met de opschriften der stukken, die soms aan de liturgie moeten toegevoegd worden. Uit deze toestellen kan men in de omertijd elke avond het formulier der telling van de nieuwe dag aflezen. Sommige hebben dergelijke omerborden ook in hun woning in gebruik. En van deze omerborden voor huiselijk gebruik bestaan er oude en zeer kunstig bewerkte exemplaren, die getuigen van de liefde en de zorg, waarmee ook dit gebruik omgeven is.

Er is, het hoeft nauwelijks gezegd, om deze plechtigheid van het tellen heen ook enige liturgie gevormd. Niet veel. Na het tellen wordt er een kort gebed uitgesproken. En ook wordt er een Psalm gezegd. Psalm 67. Deze Psalm bevat toevallig, na het opschrift – vrs 1 – precies negenenveertig woorden.

PAASFEEST · OMERTIJD · WEKENFEEST

Het Wekenfeest wordt ook in de Talmoed en de rabbijnse literatuur zó nauw met het Paasfeest verbonden geacht, dat het daar, behalve zijn gewone, bijbelse naam: *Chagsjawoeoth*, d.i. Feest der Weken, in den regel de naam van *'Atséreth* draagt, d.w.z. slot. Maar alleen *'Atséreth* en niet Chag-ha-'Atséreth – slotfeest –, of Sjemienie Chag-ha-'Atséreth – achtste dag tot slotfeest. – Want dat is het Slotfeest, hetwelk het Loofhuttenfeest sluit.

De weken tussen Paas- en Wekenfeest zullen in de bijbelse tijd en ook daarna, toen Staat en Tempel nog bestonden en het volk Israël zijn normaal volksleven leidde, in het joodse leven ongetwijfeld een zeer blijde periode van het jaar hebben uitgemaakt.

De lente is immers in het land en de graanoogst in volle gang. De natuur van Kenaän zingt haar morgenlied, de maaiers slaan met de sikkels in de halmen de maat erbij, en de bindsters bundelen vrolijk de garven als kransen bij het feest van de oogst. Dit is de tijd, waarin de naïeve dorpsidylle van Beth-Léchem speelt, met No'omi en Ruth en Boaz op de voorgrond.

Het is ook de tijd, dat er langdurige warmte in het verschiet is en dat de schrale droogte van de lange zomer alleen door rijke, nachtelijke dauw onschadelijk kan gemaakt worden.

En op die dauw is dan veel hoop gericht.

Wij hebben in onze synagogen de herinnering aan dit alles. Van het feestgebed op de eerste dag van het Paasfeest vormt de bede om de dauw een belangrijk bestanddeel. De synagogale dichters hebben zich deze stof en deze gelegenheid niet laten ontglippen.

Op de sabbath der middendagen wordt de lezing van het *Hooglied* in de ochtenddienst ingelast. Als er in de middendagen geen sabbath valt, dan wordt die lezing naar de sabbath op de zevende of achtste dag van het feest verschoven. De talmoedwijzen hebben het Hooglied, ook met zijn onmiskenbaar erotische uitingen aangedurfd en onder de heilige boeken opgenomen. De grote rabbie Akiba, die de ziel was van de laatste vrijheidsstrijd, de Bar-Kochba oorlog (131-135) tegen Rome en die de eerste bouwstoffen voor de Misjnàh verzamelde, heeft zelfs aldus gesproken: alle boeken zijn heilig, maar het Hooglied is allerheiligst[1]. Dat is het dan als huwelijkszang bij de verbintenis van God en Israël, welke met de uittocht uit Egypte werd bezegeld. Er is geen zin en geen toespeling in heel het boek, die in deze allegorie niet haar, gewoonlijk poëtische, toepassing vinden. Op deze wijze is het Hooglied ook thans, nu het Paasfeest slechts als Feest van de Uittocht op de voorgrond treedt, nog zijn plaats in de synagoge waard.

Het heeft bovendien de dichters van de bijzondere liturgische stukken der synagogediensten in hoge mate beïnvloed. Natuurlijk ook die van het gebed om de dauw.

Er zijn in deze Paasbundel enkele werkelijke gedichten. Mooie lentebloesems, die altijd de geur van het land uitademen. En van het Lied der Liederen.

Het boek van Ruth wordt in de synagoge op de tweede dag van het Wekenfeest gelezen. Het verhaal gaat immers van de gerstenoogst tot na de oogst der tarwe. De blijde samenhang met de jaargetijden, met de bodem en de landbouw in het Land der Vaderen heeft de synagoge aldus niet losgelaten.

Thans echter is de omertijd niet het hooggetijde van vreugde in het joodse leven.

Reeds uit de tijd, kort na het verlies van de oude luister stamt er een droevig bericht van een barre sterfte, die de bloem van het geestelijk leven, talloze leerlingen uit rabbie Akiba's school, wegmaaide. Van toen reeds werd het blijde jaarbegin met sombere rouw geslagen. En voortdurend heeft daarna de ballingschap alle vreugde steeds donkerder

1. Misjnàh Jadajim. 3, 5.

omfloerst. Vele vervolgingen hebben juist op die omertijd hun zwarte schaduwen geworpen. De Middeleeuwen vooral hebben er hun bloedig spoor in achtergelaten. De scharen o.a. die aan de eerste en tweede kruistocht deelnamen, brachten in de joodse gemeenten aan de Rijn verschrikking en verderf. Sindsdien nu liggen de dagen en weken, welke er tussen het Paas- en Wekenfeest geteld worden, in een melancholische stemming.

Dichters, tijdgenoten, hebben in treurzangen de smarten dier tijden bewaard en aan het nageslacht overgebracht.

En weer was de synagoge de volksschool, waar de nationale rouw werd uitgezongen. Ze is dat nog. Van deze elegieën zijn er in de liturgie der sabbathen van de omertijd opgenomen. Zij worden in mineur gezongen. Deze toon is dan trouwens bij alle melodieën overheersend.

Toen in het algemeen de Middeleeuwse duisternis optrok, werd het rouwfloers nog niet van het joodse leven weggenomen. Ook de nieuwe geschiedenis en ook de nieuwste hebben voor de oude rouwklachten telkens weer verse stof geleverd. En de omertijd is een soort rouwtijd. Er worden geen bijzondere festiviteiten gevierd. Huwelijken worden er niet ingezegend. Als rouwenden gaat men rond met minder verzorgd uiterlijk: aan de haargroei van hoofd en baard wordt geen zorg besteed.

Dit alles geldt echter niet van de dagen, die nog in de maand niesan vallen. Want de vreugde van niesan is toch altijd nog sterker, dan de droefenis der omerdagen. Het geldt ook niet van de laatste drie dagen, die reeds door het opgaande licht van het Wekenfeest bestraald worden. De drie dagen vóór de Openbaring waren immers de drie dagen van voorbereiding, van afzondering en heiliging (11 Moz. 19 vrs 11-16)[1]. Daarom heten zij ook zó in de joodse feestkalender, sjelosjeth jemee hagbalàh, d.i. de drie dagen van omheining.

En nog één dag in de omertelling is van de rouw verschoond: de 33ste van de omer. Of met Hebreeuwse lettercijfers *Lag-ba-omer*. En dit van zeer oudsher. Op die dag namelijk was, volgens de overlevering, de sterfte onder de leerlingen van rabbie Akiba geëindigd en hield de angst op. Die dag bleef daarom sindsdien voor altijd uitgezonderd van de rouw en van de riten, die daarvan het gevolg zijn.

Zo komt aan het einde van de dagenketen, die negenenveertig kleinere schakels en om elk zevental bovendien een grotere schakel heeft, het Wekenfeest als slot van Pésach.

Maar terwijl het Feest der Ongezuurde Broden rondom in de symbolen is gelegd, heeft Sjawoeoth er haast geen enkele. Het heeft als rustdag zijn werkonthouding, het heeft zijn viering als jom-tov, als feestdag. Van een typische viering als landbouwfeest is in diasporatijden en -verhoudingen natuurlijk niets te merken. Als er in deze geest iets van te zeggen ware, dan zou het alleen kunnen zijn, dat Sjawoeoth min of meer als *bloemenfeest* verschijnt. De bloemen van het Wekenfeest komen in huis en synagoge. Zij kunnen

1. Op de aangehaalde plaats is de dag der Openbaring zelf blijkbaar in die drie dagen begrepen.

ongetwijfeld evengoed een feestelijke tooi voor de Torah, die toen gegeven werd, bedoelen te zijn, als de vreugde van de oogst willen vertolken.

De synagoge wordt in bloemen gekleed. Vooral de Heilige Arke, bewaarplaats van de Heilige Wetsrollen, en de biema, waar de voorlezing uit de Torah altijd plaats heeft, worden versierd. Voorschriften bestaan hierover niet en van bepaalde riten valt er in deze niet eens te spreken. Het Licht van de Sinai is het, dat op het Wekenfeest in de synagoge wordt weerkaatst. Als voorlezing uit de Torah wordt genomen de voorbereiding en de Openbaring der zogenaamde *Tien Geboden* (II Moz. 19 en 20), die in de joodse literatuur nergens de Tien Geboden maar de *Tien Woorden* of *Tien Godspraken* heten. Het zijn immers volstrekt niet allemaal geboden maar nog meer verboden. De Torah, haar geboorte, haar wezen, haar inhoud, betekenis en werking vormen de schering en de inslag van het overgrote deel der feestgedichten.

En er wordt ook nog extra 'geleerd'.

Op die vooravond, wanneer de zeven volle weken zijn vervlogen; met het invallen van de nacht het avondgebed is verricht en daarna ook thuis bij wijn en wijdingsspreuk en maaltijd het feest is ingewijd: dan verzamelen zich hier en daar groepen in de verschillende leerzalen en lezen te zamen stukken uit de Torah en de andere bijbelse boeken, stukken, die in direct of meer verwijderd verband met de Sinaïtische Openbaring staan.

En ze leren misjnàh en horen een godsdienstige voordracht en zingen een enkele hymne en gaan ver in het nachtelijk uur ter ruste en zijn 's morgens weer tijdig ter synagoge bij de dienst, die van torahgedachte gedrenkt is. Waar de omstandigheden er naar zijn, laat men de nachtelijke leeroefeningen wel duren tot het krieken van de dag. En dan laat men er terstond de verrichting van het ochtendgebed op volgen.

Op deze wijze heeft het Wekenfeest het cachet gekregen van het Feest der Wetgeving. Andere kentekenen heeft het niet.

DE VASTENDAGEN

Vasten is vaak het gevolg van smart. Een smart kan zo afschuwelijk zijn, dat hij degene, die er mede is geslagen, geheel verlamt en innerlijk verteert en toch ook weer volkomen voedt. Alle energie is gedoofd, de levenswil gebroken. Er wordt aan niets anders gedacht dan aan het lijden en zijn oorzaak. En dat denken eist alle aandacht op en stompt het gevoel van alle prikkels af, waarmee anders het lichaam zijn behoeften aankondigt en de geest steeds aanklopt. 'Ik vergeet mijn brood te eten,' zei de dichter (Ps. 102, 5) van zulk een lijdenstoestand. Men versmaadt het te eten, voelt het schier als een schennis van de innerlijke bezigheid, die als iets heiligs geen afleiding duldt, of die op al wat er buiten ligt, verachtelijk neerziet als op overbodige dingen, als op onzin. En als het eten en het drinken ook nog niet geheel vergeten worden, dan worden zij toch maar heel of half werktuigelijk gedaan. De lijder zelf steekt er liefst geen hand voor uit. Spijs en drank dienen hem aangeboden te worden en er is aanmoediging nodig en overreding om hem te bewegen iets te nuttigen. Zo deed het volk bij David, toen hij over de dood van Abner zo heftig aangegrepen en bewogen was (II Sam. 3, 35).

Niettemin is dit nog niet de lusteloosheid van zwaarmoedigen, wier ziel zodanig door ziekelijkheid is aangetast, dat ook geen troost meer baat en dat op hen ook aanmoediging ten enenmale geen vat meer heeft, zodat zij formeel weigeren voedsel te aanvaarden en zich verweren tegen elke poging om het hun toe te dienen.

De verlamming is in het eerste geval, ten slotte van tijdelijke aard. De natuur herneemt haar rechten wel. De zo smartelijk getroffene meent eerst haast onwillekeurig, dat de wereld met hem bij zijn ongeluk blijft stilstaan en kan zich niet voorstellen, dat de zon blijft schijnen en de wind niet ophoudt te waaien. En dat de mensen zich verder laten voortjagen. Maar de wereld draait door en neemt hem mee in zijn beweging. En weldra voelt hij, dat hij mee moet balanceren. En hij gaat zich spoedig, eerst instinctmatig en dan welbewust, weer in de houding zetten die nodig is om het evenwicht te bewaren.

Dan is het vasten uit.

Vasten kan ook een uiting zijn van angst, van ziekelijke angst en ook voortkomen uit vrees voor werkelijk dreigend groot gevaar. Materieel gevaar of geestelijke nood. En ook alles te zamen. Men lijdt, men zucht. En men wendt zich tot de Hemelse Vader en bidt. Men vast en vastende smeekt men om bijstand uit den Hoge om het onheil te keren. Aan de bidstonden paart zich dan de vastendag.

'Blaast de bazuin in Zion, wijdt vastendagen, roept onthoudingen uit' (Joel 2, 15). Of ook: 'Zij riepen vasten uit en sloegen zakken om, van klein tot groot.' (Jona 3, 5 en verder).

Deze aanhalingen slechts, om uit de zeer vele plaatsen in de Bijbel maar een paar te grijpen. Zo deden de ouden. En de mens van thans doet ook wel aldus. Formeel en niet formeel.

De Bijbel kent niet enkel de Grote Verzoendag als vast- en boetedag. In de Pentateuch is bij de Jom-Hakkippoeriem niet met zoveel woorden, juist van vasten sprake. Daar heet het algemeen kastijding (II Moz. 16, 29 en 23, 27 en enige andere plaatsen). Maar vasten is bedoeld en is het metterdaad, in de praktijk geworden. Ook in de bijbelse tijden. Dat kan, als het nog nodig is o.a. uit Jesaja (hoofdstuk 58) blijken, waar het formalistisch gedoe ermee zo fel gegeseld wordt.

De Bijbel kent ook reeds vastendagen als nationale rouwdagen. Zij waren ingesteld en aangenomen, toen het eerste Staatsgebouw van Israël was ingestort. De voornaamste ongeluksdagen die het verloop en de omvang der katastrofe uitbeelden, werden voortaan als dagen van rouw doorgebracht. ~~Het waren vastendagen, waarin rouw~~ en boete ver- enigd waren. Het waren:

De dag, waarop koning Nebukadnezar, de Babyloniër, het beleg om Jerusalem had ge- slagen – 10 tewèth –;

de dag, waarop de muren van Jerusalem waren bres geschoten, – 9 tammoez –;

de dag, waarop Jerusalem en de Tempel gevallen waren, – 10 av –;

de dag, waarop de landvoogd Gedaljàh was vermoord en ten gevolge daarvan ook de armzalige rest der bevolking het land had prijsgegeven – 2 tisjrie –.

Als later de profeet Zecharja het herstel verkondigt, belooft hij dat deze dagen van rouw in dagen van vreugde zullen veranderen: 'Zó, zegt de Eeuwige Zebaoth: de vastendag der vierde maand (tammoez) en de vastendag der vijfde maand (av) en de vastendag der zevende maand (tisjrie) en de vastendag der tiende maand (tewèth) zullen voor het huis van Juda worden tot blijdschap en vreugde en tot feestgetijden.'

Zecharja noemt de dagen hier niet in hun chronologische volgorde maar volgens de rij der maanden op de kalender. Daar stonden ze derhalve als geregelde vastendagen reeds op.

Zó was het ruim vijfhonderd jaren vóór de gewone jaartelling. Ongeveer zes eeuwen later – in het jaar 70 dezer jaartelling – herhaalde zich de geschiedenis voor Israël met al haar smarten. Toen waren weer de vierde en de vijfde maand getuigen van de laatste stuiptrekkingen van het staatsleven van Israël in zijn heroïsche worsteling met Rome. Toen viel het grootste gedeelte van de hoofdstad op 17 tammoez in de handen van Titus Vespasianus. Nog drie weken hield een wanhopig strijdende schaar van dapperen, die voor zwaard noch honger zwichtten, de Tempelstad in handen. Op 9 av kwam haar en hun beurt. Het was gedaan. Het Staatsgebouw van Israël was gesloopt. De tweede Tem- pel ging in vlammen op.

Sindsdien hebben deze vier rampspoedige maanden op de kalender ieder hun nationale rouw – en boetedag. De vastendag van tewèth is natuurlijk op de 10e gebleven. Die van Gedaljàh staat op de 3e tisjrie ingeschreven, omdat het op de 1e en 2e dezer maand im- mers Nieuwjaar is. De vastendag over de val van Jerusalem, het verlies van de Tempel en de gevolgen dezer rampen, wordt gehouden op de 9e av, waarbij zoals begrijpelijk is, de tweede keer beslissend is geweest. En om dezelfde reden is de 17e als treurdag in tammoez aangewezen.

Inmiddels was er nog een vijfde algemene vastendag bij gekomen.

Het gros van de kinderen van Juda was de eerste maal in ballingschap naar Babel gezonden. Toen het Babylonische rijk ten gronde ging en de Perzisch-Medische heerschappij zich verhief, verkondigde Cyrus de Grote aan het huis van Juda de verlossing. Echter, slechts een vijftigduizend zocht de vrijheid in het Land der Vaderen. De overgrote meerderheid bleef in Babel. Daar werd zij later door Haman met de ondergang bedreigd. Esther, de schone jodin, die door een luim van de koning – waarschijnlijk Xerxes – tot koningin verheven was, redde haar volk. Zij vastte voordat zij optrad. Zij vastte in niesan. Het feest der redding, dat – zoals wij weten – Poeriem heet, kwam te vallen in adar. Zoals de redding werd vereeuwigd en als een feestdag in de kalender opgenomen, zo werd in diezelfde kalender ook de *Vastendag van Esther* voor altijd vastgelegd. En hij werd vlak in de nabijheid van Poeriem gebracht. Het is Poeriem op de 14e adar. En de vastendag van Esther is gesteld op de 13e.

Dat zijn de vijf algemene vastendagen. De nationale rouwdagen. Daartoe behoort Grote Verzoendag niet. Die is, zoals we vroeger reeds uitvoerig zagen, van geheel andere aard en staat erbuiten.

De geschiedenis heeft het Joodse volk in de volgende eeuwen geen verademing gegeven, maar heeft, met rampen na rampen, het gevoel der nationale catastrofe onophoudelijk nieuw en vers gehouden. En de negende av is in het bijzonder een zwarte dag, is al zwarter en zwarter geworden. Ook de Bar-Kochba-oorlog, de laatste grote vrijheidsoorlog tegen Rome, waarvan rabbie Akiba de ziel was en die zo zegevierend inzette, eindigde met de volkomen nederlaag en de vernietiging van het ganse leger, in het jaar 135 dezer jaartelling op de 9e av. En de laatste dag van de termijn waarop de joden in 1492 Spanje moesten verlaten, waar zij in de vier voorafgaande eeuwen zulke schone bladzijden in het boek der joodse historie hadden geschreven, die dag was alweer de negende av.

Hij in het bijzonder kon niet vergeten worden. Maar ook de andere algemene vastendagen gingen niet teloor. Want Jerusalem en het Land der Vaderen bleven leven in het jodendom. De eed, die eens de vaderen aan Babylons stromen hadden gezworen (Psalm 137 vrs 5 en 6), schonden ook de verre nageslachten niet: 'Verdorre mijn rechterhand, als ik U vergete, o Jerusalem. Mijn tong kleve aan mijn verhemelte, wanneer ik U niet gedenke, wanneer ik Jerusalem niet brenge ook bij de spits mijner vreugde!'

De vijf grote rouwdagen worden in vasten doorgebracht. De onthoudingen van de gewone vastendag bestaan in: niet eten of drinken. De hele dag. De dag loopt gemeenlijk – zoals we weten – van zonsondergang tot zonsondergang. Bij de vastendagen echter geldt zulk een dag alleen maar bij de zwartste der dagen, bij *Tisj'ah-be-av*, de negende av. Bij de vier anderen is hier enige wijziging ter verlichting aangebracht. Dan vangt het vasten bij zonsopgang aan, zodat er dus nog een hele vooravond spijs en drank genuttigd kan worden en als men wil, ook gedurende de nacht, totdat de dag aanbreekt. Deze dagen kunnen verder ook gewoon aan de dagelijkse arbeid gewijd blijven.

Maar het zou wel zeer opmerkelijk zijn, als het bijzondere van de dag zich niet ook in de gebeden openbaarde en als de synagogediensten er niet de invloed van ondervonden. Want de vastendag is natuurlijk niet als een kwelling van de maag, als een kastijding van het lichaam zonder andere beoogde reflexen bedoeld. Dag van vasten en dag van rouw zitten onafscheidelijk aan elkander. En aan de rouw zitten altijd oorzaken vast. Hier moeten zich aan rouw berouw en boete paren.

Berouw, waarover? Boete, waarvoor? Wij kunnen toch de oorzaken niet meer wegnemen, die eens, voor zovele eeuwen, de val van Israëls staatkundig volksbestaan en van zijn heiligdommen berokkend hebben. Wij kunnen toch nu geen berouw hebben of tonen, voor hetgeen de vaderen toen nagelaten of misdaan hebben en geen boete doen voor hun fouten of tekortkomingen! Wel echter kunnen wij ons aan hen toetsen. En wij kunnen in onszelf onderzoeken, in hoeverre wij met dezelfde zonden als zij beladen zijn, of vrij van hun misdrijven of verkeerdheden. En wij hebben er ons op te bezinnen en moeten het tot ons laten doordringen, dat wij in de smeltkroes der rampen en beproevingen gelouterd dienen te worden. De volksrampen zijn nog niet voorbij. Fel laait nog de vlam onder de smeltkroes.

Zo gaan de gedachten vanzelf naar de nood der ballingschap, die ook nu nog niet-geheel-geëindigd is. En vandaar naar de duidelijke en diepere oorzaken, die het galoeth teweeg hebben gebracht. En die het bestendigen. Deze strekking, deze zin van rouw- en boetedag zou door enkele spijs- en drankonthouding, met grotere of geringere heldhaftigheid doorstaan, allicht niet bovenmatig scherp tot uiting komen, maar gemakkelijk, voor een groot stuk althans, in de afleiding van de dagelijkse arbeid weggedoezeld kunnen worden. Hier mag de synagoge met haar eredienst nog wel wat te hulp komen.

Zij doet het natuurlijk.

In het dagelijks hoofdgebed – de sjemoné-esré – wordt een toepasselijke bede ingeschoven, die 's morgens en 's middags door de voorzanger luid wordt voorgedragen en ook door de gemeente, maar alleen 's middags, als de dag al een eind weegs is voortgeschreden, in het stille gebed wordt aangeheven:

'Verhoor ons o Eeuwige, verhoor ons op onze vast- en boetedag. Want wij zijn in grote nood. Wend U niet naar onze slechtheid. Verberg Uw Aangezicht niet voor ons en onttrek U niet aan onze smekingen. Wees toch dichtbij voor ons geschrei en zij Uw genade gereed, om ons te troosten. Verhoor ons, voordat wij roepen, zoals er gezegd is: "En het zal zijn: nog roepen zij niet en Ik antwoord al; nog spreken zij en Ik verhoor hen reeds." (Jes. 65, 24). Gij immers zijt het, Die verhoort in tijd van nood, Bevrijder en Redder altijd bij druk en ellende.'

En voorts worden er bij de ochtenddienst ook boetegebeden – seliechoth – in de trant der stukken als om en op de Ontzagwekkende Dagen, uitgesproken, van welke het leed van het galoeth der eeuwen en vooral der Middeleeuwen, de hoofdinhoud vormt.

Des morgens en des middags wordt de Torah ontrold (op Moz. 32, 11-14, en 34, 1-10), alwaar, na de zonde van het gouden kalf, de voorbede van Mozes en de genade van God worden verhaald. En de Profeten worden opgeslagen. Jesaja wordt voorgelezen: 'Zoekt de Eeuwige, als Hij te vinden is; roept Hem aan, als Hij nabij is. De goddeloze verlate zijn weg en de slechte zijn plannen en hij kere terug tot de Eeuwige, Die zich zijner zal erbarmen, en tot onze God, Die ook dikwijs vergeeft' En zo verder (Jes. 55, 6-56, 8).

Dit alles is van toepassing op de vier der algemene vastendagen. De negende av heeft meer. Er gaat een zwarte nevel voor hem uit, die reeds lang tevoren is te voelen en die somber zijn nadering aankondigt.

Van 17 tammoez tot 9 av is precies drie weken. Dat zijn *de drie weken*. Drie donkere weken: herinnering aan de drie weken van angst, toen de onverzoenlijken onversaagden in Jeruzalem tegen de Romeinen hun laatste krachten uitputten. 'In de engten', 'tussen de benauwingen', 'onder de doodsangsten' – ben-hammetsariem – zo heten zij (naar Klaagl. 1, vrs 3). De 'drie weken van bestraffing': Thelathà diphoer' anoethà is in het Aramëisch hun talmoedische benaming. Dat zegt genoeg. Dan is het een algemene rouwtijd, strenger nog dan die van de omertijd. Nieuwe kleren worden er niet voor het eerst aangetrokken. Want dat geeft nieuwe fleur en enigszins ook vreugdegevoel vanzelf. En het zou daarom bovendien aanleiding zijn tot een wijdingsspreuk, tot een lofzegging met een ontboezeming van dank aan God: 'Die ons het leven heeft gegeven en gelaten en Die ons dit tijdstip heeft doen bereiken'. En dat zou nu gewis toch eigenaardig klinken! Wie kan er zich verheugen met een moment als dit der nationale angsten! Om dezelfde reden worden er in 'de drie weken' ook voor het eerst geen nieuwe vruchten genuttigd. Alle particuliere vreugde wijkt voor de nationale rouw. Alle feesten worden vermeden. Huwelijksplechtigheden hebben er niet plaats. Geen muziek wordt er gemaakt of genoten. Zelfs het uiterlijk wordt enigszins verwaarloosd. Men laat het hoofdhaar groeien en dat van de baard wordt niet verwijderd. Bij menigeen drie weken lang. Op dit punt heersen er verschillende gebruiken.

Als de maand av in het land is gekomen, wordt de rouw nog dieper. Dan ondergaan ook de maaltijden de invloed ervan. In de *negen dagen* komt er geen vlees op tafel, geen vleesspijs over de lippen. Ook niet zulke kost, die met dierlijk vet is toebereid. Alleen zogenaamde melk- of boterkost wordt er dan gegeten. En wijn wordt er niet gedronken. Want vlees en wijn gelden als de kenmerkende ingrediënten voor feestmaaltijden. Bovendien wordt dit gebruik in verbinding gebracht met het feit, dat er in die drie weken, toen staat en Tempel op de rand van de ondergang lagen, voor het altaar geen offers van vee of wijn meer waren en voor de mensen slechts honger en dorst.

Voor zover het uitsluitend voor het genoegen geschiedt, wordt nu ook het baden achterwege gelaten. Hygiëne en gezondheid mogen, zoals vanzelf spreekt, niet opgeofferd worden. Nu niet en nooit.

De synagogediensten zijn gedurende heel de drie weken door de schaduw dezer weken overtrokken. In het recitatief der gebeden is telkens de gedruktheid van de tijd te vernemen. In de negen dagen vermeerderen zich deze tekenen. In de week, waarin Tisj'ah-be-av, de negende valt, blijven zelfs de Torah-rollen van hun siertorens en schilden – hun extra tooi – verstoken. De Torah rouwt mee.

Op verschillende punten wijken hier – ik wees er reeds op – de gebruiken onderling een weinig van elkander af. De Portugese joden kennen bijvoorbeeld niet de hele strengheid der drie weken en van de negen dagen. Zij ontzeggen zich vlees en wijn slechts in de week, waarin de negende av komt te vallen. Zo zijn er enkele verschilpunten meer. Begrijpelijkerwijze. Want dit zijn – het is haast te dwaas om het erbij te voegen – geen bijbelse voorschriften. Deze gebruiken zijn tot ritus geworden en tot rabbijnse bepalingen gegroeid. De eeuwen van ellende hebben het hunne gedaan, om de rouw nog te onderstrepen en steeds scherper te accentueren. En het lijden was niet overal precies hetzelfde.

Voor alle zekerheid voeg ik er, in deze samenhang, volledigheidshalve bij, dat ik hier, zoals overal, het leven van het Torah- en traditiegetrouwe jodendom behandel, zoals het naar de godsdienstcodex is geregeld. Dat niet alle joden deze rouwtijd voelen en zich houden aan zijn riten, behoef ik nauwelijks te vermelden. En dat ook zij, die er wel naar leven het toch niet allemaal even diep beleven, mag en hoeft ook niet verzwegen te worden.

Maar in het algemeen zit het stempel van deze donkere dagen toch diep in het joodse leven. En in het bijzonder de zwarte vlek van Tisj'ah-be-av. Zelfs de sabbathen ervoor zijn er niet geheel vrij van gebleven.

DE NEGENDE AV

De heerlijkheid van de sabbath wint het altijd van de somberheid van smart en rouw. En de sabbathen, die er in de drie weken vallen, komen in het algemeen ook boven de nationale rouw uit. Maar toch niet helemaal. De verschillende kleinere en grotere onthoudingen, die deze tijd van het jaar in donkere stemming hullen, vinden op de werkdagen hun volle toepassing. Zij gelden op sabbath niet. Maar toch is de sabbathsfeer wat gedrukt. Sommige melodieën bij de synagogale dienst zijn op de rouwtijd afgestemd. Zo terstond reeds de bekende hymne, waarmee op vrijdagavond de sabbath wordt begroet en ingehaald: 'Kom mijn vriend, de Bruid tegemoet! Laat ons de Sabbath ontvangen!' Dat zingt de voorzanger dan in mineur.

En er worden in de liturgie enkele stukken – pijoetiem – ingelast, die diepe klachten en zuchten over het droeve lijden van Israël bevatten en eveneens op smartelijke toon worden voorgedragen.

Uit de Torah-rol wordt de gewone wekelijkse afdeling, die aan de beurt is voorgelezen. Maar de profetische stukken – de haftaroth – der drie weken hebben betrekking op de rouwtijd en niet, zoals anders, op de inhoud der Torah-voorlezing. Op de twee eerste sabbathen van de drie wordt Jeremia ter hand genomen. Op de eerste sabbath wordt hoofdstuk I en de drie eerste verzen van hoofdstuk II gelezen; op de tweede het verdere van dit hoofdstuk tot en met vrs 28, welk stuk dan echter om met iets aangenamers te eindigen, met vers 4 uit het volgende hoofdstuk wordt besloten: 'Van nu af aan – niet waar? – zult ge Mij weer Vader noemen; de Leidsman mijner jeugd zijt Gij!' De derde sabbath is de sabbath die aan Tisj'ah-be-av voorafgaat. Dan is het eerste hoofdstuk van Jesaja tot en met vers 28 als haftarah aangewezen. Van het eerste Hebreeuwse woord van dit profetisch stuk heeft deze sabbath zijn naam gekregen. Hij heet *Sabbath-Chazon*. In de volksmond echter niet hiernaar, maar anders: zwarte sabbath. De melodie van deze haftarah is die der klaagliederen! En in de dienst zijn meer liturgische stukken ingeschoven, allemaal met droeve inhoud en doffe klank.

Sabbath-chazon, de sabbath van de negen dagen, deze zwarte sabbath ontkomt niet aan de nevelen, die er dan over het joodse leven hangen. Op de twee eerste sabbathen vonden de gebruiken der drie weken geen toepassing. Maar nu, op deze derde, onthoudt men er zich wel van, om bijvoorbeeld voor het eerst nieuwe kleren aan te trekken of nieuwe vruchten te gaan genieten. Het is te merken, het is voelbaar, dat Tisj'ah- be-av daar in het zwart op de achtergrond staat en de atmosfeer versombert. Zover echter gaat zijn invloed niet, dat hij ook de sabbathmaaltijden zou beheersen. Wijn blijft voor de wijding ook nu geboden en is ook overigens toegestaan. En ook op de sabbath in de negen dagen ondergaat het gebruik van vlees en vleesspijzen geen beperking.

De stemming, waarin de vastendag van av wordt tegemoet gegaan, is dus wel bewerkt en voorbereid. Hij zelf is helemaal dof en somber. Alle onthoudingen van de Grote Verzoendag gelden ook op hem. Maar – zoals we reeds zagen – met geheel andere sterkking. Zij willen nu vooral de nationale smart en de volksrouw verscherpt tot uiting laten komen en diep en duidelijk voor het bewustzijn doen staan. En zij willen van daaruit dwingen tot de bezinning over onze houding in het jodendom, in het gezicht van het verleden en voor de plicht der toekomst.

Met de rouw moeten de gedachten worden bezig gehouden. Ze moeten er niet van worden afgeleid. Ook niet door intellectuele bezigheden. Dus wordt zelfs de Torah-studie op deze dag niet alleen verslapt maar zelfs geheel nagelaten. Wat dat wil zeggen, kan slechts degene schatten, die weet, hoe hoog de beoefening der Leer in Israël is aangeslagen. 'Zij weegt tegen alles op!'[1] Maar nu ligt zij verlaten. Wel mag er in de Bijbel gelezen worden. Ook in de overige letterkunde van Talmoed en later en nu. Gelezen, niet gestudeerd. En dan alleen dat, wat met de inhoud van de dag overeenkomt: het boek Job, de klaagliederen, stukken uit Jeremia, toepasselijke halachische verhandelingen en agadische uitweidingen van de Talmoed. En wat er meer is van zodanige strekking. Lezen, geen beoefenen van dit alles. Het spreke tot het gemoed, maar verschaffe geen intellectueel genot en daarmee ongewenste afleiding en geestesverkwikking.

De vastendag loopt nu van zonsondergang tot zonsondergang en begint de vorige dag al tijdig voordat de schemering invalt. Natuurlijk bereidt men zich zo goed als het gaat erop voor, opdat men het een heel etmaal zonder spijs of drank kan uithouden. Ook met zulk een voorbereiding kan de dag, midden in de zomer, nog lang genoeg vallen en kan de maag voldoende nadrukkelijk haar gewone vragen stellen. Vooral ook, omdat de geest zich niet vrij verheffen kan. Het vasten is niet als hongersport bedoeld. Dus tracht men zich enigszins te wapenen. Ten afscheid van eten en drinken gaat men opzettelijk nog iets gebruiken, maar als gekookte kost niet meer dan één gerecht. Dat is het afscheidsmaal, de *se'oedàh maphséketh*. Gewoonlijk wordt daarvoor een ei genomen. Dat is een eenvoudig en gemakkelijk maal. Het geldt als rouwspijs. Of het tot symbool van rouw is geworden omdat het gebruik ervan bij deze gelegenheid in zwang is, of dat het omgekeerd, a priori als rouwspijs geldt en het daarom dus ook genuttigd wordt: dat moet ik in het midden laten. In het laatste geval is er een verklaring nodig, waarom juist het ei als symbool van rouw kan dienen. Wat daaromtrent gezegd wordt, bevredigt niet.

Als men, kort voor het begin van het vasten, dit afscheidsmaal gaat eten, dan ontdoet men zich reeds van het leren schoeisel. Dat draagt men niet op deze vastendag. Zoals immers ook niet op de Grote Verzoendag, waar we de verklaring ervan gegeven hebben. En nu zet men zich als het ware 'in zak en as', 'wentelt men zich in het stof'. Micha 1, 10. Niet letterlijk. Maar men gaat op de grond zitten of laag bij de grond, op een voetenbankje of stoof of een stoeltje of iets anders van dien aard. En de leden van het gezin gaan niet bij elkander zitten, maar verspreid en ze zeggen deze keer ook niet gemeenschappelijk het tafelgebed na de maaltijd. Ook dit wil heel wat zeggen en is een sterk symbool van rouw, daar immers het gemeenschappelijke ceremonieel in het joodse leven anders overal bijzondere nadruk heeft.

1. Misjnàh Peàh 1, 1.

Zonder zegenwensen – het mag dan zijn, dat men elkander de wens van 'een goede vasten' toevoegt – en zonder groet gaat men ter synagoge. Daar straalt het licht niet. De nodige verlichting is ontstoken. Meer niet. Geen tallith wordt er omgeslagen. Niet door de gemeente en zelfs niet door de voorzanger. Er hangt geen voorhangsel voor de heilige arke en de gewone dekkleden ontbreken op biema en lezenaar. Met gedempte stem gaat de voorzanger in het gewone avondgebed voor. En als dat geëindigd is, zet hij zich op de vloer van de trappen der heilige arke en draagt achtereenvolgens de vijf hoofdstukken van *Echà*, d.i. het *Klaaglied* voor, op de melodie, die door de gewone zangtekens wordt aangegeven, maar die nu worden tot een droef geklaag. Het is op deze zelfde wijs, dat ook de haftaràh van de vorige sabbath – sabbath-chazon – wordt voorgedragen. En op het bijbelse klaaglied volgen nog enige klaagzangen – *kienoth* – die van verschillende dichters stammen uit de Middeleeuwen. De gemeente volgt zwijgend deze voordrachten en velen hebben zich daarbij eveneens laag of op de grond neergezet. Men eindigt met enige hoopvolle verzen uit de Profeten (Zech. 1, 16 en 17; Jes. 51, 3). Dan staat men op en verlaat zwijgend, zonder groet of wedergroet het bedehuis.

Het kan gebeuren, dat de negende av op zondag valt en dus de dag van voorbereiding een sabbath is. Deze sabbath echter komt er dan maar weinig meer van onder de indruk, dan een andere sabbath-chazon. Dan wordt er geen afscheidsmaal genuttigd, niet zittend op de grond en ook niet op andere wijze en het ei komt er niet bij te pas. En het leren schoeisel wordt eerst afgelegd als het 'nacht' is en het avondgebed begonnen. Alleen de voorzanger doet zijn schoenen van te voren uit. Wel wordt deze sabbathnamiddag niet meer aan joodse studie gewijd.

En als de 9e av op sabbath zelf valt, hetgeen ook kan gebeuren en zelfs betrekkelijkdik-wijls voorkomt, dan wordt de vastendag met alles wat erbij behoort, op zondag – dus op 10 av – gehouden. Maar aan de viering van de sabbath doet het geen verdere afbreuk. Het is sabbath-chazon en als zodanig wordt de dag dan doorgebracht.

Gelijk de avonddienst is die van de ochtend. Ook dan wordt het tallith niet omgedaan. En er worden geen tefillien – gebedsriemen – aangelegd. Want het symbool is tevens tooi. De voordracht der gebeden door de voorzanger is weer in de gedempte toon van treur. Ook de voorlezing uit de Torah, nu afzonderlijk voor deze vastendag aangewezen (v Moz. 4 vrs 25-40), geschiedt op dezelfde wijze. De drie personen, die worden opge-roepen spreken hun lofzeggingen ervoor en erna, ook aldus uit. En zij verlaten de biema deze keer zonder eerst een zegenwens in ontvangst te nemen en zonder zulk een zegen-bede voor een ander te doen uitspreken. Ook de haftaràh is een andere dan die der overige algemene vastendagen. Zij is aan Jeremia ontleend (Hoofdst. 8 vrs 13-9, 23).

Als de Torah-rol weer op zijn plaats in de heilige arke is teruggebracht, dan zet de voorzanger en zetten velen der gemeente zich weer ter aarde. En dan wordt er klaagzang na klaagzang aangeheven, waarbij beurtelings, behalve voorzangers en leraren, ook anderen, ambtelozen, de leiding nemen. Niet al deze kienoth munten uit in dichterlijkheid. Maar ook de grootste dichters uit de Spaanse bloeitijd komen aan het woord: Ibn Gebirol en Juda Hallevie. Een Zionszang van de laatste is een der schoonste van alle elegieën.

Met dezelfde profetische troostwoorden als de vorige avond wordt de voordracht der klaagzangen besloten.

Zo gaat een groot deel van de ochtend heen. En na de synagogedienst wordt de gewone dagelijkse arbeid weer ter hand genomen. In de namiddag echter verzamelt men zich weer in het bedehuis. En dan is het alsof de zwartste wolken al zijn weggetrokken. De heilige arke heeft het voorhangsel terug. Op biema en lezenaar liggen weer dekkleden. Voorzanger en gemeente leggen tallith en tefillien aan en de gebeden worden weer in het gewone recitatief uitgesproken. In het hoofdgebed wordt een bede om troost voor Zion en om herbouw van Jerusalem ingevoegd. Bij de torahvoorlezing – hetzelfde stuk en dezelfde haftaràh als op de andere algemene vastendagen – verschijnen nu opnieuw de opgeroepenen van de ochtenddienst en krijgen zegewensen en laten ze, als ze willen, ook voor anderen uitspreken.

De nevel trekt op. Het wordt 'nacht' en men gaat ontbijten. Het leven herneemt weer zijn gewone loop en herkrijgt zijn kleuren. De troostweken zijn aangebroken. De zeven volgende sabbathdagen hebben haftaroth, die allemaal aan Jesaja de Troostprofeet – van Hoofdstuk 40 af – zijn ontleend. De eerste sabbath die op Tisj'ah-be-av volgt, heet *Sabbath-Nachamoe* naar het eerste woord zijner haftaràh: 'Troost o, troost Mijn volk!' (Jes. 40, 1).

Als ook deze Zeven weken van Troost – Sjiv'àh-de-Nechemathà – voorbij zijn gegaan, dan is het joodse Nieuwjaar gekomen.

DE RITUELE SPIJSBEREIDING

We betreden een terrein, dat in het joodse leven een zeer belangrijke plaats beslaat, van buitenaf enigermate wordt waargenomen, maar in zijn bijzonderheden al evenmin als in zijn werking ook maar in de verte wordt gekend. We komen nu aan de voedingsleer. Niet echter in het laboratorium maar in de keuken.

De behandeling dezer stof kan alweer – in hoofdzaak – op tweeërlei wijze geschieden. En hier acht ik het dienstig even te herhalen wat ik reeds vroeger in eenzelfde samenhang heb gezegd. Men kan het complete als geheel ter beschouwing stellen, het wezen ervan bepalen en de waarde ervan leggen in de schaal van het oordeel. En daarna kan men van het algemene naar het bijzondere gaan. Van de som naar de cijfers. Dan kan men in het algemene beginsel de plaats van elk der onderdelen aanwijzen; de overeenstemming ervan met het wezen van het totaal demonstreren; aantonen, hoe uit de idee de toepassingen en de verschijnselen volgen; in de kleinigheden de uiterste konsekwenties van het tot het einde toe gedachte beginsel ontdekken. Zo kan men ontleden. Determineren.

Men kan evenwel ook met de bijzonderheden beginnen. Elk onderdeel in de hand nemen, op tafel leggen, omdraaien en van alle kanten bekijken. En dan kan men al die afzonderlijke dingen bij elkaar brengen, in elkaar schuiven, tot een geheel verbinden. De stukjes ontdekken als ledematen, als zenuwen, pezen, spieren, spierbundels, vlees en huid van een lichaam. En uit dat alles het lichaam construeren. Zo kan men opklimmen van de onderdelen tot het complex. En als men alle bijzonderheden heeft behandeld, concluderen tot dat, wat zij gemeenschappelijk hebben. Zo hun eigen wezen en hun totaalwezen, hun eigen werking en hun totaalwerking omschrijven.

Ik moet bekennen dat de laatste manier mij niet de meest eigene is. Ik zie de dingen, alle dingen, liever in het beeld der eenheid, tracht ze althans gaarne daarin te zien en voor mijzelf daaruit te leren kennen. En ze ook aan anderen zo te leren kennen. Hier echter vind ik het noodzakelijk de dingen die – zoals ik weet – helemaal niet gekend worden, eerst te laten zien. Onderricht zal bovendien wel altijd aanschouwelijk bij de afzonderlijke dingen en verschijnselen moeten aanvangen. En het gaat hier immers om onderricht. Ik wil hier immers verklaren, wat men zo dikwijls tegenkomt en toch slechts uit de verte ziet. En dan is er haast geen andere weg, dan die van de bespreking der dingen achter elkander.

In de grote en grotere steden waar joden in enigszins belangrijke getale wonen, ontwaart ge op de ramen van sommige winkels waar voedingsmiddelen te krijgen zijn, meermalen drie Hebreeuwse letters: כשר . Die kijken u aan en gij beschouwt ze. En ze lijken u wat geheimzinnigs te zeggen. Ge weet zo langzamerhand, dat ze betrekking hebben op de ten verkoop aangeboden etenswaren. En daar ge in het algemeen weet, dat joden niet alle voedingsmiddelen mogen eten of drinken, concludeert ge en begrijpt ge al spoedig dat het Hebreeuwse woord u wil vertellen, dat joden de spijzen of dranken – of beide zaken – die daar verkrijgbaar zijn, mogen eten, mogen drinken. Ge hebt iets geconcludeerd.

De uitspraak van het Hebreeuwse woord luidt: *Kasjér*. In de uitspreek der Hoogduitse joden: *Kosjéir*. Deze uitspraak is hier te lande de algemene en ons woord is in de volksmond verworden tot kosjer. Zo zegt het haast iedereen.

Onze drie letters willen dus zeggen, dat zekere voedingsmiddelen ten gebruike ritueel geoorloofd zijn.

Het gaat daarbij in de eerste plaats hoofdzakelijk over de dierlijke voedingsmiddelen, welke door de mensen worden gebruikt.

De Bijbel geeft de mens alleen maar de voortbrengselen van het plantenrijk te eten: 'En God zeide: "Zie, Ik geef u al het zaaddragend kruid, dat op de oppervlakte der ganse aarde is, en al het geboomte, waaraan zaaddragende boomvruchten zijn; voor u zal het zijn tot spijs" (1 Moz. 1, 29). Eerst na de zondvloed wordt aan de Noachieden het gebruik van dierlijk voedsel toegestaan: 'Al wat zich beweegt, dat levend is, voor u zal het tot spijs zijn; gelijk het groene kruid geef Ik u alles' (1 Moz. 9,3). De bedoeling is hier ontegenzeggelijk: gelijk het groene kruid *vroeger*, geef ik u *thans* alles. Maar terstond komt er een beperking bij: wel dierlijk voedsel, maar het levensbloed moet er uit zijn. Dat zegt de volgende zin. En de joodse opvatting, de opvatting der overlevering van de oudste tijden tot nu toe, was altijd dat het tot voeding voor de mens bestemde dier voor dit doel gedood moet worden. De mens dier oude tijden zou waarschijnlijk geen bezwaar gehad hebben, om uit het dier dat zich aan hem voordeed, een stuk vlees te snijden, groot genoeg om aan zijn behoefte te voldoen. En dan het dier te laten gaan of liggen. Zoals men van de akker of uit de tuin de nodige vruchten of groenten wegsnijdt en de rest laat staan en groeien. Dat wordt hem hier, nu het dier hem tot voedsel wordt prijsgegeven, aanstonds verboden. Wel vlees, maar niet vlees met het bloed erin. Bloed namelijk, dat voorwaarde is voor het leven. Wel vlees, maar dus geen vlees met het levensbloed erin.

Daar hebt ge de eerste spijswet. Een spijswet aan de Noachieden, lang vóór Abraham. De beperking breidt zich uit. De spijswet wordt groter. En na de Openbaring op de Sinai komen er (111 Moz. 11) uitvoerige bepalingen op de voedingsmiddelen uit de dierwereld. Bepalingen die de grondslagen hebben uitgemaakt en zijn blijven uitmaken van de joodse spijswet tot op de dag van heden.

Zo komen we aan de te dezen opzichte gemaakte indeling der dierwereld. Aan de rubrieken dus. En aan de kenmerken dier rubrieken.

De Bijbel, in III Moz. 11 en V Moz. 14, deelt de dieren, welke genuttigd en welke niet genuttigd mogen worden in rubrieken in. En van die soorten, welke hij als voedsel verbiedt wordt gezegd: zij zullen u 'onrein; of ook wel: zij zullen u een 'afschuw', zij zullen u een 'gruwel' zijn. We weten nu wel langzamerhand, dat dit 'onrein' niet identiek is met vuil of vies of smerig, maar dat het veel meer zeggen wil: ritueel verboden. Doch een zeer sterke uitdrukking voor: godsdienstig ontoelaatbaar is het ontegenzeggelijk bovendien. In deze zin heten nu de tot spijs ongeoorloofde diersoorten: de *onreine dieren*. En de andere worden *reine dieren* genoemd. De Torah gebruikt deze benamingen reeds in het verhaal van de zondvloed, waar zij vermeldt, hoeveel van iedere soort bij Noach in de arke moesten opgenomen worden (I Moz. 7) En zij vertelt ook, dat Noach later na zijn redding, van de 'reine' dieren een offer bracht (I Moz. 8, 20). Daar zijn deze benamingen derhalve reeds bij anticipatie gebruikt. Of men moet aannemen, dat de Torah van de onderstelling uitgaat, dat deze onderscheiding reeds van de vroegste tijden bestond en vanzelf in het bewustzijn harer mensen lag. Alleen van reine dieren mogen ook later in Tabernakel en Tempel offers op het altaar komen. De andere soorten zijn tempel-onrein en heten als zodanig: *tamé*.

De als spijs ritueel geoorloofde dieren bevinden zich onder de zoogdieren, de vogels, de vissen en ook onder de insekten.

'Rein' zijn van de zoogdieren de tweehoevige, welke herkauwend zijn. Het komt er daarbij niet op aan, of ze dan tam zijn of in het wild leven; al zijn de in het wild levende, maar overigens in genoemd opzicht reine dieren, niet als offers toelaatbaar. Een hert mag niet geofferd maar wel gegeten worden. Al wat evenwel niet aan de twee voorwaarden – tweehoevig en herkauwend – beantwoordt, is als spijs verboden en als zodanig 'onrein'. Die twee voorwaarden horen onafscheidelijk bij elkaar. En als illustratie daarvan noemt de Torah twee voorbeelden: het zwijn vertoont zich als tweehoevige maar is niet herkauwend; de kameel o.a. is herkauwend maar heeft zijn hoef niet werkelijk in tweeën gespleten. Beide zijn verboden spijs. (III Moz. 11, 4-7 en V Moz. 14, 7-8).

We zijn niet zo gelukkig omtrent de vogelwereld in de Torah de kenmerken te vinden, die een vogel stempelen tot ongeoorloofde spijs. Er wordt een aantal soorten – het zijn er vierentwintig – opgesomd, die niet gegeten mogen worden. Natuurlijk zijn er in de Talmoed pogingen genoeg aangewend, om de gemeenschappelijke kenmerken van al die verboden vogelsoorten vast te stellen. Maar toen kon men de namen der verboden vogels volstrekt niet allemaal met zekerheid thuisbrengen. En we kunnen het nu evenmin. Wat dus te doen? Er is een aantal vogelsoorten, dat we zeer goed kennen, ook bij hun Hebreeuwse namen en dat met absolute zekerheid niet behoort tot de soorten, welke daar in de Torah als tamé staan gesignaleerd. Die blijven dus gewis als ritueel geoorloofd over. En zo geldt hier dus de regel, dat alleen dit gevogelte wordt gegeten, hetwelk met zekerheid niet behoort tot de soorten, welke de Torah optelt en verbiedt. Het lijstje is niet zo groot; is met een stuk of zeven, acht geëindigd. Het bevat de alledaagse soorten van de poelier: ganzen, eenden, kippen, duiven. Ook fazanten, kalkoenen. En nog enkele exemplaren. Maar die komen als voedsel toch bijna nooit in aanmerking. En wanneer er bij de rabbinaten soms een vraag op dit gebied opdoemt, dan is het meer een academische dan een vraag voor de praktijk van het joodse leven.

Van de waterdieren echter geeft de Torah weer kenmerken op. Wat vinnen en schubben in het water heeft mag gegeten worden. Wat aan deze eis te kort komt, is verboden, 'moet u een afschuw zijn' (III Moz. 11, 9-10 en V Moz. 14, 9-10). En al hetgeen ten opzichte dezer kentekenen aan enige twijfel onderhevig is, is natuurlijk onder het verbod opgenomen.

Er schijnt op dit gebied – ook bij de beste deskundigen – soms nog wel enige twijfel te bestaan. En waar de twijfel niet is opgeheven, geldt zeker in gevallen als deze, waar de Torah zo duidelijk haar eisen stelt, bij de jood die trouw is aan Torah en Traditie, het parool: in dubiis abstine. Afblijven derhalve.

Insekten en wormen zijn allemaal verboden. Alleen zondert de Torah vier van soorten van sprinkhanen van het verbod uit (III Moz. 11, 22). Dat dit praktisch van geen betekenis is, behoeft nauwelijk aangestipt te worden. We kennen deze sprinkhaan niet, nog minder deze vier soorten.

Insekten en wormen dienen overigens gewoonlijk niet als voedsel. Wie spijzigt zich er mee? Maar niettemin: ze komen voor en bieden zich aan en worden opzettelijk toch wel eens verorberd. In de joodse keuken echter, waar de joodse leer wat te zeggen heeft en 'vaders tucht en moeders leer' (Spr. 1,8) van uit de verre voorgeslachten nog eerbiedig worden vernomen, daar worden de groenten bij het schoonmaken en de voorbereidingen voor het koken, ook met het oog op de wellicht mogelijke aanwezigheid van kleine insekten, buitenop of binnenin, aan een nauwkeurig onderzoek onderworpen. Aan de hygiënische drijfveer paart zich hier godsdienstige aandrang. En samen bepalen zij de graad der nauwkeurigheid van het onderzoek. Wat van groenten is gezegd, geldt evenzeer van ooft en van gedroogde vruchten en van alles, waarin wormpjes vermoed kunnen worden. En wat van de keuken is gezegd, is ook van toepassing op de tafel en van hetgeen daar rechtstreeks op verschijnt zonder dat het juist eerst in de keuken behandeld hoeft te wezen. De ritueel levende jood maakt alles open en kijkt letterlijk alles van binnen na; zijn vijgen en dadels en al het dergelijke, voordat hij het naar zijn mond toe brengt.

Voedsel, dat van levende dieren afkomstig is, mag alleen dan genuttigd worden, wanneer ook het vlees van deze dieren geoorloofd is. Dus alleen de melk van 'reine' dieren en de eieren van 'rein' gevogelte. Dit spreekt vanzelf. Het is de eenvoudige konsekwentie.

Maar een ei, dat als zodanig geoorloofd is, mag alweer niet gegeten worden, als het van binnen een bloeddroppel blijkt te bevatten. Wat konden en wat kunnen de huisvrouwen, als ze voor de spijsbereiding wit van eieren of dooiers of beide nodig hebben, handig de inhoud van die eieren van de ene halve bast in de andere en van de andere weer in de ene overdoen, net zolang, totdat ze zich wel hebben overtuigd, dat het ei geen druppeltje bloed bevat.

Bloed gebruiken is afschuwelijk. Er is geen groter gruwel. Wel tien malen waarschuwt de Torah met de grootste ernst, om geen bloed te nuttigen (zie o.a. v Moz. 12, 23). Bloed is leven. Met die gedachte immers begint reeds haar Noachiedische wetgeving direct na de zondvloed, als de mens het dierlijk voedsel wordt toegestaan: 'vlees met levensbloed erin moogt gij niet eten' (1 Moz. 9,4). En dat beginsel gaat van Noach tot heden en loopt door de spijswetten, die het dierlijk voedsel beheersen en regelen.

DE SJECHIETÀH

Wie vlees wil eten moet daartoe eerst de dieren slachten, die hem tot voedsel zullen dienen. Slachten. Niet maar doden. Niet maar het leven benemen, onverschillig op welke wijze. Vlees uit het levend dier gescheurd – we zagen het reeds – werd al aan de Noachieden verboden (1 Moz. 9, 4). De jacht op dieren die in het wild leven, mag alleen slechts bestaan in het vangen. Ook zij moeten geslacht worden. Hun bloed kan niet op het altaar komen, omdat zij niet als offers kunnen dienen. Maar het mag natuurlijk niet gebruikt worden. Het moet wegvloeien in de aarde; aan het oog onttrokken, in zand, as of iets anders van dien aard, onder en boven bedekt, weggedaan worden (III Moz. 17, 13). Hetzelfde is ook op het bloed van gevogelte van toepassing.

Niet enkel het nuttigen van bloed is afschuwelijk. Maar ook het zien van bloed en meer nog het omgaan met bloed. Het gemeenzaam worden met bloed moet zoveel mogelijk vermeden worden; zover als het maar enigszins kan onmogelijk gemaakt. Allicht maakt het ruw. Het kan tot wreedheid voeren.

Slachten dus. Maar zonder wreedheid, zonder kwelling, zonder pijn.

Slachten dus. Maar zó, dat het levensbloed overal zonder stoornis wegstroomt uit het dier; zodanig, dat het vlees hetwelk gegeten wordt, zulk bloed volstrekt niet meer bevat.

Op deze beide eisen berust de *Sjechietàh*, de joodse slachtmethode, het zg. *Schächten*. Alle rituele voorschriften omtrent het slachten vloeien uit deze eisen voort. En deze voorschriften betreffen dus:

het instrument waarmede geslacht wordt;

de persoon die de slachting verricht;

de wijze waarop en de plek waar de snede wordt toegebracht.

Het instrument is een slachtmes.

Lang: want het moet snijden en het mag niet steken. Het gevaar, de mogelijkheid, dat het dier gestoken wordt, moet uitgesloten zijn.

Scherp: het mag geen zaag zijn. Ook niet de schijn, de glimp van iets, dat in de verte op een zaag gelijkt, al ware het ook slechts op een enkel haast onmerkbaar plekje van gans de messnede. In die snede van het mes mag zich nergens een schaarde bevinden. Een schaarde nog zo miniem. Als de deskundige, de tot in de uiterste bedrevenheid op het geweten af geoefende, er in geconcentreerde aandacht en spanning van het gevoel, met de nagel van zijn vingers langs gaat, dan mag die nagel nergens blijven steken. Want het mes moet snijden. Het mag niet zagen. Niet haken, niet rukken aan het kleinste vlees-vezeltje van het dier dat geslacht wordt.

Glad: want de handeling moet snel geschieden. Begonnen en verricht zijn in haast hetzelfde ogenblik.

Niet iedereen mag het slachtmes hanteren. Het instrument wordt niet aan de eerste de beste in de hand gegeven. De man die de slachting verricht is voor de functie beroepen. Hij is gekeurd door het rabbinaat, heeft bij het onderzoek bewezen, dat hij het mes kan slijpen of – om de gebruikelijke term te bezigen – dat hij het 'stellen' kan, vlug en vaardig en zodanig, dat het volledig aan alle eisen voldoet. En hij wordt op dit punt telkens weer gekeurd. Minstens eenmaal per jaar. En moet dan weer bewijzen, dat zijn hand nog vast is; zijn vingers en nagels nog gevoelig zijn; zijn vaardigheid in het stellen van het mes niet is verminderd. Hij kan ieder moment voor zulk een proef geroepen worden. En als onverwachts soms van het rabbinaat een bevoegde autoriteit bij het slachten verschijnt, dan is hij verplicht zijn mes, waarmee hij wilde schächten, ongevraagd aan deze ter keu-ring aan te bieden. En bij dit alles en boven dit alles staat hij bekend als een joods-gods-dienstig man, wie de zaak heilig, Goddelijk is. Hij mag slachten. Hij alleen. Onder deze controle en onder deze waarborgen.

De plek der snede is in het weke van de hals van het slachtdier. Daar liggen, niet ver naar binnen, de luchtpijp en de slokdarm. Na de eerste, de grote ring der luchtpijp begint de ruimte ,waar in de hals, de snede moet worden toegebracht. Dwars over de hals, door de luchtpijp met de slokdarm heen. Door snijden, dat is snel heen en weer halen van het mes; zonder afbreken; zonder geringste pauze of stagnatie. Door snede. Niet door druk. De nauwgezette uitvoering is aan het geweten van de snijder en aan zijn heilige overtui-ging opgedragen.

Hij verricht een slachting. Maar deze slachting is een rituele handeling; een daad, die een godsdienstig karakter draagt. En als hij zijn arm gaat strekken en het mes richt om te snijden, wijdt hij eerst zijn handeling. Hij spreekt een heilig woord. Hij denkt aan God, de Eeuwige, de Gebieder, de Bestierder van het Heelal, die ons door Zijn voorschriften tot levensheiliging heeft geroepen en ons daarom ook deze eisen heeft opgelegd. Dán slacht hij.

In een oogwenk, letterlijk in een oogwenk, ligt de hals van het dier opengesneden. Een grote gapende wonde. Tot dicht bij het nekbeen. Liefst niet tot op het nekbeen en nog minder erin. Luchtpijp en slokdarm en de grote slagaderen zijn doorgesneden. Het bloed golft naar buiten. Van beide kanten. Van de kant van de kop en van de kant van de zijde van de borst, van het lichaam. De hersens stromen leeg en de toevoer van het bloed naar de hersens heeft opgehouden. Het dier spartelt geweldig. En onwillekeurig werkt het zo doende krachtig om de uitstroming van het bloed te bevorderen en het lichaam leeg te pompen van al zijn levensbloed.

De snijder heeft, nadat hij zijn daad heeft verricht, het mes niet dadelijk weggelegd. Hij heeft het bloed ervan verwijderd en inspecteert het nu. Hij onderzoekt het weer met de nagel van de vinger, of het in dezelfde toestand is gebleven als waarin hij het vóór het slachten goed heeft bevonden. Als er nu in de snede een schaarde blijkt te zijn, ook de miniemste schaarde, dan is dat haast hetzelfde als wanneer het vóór de handeling het geval ware geweest.

En streng is de poenale sanctie: bij verwaarlozing van enige eis, of wanneer ook buiten nalatigheid of schuld, een voorwaarde voor het slachten niet is nagekomen, is het vlees als voedsel ritueel ongeoorloofd. Het is niet kasjér. Het staat gelijk met vlees van een gestorven of op een andere dan de joods-rituele wijze geslacht dier. Het is *newélàh*.

Voor het slachten moet het dier worden neergelegd. Dit neerleggen van het te slachten dier is een onafwijsbare voorwaarde voor het toebrengen der halssnede. Het dier moet daartoe ongeveer op de rug liggen met gestrekte hals. Zeer zeker wordt het niet altijd op de zachtste wijze in die houding gebracht. Al wat er echter wordt gedaan en uitgevonden om bij het neerleggen iedere ruwe handelwijze te verhinderen, te voorkomen, onmogelijk te maken, is geheel en al in de geest en naar de eis van de rituele slachtmethode: elke ernstige kwetsuur, vóór het slachten toegebracht, maakt ook het vlees ritueel ongeoorloofd. Het dier mag niet neergeworpen, maar moet neergelegd worden. Rituele voorschriften daaromtrent bestaan er niet. En geen enkele maatregel, ten bate van zulk een neerleggen kan met de ritus in strijd komen, dan alleen een zodanige die de volledig juiste toepassing van de sjechietàh zou verhinderen of belemmeren. De schechietàh als slachten en uitbloeden, waarbij haar strekking en het resultaat ervan onvoorwaardelijk gewaarborgd zijn. Deze sjechietàh is de Torah-trouwe jood inderdaad Mozaïsch in de engere en letterlijke zin van deze uitdrukking. Zij geldt hem als rechtstreekse Openbaring.

Als de sjechietàh volkomen is volbracht, is het vlees van het geslachte dier nog niet ten gebruike geoorloofd. Nog lang niet. Eerst moet vóór alles het dier gekeurd worden. Deze vleeskeuring – het feit van het voorschrift en de methode der keuring – gaat tot de oudste tijden terug. De Torah zelf bevat geen rechtstreekse bepaling, waarbij een onderzoek van het vlees van geslachte dieren, die tot voeding zijn bestemd, wordt bevolen. Nog minder dus enige aanwijzing omtrent de een of andere keuringsmethode. Maar de overlevering klimt tot de Torah op, sluit bij haar aan. Overal, waar in de Torah gesproken wordt van *Newélàh* is er – volgens de overlevering – niet enkel het kadaver mee bedoeld van een dier, dat gestorven is zonder geslacht te zijn, maar ook het geslachte dier, dat op andere wijze dan door de sjechietàh ter dood is gebracht. 'Gij moogt geen enkele newélàh eten' is de aanvang van het laatste vers van het stuk, dat de spijswetten bevat in het Vijfde Boek van Mozes (14, 21). En op één lijn met newélàh als verboden spijs staat op verscheiden bijbelplaatsen *Teréfah*, het 'verscheurde'. Wie lust heeft in het vergelijken, sla daartoe op het Derde Boek van Mozes Cap. 7, vrs 24, Cap. 17, vrs 15 en Cap. 22 vrs, 8, alsmede het boek Ezechiël Cap. 4, vrs 14 en Cap. 44, vrs 31. Daar staan newélàh en teréfah overal als verboden spijs naast elkaar. Teréfah is gewis in de eerste plaats dat, wat op het veld door een roofdier is gedood, verwond, verminkt; of dat, wat er van het verscheurde is achtergelaten. Dat bewijzen ook plaatsen als I Moz. 31, 39 en II Moz. 22, 30. Maar bij de resten van het verscheurde dier en bij ieder dier – vee of gevogelte – dat aan de aanval van een roofdier heeft blootgestaan zonder eraan bezweken te zijn, wordt ook gevreesd voor het vergift, dat door de wondende klauw in de wonde en in het lichaam van het getroffen dier overgebracht zou kunnen zijn. En ook dat maakt het dier dan teréfah. En de oudste overleveringen brengen onder deze titel niet alleen zulke gevallen, maar iedere aanval ook van bacillen, die het leven van het dier, dat voor voeding is bestemd, zodanig hebben aangetast, dat het dier er binnen enige tijd aan zou bezwijken. Die tijd wordt ruim genomen, op een jaar geschat. En hieronder valt ook iedere uitwendige of inwendige verwonding of verzwering en elke levensgevaarlijke ontsteking, waar ze zich ook bevindt. Dit is het beginsel, waarop de joods-rituele keuring berust. Zij heet *Bediekàh*, d.i. onderzoek. Zij wordt bewerkstelligd door degene die de sjechietàh heeft verricht. De snijder is ook de keurmeester. Hij heeft theoretisch en praktisch onderwijs genoten in hetgeen hem te doen staat. Hij heeft allereerst de long aan een nauwkeurig onderzoek te onderwerpen. Hij weet hoe een gave long er uit ziet; kent alle zwakke verschijnselen, die zich bij, op en in hem kunnen vertonen en kan in het algemeen onderscheiden tussen die symptomen, welke gevaarlijk en die welke onschuldig zijn. Eeuwen reiken hier weer de hand aan eeuwen en hebben ervaringen op ervaringen gestapeld. En de ziekteleer in de Talmoed op dit punt wordt door de mensen der wetenschap van niet

De 'Kleine Amsterdamsche Haggadàh', de eerste in Amsterdam gedrukte Pésach-Haggadàh, daterend uit 1662. De tekst is rijk geïllustreerd. Handgekleurd en geschreven titelblad ; links Aäron, rechts Mozes. Herdruk Fürth 1734. Waterverf en gouache op perkament. (Collectie The Jewish Museum, New York.)

הָא

לַחְמָא עַנְיָא דִי אַ
אֲכָלוּ אַבְהָתָנָא בְּ
אַרְעָא דְמִצְרַיִם
כָּל דִכְפִין יֵיתֵי וְיֵכוֹל
כָּל דִצְרִיךְ יֵיתֵי יִ
וְיִפְסַח הַשַּׁתָּא הָכָא
לְשָׁנָה הַבָּאָה בְּאַרְעָ

Omerkastje. Portugees-Joods. Nederland, 18de eeuw. Door de knoppen te draaien wordt de middelste kolom, die de dagen en weken van de Omer-telling aangeeft, iedere dag gewijzigd. (Collectie Joods Historisch Museum, Amsterdam.)

Links: Bladzijde van een Haggadàh uit Praag, 1525. Houtsnede.

Séder-schotel met drie verdiepingen voor de Matzoth. Zilver. Wenen, ca. 1870. (Collectie Israël Museum, Jerusalem.)

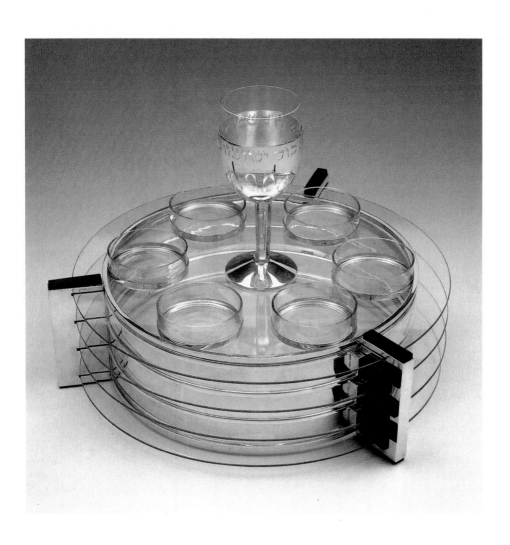

Séder–schotel met drie verdiepingen. Zilver, ebbehout en glas. Ontwerp: Ludwig Wolpert. Frankfort, 1930.

Besnijdenis bij de Portugese joden. Gravure Picart. (Uit particulier bezit.)

Rechts: Speldenkussen ten geschenke bij de besnijdenis (of geboorte). Nederland, 1890. (Collectie Joods Historisch Museum, Amsterdam.)

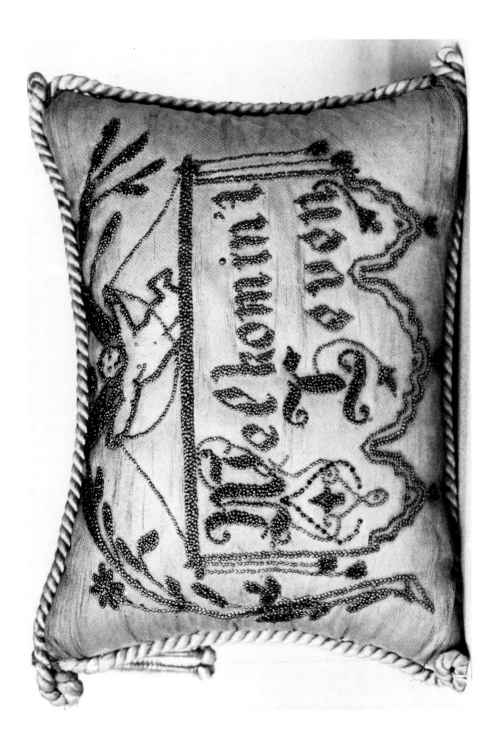

Besnijdenisgebeden. Bladzijde uit het Rotschild Manuscript. Italië 1470–1840.

geringe waarde bevonden. Deze vormt de grondslag van het onderzoek naar alle ver-schijnselen, die een aanwijzing kunnen zijn, dat het geslachte dier niet gezond was. En dienovereenkomstig wordt verder alles gekeurd, wat zich voordoet als verdacht. De snijder-keurmeester is geen veearts. De praktijk van het joodse gemeenteleven was altijd zo en is nog zo, dat men voor deze en dergelijke functiën gebruik moet en kan maken van zulke mannen, die al zijn zij dan niet volkomen schools-wetenschappelijk gevormd, ge-noeg praktische ervaring hebben om in alle direct duidelijke gevallen ja of nee te kunnen zeggen en te weten, waar twijfel is geboden, ten einde dan het oordeel aan hoger bevoeg-den over te laten. Mannen bovendien, wier godsdienstig geweten hun de maat voor-schrijft en hen nooit laat goedkeuren, wat aan de geringste twijfel onderhevig is. Van hun ja of nee kan veel afhangen. Want als zij afkeuren, keuren zij niet alleen van het dier dat gedeelte af, waaraan zij de gevaarlijke abnormaliteit hebben aangetroffen, maar hun uit-spraak 'teréfah' wil altijd zeggen, dat het hele dier voor joods-ritueel gebruik ongeoor-loofd is. Hygiënisch kan het mogelijk zijn een deel af te keuren en de rest zonder meer ter voeding toe te laten. Ritueel kan dat niet. De wetenschap weet de middelen aan te wen-den, om ziektekiemen te doden en reeds aangetast vlees voor de consumptie geschikt te maken. Ritueel is dat uitgesloten. Van de wetenschap op het gebied der ziekteverschijn-selen maken de rabbijnen gaarne en dankbaar gebruik. En wat zij als gevaarlijk signaleert, zal door hen niet goedgekeurd worden. Maar ook dan is daarop altijd weer van toepas-sing, dat de afkeuring nooit een partiële is. De rituele keuring is nu eenmaal steeds van verdere strekking en tamelijk radicaal. Maar dat zal de mannen, die met lichaam en ziel voor de rituele belangen borg staan, nooit weerhouden om naar plicht en geweten hun oordeel te vellen.

Hoe oud deze vleeskeuring in Israël al is, kan op een eeuw of op eeuwen na niet ge-zegd worden. En de omvang van de zegen, die zij begrijpelijkerwijze over het joodse volk heeft uitgestort, is helemaal niet te benaderen. Geen volk ter wereld immers heeft er ooit aan zoveel ongemakken en gevaren en aan zoveel ontzettend grote sociale ellende blootgestaan als het joodse. Als het desniettemin lichamelijk vrij gezond is gebleven, zou dit dan niet ook voor een deel te danken zijn aan de rituele keuring van het vlees als voe-dingsmiddel? Hygiënische maatregelen, als zodanig verordend; gezondheidszorg, door politionele strafbepalingen gesteund; de sterke arm der overheid, geholpen door vele en ijverige beambten; al deze dingen zouden met elkaar niet zoveel eerbied hebben kunnen bewerken of afdwingen voor een simpele vleeskeuring met het oog op de volksgezond-heid ingesteld en geregeld, als het natuurlijke respect, hetwelk altijd voor de bediekàh is gekoesterd bij het joodse volk dat, steeds onderweg en voortgedreven, uiteengejaagd, en verstrooid, niettemin in 't algemeen als eenheid, zonder boeten of kerkerstraffen, de konsekwenties der bediekàh gehoorzaamde en met Ezechiël (4,14) kon zeggen: 'newélàh en teréfah heb ik niet gegeten van mijn jeugd af tot nu toe'. Als ritueel immers was het heilig. Niet alleen voor de beambten met de zorg er voor belast, maar niet minder ook voor iedere man en iedere vrouw, die deze zorg als een der hoogste godsdienstige belangen waarderen. Godsdienstige innigheid en heilige schroom zijn alvermogend, waar ook de best georganiseerde overheidszorg zou falen.

DE VERWRONGEN SPIER

Nog is het vlees van het dier, hetwelk door een volkomen rituele sjechietàh is gedood en dus niet newélàh is – het vlees van het dier waarvan de bediekàh een gunstig resultaat heeft opgeleverd, zodat het niet teréfah is – nog is dat vlees niet zonder meer kasjér, om door de slager aldus te worden afgeleverd en in de joodse keuken, reeds nu in deze staat, als rituele spijs te worden toebereid.

Het spreekt vanzelf, dat het vlees van het goedgekeurde dier met stempels of op andere, in ieder geval zeer zorgvuldige wijze wordt gewaarmerkt, opdat het duidelijk en afdoende onderscheiden blijve. Maar daarmede is niet alles gedaan. Bij lange na niet.

Daar hebt ge de spanader bij het heupgewricht, de zg. verwrongen spier. Die moet er uit. We leven immers op Torahbodem. En ge herinnert u het verhaal van Jacobs worsteling aan de Jabbok (1 Moz. Cap. 32, 25-33). Hij was op de terugtocht uit Mesopotamië naar Kenaän, naar het ouderlijke huis. Nog in het Transjordaanse, in Gil'ad. Zijn broer Esau was in aantocht. En bij het bericht van diens nadering was het Jacob bang geworden. Hij had zich op alle gebeurlijkheden voorbereid: op de strijd met Esau als het onvermijdelijk moest. Hij had daartoe al die bij hem waren en al wat hij had in twee legers verdeeld. Het ene om te strijden en desnoods zich op te offeren. En het andere om intussen te ontkomen. En vervolgens had hij zijn broeder een meer dan vorstelijk geschenk tegemoet gezonden, ten einde diens toorn te bezweren en zijn verzoening te verkrijgen, te forceren. En ten slotte had hij gebeden. Een treffend gebed. En toen na al deze maatregelen, had hij al het zijne de Jabbok laten overtrekken. Hij was nu alleen. En in het holst van de nacht greep iemand hem aan, greep hem in het heupgewricht. Jacob verdedigt zich, staat zijn man, grijpt ook toe. Grijpt hevig. De worsteling duurt lang. Duurt totdat de ochtend gloort. Dan geeft de aanvaller het op. Hij wil weg en vraagt om losgelaten te worden, 'omdat de dageraad is aangebroken'. Maar nu wil Jacob hem niet loslaten. Hij verlangt een losprijs! Deze losprijs: een zegen. En hij krijgt zijn zegen: de naam van Israël.

Weer is Jacob gered, maar niet ongedeerd. Het ochtendgloren wordt een heldere dag. En als Jacob voorbij P'niël trekt bestraalt hem de zon. Maar hij hinkt. Hinkt tengevolge van de greep van degene, die hem aanviel in het nachtelijke duister; die hem niet kon overwinnen; die hem moest zegenen toen het licht doorbrak; maar die hem toch, al was het tijdelijk, verminkte. Jacob behaalde de zege, maar strompelde aanvankelijk na zijn overwinning. Zijn wapenbuit was zijn nieuwe naam: Israël. 'En daarom mogen de kinderen Israëls de verwrongen spier, die bij het heupgewricht zit, tot op de dag van heden niet nuttigen' (1 Moz. 32,33).

Jacob heeft in die nacht en in die worsteling antwoord ontvangen op zijn gebed. En in dit antwoord kunt ge, als ge wilt, het beeld vinden van de gang der wereldhistorie. De worsteling tussen de macht en de geest. De strijd in de nacht. Het geweld der duisternis, dat weg moet als de ochtend gloort. De zegepraal, die geen vernietiging van de overwonnene wil, maar slechts een zegen vraagt. Een zegen: dat is respect, erkenning!

Ik weersta de verzoeking het verhaal in zijn onderdelen op dit alles toe te passen en breed uit te werken. Het aan te stippen is mij hier genoeg. De symboliek is vastgehouden in Israël. Inderdaad 'tot op deze dag'. Zij is blijvend vastgelegd in de spijsbereiding. Het maal werd er lering van. Naam en toenmalige zege zitten vast aan elkander. De Naam is een zegen. Is troost op de weg als hij lang is en moeizaam. Is trots en geeft kracht en verzekerdheid, tot het daghet in het Oosten.

Zo heeft het jodendom deze bijbelplaats gelezen en in de riten van het alledaagse leven neergelegd. Ook hier moet ik voorbehoud maken en mij vrijwaren bij voorbaat. Ik weet evengoed als gij, dat bij de onthouding van deze spier aan het heupgewricht er maar door bitter weinigen wordt gedacht aan de hier gestelde symboliek. Ik weet het zelfs beter dan gij. Er zullen er bovendien onder de joden wel zijn, die de symboliek niet eens accepteren, ze niet willen, ze verwerpen. Die zeggen, dat het Woord in zijn letters hun genoeg is en heilig. Zonder haar. Die trouw en inachtneming verlangen en niets meer. Trouwe inachtneming óók als ze onthouding beveelt; matigheid eist; de verlangens regelt van het lichaam; de teugels der begeerten houdt; terwijl wij – zoals in sommige gevallen – de speciale reden of de symbolische strekking dan zelfs gewis niet kennen.

Zulk een trouw is ook wat waard. Is een opvoedster van de eenling. En voor een volk nog meer. Ook waar symboliek niet wordt gewild, niet wordt begrepen, niet eens wordt vermoed.

De verwrongen spier werd dus in Israël niet gegeten en wordt tot heden nergens genuttigd, waar het kasjroeth – de leer der rituele voeding – leeft. Waar deze spier zit is onze deskundigen wel bekend. Maar hoever hij zich uitstrekt en zijn vertakkingen lopen, dat durven niet allen met volmaakte zekerheid te beslissen. Hij moet geheel verwijderd worden. Maar de mannen van het slagersvak versnijden niet gaarne overigens mooie stukken vlees en de huisvrouwen ontvangen liever niet zulke versneden brokken. Het geweten moet de ritus beschermen. Maar het bedrijf kan het geweten wel eens op de proef stellen en voor verzoeking plaatsen. En de onzekerheid, hoever het verbod zich uitstrekt en met hoe weinig het misschien genoeg ware, zou het geweten wel eens tegemoet kunnen komen.

Al deze overwegingen en bezwaren hebben er in vele streken toe geleid, om het 'in dubiis abstine' toe te passen. Afblijven dus. Is het dan noodzakelijk – zo redeneerde men – om alles te eten wat misschien niet verboden is? Is dat een levenskwestie? Is het zo erg om zich ook te onthouden van wat wellicht wèl vrijstaat. Beheersing ook in het geoorloofde. Juist daarin ligt sterking van de wil, van de persoonlijkheid. Dit is de krachtigste levensheiliging.

Zo is men er zonder veel aarzeling in vele landen toe overgegaan, om ter wille van de verwrongen spier de hele achtervoet van het rund- en kleinvee niet als spijs ten gebruike toe te laten. En zonder bezwaar is dit verbod in al die streken door de joden aanvaard. Zo zijn hier te lande de achtervoeten ritueel niet geoorloofd.

Er zijn landen, waar men overtuigd is de vakkennis te bezitten en de kunst te verstaan, om de verwrongen spier bij het heupgewricht grondig te verwijderen. Daar doen het deze specialisten dan en zulks met goedkeuring hunner rabbinaten als zij daar als godsdienstig absoluut betrouwbaar geaccrediteerd zijn. En dan eet ook de op de ritus meest nauwgezette jood er het vlees der achtervoeten. Anders komen slechts de voorvoeten voor joods-rituele consumptie in aanmerking, nadat het dier eerst op de juiste wijze door sjechietàh is gedood en bij de bediekàh ritueel is goedgekeurd.

Maar ook het vlees der voorvoeten kan dan nog niet zo maar afgeleverd worden. Nog heeft de slager er het een en ander aan te doen, voordat hij het voor ritueel gebruik in de joodse keuken kan laten bezorgen.

POORSEN EN KASJÉR-MAKEN

De rituele taak van de joodse slager vangt aan, als hij het vlees, dat kasjér is, in zijn hal zijn winkel heeft ontvangen. Het is dan reeds kasjér in deze zin, dat het niet newélàh en niet teréfah is. Toch mag het nu nog niet aldus gegeten worden. Want er zitten nog vetdelen aan en vetvliezen, die eerst verwijderd moeten worden. Dat is des slagers werk. Het vet was in de tijd van Tabernakel en Tempel dat deel, hetwelk bij alle soorten der dieroffers van klein- en rundvee voor het altaar was bestemd. Dit vet staat in de Pentateuch verschillende malen omschreven op de plaatsen die over deze offerdieren handelen; in het bijzonder in de eerste hoofdstukken van het Derde Boek. En dat vet is als menselijke spijs verboden. Met de grootste strengheid verboden, even streng als bloed. Het wordt er als Chélev telkens in een adem mee genoemd. 'Alle vet is des Eeuwigen' (III Moz. 3, 16). En het volgende vers: 'Het is een eeuwigdurende wet voor al uw generaties, waar ge ook zult wonen: vet noch bloed moogt ge nuttigen' (3, 17). De strafbepalingen zijn dezelfde: 'Al wie chélev eet van de dieren, van welke men een vuurgave ter ere van de Eeuwige kan brengen, die persoon zal uitgeroeid worden' (III Moz. 7, 25). En de twee volgende verzen: 'Generlei bloed moogt ge nuttigen, waar ge ook woont, noch van het gevogelte, noch van het vee. Ieder, die enig bloed nuttigt, zal uitgeroeid worden' (III Moz. 7 vrs. 26 en 27). 'Uitroeiing' is niet een straf, die ter berechting in de handen van een aards rechter is gesteld. De toepassing ervan berust bij de Opperste Rechter alleen.

Al wat zich dus als chélev in het dier bevindt of tussen of aan het vlees zit, moet de joodse slager, die rituele waar verkopen mag, weten te verwijderen. En werkelijk ook volkomen wegsnijden. Hij moet het praktisch geleerd en proeven van zijn bekwaamheid hebben afgelegd. En hij moet het godsdienstig vertrouwen genieten, dat hij aldus nauwkeurig handelt. Tot het chélev behoren o.a. het zogenaamde grote net en het niervet. Dit laatste is dus ook daar verboden, waar overigens de achtervoeten niet wegens de verwrongen spier buiten gebruik zijn gesteld. Maar ook nog andere kleinere delen, die niet zo voor de hand liggen, zijn chélev. Geoorloofd daarentegen is in 't algemeen bv. het vet, waarin de darmen liggen: de zogenaamde krans. Het is de taak en de plicht van de joodse slager te zorgen, dat niemand hoeft te twijfelen of deze bepalingen in alle generaties bij de joden, waar zij ook wonen, in ongerepte eer blijven voortbestaan.

Ook het bloed wordt nog niet geacht reeds met het schächten het lichaam geheel verlaten te hebben. De aderen zitten immers nog in het vlees en zijn niet allemaal leeggelopen. In vele van deze kanalen van de bloedsomloop is het bloed gestold en blijven zitten. Aderen van betekenis bevatten nog levensbloed. Het moet er uit. Want 'ge moogt generlei bloed gebruiken' (III Moz. 7 vrs 26). Dus moeten deze aderen met het gestolde bloed verwijderd worden. Ook dit is de taak en het werk van de joodse slager. Hij moet de vaardigheid er toe bezitten en dat bewezen hebben en hij moet een jood zijn, op wie men zich ook in dit opzicht kan verlaten. Dit ontaderen en ontvliezen draagt de gezamenlijke Hebreeuwse naam van *Nikkoer*, hetgeen uithalen, uitsteken, uitgraven betekent. In de dagelijkse omgang spreekt men *poorsen*. En dat zal wel een nu verhollandst woord zijn van een Hebreeuwse stam – parasj – die 'verwijderen' wil zeggen. De joodse slager, bij wie men voor ritueel geoorloofd vlees terecht kan, moet de kunst van poorsen verstaan en toepassen. Er hoort een zekere kunst, althans grote vaardigheid en routine toe, om dit werk zodanig te doen, dat het vlees er niet door wordt versneden en niettemin de voorschriften streng worden nageleefd.

En dan is daarmee de rituele taak van de slager ten opzichte van de vleesvoorziening afgelopen. Moeders taak begint. Maar nog altijd niet het werk der vleesbereiding, het koken of het braden voor de maaltijd. Het vlees, hetwelk wij zullen eten, is nog steeds niet rein genoeg van bloed. Het bloed moet tot het laatste deeltje van een druppel uit het vlees verdwenen zijn, alvorens dit in een pan gelegd kan worden om de nodige handeling als spijs voor ons te ondergaan. Daarom gaat moeder het, als zij het heeft ontvangen, in water leggen. Helemaal er onder. Het wordt geweekt om het bloed dat er aan het vlees kan kleven, of erin geslagen of ingetrokken is, zacht te maken. Een half uur blijft het zo stil in het water liggen. En dat is nog maar een voorbereidende handeling. Want aanstonds, als het halve uur verstreken is, komt moeder terug en haalt het eruit en laat het water eraf lopen, zó dat het vlees weer enigermate droog wordt. Daar staat een soort vergiet gereed: een blad, gewoonlijk van hout, vol gaten. Het staat of ligt een weinig schuin, in ieder geval zó, dat er een holte onder is. Daar legt ze het vlees op uit. En nu komt ze met zout, keukenzout, niet grof, niet fijn als meel en bestrooit er het vlees mee, elk stuk afzonderlijk aan alle kanten. En dan komt het weer in ruste. Het zout zal zijn werking aan het vlees niet missen. Het drijft er alle bloeddelen uit, die er nog kunnen achter gebleven zijn. En wat eruit komt vindt zijn weg door de gaten van het blad; of naar de onderkant, als het blad schuin is gelegd. Een uur lang wordt het vlees aan de inwerking van het zout prijsgegeven. En dan is het moeders voorlopig laatste rituele werk, het vlees af te spoelen en goed te reinigen van alle bloed- en zoutdelen en van die van beider mengsel, welke er bij de behandeling met het zout zijn aangekomen.

Het vlees is kasjér. Nu eindelijk volkomen ritueel geoorloofd. Het kan in pot of pan gedaan worden om als spijs ter nuttiging te worden toebereid.

Wel was het vlees reeds kasjér toen onze snijderkeurmeester het gestempeld of met een waarmerk had voorzien. Maar toen nog niet voor direct gebruik. Dit was nog slechts het eerste stadium. De slager legde er verder de rituele hand aan. Maar moeder heeft het in volkomen rituele staat gebracht. In de volksmond heet daarom wat zij met het weken en zouten en afspoelen in rituele zin verricht: het vlees kasjér-maken. Haar keuken is een werkplaats voor het Altaar. Met het Altaar in de Tempel wordt de rituele tafel in het joodse huis gaarne vergeleken.

VLEES EN MELK

De joodse tafel en het Altaar!

De vergelijking gaat in de onderdelen lang niet op. We zagen het immers reeds. Wat speciaal op het Altaar kwam, mag op de joodse tafel juist niet komen. Hetgeen van rund- en kleinvee tot 'een vuurgave ter ere van God' op het Altaar moest dienen, dàt in het bijzonder is ten strengste voor menselijk gebruik verboden.

Chélev – het edelste, beste – moest gelijk eersteling-gave aan God voor het Altaar worden afgezonderd. Die gave was de wijding, de heiliging van de rest. Het Altaar moest het als voor God ontvangen, ten einde het genot van het andere, voor de mens bestemde, daardoor een hogere waarde te geven; dus te heiligen en er op deze wijze het dierlijk begrip van genieten aan te ontnemen.

Het Altaar krijgt eveneens het bloed. Het moet het hebben in stede van de hele mens, die zijn leven eigenlijk om zijn zonden had verbeurd. Of om zich weer met God te verbinden, het contact met de Hemelse Vader, hetwelk door de ene of andere oorzaak was verbroken, te herstellen. Het Hebreeuwse woord *Korban* betekent immers: middel om dichterbij te komen. Of anders, omdat het bloed de mens als verbruiksartikel, als genotmiddel te enen male ontnomen moet worden.

Deze delen van het dierlijk voedsel zijn dus eigendom van het Altaar. De joodse tafel krijgt ze niet. Krijgt ze nooit.

Maar daarin ligt de vergelijking niet en dat is niet haar strekking, haar bedoeling. Zij wil slechts zeggen, dat de tafel een gewijd karakter dragen moet en dat zij lering heeft te geven: de lering, dat het eten er is om te leven en het leven in de dienst van het Hoogste moet staan. En de hoogste Leiding dient vooral daar merkbaar, handtastelijk merkbaar te zijn, waar de dierlijke functiën van de mens het meeste op de voorgrond treden. Daar moet de teugel in de hand van God het sterkste bij de mensen voelbaar zijn.

Aan die teugel moet ge u geleid gevoelen.

En bij het gebruik van dierlijk voedsel zijn de leidsels, is de toom waarlijk wel voelbaar. Aleer het ter genieting is geoorloofd, verschijnt telkens de eis der Torah of de beperking der overlevering en geven een waarschuwing en zeggen halt. En roepen ter herinnering en ter overdenking.

Als de spijs ritueel gereed gekomen is en aanstonds gekookt of op andere wijze verder eetbaar gemaakt zal worden, ook dan treden de rituele voorschriften nog niet terug.

Dat kan de joodse keuken u verhalen.

De rituele zorg, welke er dan verder nog betracht moet worden, wordt in verband gebracht met het volgende woord der Torah:

'Gij moogt geen bokje koken in de melk zijner moeder.'

Wij zullen hier in het midden laten wat de oorsprong en de aanleiding en wat de nuchtere of poëtische of ethische bedoeling van dit verbod zou kunnen zijn. De objectieve bijbel-exegese heeft er in dit opzicht haar laatste woord zeker nog niet over gezegd. De halachische exegese heeft sinds onheugelijke tijden haar standpunt bepaald, is afgesloten. Zij vindt er een steunpunt in voor eeuwenoude rituele, overigens dan niet in geschreven wet gegeven bepalingen.

De Torah geeft het verbod drie malen in precies dezelfde bewoordingen. De eerste keer in II Moz. 23 vrs. 19 aan het einde van een belangrijke groep wetten kort na de Openbaring. De tweede maal II Moz. 34, 26 als de eerste Stenen Tafelen, na de zonde van het gouden kalf, verbroken zijn en er opnieuw een tweetal gehouwen en het Verbond hersteld zal worden. Dan sluit dezelfde zin een gedachtengang af, die geheel overeenkomt met de inhoud van de vroeger aangehaalde passage. Ten derden male – v Moz. 14, 21 – is het de slotzin der spijswetten. Daar hoort het in ieder geval bij. De overlevering nu heeft er het verbod aan verbonden van het gebruik van vlees en melk te zamen; van vlees-en melkspijzen door elkaar en van bereiding van het ene met het andere, of de vermenging onderling dezer voedingsmiddelen.

Zij leert aldus: vlees, dat overigens als spijs geoorloofd is, moogt ge niet koken in melk, die overigens net zo goed geoorloofd is. Het 'bokje' is het voorbeeld van zulk overigens geoorloofd vlees en maakte een algemene definitie overbodig.

En met 'de melk zijner moeder' is het dan precies zo gesteld: melk derhalve, die net zo goed ten gebruike is geoorloofd als het dier, waarvan het vlees dat ge wilt bereiden, afkomstig is.

Deze twee, ieder op zich zelf voor uw gebruik toegelaten dierlijke voedingsmiddelen, zijn u niet onvoorwaardelijk en ongelimiteerd toegestaan. Verbindt ge ze aan elkander, dan zijn ze u verboden spijs. Gij moogt ze niet te zamen koken. En ze natuurlijk niet te zamen eten. Waartoe anders dat koken? Koken alleen voor het genot van de kunst? Of om het ene of andere voordeel? Om er nut van te trekken? Ook dat laatste moogt ge niet. Noch dit, noch dat, noch het andere is u toegestaan met deze spijs, welke van het dier te uwen dienste is gesteld. En zo liggen deze drie afzonderlijke verboden dan in de drievoudige afkondiging van de zin: 'Gij moogt geen bokje koken in de melk zijner moeder'.

Dat is halachische exegese of halachische midràsj.

Wat midràsj is heb ik vroeger al uiteengezet. Eveneens heb ik de betekenis van halachàh beschreven.

De midràsj is de eigenaardige exegese, die vaak van buiten meegebrachte gedachten terugvindt in een bijbelvers en ze daar dan inlegt. En de halachische midràsj doet meermalen hetzelfde ten behoeve of ter verklaring van de ook zonder haar vaststaande regeling van de praktijk van het leven.

Het leven is er en de praktijk bestaat sinds een onafzienbare rij van geslachten. De overlevering heeft alles uit de oudste tijden meegebracht en steeds in stand gehouden. Zij is van even grote waarde als de Schrift en even heilig als de Torah der Vijf Boeken. Deze, het geschreven Woord – de *Torah-sjèbikthav* – is eigenlijk slechts het opgeschreven deel. dat met de traditie – de *Torah-sjèbe'al-pèh* – samen het geheel der Torah vormt. Maar niettemin vindt men gaarne voor al hetgeen bij traditie en als zodanig reeds heilig is een steun in het geschreven Woord; een artikel in de Wet, om de leer van het leven te schragen; de praktijk van het wetsartikel te verbinden. Het Schriftwoord is dan niet het uitgangspunt, niet de oorsprong, niet de bron. Ook zonder dit woord zou de bepaling bestaan. En leven in de werkelijkheid.

Gewis heeft deze behandeling, dit gebruik van het Bijbelwoord, meer vastheid gegeven aan de inrichting van het joodse leven. Maar toch is het wellicht niet al te boud gesproken, wanneer wij zeggen, dat de joodse keuken niet anders ingericht zou zijn, dan zij nu ingericht is wanneer de halachische midràsj het verbod van vlees-en–melk-

basar b'chalàv – niet aan de bijbelplaatsen had verbonden, welke spreken van het bokje en de melk zijner moeder. Zo hoog stelt men de traditie, zo heilig acht men haar, zo sterk is haar macht, zo bindend haar gezag.

Zo heeft de joodse moeder van oudsher in haar keuken eigenlijk twee keukens. Zij heeft haar kookgerei, volledig kookgerei, voor de bereiding van vleesspijzen. Met vlees staat dierlijk vet gelijk. En zij heeft eveneens afzonderlijk vaatwerk voor melkspijzen en al wat van melk komt. Niets mag er door elkander gebruikt worden. En er wordt niets door elkander gebruikt. En zoals het is met het keukengerei, zo is het ook met het tafel-gereedschap. Alles tot in de uiterste konsekwentie. Er zijn spijzen en dranken die noch met vlees noch met melk wat hebben uit te staan en eerst door de bereiding met het ene of met het andere vleeskost of melkkost worden. Daar kan natuurlijk neutraal vaatwerk voor aanwezig zijn, dat voor het schoonmaken en het toebereiden van alles kan gebezigd worden, zolang het nog geen vleesspijs of melkspijs is geworden. Maar dat sluit niet uit, dat er toch voor de joodse keuken, voor de joodse tafel een dubbele huishoudelijke in-richting nodig is.

En voor de viering van het Paasfeest, het feest der ongezuurde broden is er, zoals we vroeger zagen, nog eens weer een afzonderlijke en dan ook dubbele inrichting nodig.

Dat alles is de zorg der joodse moeder en voor haar verantwoordelijkheid.

Moeilijk?

Voor de oningewijde lijkt het heel zwaar, haast niet te doen. Maar bij de joodse moe-der, die het zo en niet anders heeft gezien en gedaan, loopt het alles vanzelf. Er komt wel eens een klein ongevalletje voor. Een verwarring van het een of ander door eigen schuld of de schuld van personeel in de keuken. Dan moet soms over hetgeen er tot herstel ge-daan kan of moet worden, de beslissing van het rabbinaat worden ingeroepen. Want de toepassing der beginselen wordt altijd tot in de bijzonderheden uitgevoerd.

Oplettendheid is zeker nodig. Maar daar komt het ook juist op aan. Wij gaan immers aan de teugel van Hogere Leiding. We moeten dat voelen en er op reageren. Dan kan het wijding geven.

De joodse moeder vindt dit ritueel der spijswetten dat hoofdzakelijk op haar rust niet moeilijk en heeft het nooit moeilijk gevonden. Zij was steeds voor haar taak berekend. Zij heeft altijd een groot deel van het specifiek joodse leven gedragen. Zij draagt over het algemeen het gezinsleven nog. Dit – het kasjroeth – behoort daartoe. En nog veel meer.

VIS EN GEVOGELTE

Vis is geen vlees. De bepalingen welke van toepassing zijn op vlees en vleesbereiding en de voorschriften die het gebruik ervan beperken en de vermenging verbieden van vlees en melk en van vleesspijzen en melkspijzen, deze bepalingen en beperkingen zijn niet van kracht bij vis en haar bereiding.

Er is voor vis geen sjechietàh. Het ophalen der vis uit het water, haar onttrekken aan haar levenselement, berokkent haar hetzelfde wat de sjechietàh aan zoogdieren veroorzaakt: verlies van bewustzijn, gevolgd door de dood. 'Werd alle klein- en rundvee voor hen geslacht... zou het dan voldoende voor hen zijn? Of als alle vissen der zee voor hen werden opgehaald... zou dat dan toereikend voor hen zijn?' (iv Moz. 11, 22). In deze woorden van Mozes vindt men die gedachte reeds impliciet uitgesproken.

Voor de 'reinheid' van vis gelden derhalve slechts de kenmerken dat zij vinnen hebben en schubben. In het water. Als ze hun schubben in het water achterlaten, zodra ze op het droge worden gehaald, zijn ze toch wel ritueel ten gebruike geoorloofd. Er schijnen zulke vissoorten te zijn. Hebben ze echter in het water geen schubben, dus alleen vinnen dan behoren ze tot de vis die 'onrein' d.w.z. ritueel ongeoorloofd is. En als er twijfel bestaat of een vissoort aan deze voorwaarde voldoet dan komt zij niet op de joodse tafel. Ook hier spreekt de traditie natuurlijk haar beslissend woord mee.

Waar er voor vis geen sjechietàh bestaat kan zij dus ook niet newélàh worden. Newélàh immers is hetgeen zonder ritueel volbrachte sjechietàh is gestorven, terwijl het door zulk een slachting alleen ten gebruike kon geoorloofd worden. Dus vervallen bij vis ook alle maatregelen, welke bij de zoogdieren dienen om het bloed zo grondig als menselijk mogelijk is, te verwijderen. En omdat vis geen vlees is kan er daarbij dus ook nooit sprake zijn van basar b'chalàv, zodat vanzelf de beperkende bepalingen omtrent vlees- en melkspijzen buiten werking blijven. Vis kan èn als vleeskost èn als melkkost worden toebereid en gegeten.

Niet zo is het gesteld met gevogelte.

Het moge theoretisch een vraag zijn of het vlees van gevogelte met vlees van zoogdieren gelijk gesteld kan worden en of er dus de voorschriften van basar bechalàv vanzelf vat op zouden hebben, in de praktijk is er geen verschil. Naar de theorie van de halachische midràsj is het zelfs wel mogelijk te bestrijden, dat ook gevogelte vanzelf onder de titel van vlees-en-melk zou vallen. Want: kan het 'bokje' desnoods nog dienen als voorbeeld van alle geoorloofde vlees, onder 'de melk zijner moeder' kan toch bezwaarlijk ook gebracht worden, dat wat van gevogelte, dus niet van melk maar van eieren afkomstig is. Van dit standpunt derhalve valt er over te discussiëren of naar torahvoorschrift ook op gevogelte de bepalingen van 'vlees-en-melk' betrekking hebben. Hetgeen in de Talmoed dan ook uitvoerig geschiedt. Naar torahvoorschrift. En of dus de midràsj de overigens vaststaande levensregel – de halachàh – wel of niet tot een torahvoorschrift brengt. De levenspraktijk zelf echter maakt geen punt van debat uit. Die is er. En in de praktijk is er in de joodse keuken en op de joodse tafel geen verschil tussen vlees van zoogdieren en van gevogelte. Gevogelte is vlees in alle opzichten. Als het niet sterft aan ritueel volkomene sjechietàh dan is het newélàh. Reeds daardoor is het aan ander vlees gelijk. En het is geen al te stoute onderstelling, dat het daarom ook van het standpunt der Torah zelf, stilzwijgend wordt gebracht onder de algemene rubriek van vlees. Luidt niet het begin van het laatste Bijbelvers, dat in het Vijfde Boek van Mozes aan de spijswetten is gewijd (14,21) 'gij moogt generlei newélàh eten?' Terwijl diezelfde zin eindigt met de woorden: 'gij moogt geen bokje koken in de melk zijner moeder.'

Maar dit alles daargelaten, praktisch wordt in de joodse huishouding gevogelte geheel als ander vlees behandeld. Het moet ontaderd – gepoorst – worden en verder in water gezet en gezouten – kasjér gemaakt – zoals de huisvrouw dat heeft te doen met alle andere vlees, ten einde al het bloed, dat er uit kan, vóór de spijsbereiding er inderdaad uit te verwijderen.

Vet, dat chélev heet en dus als spijs is verboden, heeft gevogelte niet en van een 'verwrongen spier' is hier ook geen sprake. Zodat we daarmee nu niets te maken hebben.

Maar ook de kip, de eend, de gans, de duif en al het andere gevogelte dat 'rein' is, moet gekeurd worden. Die keuring geschiedt ten dele door de sjochét, die aan het dier de sjechietàh volbrengt. Ten dele. Want hij keurt het slechts, terwijl het nog levend is. Hij slacht het niet wanneer de voor sjechietàh aangeboden vogel hem om de een of andere reden niet gezond toe schijnt. Hij blijft er af als hij ziet of twijfelt, dat men hem een voor de consumptie ondeugdelijk dier presenteert.

De inwendige keuring van gevogelte geschiedt echter niet door hem. Als hij de sjechietàh naar voorschrift heeft verricht, waarmerkt hij de vogel. Hij legt bijv. een loodje met een bepaald erkend stempel als waarmerkteken erop, aan een der poten. Daarmee is zijn taak afgelopen. Dit waarmerk wil nu alleen maar zeggen, dat het dier levend gezond en ritueel geoorloofd bevonden en volgens voorschrift is geslacht. Dat de keuring inwendig evenwel nog moet plaats hebben.

Die keuring – de bediekàh – kan gedaan worden door een joodse poelier. Wanneer er zulk een poelier aanwezig is, die daartoe het godsdienstig vertrouwen geniet. En waar zulke mensen bij elk gevogelte, dat zij zouden hebben te keuren, tussen hun beurs en hun geweten worden geplaatst, zijn de rabbinaten begrijpelijkerwijze zeer voorzichtig en kieskeurig met het schenken van zulk een vertrouwen en het geven van het brevet 'onder rabbinaal toezicht' aan poeliers.

Aan de andere kant was het in de praktijk haast onuitvoerbaar de rituele keuring van het geslachte gevogelte ook in de handen van de sjochét te leggen, zoals bij de zoogdieren. Het gebruik van gevogelte als spijs was immers steeds en is ook nu nog geheel anders geregeld dan het betrekken van ander vlees als voedingsmiddel. Het gaat veelal buiten de daarvoor expresselijk bestaande bedrijven om. En het gaat niet aan, de snijder de kip of het duifje van iedere particulier, die hem wat laat slachten, ook te laten onderzoeken. En eerst te laten wachten op het plukken en wat er verder vooraf nodig is, voordat men aan de inwendige keuring toekomt.

Daarom is deze keuring algemeen aan de verantwoordelijkheid overgelaten van iedere eigenaar zelf. Of wat hetzelfde is: aan de verantwoordelijkheid van moeder. Behalve dan daar, waar een joodse poelier aanwezig is, die het nodige godsdienstvertrouwen geniet en voor zijn zaak een volledig brevet bezit: onder rabbinaal toezicht. Anders heeft moeder zelf ook deze taak. Zij moet het gevogelte openmaken, in staat zijn het van binnen te beoordelen en van alle ingewanden te weten of alles normaal, of alles kasjér is. Zij moet weten hoe het er moet uitzien om in deze zin normaal te heten. Zij hoeft niet te weten of het ook teréfah is, wanneer het soms een afwijking vertoont. Is er iets dat haar abnormaal voorkomt, dan heeft zij de beslissing in te roepen van het rabbinaat. Natuurlijk kan zij bij zich thuis, maar onder haar ogen, haar kip door wie zij wil laten openen en uithalen. Maar zij ziet toe. En oordeelt. Oordeelt – zoals we zeiden – in positieve zin als alles gewoon is en brengt, als een·abnormaal verschijnsel zich voordoet, een rituele vraag bij de rabbijn, die dan in positieve of negatieve zin beslissen kan.

En verder heeft moeder haar kip te 'poorsen', dat is in dit geval, de halsaderen te verwijderen en de kip verder kasjér te maken zoals alle andere vlees. Waarbij zij weten moet, hoe zij de bruikbare delen der ingewanden heeft te behandelen, op een wijze, dat zij van alle bloed ontdaan worden; dat zij het hart vooraf heeft te openen; en de lever zodanig heeft te braden, dat het doel volledig wordt bereikt.

Ja, dit alles is ook de taak der joodse vrouw. Een taak, waarmede zij dus steeds midden in de joods-godsdienstige levenspraktijk staat.

HET VAATWERK · SAMENVATTING

De tafel een altaar, het huis een tempel. Dit mogen geen woorden zijn, maar moeten begrippen vormen. Aanvaarde begrippen, aanvaard met de volle inhoud die ze hebben. En die begrippen dienen daden te zijn. Eenheid dus van begrippen en doen. Dan zijn de perspectieven verrukkelijk en groots. Steeds nieuw en met het gewone oog niet eens in een keer tot het einde toe te doorschouwen.

In de Tempel is alles van hoger orde. Alles gewijd. Alle gereedschappen geheiligd. En het Altaar boven alles.

En daar moet het huis naar streven. En alles, wat voor de tafel is bestemd, moet in het Altaar een voorbeeld vinden.

Als er een huis is gesticht en het wordt betrokken, dan wordt het gewijd. Het krijgt op de deurpost aan de ingang en op alle deurposten der vertrekken, die tot woning zullen dienen, zijn heiligende 'tekens'. De mezoezàh wordt er aangeslagen. En het zal gemerkt zijn met het Woord van de Almachtige – Sjaddai –. Die zal toezien en vragen of zijn geest er blijvend in zal wonen.

En het wordt ingewijd met een godsdienstige samenkomst, waarin de Bijbel wordt opengeslagen en waarbij 'geleerd' wordt uit de Heilige Boeken. Uit het Torahwoord rechtstreeks of uit Misjnàh en andere geschriften. En het Boek der Psalmen biedt wat van zijn overal toepasselijke gedachten. En de joodse sfeer zal er binnengeleid worden in een godsdienstig en feestelijk samenzitten bij een eenvoudig genieten.

Dat zal telkens weer geschieden wanneer, ook bij verhuizen in dezelfde stad, een nieuwe woning wordt betrokken.

En het vaatwerk wordt gewijd, voordat het in gebruik genomen wordt. Het vaatwerk van tafel en van keuken. Gewijd. Niet enkel gewassen, gereinigd. Het wordt gebaad. Ondergedompeld in een wel, in een rivier, althans in natuurlijk stromend water. Of in een bad. Niet maar een gewoon bad, maar een gewijd bad, dat door de wijze der inrichting de wel, de rivier, het stromende water kan vervangen. Zulk een bad – mikwàh – dat nu de naam van kerkelijk bad heeft gekregen, is in iedere behoorlijk georganiseerde gemeente aanwezig. Het is op bepaalde wijze gebouwd, heeft bepaalde afmetingen en wordt op bepaalde wijze gevuld en bediend. Er kan haast niets willekeurigs aan zijn, ten minste niet aan dat, hetwelk het bad tot een mikwàh moet maken. Want het dient tot wijding, tot heiliging.

Dit bad heeft ook in het joodse huwelijksleven een belangrijke taak te vervullen. Dat zij hier echter slechts terloops vermeld. Waar we ook dit onderwerp behandelen, zullen we er daar nader over spreken.

In dit bad nu wijdt moeder eerst het gereedschap, dat bestemd is om er de spijzen in te bereiden; zij wijdt de voorwerpen, welke dienen om er de voeding mee te reiken aan ons lichaam. Ons dierlijke lichaam, dat op zo wondere wijze vol is van Goddelijke geest.

Als het huis dus gesticht is en betrokken wordt en de keuken zal ingericht en de kasten zullen gevuld worden met serviezen en tafelgerei, dan gaat moeder met dit alles eerst naar het bad. Zij baadt daarin alles. En dit onderdompelen is een godsdienstige verrichting. Dus zij zegt ook hier een wijdingsspreuk. Zij spreekt het uit tot zichzelf, dat ze Gode dankt en prijst. Die ons leven verbijzonderd, op hoger plan gebracht, dat is geheiligd heeft, door Zijn voorschriften en Wiens wil we stellen als ons hoogste levensdoel door iedere grote of kleine handeling, welke wij, gedachtig aan Hem, tot heiliging van ons leven verrichten; ook door deze wijding van de vaatwerken in onze woning, het simpele gereedschap voor de voeding van ons lichaam. Eerst daarna gaan we ze voorgoed gebruiken. En zo geschiedt het telkens met de nieuwe vaatwerken, die we ons moeten aanschaffen.

Zo behoort ook dit tot de middelen, welke het huis altijd gepoogd hebben te waarmerken tot een tempel. Gewis: niet dit, niet deze vorm is de heiliging. Die zal moeten

173

komen door de daad, door het gedrag in het leven. Dat weten we best en moeten we levendig beseffen. Altijd en vooraan. Maar het is de lering tot de levensheiliging. En die leer kan niet vaak genoeg gedoceerd worden. De lering door middel van daadsymbolen. En het daadsymbool kan niet vaak genoeg tot lering aangewend worden. Ten minste, wanneer de symbolen niet tot bijgeloof verworden zijn of ontaard, in zo iets als een talisman. Of verschrompeld tot sleur. Dat gebeurt zeer zeker. Jammer. En noodlottig genoeg. Maar dat ligt aan de mensen, niet aan hen. Zolang de vorm inhoud had en de daad de juiste lering gaf, werkten zij heilzaam. Zij hebben hun zegenrijke invloed ook nog lang niet verloren.

Onze moeders hebben het altijd verstaan, zich als priesteressen in hun huiselijke tempel te gevoelen en zich als dienaressen aan het altaar van de eredienst in hun woning te gedragen. En te doen eerbiedigen. Zij wisten zich met deze, hun titel getooid en bleven fier hun onderscheiding waardig. Zij schiepen de gewijde sfeer in de joodse woning, welke een onverwoestbaar bolwerk werd voor het joodse familieleven en aldus tevens voor het overgeleverde jodendom.

Nog is dit alles niet vergaan. Waar de joodse vrouw haar roeping begrijpt en haar taak en haar titel draagt met ere, daar kan het jodendom ook moeilijke tijden overleven. Als het huis een tempel is, kan het ook stormaanvallen weerstaan. De joodse geschiedenis getuigt dat en bewijst het. Onwederlegbaar.

Er is een ander trots woord: 'mijn huis is mijn kasteel!' Maar dit beeld is ontleend aan strijd. Aan de oorlog. In de tempel echter is God. Iedere hut een tempel: en niets kan haar verwoesten, haar genaken.

Daar is niet strijd het uitgangspunt maar heiliging het devies. Heiliging van alles in het leven. Ook van het eten. Vooral van het eten. Vooral van alles wat de mens gemeen heeft met het dier. Vooral van alle dierlijke behoeften, wier bevrediging zo licht hem het dierlijke op de voorgrond plaatst en in werking stelt. Deze uitingen moeten inzonderheid geheiligd worden. En dat is de taak mede der spijswetten. En dat doen zij.

Er is gezegd en er wordt gezegd, dat zij niets anders zijn dan hygiënische maatregelen. Zeker zijn zij niet anti-hygiënisch. Verre van dien. Dat ware ook wel radicaal onzinnig. Er kan over het onderwerp 'hygiëne en spijswet' veel gezegd en geschreven worden. En er bestaat daarover een hele literatuur. Maar hier handelen wij daarover niet. Het spreekt trouwens vanzelf, dat levensheiliging als ze van Hoger Hand bevolen en geregeld is, met hygiëne ten nauwste is verenigd. Heiliging immers betekent hier: genieten. Maar heiligende genieting van al hetgeen de aarde biedt. Tegelijkertijd derhalve: zich hoeden voor verdierlijking! En dat sluit de zorg voor de gezondheid in. De gezondheid van het lichaam en van de geest. Gehoorzaamheid aan Hoger Gezag is zelfbeperking. En zelfbedwang en matigheid zijn trouwe dienaressen van onze gezondheid. In alle opzichten.

De verbinding, de eenheid van lichaam en geest is nog altijd mysterie. Wij zien, hoe de lichamelijke gesteldheid de geest beïnvloedt en hoe de geestestoestand die van het lichaam mede regelt. Vergift doodt het lichaam, verjaagt de geest. Alcohol kan lichaam en geest verwoesten. Wij weten echter niet wat precies het evenwicht bewaart, de juiste verhouding schept en in stand houdt. De Schepper weet het. Het is Zijn geheim. En dat is het weten van de Godgelovige. En voor hem genoeg.

Vraagt ge soms of deze dingen als ze dan Goddelijk zijn, niet moesten gelden voor ieder volk, ieder geloof en ras? En of de jood, als hij meent voor deze voorschriften dankbaar te moeten zijn, niet in de waan verkeert, een bijzondere Voorzienigheid te hebben? Komt het er voor anderen dan niet op aan?

Het komt mij voor, dat men niet uit wijsheid zo zou vragen. De jood – ik zei het wel vaker – is niet beter, is niet slechter dan wie ook. Hij is anders. Zoals anderen niet beter, niet slechter, maar ook anders zijn. Er is een mensheid. Eén mensheid. En er zijn volkerenfamilies, volksindividualiteiten. Noem ze rassen of zoals ge wilt. Ze zijn differentiatie der mensheid. Zij hebben ieder wat aan de algemene bouw, aan de groei van het geheel te doen. Ieder naar zijn aanleg, naar zijn vermogen.

Het Joodse volk is bovenal het volk van de geest. Als we er trots op zijn, mogen we zeggen: van de heilige geest. Dat is onze roeping en tevens de voorwaarde van ons bestaan. Dat feit en dat bewustzijn hebben het Joodse volk in stand gehouden. En als we die roeping verwaarlozen, verbeuren we het recht op ons bestaan.

In deze idee staan ook de spijswetten. Dat zeggen zij ons. Dat hebben ze ons bewezen en bewijzen ze nog. En dat moeten ze blijven zeggen. Dan zullen ze het ook blijven bewijzen.

VAN DE WIEG TOT OVER HET GRAF

DE BESNIJDENIS

VERBONDSTEKEN

Hier staan we bij de aanvang van de geschiedenis des jodendoms. Groot is de inhoud van dit woord en veelzijdig het begrip ervan. Want het is een samenvatting van onderscheidene gedachten, een naam voor een samengestelde idee. Deze naam wordt gebruikt, wanneer we van het joodse volk spreken en dient eveneens om er de joodse godsdienst mee uit te drukken. Het is soms lichaam en anders geest; nu eens het ene, dan weer alles tezamen. De analyse is niet makkelijk en de ontbinding in factoren, niet verder ontleedbare factoren, is bezwaarlijk zuiver te verrichten. Er is voortdurend wisselwerking. Overal grijpt het ene in het andere en oefent er invloed. Beheersend, bevruchtend.

Maar wat we ons van de inhoud van dit collectief begrip ook op de voorgrond denken en welk onderdeel der ganse betekenis we er ook van grijpen: hier zijn we aan het begin. Want hier zijn we bij Abraham. En met hem begint het historische jodendom. Hoe ook gezien, hoe ook gedacht. Al is de naam zelf van latere datum, het woord en zijn afleiding niet letterlijk op Abraham toepasselijk en slechts als term – en dan bij anticipatie – op zijn tijd te gebruiken.

Uit Abraham is de stam, uit hem is de idee. Hij is een eenling in zijn wereld, misschien wel een eenzame. Hij staat er alleen met de waarheid, die hij zich veroverd, geschapen heeft. Eeuwen vóór hem heeft de mens reeds gestreefd, gezocht, geworsteld. Geworsteld om zijn God, om de enige God, die van de hemel en de aarde is en in Wie alles tezamen, én schepping én mensheid én historie, één is. Hij, Abraham heeft Hem gevonden. En wat hij gevonden heeft, wordt zijn roeping: 'Als eenling heb Ik hem geroepen en Ik heb hem gezegend en vermeerderd' (Jes. 51,2). Hij werd stamvader. Aartsvader. En leraar. Leraar, niet van stellingen en dogma's. Maar ziel en zegen. Immers: 'en wees zegen' (1 Moz. 12, 2) zegt de Bijbel, aanstonds bij zijn intrede: dat was zijn bestemming.

Hij en die uit hem voortkomen en hem volgen, zullen een afzonderlijke eenheid vormen en een afgesloten eenheid blijven. Een in zichzelf gesloten volksindividualiteit en als zodanig dragers van hetzelfde beginsel. Deze last zal hen binden, deze gedachte hen drijven, deze roeping hen dragen. En zij zullen de idee koesteren en bewaren, heilig houden en overleveren. Ziedaar: een overeenkomst, een verdrag. Een verdrag, als het tussen mensen ware, als we deze verhouding in menselijke taal – de enige, waarover we beschikken – moeten uitdrukken.

Dit is het Verbond tussen God en Abraham. Het Verbond. *Het Berieth-Avraham!*

Het verbond wordt getekend, wordt bezegeld. Het verbond draagt een verbondsteken. Niet een vlag zal het zijn, niet een kokarde, niet een insigne. Niet een 'teken', dat als symbool zal prijken ergens in het bedrijvige leven; dat telkens bij tussenpozen zal wekken in sommige omstandigheden of in vele verhoudingen; dat opgeheven en afgelegd, meegedragen en thuis gelaten kan worden. Het zal bevestigd worden aan het lijf van Abraham, gesneden in het lichaam zijner afstammelingen. Tot in eeuwige geslachten.

Waar?

Moeten we nog zeggen, wat het alles beheersende beginsel van jodendoms levensbeschouwing, levensroeping is...? 'Heilig zult ge zijn, want heilig ben Ik, Adonai, uw God!' (III Moz. 19, 2) Levensroeping is levensheiliging. Dat is: het leven aanvatten, het aanvaarden, gebruiken. Maar wijden. Al zijn lief en leed, al zijn zorg en zegen, alle gevaar en geluk. En alle beproeving in heil en ellende. Heiliging van alle gedragingen en daden, van alle gaven en genietingen. Kleine en grote, grote en kleine. Steeds.

Voortplanting is natuurwet, scheppingsdrang in al het geschapene. 'Weest vruchtbaar en vermeerdert u' (I Moz. 1, 22 en 28) is een scheppingsbevel, evenals 'er zij licht' en gelijk 'er zij lucht' en als 'de aarde geve vruchten'. Het is niet enkel gebod en zegen, maar tevens een onverbiddelijk zelfbevel, een categorische imperatief aan alles, wat zich voortplanten kan. Het moet! En het wil, omdat het moet. Maar bij de mens moet de geslachtsdrift geheiligd worden. Deze bovenal. Want er is misschien niets zo dierlijk in hem als dit. En het gehoorzamen is hier een lustbevrediging. Doch dit dierlijke moet in hem het hoogste worden en het meest heilige zijn. En als het animalisch is en blijft dan is het bij hem erger dan dierlijk. Dan is het liederlijkheid. De mens kan nu eenmaal het liederlijkste wezen zijn van al het geschapene. Want hij beschikt over middelen, die geen ander schepsel bezit. Het fijne instrument van zijn intellect heeft hij immers te zijnen dienste. Hij kan daarom geraffineerder zijn lusten bevredigen, dierlijker zijn dan het dier.

In de uiting van zijn voortplantingsdriften wordt hij minder gecontroleerd dan bij zijn andere levensverrichtingen. De meeste zijner daden treden op de een of andere wijze naar buiten en komen gewoonlijk ten dele of geheel bloot te liggen en in het bereik van het oordeel der medemensen. Dan spreekt de samenleving haar gewichtig vonnis en komt de maatschappelijke moraal beteugelend tussenbeide. Ook verheffend en heiligend vanzelf. Maar hier schouwt haar oog gewoonlijk niet naar binnen, dringt het niet inwendig door. Hier is in het algemeen geen toezicht van buiten. Hier is dat uit de aard der zaak gemeenlijk slechts dan mogelijk, wanneer er onmaatschappelijkheid valt te constateren en dus beperkt tot gevallen van openlijke ontaarding. Want deze hoogste en heiligste menselijke scheppingsdaad is tegelijkertijd de intiemste van al zijn handelingen.

En Abraham heeft zijn God gevonden. Hij zal zijn levenswandel richten op Hem en de wegen gaan, die Gods wegen zijn. Hij zal aartsvader worden en leraar. En zijn kroost zal hem moeten opvolgen en zijn taak dragen tot in alle nageslachten; het beginsel van de heiliging des levens tot het zijne moeten maken en houden; geroepen zijn, om deze idee in de mensheid te vertegenwoordigen. Dat immers is de afspraak, is de overeenkomst, het verdrag: het berieth-Avraham. Het Abrahamsverbond. En het verbondsteken zal gehecht worden, zal gesneden worden in het lichaam.

Waar...?

Daar, waar het het teken zal zijn van de hoogste en intiemste levensheiliging, waar het ook de dierlijke scheppingsdrift tot een Goddelijke daad gebiedt te maken, waar het eeuwigdurend zal waarschuwen tegen het gevaar van ontaarding tot mensonwaardigheid!

'Wandel voor Mij en wees braaf. En Ik vestig Mijn verbond tussen Mij en u... En gij zult Mijn verbond bewaren, gij en uw kroost na u in al hun geslachten... Besnijd bij u al het mannelijke... En dit zal het verbondsteken zijn tussen Mij en u' (1 Moz. 17; 2, 3, 9, 11).

Zo is de *Besnijdenis*, of het verbond der besnijdenis – *de Berieth Hammielàh* – het onvergankelijke teken der levensheiliging. Het teken bij uitnemendheid.

DE ACHTSTE DAG

De geboorte beslist over de afstamming. Al wat uit een joodse moeder is geboren, hetzij man of vrouw, is een kind des jodendoms, van het joodse volk, is van joodse nationaliteit. Deze 'nationaliteit' is hier nu eens geen juridisch begrip, geen staatsrechtelijke term, geen nationaliteit door verblijf verworven of door een wettelijke formaliteit te verkrijgen. Het zij hier verstaan in zijn oorspronkelijke betekenis als: het feit der geboorte.

Deze nationaliteit verliest de jood-geborene nimmer. Hij of zij, ze kunnen haar nooit ongedaan maken. Zij kunnen haar niet afwerpen en niet opzeggen. Bij geen enkele instantie of autoriteit. Want die bestaan niet. Nergens ter wereld. Ze kunnen haar zelfs niet verzaken. Evenmin als men immers de geboorte kan verzaken. Beide zijn zij feit. Feit, dat niet afhankelijk is van wel of niet aanvaarden. Niet afhankelijk eveneens van welke latere daad of handeling ook. Slechts met het sterven wordt het feit der geboorte herroepen. Zo doet alleen de dood deze joodse nationaliteit teniet.

Een joodse vrouw, die een kind ter wereld brengt – echtelijk verwekt of buiten echt geboren – en onverschillig wie de vader is, deze vrouw kan verhinderen, als zij wil, dat haar kind besneden wordt, maar niet voorkomen dat het als jood of als jodin wordt geboren. Zij zelf wordt deze haar joodse nationaliteit niet kwijt. Ook niet, wanneer ze zich in een niet-joodse godsdienst laat opnemen. En haar kind verliest deze nationaliteit niet, zelfs al wordt het eerst daarna geboren. Wie derhalve uit een moeder, welke zelf door haar geboorte als zodanig een joodse moeder is, geboren wordt als mannelijk wezen en, om welke reden ook, onbesneden blijft, is niettemin jood. Dan: een onbesneden jood.

Het kan voorkomen, zoals we nog verder zullen zien, dat ook een in alle opzichten joodse jongen niet besneden wordt, niet mag besneden worden. En een onbesneden jood blijft.

Doch dat is een uitzonderlijk geval.

Door de besnijdenis volgt de opname in het verbond van Abraham. Hierdoor wordt de jood-geborene een zoon van het Volk des Verbonds, geheiligd door het verbondsteken, lid van het Bondsvolk.

Niet onmiddellijk na de geboorte wordt het lichaam met het teken gezegeld. Wel spoedig daarna. 'Op de achtste dag zal het vlees zijner "orlah" besneden worden.' Dat is het bevel aan Abraham voor al zijn nageslachten (I Moz. 17,12). Zo luidt het als wettelijke bepaling voor Israël aan de Sinai voor alle tijden (III Moz. 12, 3).

Op de achtste dag als regel. Maar eerst moet vaststaan, wetenschappelijkerwijze gesproken vaststaan, dat het kind gezond is en van de kleine operatie niet alleen geen gevaar, maar ook geen nadeel zal ondervinden. Als het kind naar het oordeel van de medicus nog te teer is – zijn kleur is niet zoals deze behoort te zijn, er hapert iets aan de bloedsomloop of er zijn andere bezwaren welke de deskundige aanleiding geven om tot enig uitstel te adviseren – dan heeft er, zonder meer geen besnijding plaats, voordat de geneesheer het goed vindt.

Er kunnen zelfs andere omstandigheden dan directe gezondheidsredenen tot uitstel leiden. Het volgende geval, dat ik zelf beleefd heb en te behandelen had, kan als sprekende illustratie dienen: Het was op de eerste zondag der mobilisatie – 2 augustus 1914 – dat er in Haarlem twee jongens zouden besneden worden. Een tweeling. Beide flinke knapen. De besnijder en ik, wij vonden de moeder reeds 'over de vloer', in de huishouding aan het werk. Zij was alleen thuis, geheel alleen. Deze tweeling was haar eerste baring. De jonge moeder zag er ellendig uit, zwak en ziek. Zij had in de stad geen familie, geen vrienden of kennissen om haar bij te staan. Want zij en haar man woonden er pas kort. Daarom was zij eenzaam thuis. Haar man was gemobiliseerd, plotseling vertrokken. Zij wist toen nog niet waarheen, zij had op dat moment natuurlijk taal noch teken van hem. Zij verkeerde – even natuurlijk – in grote onrust en opwinding. Wie kon er toen voorspellen, wat het volgend ogenblik zou brengen? De mohél – besnijder – keek mij vragend aan en ik hem: thans, op het juiste tijdstip, op de achtste dag, niet besnijden? Het is waarlijk niet zo eenvoudig daar maar overheen te stappen. Maar wij durfden toch ook aan de andere kant in dit geval aan deze moeder niet twee pas besneden kinderen ter verzorging overlaten. De gevolgen waren immers niet te overzien... Wij gingen heen. De besnijding geschiedde natuurlijk reeds korte tijd later, onder normaler omstandigheden.[1]

Ik dacht toen en denk nu weer, bij deze herinnering, aan de mededeling in Josua (5 vrs 2-8). Zij die geboren waren in de veertig jaren gedurende de omzwervingen in de

1. Bijzondere omstandigheden, zoals de schrijver ze hier geeft voor 1914, zijn in onze dagen dikwijls nog in sterkere mate aanleiding geweest tot het uitstellen van een besnijding.

woestijn tijdens de uittocht uit Egypte, waren niet besneden. Te Gilgal werd ingehaald, wat er al die tijd noodzakelijkerwijze achterwege was gebleven. En het kan voorkomen dat een joodse jongen helemaal niet besneden wordt, nooit besneden mag worden. Dat is het geval, wanneer er reden bestaat om aan te nemen, dat het kind een haemophile kan zijn, tot een geslacht, tot een tak van een geslacht behoort van wat de volksmond bloeders noemt. Dan is besnijding verboden.

Maar als geen dezer mogelijkheden of bezwaren aanwezig zijn, dan heeft onder normale omstandigheden de besnijding plaats op de achtste dag van de geboorte af.

Op de dag. Niet bij avond.

En als er twijfel bestaat of het wel gewis de achtste dag is, dan niet vroeger, maar de volgende dag, die we nu maar de negende noemen. Zulk een twijfel kan ontstaan, wanneer het kind in de tijd van de avondschemering is geboren of tegen de tijd van de avond, zonder dat men precies op het juiste moment der geboorte acht heeft geslagen.

De achtste dag is de dag der besnijding, ook wanneer deze op sabbath of op een Jomtov – een bijbelse Feestdag – of op de Jom-Hakkippoeriem – de Grote Verzoendag – valt. Mits het zeker en gewis de achtste dag is. Niet, wanneer het een, om welke reden dan ook, uitgestelde besnijding geldt. Ook niet een besnijding, die om de zoëven besproken twijfel, naar de volgende, de negende dag verschoven is.

Dan, in het geval van twijfel of het kind op vrijdag dan wel op sabbath is ter wereld gekomen, gebeurt de *Mielàh* op zondag, dus mogelijk de tiende dag. En als die zondag een Jomtov is, dan op maandag de elfde. En als ook deze Jomtov is, dan op dinsdag, dus de twaalfde dag. Hiermee zijn alle mogelijkheden wegens het geval van twijfel uitgeput. Want geen enkele Jomtov heeft meer dan twee feestdagen achter elkander. En op de middendagen – Chol-Hammo'ed van Paas- en Loofhuttenfeest – wordt er in ieder geval besneden.

Eertijds en dat is nog niet eens zó lang geleden, bracht men de besnijdenis bij voorkeur naar de synagoge. Er zullen nog wel landen of streken zijn, waar deze voor het jodendom zo gewichtige daad bij voorkeur in het 'Huis der Samenkomst' wordt volbracht, op de verzamelplaats der gemeente, huis des gebeds en middelpunt, school des joodsen levens. Er hebben zodanige woningtoestanden bestaan, dat de synagoge ook daarom geschikter en wenselijker was. En deze toestanden behoren nog lang niet overal tot het verleden.

Bij ons heeft zich de besnijdenis in de synagoge het langst gehandhaafd op de plechtige hoogtijden, Nieuwjaar en Grote Verzoendag. Dan, bij de dienst op deze Ontzagwekkende Dagen ook deze heilige daad te doen, dat was iets heel bijzonders, een voorrecht, waarmede niet alleen de naastbetrokkene maar heel de gemeente zich verheugde. Bovenal op de Grote Verzoendag. En dan kwam er nog bij, dat men die dag immers ter synagoge doorbrengt en het huis des gebeds niet gaarne verlaat.

Maar de besnijdenis in de synagoge is bij ons niet meer gebruikelijk. Ook niet op

Nieuwjaar en evenmin op de Grote Verzoendag. Het kind worde tijdens de besnijding niet blootgesteld aan de volte en de atmosfeer in de synagoge en na de besnijding niet aan het vervoer door de open lucht. Met de voortschrijding der hygiënische wetenschap en haar eisen en met de ontwikkeling der aseptiek, hebben de maatregelen van voorzorg, die bij het verrichten van een besnijding in acht genomen moeten worden, zoals te begrijpen is gelukkigerwijze in allen dele gelijke tred gehouden.

DE BESNIJDING EN DE MOHÉL

Operatie is een groot woord voor de simpele verrichting waaruit de besnijding bestaat. Maar dat neemt niet weg, dat er tijdens de gebeurtenis toch een zekere geringe spanning niet helemaal afwezig is. En dat is ook wel enigszins begrijpelijk.

Voor Abraham, de eerste die de plicht der besnijdenis ontving en te verrichten had, moet het gewis een daad zijn geweest van niet zo kleine moed en was het ontegenzeggelijk weer een doorslaand bewijs van offervaardigheid en van onvoorwaardelijke overgave aan het bevel van Hoger Hand. Hij was de eerste. En Izak was zijn laatverworven zoon, zijn enig kind van Sara, op wie alle hoop was gevestigd en in wie alle verwachtingen en voorzeggingen betreffende de toekomst van het Huis van Abraham belichaamd waren. Hijzelf en Sara, zij waren beide hoogbedaagd. Menselijkerwijze was de geboorte van Izak onmogelijk gedacht. Sara, als zij haar zoon ter wereld heeft gebracht, roept het jubelend, triomfantelijk en daardoor zo betekenend uit: 'Wie zou er ooit aan Abraham voorgeorakeld hebben: "Sara zoogt kinderen!"' (1 Moz. 21, 7). En het wàs geschied. Izak was er. En het Bevel was er. Abraham moet het volbrengen. En hij volbrengt het. Hij zelf: 'Abraham besneed Izak zijn zoon, acht dagen oud, zoals God het hem bevolen had. En Abraham was honderd jaar oud, toen zijn zoon Izak hem geboren werd. (1 Moz. 21, vrs 4 en 5). Zou het helemaal verbeelding zijn, wanneer we hier tussen deze twee zinnen als het ware voelen staan: geen kleinigheid voorwaar voor de honderdjarige, om deze zijn zo langverbeide en zo laat verworven enige zoon uit Sara eigenhandig aan de besnijdenis te onderwerpen?

Zekerlijk brengt deze nadrukkelijke mededeling de grote betekenis naar voren van de besnijdenis op zichzelf. En van het niet minder grote gewicht, hetwelk de Torah verbindt aan de eis, dat de besnijdenis geschiede op tijd, verricht worde op de achtste dag.

Abraham kan proefondervindelijk nog geen kennis dragen van het geringe gevaar aan de handeling verbonden. Er bestond nog geen ervaring daaromtrent. De bewijzen moesten nog ontstaan, nog door de tijd geleverd worden.

Wij leven een eeuw van geslachten later. Ongetelde duizenden zijn er sinds Abraham in de bond van Abraham door de besnijdenis opgenomen. En de gevallen, welke noodlottig zijn afgelopen, zouden, als ze van de aanvang af geregistreerd waren, ongetwijfeld gemakkelijk te tellen zijn. En die, welke ook maar nadelige gevolgen hebben gehad, zouden blijken bij de massa volkomen in het niet te verzinken. Wij beven niet meer, zijn helemaal niet ongerust, wanneer er een besnijdenis zal plaats hebben. Dan bezielen ons heel andere gevoelens dan twijfel over het slagen. Wij behoeven ook niet één moment het gevoel omtrent de mogelijkheid ener mislukking bij ons te laten opkomen of ook maar eventjes de bijgedachte koesteren, dat er gevaar zou kunnen aanwezig zijn. Wij doen gevaarlijker stappen zonder aan gevaar te denken. Wij kunnen werkelijk volkomen gerust zijn. Er is geen sprake van een operatie. De handeling verdient deze titel niet.

En toch. Toch is het nauwelijks anders dan natuurlijk, dat er niettemin altijd enige spanning is te bespeuren. Moeder is gewoonlijk nog te bed en ziet het gebeuren niet. Ze merkt in huis de beweging in het rond. En hoort. Wellicht, nee begrijpelijkerwijze, heeft ze even een paar zenuwachtige ogenblikken, wanneer zij haar kindje overgeeft aan degene die het zal brengen naar het vertrek, naar de plaats, alwaar de plechtige daad gebeuren zal. Zij weet, dat er aanstonds een wondje aan het kind zal worden toegebracht en dat het een weinigje bloed zal laten, het bloed des verbonds. Zij zal misschien zijn stemmetje wel horen. Gewoonlijk zal het kind reeds vóór de besnijdenis huilen, als het zich in vreemde handen voelt en in ongewone houding en anders dan het tot nu toe is aangevat. Maar moeder ziet het moment niet en kan zich dus allerlei voorstellen.

Vader zal er gewoonlijk wel bij staan. Of beter nog: hij zal zelf de besnijder van zijn kind zijn. Dat is het mooiste. En zo gebeurt het vaak. Wellicht, waarschijnlijk zelfs, zal er bij hem wat hogere spanning zijn. En niet enkel een hogere spanning van louter godsdienstige aard. Maar een gemengde: dus ook van de ernst van het – laten we nu maar zeggen – operatieve element der verrichting. Hij mag het alleen maar doen, als hij er bekwaam toe is. Theoretisch bekwaam en praktisch ervaren. En als zodanig bevoegd. Bevoegd verklaard door de hiervoor aangewezen autoriteiten en instanties. Anders doet een vreemde het voor hem: de besnijder, de *Mohél*.

De mohél is als zodanig niet een ambtenaar der gemeente of van de landelijke joodse gemeenschap, het kerkgenootschap. Hij kan uit anderen hoofde ambtsdrager zijn van dit of van dat. Als besnijder is hij het niet. De mohél is als zodanig ook niet een chirurg. Een medicus kan ook mohél zijn, maar het is geen vereiste, dat de besnijder ook geneeskundige zij. Ieder man van Israël, die zich geroepen voelt om zich voor de vervulling van de heilige daad der besnijdenis beschikbaar te stellen, kan tot de uitoefening dezer functie geraken. Ik herhaal: zich geroepen voelt. Inderdaad: geroepen! En hierin liggen vanzelf de eisen omschreven, de eisen der godsdienstige kwaliteiten, waarmee de mohél in de eerste plaats getooid moet zijn. En als zijn naam en faam in dit opzicht voor hem getuigen, dan is het wat dit betreft, genoeg. Dan moet hij verder de rituele voorschriften kennen. Dat spreekt vanzelf. En daarvan bij een onderzoek door de desbetreffende rabbinaten afgenomen, de bewijzen afleggen. En vervolgens moet hij voor een commissie van genees- en vakkundigen blijk geven van zijn in dit opzicht vakkundige theoretische bekwaamheid. En ten slotte van zijn praktische ervaring. Die moet hij zich natuurlijk bij de voorbereiding onder deskundige leiding verworven hebben. Eerst na dit alles ontvangt hij de verklaring van zijn bevoegdheid.

En nu verricht deze mohél de besnijdenis overal waar hij er toe door de vader van het te besnijden kind of door diens gemachtigde wordt uitgenodigd. Neen, met de opdracht ertoe wordt vereerd. Het is een erefunctie, een mitswàh in de schoonste vorm en van de meest verheven waarde en heiligheid. De mohél stelt zich geheel belangeloos ter beschikking en geniet – ook dit spreekt vanzelf – de hoogste eer. Er zijn mannen overal, mannen van allerlei beroep en stand, die altijd uit hun dagelijkse arbeid weten uit te breken en steeds tijd vinden om deze daad te doen. Er zijn er, die het aantal door hen verrichte besnijdenissen met niet minder dan vier cijfers kunnen schrijven.

Aan de hand van zulke mannen – niet waar? – is de functie toevertrouwd. En aan hun hart de heilige zaak.

Steeds hebben zich overal een groot aantal mannen bekwaamd en beschikbaar gesteld om als mohél op te treden. En er is ook thans zo goed als nergens waar een joodse gemeenschap bestaat, gebrek aan deze opofferingsgezinde mensen. De mohaliem schuwen de moeite niet om voor de vervulling dezer mitswàh op reis te gaan en er ook een deel van een dag of een hele dag of langer hun werk voor te verzuimen. En als er op een sabbath of op een feestdag of op de Grote Verzoendag ergens een besnijdenis moet plaats hebben, waar geen mohél is gevestigd, ook dan wordt er zorg gedragen, dat de mielàh op tijd, op de achtste dag derhalve, verricht wordt.

De mohaliem doen elkaar geen concurrentie aan. Natuurlijk niet. En ofschoon elke besnijder er op gesteld is, iedere mielàh te kunnen, te mogen verrichten, die binnen zijn bereik komt, hij zal zich toch nooit laten vereren met de opdracht der mitswah, wanneer een collega om de een of andere reden er meer recht op zou hebben; wanneer deze bijv. reeds een broertje van het nu te besnijden kind heeft besneden. Dan trouwens zou het de vader niet fraai staan de eerste mohél te passeren. Dit wordt, in het algemeen gesproken, ook niet gedaan. En als het wel gebeurt, dan wordt het begrijpelijkerwijze, als een belediging gevoeld. Een mohél wordt niet beledigd; hij wordt geëerd. En ieder vader en iedere familie beschouwt het als een onderscheiding, dat de mohél hem en haar ten dienste staat. Hij wordt vaak een vriend der familie en voor de kinderen menigmaal iemand met de rechten van een soort oom. Soms ook met diens plichten erbij. Het komt niet alle dagen voor, maar het is toch geen unicum, dat een joodse man u een boek, een gebedenboek bijv. kan laten zien met een opdracht erin van zijn mohél: een bar-mitswàh-geschenk. Of een cadeau bij het huwelijk.

Deze verhoudingen, toen ze nog alledaags waren, vormden een sterke, haast patriarchale band en getuigden van de grote innigheid in de joodse samenleving. Zij hielden het leven krachtig gaande, gemoedelijk en tegelijk vol poëzie. De tijd en zijn haast en zijn proza hebben daarin wel verandering gebracht. Verbrokkeling en verkoeling beïnvloeden elkander. Zij doen voortdurend sterker hun voor het joodse leven ondermijnend werk. Veel kostbaars wordt er opgezogen in de assimilatie.

Eens zat de profeet Elia neerslachtig, haast wanhopig aan de berg Horeb en klaagde: 'verlaten hebben Uwen Bond de kinderen Israels' (1 Kon. 19, 10). Met deze Bond bedoelde hij, naar een traditionele opvatting, de bond van Abraham. Zover is het thans nog niet gekomen. De mohél kan het getuigen. En het jodendom mag daarvoor ook hem wel dankbaar zijn. Hij is zijn plaats waard; hij kent zijn plicht; verstaat zijn kunst.

Operatie is – we zeiden het reeds – een te groot woord voor de behandeling der besnijdenis. Toch wordt er nooit een enkele voorzorg nagelaten, welke wetenschap en techniek bij wonden en wondjes en bij wondbehandeling vereisen. Zo ergens, dan gaat men hier met de tijd mee. De Bijbel kent nog het mes van steen bij besnijdenissen in gebruik (11 Moz. 4, 25; Jos. 5, 3,). Het instrumentarium van de mohél thans evenaart als zodanig, wat stof en doelmatigheid betreft, de uitrusting van de medicus voor diens arbeidsveld. Wij hierinneren ons nog de dagen, dat het uitzuigen van het toegebrachte wondje – een der integrerende onderdelen der besnijdenis – door de besnijder met de mond geschiedde. Hij nam daarbij een teug wijn in de mond, die hij tegelijk met het drupje uitgezogen bloed weer uitspuwde. En er kwam geen bloed te zien. Er is gezegd, dat dit ook diende als antiseptisch middel. Nu echter gebruikt hij een buisje van glas. De invoering van dit glazen buisje heeft wel enige strijd in het leger van Israël verwekt. Maar het is er gekomen. En het is er voorgoed.

De besnijder komt voor de plechtigheid natuurlijk in feestgewaad. Hij hult zich bij de plechtigheid bovendien in het tallith, het vierhoekige gestreepte kleed met de franjes – de tsitsith – er aan. Tegenwoordig offert de mohél zijn feestkledij aan de hygiëne op en hij verwisselt ten behoeve der besnijdenis zijn zwarte jas voor de witte dokterskleding. En bij deze gelegenheid wordt het tallith gevouwen in een reep, zodanig over de doktersjas gedragen, dat het schadelijk noch hinderlijk kan zijn.

Het hele instrumentarium is meestal zo, dat het in zijn geheel kan worden uitgekookt. En de ingrediënten, die voor de operatie nodig zijn, ondergaan vlak voor het gebruik de nodige hygiënische behandeling. Zó bewerkt de besnijder ook vooraf zijn handen. En als hij een assistent te zijnen dienste heeft, dan doet deze natuurlijk desgelijks. Er blijft volstrekt niets achterwege. Trouwens, de besnijder die onverhoopt in deze opzichten te kort zou schieten, zou evengoed met intrekking van zijn bevoegdheid kunnen gestraft worden, als wanneer hij de rituele voorschriften zou overtreden.

Een paar instrumenten slechts hoeft de mohél te gebruiken. Hij heeft een mesje. Onnodig te zeggen, dat het vlijmscherp is. Daarmee verwijdert hij de 'orlah, d.i. het praeputium. Maar het eigenlijke lid, – de eikel, de glans – mag niet geraakt worden. Daarom wordt het praeputium eerst vastgehouden tussen een soort knijpertje – tang geheten – welks platte zijden over de eikel liggen en deze beschermen. Na de verwijdering der voorhuid, de orlah, buiten langs de tang heen, is deze vanzelf los en vrij. Het vlies onder de bovenhuid wordt in tweeën gedeeld en met de bovenhuid achter de rand van de eikel gelegd. Het wondje wordt door middel van het glazen buisje uitgezogen. De operatie is geschied. Het gaat gewoonlijk sneller dan het hier is neergeschreven. Het verband wordt met hygiënische zorg en technische vaardigheid gelegd. De verdere behandeling voldoet natuurlijk aan dezelfde voorwaarden. En in enkele dagen is alles gewoonlijk helemaal genezen.

Zo is het normale verloop der dingen. En de overgrote meerderheid dezer dingen is normaal. Zijn er kleine afwijkingen dan is de besnijder ook daarop geprepareerd. En anders zal hij er de medicus bij roepen. Veeltijds komt de geneesheer bij de gebeurtenis even kijken. En in sommige gevallen, bijvoorbeeld wanneer het kind door onvermijdelijke oorzaken wat ouder is, mág de mielàh niet buiten de aanwezigheid van een geneeskundige geschieden. Maar hoe dan ook: lichtvaardig gaat de mohél nooit te werk.

De mohaliem hadden altijd de gewoonte een register bij te houden van de door hen verrichte besnijdenissen. Die registers vormden een soort burgerlijke stand toen deze nog niet officieel bestond. Er bestaan van zulke mohélboekjes zeer oude en mooie exemplaren. En zo zijn er ook nog zeer fraaie mohélkistjes, kastjes met instrumenten erin ten behoeve der besnijdenis. Uit oude dagen.

PLECHTIGHEDEN VOORAF

Als de achtste dag genaakt, is ook de plechtige vreugde in aantocht. De mitswàh, de daad, met al haar ernst en heiligheid, brengt stemming en spanning en ontroering in de harten en in huis. De nodige aanstalten zijn gemaakt, om de Dag te ontvangen. Gewoonlijk is er reeds vóór de geboorte van het kind met een mohél gesproken om hem te verzoeken de verrichting der besnijding op zich te willen nemen voor het geval er een zoontje wordt geboren en om hem dan met de functie te vereren. Niet met een, maar met de mohél is gesproken, wanneer er reeds een jongen in het gezin besneden is en de mohél te bereiken is, die toen de mielàh heeft verricht. Meestal, in beide gevallen wordt de mohél bij voorbaat gezocht, gevonden en benoemd.

Maar er moet nog een ander als hoofdpersoon voor de plechtige gebeurtenis be- worden: de *Sandék*. Dat is de man, op wiens schoot het kind zal liggen, wanr besnijdenis ondergaat; wanneer het als zoon van Israël het bondsteken aan zijn lichaam krijgt gezegeld en hij als lid van de bond van Abraham in het Volk des Verbonds wordt opgenomen; de man derhalve, wiens knieën het altaar zullen vormen, waarop de heilige handeling zal geschieden. Het is gewis geen geringe onderscheiding als zodanig te mogen fungeren. Het wordt als een voorrecht beschouwd, zulk een taak te kunnen verrichten. Voor deze eer komen zoals haast vanzelf spreekt, het eerst de grootvaders in aanmerking. Grootvaders, die hun kindskinderen op het altaar, dat zij zelf bouwen, aanbieden voor de wijding door middel van het onvergankelijke zegel van Israëls onafgebroken geslachten. Het kunnen natuurlijk niet altijd grootvaders zijn. En het hoeft ook niet. De keuze is vrij. En de eer kan ten slotte ieder erlangen.

Er zijn mensen, die als ze om de een of andere voor hen beslissende reden geen mohél kunnen zijn, de dienst van Sandék met bijzondere voorliefde vervullen en naar de gelegenheid ertoe zoeken. Dat is heel goed begrijpelijk en zeer best aan te voelen. En wanneer zij in een arm gezin de kans geboden krijgen om als sandék op te treden en tegelijkertijd wat steun voor de kraamvrouw en wat verlichting van zorg aan haar gezin kunnen brengen, dan laten zij het zich heel gaarne geld kosten.

In de wandeling heet deze functionaris bij het volk: *Gevatter*. *Gevader* derhalve of peet. In waarheid echter is sandék en gevatter eigenlijk niet dezelfde. De laatste is oorspronkelijk degeen die het kind aanneemt aan de ingang van het vertrek, waar de besnijdenis zal plaats hebben en het brengt naar de sandék en het deze overreikt. Hier evenwel is deze eigenlijke gevatter uitgeschakeld en valt zijn functie samen met die van de sandék.

Een dame haalt het kind uit de wieg, uit het bedje, uit de slaapkamer, van de moeder, of vanwaar het zich bevindt en brengt het waar de mielàh wacht. Zij is de *Gevatterin*. Natuurlijk alweer bij voorkeur de grootmoeder. Bij voorkeur, maar overigens ieder ander.

De sandék nu en de sandéketh – hier dus de gevatter en de gevatterin – worden ook van te voren benoemd. Maar zij kunnen wel wachten met het ontvangen hunner aanstelling totdat de geboorte zekerheid omtrent het geslacht van het verwachte kind heeft verschaft.

Vaak zet de plechtigheid reeds de vorige avond in. Er komt een gezelschap bijeen in het huis der geboorte, leest er passages uit de Bijbel, die van de besnijdenis gewagen en stukken uit Misjnàh en Talmoed, welke er over handelen. En men zegt toepasselijke gebeden voor het herstel der kraamvrouw, het welzijn van het kind, het geluk der ouders. Voor deze huiselijke dienst is ook een leidraad samengesteld; een boekje, hetwelk gewoonlijk de titel voert van Berieth-Jitschak – het Verbond van Izak – of iets dergelijks. In den regel zal de mohél tot het gezelschap behoren en dan allicht de leiding hebben.

Heel lang geleden is het nog niet, dat deze bijeenkomst vrij algemeen in zwang was Aan het samenzijn was een groter of kleiner maal verbonden of ging alleen maar gepaard met het genieten van thee en fruit en van enkele versnaperingen en zo meer. Het eindigde met het uitspreken van het nachtgebed bij moeder en kind. Door dit alles heen was behalve vroomheid en warmte, ook nog wel wat mystiek geweven, ontleend aan de Kabbalah en door het Chasidisme verder bewaard en voortgebracht.

De vooravond der besnijdenis droeg ook een eigen naam. Het volk zei: 'nacht van de waats' en ook wel: 'nacht van de waak'. Wist van geen dier beide woorden afleiding of verklaring en paste er allerlei volksetymologieën op toe. Het was: de 'nacht van de wa'ad', d.w.z. de avond der samenkomst. Hij is, haast algemeen, niet meer. Althans hier te lande. Wij hebben geen tijd meer, geen avonden meer vrij. Wij zijn tevreden en vinden ons tamelijk blij, als wij de dag zelf in allen dele kunnen geven wat hij hebben moet.

De dag zelf begint met het gaan naar de synagoge en met de dienst aldaar. De synagoge leeft mee. En allen die er zijn leven mee. Daar zijn, als het kan en als het volledig is, de mohél, de sandék, de vader. Er zijn meer lichten op dan anders. Op een werkdag worden er geen extra gebeden gezegd, geen Pijoetiem ingelast. Wel worden er enkele onderdelen weggelaten: het Smeekgebed – Tachanoen – waarvan Psalm 6 het hoofdbestanddeel vormt, wordt nu niet uitgesproken. Want dit, heel innig maar droef en haast bitter wordt te midden van het gemeenschappelijke gebed als een individuele bede beschouwd. De psalm staat in het enkelvoud. En ieder zegt hem bij de algemene dienst steeds stil voor zich, liggend met het hoofd in de arm.

Nu valt het smeekgebed weg in de vreugde die een gebeurtenis vergezelt, welke bij uitstek der gemeenschap behoort. Het lost zich steeds in dergelijke gelegenheden op.

Enkele delen van de liturgie worden nu, ook op werkdagen op bijzondere wijze en in een vaste, eigen melodie voorgedragen. Als de mohél en de sandék beide aanwezig zijn, dan dragen zij in beurtzang samen het 'Lied aan de Zee' voor (II Moz. 15, 1-19) met de twee verzen vooraf (14, 30 en 31) en de inleiding en het slot, waarin dit lied is gevat in de gebedenboeken.

Er is een midràsjdichter aan het woord in een koene allegorie, welke dit gebruik illustreert en er inhoud aan verleent:

Israël is uit Egypte getrokken. Het staat voor de Rode Zee. En de Pharao die berouw heeft, dat hij het volk heeft laten gaan, haalt hen in met zijn geweldige legerscharen. Het bevrijde Israël ziet zich van achteren bedreigd en van voren de weg afgesneden. Angst alomme. Gemor en weeklacht stijgen op. Mozes heft op Gods bevel de staf over de zee opdat de wateren zich splijten. Maar de zee antwoordt met het gebrul harer baren. Zij gehoorzaamt niet. Mozes laat nu de baar naar voren brengen, waarop de stoffelijke rest van Jozef wordt vervoerd. Zal de zee niet moeten wijken als ze hem aanschouwt, die deugdzaam bleef in alle verleiding en Hebreeuwer in de Egyptische assimilatiedwang? En nog antwoordt de zee met het woedend gebeuk harer golven.

Dan herinnert zich Mozes hoe hij, zelfs hij, in levensgevaar verkeerde op zijn weg naar

Egypte. En hoe Tsippora zijn vrouw hem redde doordat zij snel de besnijdenis volbracht aan hun zoon, die hij onbesneden uit Midjan had meegenomen, toen hij naar Egypte trok, om er als verlosser van zijn volk op te treden (II Moz. 4, 24-26). En hij bedacht, dat God dus blijkbaar ook hem, die Hij als redder had aangewezen, niet gespaard zou hebben, zelfs niet op de weg naar de verlossing. Terwille der besnijdenis. En Mozes laat de mielàh pleiten bij de zee en haar de doortocht vragen: de golven leggen zich. De zee wordt gespleten. Voor het verbond der besnijdenis.

Zo zingen wij het 'Lied aan de Zee' bij deze ochtenddienst, zingen wij het door de mond van mohél en sandék. En die zang zingt van de daad de oneindige waarde uit, welke de dichter heeft getekend.

Zijn deze twee mannen niet allebei aanwezig, is er slechts één of is de vader daar, in ieder dier gevallen wordt het lied toch op de traditionele wijze voorgedragen en vervangt de chazan de afwezige. En als even verder in de liturgie wederom een passage gewaagt van de verlossing uit Egypte en van de doortocht door de Schelfzee dan zingt de voorzanger daarbij andermaal een oude daar gebruikelijke melodie.

Op maandag en donderdag is het kerieath Hattorah, Torah-voorlezing. Dan worden de drie hoofdpersonen of zoveel van hen als de omstandigheden toelaten, bij het voorlezen der Leer 'opgeroepen'. De vader zal gewoonlijk de sabbath na de geboorte van zijn zoon reeds voor de Torah zijn verschenen en voor gade en kind een zegenbede hebben laten uitspreken.

Valt de besnijdenis samen met een sabbath, dan komen er ook nieuwhebreeuwse dichters met hun pijoetiem aan het woord en worden deze extra in de liturgie ingelast. Sommige gemeenten hebben zulk een sabbath een bijzonder voorhangsel voor de heilige arke, hetwelk alleen ter gelegenheid van een mielàh dienst doet. Of er bestaat een geborduurde strook met een op de besnijdenis toepasselijk opschrift, dat op elk voorhangsel kan vastgehecht worden. Dat wordt dan ook wel gedaan bij een besnijdenis op een werkdag.

Zo viert de synagoge het feest der besnijdenis. Kort na de dienst zal nu thuis de mielàh plaats vinden. Zo spoedig als de omstandigheden het gedogen. Want we zullen ons bereidwillig tonen en snellen immers op de vervulling onzer plichten toe. Zo behoort het steeds. En gewis bij deze plicht.

DE PLECHTIGHEID

Het huis wacht nu op de gebeurtenis. Het is in gereedheid gebracht om haar waardig te ontvangen. In het vertrek, waarin de mielàh zal voltrokken worden, staan twee stoelen klaar, ter plaatse waar de besnijdenis zal geschieden. Dicht bij het raam, waar het daglicht het beste is. Want de mohél, immers onze operateur, moet zo goed mogelijk licht hebben. Gewoonlijk zullen ter feestelijke verheffing ook alle lichten in het hele vertrek ontstoken zijn. Eertijds ontbraken ook de extra kaarsen niet. Twee stuks grote kaarsen waarmee twee der aanwezigen de plechtigheid omgaven en belichtten. Twee personen, die met de eer begiftigd werden, om die kaarsen te mogen vasthouden. Dat waren jitsj-kaarsen. Want het besnijden werd door het volk in de taal van het ghetto ook wel *Jitsjen* genoemd. En jitsjen is uit *Jüdischen* d.i. *Joodsen*. En daarmee werd bedoeld: tot volle jood maken door de opname in de bond van Abraham.

Op een der beide zetels nu zal aanstonds de gevatter plaats nemen. De andere, de rechtse, rechts van degene, die ervoor staat, draagt een paar kussens. In mooie slopen gestoken. De mooiste die het huis bezit.

Menige synagoge heeft een paar extra fraaie stoelen voor de besnijdenis en eveneens de erbij behorende kussens. Vaak antieke stoelen. Uit de tijd, toen de mielàh als regel in de sjoel plaats vond. En deze stoelen dienden gewoonlijk tevens als zetels voor de bruidegoms der Leer op het feest van Simchàth Torah. Waarvoor ze dan nu nog in gebruik zijn. Ook de kussens op die officiële zetels zijn officiële kussens en hebben omhulsels, welke met toepasselijke emblemen of opschriften of met allebei zijn versierd. Deze stoelen zijn dus dé *Jitsj-stoelen* en de kussen zijn de *Jitsj-kussens*.

De rechtse zetel is de zetel van de profeet Elia. Mal'achie, de laatste der profeten in de rij der zogenaamde twaalf, heeft zijn naam genoemd en van hem gezegd, dat hij eens de nadering van de Messiaanse tijd zal komen aankondigen (Mal. 3, 23). De tijd, dat de aarde vol zal zijn van Godserkenning, gelijk het water de zeebodem dekt (Jes. 11, 9). Waarom zou hij niet tegenwoordig zijn bij iedere besnijdenis, telkens als het bondsteken bevestigd wordt aan een nazaat van Abraham? Deze immers was de aanvang. Hij was de eenzame, de eerste, die de Godheid voelde, kende, diende. Die begon de Godserkenning mee te nemen en te brengen naar Kenaän. Door zijn leven te verbreiden onder zijn tijdgenoten. Het verbond, *dit* verbond aanging. Het verbond, dat zijn kroost zou moeten aanvaarden en zou aanvaarden en vervullen tot in het einde der tijden. Dat als volk drager zou zijn van het bondsteken, drager van de bondsgedachte, wier inhoud bij Abraham aanwezig was en wier uiteindelijke verwezenlijking tot feit in volle omvang de Messiaanse tijd is voorbehouden.

Elia zal getuige zijn. Volharding en voortschrijding aanschouwen.

Elia zal getuige zijn! Want wij hebben hem ook neerslachtig en ontmoedigd gezien en hem horen klagen, dat Israël het verbond had verbroken (1 Kon. 19,10). Hij zal zien en ervaren, dat hij te zwaarmoedig was en Israël ten onrechte heeft verdacht en beschuldigd. En hij zal tevreden zijn en van toekomst naar toekomst stijgen.

Elia zal getuige zijn. Een goede getuige. Hij zal de mohél schragen, het kind weldadig omzweven en sfeer van zegen en beschutting en heiliging hier scheppen rondom deze

סוד ה'
עם
שרביט הזהב
אשר הבר הרב הגדול נר ישראל · כבוד מהר"ר דוד
דליד"א נר"ו · אשר הרבין תורה בכמה וכמה
קהלות קדושות והיה אב"ד
דק"ק אמשטירדם ·

ועתה נתוספו בו כמה דינים והלכות פסוקות
מלוקטות מהפוסקים האחרונים ומחר"י סג"ל ומשאר
ספרים והדינים החדשים נרשמים בשני
כוכבים כזה ( )

גם הטענו לדפוס וכרות גם הרחמן למחומים וכל הברכות
והתפלות לסמוך באותיות גדולות ותמנוקדים למען ירון
קורא בו ·

נדפס נמו תקפד

SOD HASCHEM.

ויין
נעדרוקט ביא אנטאן שמיד ק"ק בובדרוקער ·
WIEN, gedruckt bey Anton Schmid. 1814.

Titelblad van een boekje met de voorschriften voor de besnijdenis. (Collectie Joods Historisch Museum, Amsterdam.)

Besnijdenisgereedschap in kistje, 19de eeuw. Inhoud: klemmetje, schaartje, besnijdenis-mesje, doosje en kiddoesj-beker. (Collectie Joods Historisch Museum, Amsterdam.)

Besnijdenisbank. Friesland, 1808. In de kap van de bank gebeeldhouwd besnijdenisgereedschap. Het geborduurde kussen dat bij de bank hoort, ontbreekt. (Uit particulier bezit.)

כתר שם טוב

זה ספר תולדות אדם
ספר הברית לזכור ברית עולם
אשר לשלמה בן המאושר
המשכיל ונבון כבוד הגביר
המעלה יצחק קוריאל אבען
יצ"ו

בשנת ובסדר
ושמר יְיָ אלהיך לך את
הברית ואת החסד
ביום רביעי כ' לחודש מנחם

A. Un Sacerdotte, ou descendant de la Famille d'Aron, emportant l'Enfant.
B. Le Pere offrant de l'argent, pour le Racheter.

Le RACHAT,
du
PREMIER NÉ;

C. La Mere de l'Enfant.   D. La Sage Femme.
E. La Nourrice. Les autres sont des Parens, et Amis invitez a cette Ceremonie.

B. Picart directeur inv.

Lossing van de eerstgeborene. Gravure Picart. (Uit particulier bezit.)

Links: Titelblad van een Mohél-boek uit 1724. (Bibliotheek 'Ets Haim' Livraria Montezinos, Amsterdam.)

S° 99.

Diploma.

DE COMMISSIE VAN TOEZIGT

over de *Kerkelijke Besnijdenissen*, voor
het Sijnagogaal ressort van Amsterdam, reside-
rende te Amsterdam, geëxamineerd hebbende den
Heer *Simeon S. de Vries*

Verklaart denzelven bekwaam om de functien van
Kerkelijk Israëlitisch Besnijder te mogen uitoefenen bij alle Israëlitische Gemeenten, mits zich
onderwerpende aan de Bepalingen en Reglementen,
op het examen en de toelating der *Kerkelijke
Besnijders* voor het Israëlitisch Kerkgenootschap
vastgesteld.

AMSTERDAM, den { *26 Febr 5618*
{ *12 Januay 18.*

De Commissie van Toezigt voornoemd.

Ter ordonnantie van dezelve,

Secretaris.

Het diploma van de Mohél S. I. de Vries. (Collectie Joods Historisch Museum, Amsterdam.)

ד׳ דוד בן קלונימוס הכהן
נמול ביום ג׳ אחרן של
פסח , תרי״ח ק״ל בהארלעם

4 David Coenraad Cohen
besneden den 6 April 1858, te
Haarlem. —

Vader Coenraad Nathan Cohen
Moeder Rozje Saphier.

ה׳ אליעזר בן נפתלי אריה
ריינעפעלד , נמול בישבת קדש
כ״ו ניסן תרי״ח ק״ל בהיללעהאם

5 Eliëzer Levi Rynveld
besneden 10 April 1858, te
Hillegom.

Vader Harke Levi Rijnveld
Moeder Betje Levi Levie.

ו׳ יעקב יהודה בן אהרן באעק , נמול
בישבת קדש , י״ז אייר , תרי״ח ק״ל בהארלעם

6 Jakob Juda Beck.
besneden den 1 Mei 1858, te
Haarlem. Aron Jakob Beck
Moeder Mietje Abraham Waterman

ז׳ • מנחם בן יעקב הכהן (לבית דאווידזאן)
נמול יום א׳ ט״ז מרחשון תרי״ט לפ״ק
בכפר נארדווייק

1. Emanuel Jakob Davidson
binnen 24 Oct. 1858 te
Noordwijk aan Zee.
Vader Jakob Davidson
Moeder Eva Dantzig (Eva)

ח׳ שלמה בן אברהם דרוקקער
נמול עש״ק ו׳ אדר ראשון תרי״ט ל
Salomon Abraham Drukker
te Haarlem besneden de
11 February 1859. Vrijdag
Vader Abraham Drukker
Moeder Sien Boddekooper

ט׳ יששכר בן אברהם דע פריאס
נמול יום ב׳ ז׳ ניסן תרי״ט לפ״ק

9 Barend Abraham de Vries Halfos
Vader Abr. J. de Vries Moeder Sara B. Mok.

HET BAD DER HOOGDUITSCHE JOODEN, TE AMSTERDAM.

Het Mikwàh (rituele bad) van de Hoogduitse joden. Gravure van Caspar Philips Jacobsz. naar P. Wagenaar, 1783. (Historisch Topografische Atlas, Gemeentelijke Archiefdienst, Amsterdam.)

plechtige daad van onvoorwaardelijke gehoorzaamheid; de vernieuwing telkens weer van de bond van Abraham.

Aldus wordt de Elia-gedachte bij de besnijdenis gebracht en bewaard. En in dit dichterlijk symbolisch licht staat daar de stoel van Elia.

Het kind kan binnen gebracht worden: de mohél is gereed. Zijn gereedschap, op de voorgeschreven wijze naar de eisen der wetenschap geprepareerd, ligt klaar. Op een tafel ziet ge verder wasgereedschap en alle ingrediënten, welke voor de kleine operatie nodig zijn en nodig kunnen zijn. De mohél, staande gewoonlijk voor de troon van Elia, verricht snel een kort gebed. En dan geeft hij een teken, dat het kind wordt verwacht.

Het is in aantocht. Onnodig te zeggen, dat het – al naar omstandigheden – in pronkgewaad gestoken zal zijn. De sandéketh draagt het op haar armen statig. En als de deur opengaat van het vertrek der gebeurtenis, klinkt er uit aller mond een baroeg habbah, een welkom met de twee eerste woorden van Ps. 118 vrs 26.

De sandék neemt het kind over en uit diens handen legt de mohél het ter neder op de zetel van Elia bovenop de kussens. Hij maakt, voor zover nodig, de kleertjes los en ontbloot de plaats, die behandeld moet worden en haar omgeving en spreekt onderwijl toepasselijke bijbelverzen en wensen uit.

De sandék heeft inmiddels plaats genomen op de zetel links, die voor hem bestemd is. En als de eerste-noodzakelijke voorbereidende handelingen gebeurd zijn, neemt de mohél het kind met de kussens op en legt het aldus op de aaneengesloten knieën van de sandek: het altaar, waarop aanstonds de besnijdenis verricht zal worden. Het hoofdje van het kind naar de borst van de sandék gekeerd. De beentjes van het kind krijgt deze te omvatten in zijn handen op de praktische wijze, welke hem, desnoods in een ommezien wordt geleerd. Wassingen volgen: wassing der handen van de mohél niet als wijding maar als hygiënische maatregel en dienovereenkomstig; eveneens zulk een wassing bij het kind van het lid en de omgeving in ruime mate en op doelmatige wijze, zodat alles waar het op aankomt gelijk voor een operatie is geprepareerd.

De besnijdenis geschiedt: de zogenaamde tang of knijper wordt handig snel gezet; de mohél heft de wijdingsspreuk aan, welke de godsdienstige daad vergezelt: 'Geprezen God, die ons geheiligd heeft en ons de besnijdenis heeft bevolen'; Het praeputium – de orlah – wordt buiten langs de platte zijde van de knijper afgesneden; vader antwoordt met zijn wijdingswoord: 'geprezen Hij, die ons geheiligd en ons bevolen heeft het kind aldus in de bond van Abraham op te nemen'; en de omstanders stemmen wensen in: 'zoals hij thans in de bond is opgenomen, zo moge hij opgroeien tot een zoon der Torah, tot rijpheid van het huwelijk, tot een mens van brave werken'.

Reeds heeft de mohél intussen het vlies gevat, dat na de verwijdering van het praeputium bloot is gekomen. Hij heeft het gaatje in het midden met een daarvoor geëigend tangetje, of ook wel daarzonder, groter en wijder gemaakt en deze onderhuid naar ach-

teren gelegd over de rand van de eikel heen, zodanig, dat de hele eikel volkomen is ontbloot. En door middel van het glazen buisje heeft hij de uitzuiging verricht.

De operatie is volbracht. In minder tijd, dan waarin deze beschrijving kan nagelezen
worden.

Het verband moet nog aangelegd worden. Gaas en watten en al wat ervoor nodig en
wenselijk is, liggen van te voren gereed. De eenvoudige en bekende middelen worden
aangewend om het gewoonlijk geringe bloeden tot staan te brengen. Als dat geschied is,
maar ook eerst dan, wordt het wondje verbonden.

De nabehandeling is natuurlijk niets anders dan de gewone verzorging van een verband en een wondje. Hier moet er bovendien op gelet worden, dat de huid, die achter de
rand van de eikel is gelegd, de eikel niet meer gaat bedekken.

Het verbandje is gereed. Het besneden kind is weer in zijn gewaad gewikkeld. Ingewikkeld. Ingewikkeld met de vereiste voorzorg die het verband en dus het wondje be-
schermt.

De sandék zal opstaan. Staande, draagt hij het kind op zijn armen, terwijl de kussens
weer op de stoel van Elia zijn gelegd.

De mohél spreekt bij een beker wijn een slotlofzegging uit; bidt het kind Gods zegen
toe; geeft het plechtig de Hebreeuwse naam, die het voortaan in Israël zal dragen; laaft
het met een drupje wijn terwijl hij van het formulier de woorden uit Ezechiël (16,6) na-
zegt: 'en Ik zeide tot u: "herleef in uw bloed" en Ik zeide tot u: "herleef in uw bloed".'
En ten slotte onder handoplegging op het hoofdje van het kind herhaalt hij met de aanwezigen de wens, die zoëven reeds eenmaal uit hun mond geklonken heeft: Moge hij
groeien, rijpen, braaf worden!

De sandék drinkt van de beker. Het kind wordt door de gevatterin teruggebracht naar
moeder. De plechtigheid is geëindigd.

FEESTELIJKHEDEN · WERKING

De daad is volbracht. De spanning is, voor zover ze viel te voelen, thans verdwenen. Bij
de mohél, de sandék, de omstanders. En bij de vader. En ook bij de moeder. Zij heeft
haar kind terug ontvangen uit de handen van de gevatterin en het ligt thans behagelijk aan
haar borst, rustig, nu het zich weer gewoon voelt aangevat.

De plechtigheid is evenwel nog niet ten einde. Want het is een feestdag vandaag, het
feest der *Besnijdenis*. Er zal een maal genuttigd worden. Een *Se'oedath Mitswàh*, een maal
ter begeleiding en ter viering van het Goddelijk gebod. Een grotere of een kleinere
feestdis zal het zijn, naar gelang van de aanwezige mogelijkheden en van de geest en het
gevoel, die bij de ouders de vervulling van het voorschrift vergezellen. Er zijn mensen,

die het kunnen doen en een groot feestmaal aanrichten zoals Abraham deed 'op de dag dat Izak gespeend werd' (1 Moz. 21,8). Er zijn anderen, die het om de kosten niet hoeven te laten en het genoeg vinden met heel weinig.

Bij dit feestmaal wordt er zoals dat bij maaltijden op plechtige dagen en bij gewijde gebeurtenissen gewoonte is, brood gebroken. En aan het eind bij het uitspreken van het gezamenlijke tafelgebed, wordt er ook wijn gebruikt. Dit in ieder geval. Er kan natuurlijk ook tijdens de maaltijd wijn gedronken worden. Vroeger kwamen er bij voorkeur kleine broden op tafel, gebakken in de vorm der sabbathsbroden, kleine challetjes derhalve. En als ze belegd waren met kaas, dan was het al een hele partij. Het bakken van deze challetjes thuis was reeds een feestelijke bedrijvigheid vóór de feestelijkheid van de dag der berieth-hammielàh. Er was ook een krentenbrood in de vorm van een krans, fijn toebereid, die kaulisj genoemd werd en het speciale gebak van de berieth-hammielàh-d vormde.

Dat het licht, zo mogelijk veel licht, de feestdis bestraalt, behoeft niet gezegd te worden. De grote, dikwijls zilveren sabbathkandelaars bewezen en bewijzen ook thans nog hun goede diensten daarbij ter opluistering en ter verheffing van de aanblik.

De mohél is het hoofd, de koning aan deze tafel. Het wordt een gezellig samenzitten en het wordt eerst goed, wanneer de toespraken en toasten, die er natuurlijk niet ontbreken, ook met torahwoorden en torahgedachten worden gekruid. Dat immers drukt het stempel op de se'oedath-mitswàh. Met het zingen, ten minste van de gewone feestelijke tafelzang – Psalm 126 –, wordt het uitspreken van het gemeenschappelijke tafelgebed ingezet. De mohél zal hierbij in de regel de voorganger zijn. Het tafelgebed heeft bij deze gelegenheid iets bijzonders: er is een pijoet, een gedicht van een nieuwhebreeuwse zanger, bij ingevoegd. En dat is een feit, hetwelk in het dankgebed na de maaltijd bij geen andere gebeurtenis of plechtigheid heeft plaats gevonden. Het gedicht bezingt zoals vanzelf spreekt, de gebeurtenis en het gewicht en de waarde van de bond van Abraham en is een bede voor het herstel van het kind, voor zijn lichamelijk en geestelijk welzijn en voor het geluk der ouders in het algemeen en met deze spruit in het bijzonder. Het biedt ook de mohél en de mohélstand gelukwensen aan en bidt voor het heil van Israël. Vóór het tafelgebed is er een bokaal met wijn gevuld. Aan het eind wordt er de toepasselijke wijdingsspreuk over uitgesproken, waarna het glas geledigd wordt. Ook aan de moeder wordt ervan gebracht om er een teug van te nemen.

En dan is het feestmaal geëindigd en daarmee de plechtigheid afgesloten. Nog enige dagen houdt de mohél toezicht op de verdere wondbehandeling. Gewoonlijk in een dag of drie à vier behoort de hele gebeurtenis tot het verleden.

De gang dezer gebeurtenis met al de plechtigheden en feestelijkheden, die er aan verbonden zijn en de ceremoniën en riten, welke er bij plegen te geschieden, hebben we hiermee behandeld. Het wezen der daad hebben we in het licht gesteld en de betekenis van het verbond der besnijdenis beschreven. De werking ervan is door alle tijden heen niet minder dan groots en geweldig geweest. Het joodse volk heeft in zijn erbarmelijke versplintering in niet geringe mate ook aan deze bond net behoud van zijn eenheid te danken. Dit teken was metterdaad het bondsteken. En is het nog. In het algemeen kan men gerust zeggen, dat de joodse natie het nooit heeft gewaagd dit bondsteken ontrouw te worden. Geen vlag en geen wimpel is het en geen kokarde en geen eedsformulier. Bondsteken, in het lichaam gesneden. Bij het onnozele kind. Het wicht heeft het onbewust ontvangen. Maar bewust geworden, heeft het zijn bondsteken met fierheid gedragen en zelf tot vader gerijpt, heeft hij aan zijn spruiten met vreugde en met trots hetzelfde teken bevestigd. Het eeuwige teken des verbonds. Of het teken van het eeuwige, onvergankelijke verbond. Tussen Israël onderling als één grote eenheid, als één familie, één stam, één volk. En tussen God en Israël.

Het heeft deze bond boven alles heilig gehouden en bewaard. Ook de sabbath heet een verbond tussen God en Israël (II Moz. 31, 16). Maar wanneer de geschiedenis ook gewaagt van tijden, waarin de sabbath schromelijk en in massa verzaakt werd, het verbond der besnijdenis werd in ere gehouden. De profeten strijden tegen alle mogelijke ontaardingen, tegen afgodendienst en tegen sabbathschennis (Jes. 58, 13; Jer. 17, 21-27) Ezra en Nachemjah hebben te kampen tegen heidense huwelijken en sabbathontheiliging (Neh. 13,14-27) maar nergens vinden wij het verwijt van ontrouw aan het verbond der besnijdenis.

Reeds Jacobs zonen noemden de gedachte, dat hun zuster Dina aan een onbesnedene zou gegeven worden, een schande (I Moz. 34,14). En in verhoogde, in ergste, in weerzinwekkende graad werd het in Israël gevoeld als een schandvlek, als een verraad, een joods kind onbesneden te laten. Een verraad aan het volksverbond, aan het volk. Een verraad aan het weerloze kind. Dit kind, groot geworden en tredende in de samenleving, zou in de ogen en de mond der wereld een jood zijn. En bij Israël, als jood, toch beschouwd worden als afgesneden van de stam. Naar buiten dus een jood. Naar binnen niet een jood en evenmin een niet-jood. Een bastaard.

Is het kind volwassen geworden, dan komt de plicht op hemzelf te rusten en krijgt hij de verantwoordelijkheid te dragen voor hetgeen de ouders nagelaten hebben. Het is voorgekomen dat volwassen mannen het in hun jeugd in dit opzicht verzuimde hebben ingehaald.

In tijden van bittere vervolging hebben joodse ouders vaak de grootste gevaren getrotseerd om de daad der besnijdenis aan hun zonen te doen voltrekken. En zij, die in de dagen der ellende ten enen male tot onmacht waren gedoemd, hebben zich, zodra er verademing was gekomen, altijd bij de eerste mogelijkheid door de mielàh volledig in het jodendom doen opnemen. We behoeven slechts aan de Marrano's te herinneren.

Wij ontveinzen het ons volstrekt niet, dat de vroegere geslachten ter wille der mielàh blijkbaar gemakkelijker ontzettende gevaren verstonden te dragen, dan de tegenwoordige er de vrijheid en de weelde voor weten te torsen. Wij weten het terdege en wij verbloemen het niet, dat de afval en de ontbinding van het joodse leven in onze dagen als symptomen óók gevallen van ontrouw aan het teken des verbonds registreren. En niet een enkel op zichzelf staand geval. Maar niettemin: een talmoedwijze[1] heeft aangedurfd het bijbelvers in Jeremia (33, 25) aldus te interpreteren: 'Ware het niet om Mijn verbond – het verbond der besnijdenis – zo zou Ik nooit de wetten van hemel en aarde hebben vastgesteld!' Het is stout gezegd. Wáár blijft het echter en het kan ook heden nog moeilijk bestreden worden, dat het teken des verbonds in Israël als geheel zo vast staat als de natuurwet in de schepping.

1. Babli Sabb. fol. 137b en andere plaatsen.

EERSTGEBORENE

De opbrengst van de bodem krijgt haar wijding door de *eerstelingengave*. Deze gave is de heiliging van het vruchtbezit.

Maar ook de levende have moet natuurlijk evengoed het symbool dezer heiliging ontvangen.

En de edelste mensheidszegen is de mensenvrucht zelf. Dezelfde wijding mag ook daaraan – even natuurlijk – evenmin ontbreken.

Daarom: 'Al wat de moederschoot opent, behoort Mij' (II Moz. 34,19). De nadere omschrijving volgt terstond: 'Uw hele levende have worde door een mannelijk dier gewijd, door het eerstgeworpen rund en lam. De eerstgeworpen ezel moet ge lossen met een lam; en zo ge dat niet wilt, dan moet ge hem door nekslag doden; en iedere eerstgeborene van uw zonen moet gij lossen'. En enige verzen verder luidt het: 'de eerstrijpe vruchten van uw bodem moet gij brengen in het huis van de Eeuwige, Uw God' (II Moz. 34, 26).

Wat er onder eerstgeworpene wordt verstaan is hier wel enigszins gecompliceerd maar voor de opmerkzame lezer toch duidelijk uitgedrukt. Het moet een mannelijk jong zijn, dat de moederschoot opent: de mannelijke vrucht derhalve, door welks geboorte het eerste moederschap wordt veroorzaakt.

Dat is de *Begór*. Hij is de eersteling, die de bezitter niet behoort. Hij is rechtstreeks voor God bestemd als heiligende heffing van het geheel. Hij behoort de tempel derhalve, is voor het altaar bestemd. En als hij behoort tot de veesoort, die geofferd mag worden – dus tot de zogenaamde 'reine' dieren – dan moet hij inderdaad geofferd worden. En de begór, die niet geofferd mag worden, moet 'gelost' worden. '*Lossen*' wil zeggen: vervangen door iets anders, uitkopen met geld of met een ander dier, dat wel als offer het altaar kan bestijgen. Het laatste – vervangen door een ander dier – moet gebeuren met de eerstgeboren ezel. En de ezel is onder de 'onreine' dieren het enige dier waarop het instituut der eerstelingen van toepassing is. Zijn begór mag niet geofferd en moet dus gelost worden. Een lam treedt in zijn plaats. Anders is het dier de eigenaar ontzegd. Hij mag er geen nut van trekken en niets ermede doen. Hij moet het afmaken en begraven.

Opvallend is het zeker, dat de ezel onder de 'onreine' diersoorten hier zulk een uitzonderlijke plaats inneemt. Maar het is, ook zonder er al te diep op in te gaan, niet onverklaarbaar. Blijkbaar had Israël bij de uittocht uit Egypte onder zijn levende have geen ander onrein dier en geen ander lastdier dan de ezel. De aartsvaders bezaten ook kamelen.

Abrahams vertrouwde dienaar ging met kamelen naar Charan (I Moz. 24). En toen Jacob vandaar vertrok en voor Laban vluchtte, zette hij zijn vrouwen en zijn kinderen op de kamelen. (I Moz. 31,17). Maar met ezels gingen Jozefs broeders naar Egypte om er in de hongersnood koren vandaan te halen (I Moz. 42, 26 en verder) En als later de hele Jacobsfamilie naar Egypte verhuist, dan gaat de karavaan te voet of op ezels of in de wagens, die Jozef van Egypte uit had gestuurd (I Moz. 46, 5). Van kamelen is geen sprake. De Ismaëlieten, die via het Transjordaanse langs de oude heirweg door Kenaän hun waren in Egypte ter markt brachten en onderweg Jozef kochten, zij hadden kamelen (I Moz. 37,25). Maar buiten het eerste boek, wordt er in de Torah nauwelijks over kamelen gesproken. Het komt er in de overige boeken slechts drie malen voor. Twee keer op de twee plaatsen bij de behandeling der spijswetten, waar de bijzondere eigenschap van de kameel onder de verboden diersoorten wordt naar voren gebracht – wel herkauwend maar éénhoevig, dus verboden. (III Moz. 11, 4 en V Moz. 14, 7).

En de andere maal wordt onder de veestapel der Egyptenaren die door de veepest werd getroffen, ook de kameel genoemd. (II Moz. 9, 3). Overigens treft ge na de geschiedenis der aartsvaderen in de Torah de kameel niet aan. Ge vindt hem ook niet onder de buit, die Israël, kort voor de intocht in Kenaän, op Midjan behaalde (IV Moz. 31).

Zo mogen we besluiten, dat Israël in de woestijn slechts de ezel onder zijn levende have bezat. Aan paarden, die het bijzondere bezit van Egypte zijn, valt helemaal niet te denken. En aan andere 'onreine' dieren nog minder. En zo wordt de uitzonderlijke positie van het eerstgeworpen ezelsveulen bij de bepalingen van het eerstelingen-instituut wel duidelijk.

De wijding van al het eerstgeborene wordt in de Torah ook historisch gemotiveerd: onder de rampen, waarmede voor Israël de uittocht uit Egypte werd geforceerd, behoorde ook 'de sterfte der eerstgeborenen'. Van mens en van dier. Ook daarin had zich God als de enige Bezitter geopenbaard. Hem behoort dus alles. Hem moet dus alles worden geheiligd door de wijding van het eerstgeborene; de wijding van het eerstgeworpene. De eerstgeboren zoon moet derhalve 'gelost' worden. Het eerstgeworpen dier behoort daarom aan het altaar (II Moz. 13,15). En de bepaling omtrent het eerstgeworpen ezelsveulen staat ook in deze samenhang (vers 13).

De begór van het 'reine' dier wordt nu van het altaar aan de priester geschonken. Het wordt geteld onder de heffingen (V Moz. 12,6), die de priester ten deel vallen (IV Moz. 18,15). Het wordt zijn eigendom. Maar alleen, wanneer het geschikt is voor het altaar. Want slechts via het altaar wordt de eersteling het zijne. Niet rechtstreeks van de man, uit wiens veestapel het ontstond. En ook een 'rein' dier kan ongeschikt zijn tot offer. Een offer immers moet gaaf en gezond zijn. Het mag geen lichaamsgebrek hebben, geen blijvend, ongeneeslijk lichaamsgebrek (III Moz. 22, 20 en verder.) Dan is het bij voorbaat ondeugdelijk en verworpen: 'Durf zoiets aan uw pacha eens aan te bieden!' roept de laatste der profeten (Mal'achie 1, 8) in begrijpelijke verontwaardiging uit, wanneer hij ontwaart, hoe in zijn verworden tijd juist het waardeloze goed genoeg voor God wordt geacht. Een begór met zulk een euvel blijft dus a priori aan de eigenaar van het vee, waaruit het is geworpen.

Thans is er geen Tempel en geen Altaar. En de kohén, al bestaat hij en leeft hij als rechtstreekse nazaat van de hogepriester Aron in ons midden, heeft geen recht op het eerstgeworpene van rund- of kleinvee. Maar de joodse man, wiens vee zulk een eersteling werpt, hem behoort het ook niet. Hij mag er op geen enkele wijze enig nut van trekken.

'Gij zult niet arbeiden met de eersteling van uw rund en de eersteling van uw schapen zult gij niet scheren' (v Moz. 15,19). Slechts als het dier met een ongeneeslijk gebrek is behept, is het als profaan bezit het eigendom van ieder uit wiens vee hij is geworpen (vers 22).

De geboorte van zulk een eersteling is dus voor de joodse boer of veehandelaar niet anders dan een last. En een grote verantwoordelijkheid. Een voortdurende zorg. En als hij deze zorg en verantwoordelijkheid niet licht telt, waakt hij er voor, dat hij ze niet te dragen krijgt. Hij verkoopt tijdig het jonge dier, de aanstaande moeder, die voor het eerst zal werpen. Hij ontduikt daarmede de wet niet. Want het is onder de tegenwoordige omstandigheden veel verkieslijker dat hij de nodige maatregelen treft om niet beladen te worden met een plicht, waarvan hij zich niet kwijten kan, of met een verantwoordelijkheid, die nauwelijks is te dragen zonder het gevaar van op dit punt te kort te schieten.

Het nemen van die maatregelen is zowat de enige en dus zeldzame wijze, waarop in onze dagen het instituut van het eerstgeworpene onder het vee merkbaar wordt in het joodse leven. Worden deze maatregelen verzuimd, dan blijft het dier ongebruikt rondlopen. Men geeft het dan gewoonlijk de vrije beweging op de dodenakker, alwaar immers ook alles van alle menselijk gebruik verstoken is. Maar dit geval is zeker wel het zeldzaamste van alle zeldzaamheden.

Doch Israël wil het woord der Torah ook in de verstrooiing zo goed het kan, bewaren. Want het wil bewijzen, dat het taai vasthoudt aan de verwachting, haar eens weer geheel te zullen vervullen. Het laat de hoop niet varen.

Dat zeggen ook deze bepalingen, die zelden worden toegepast.

De eerstgeboren zoon echter leeft met de ceremoniën, die hem omgeven nog dagelijks in ons midden.

DE EERSTGEBOREN ZOON

Van oudsher was de eerstgeboren zoon ongetwijfeld degene, in wie de wijding van het ganse gezin verpersoonlijkt werd. In hem was de heiliging van het kroost belichaamd. Hij was de 'heffing' voor God. En door die 'heffing' was alles te zamen met de roeping tot levensheiliging getekend en bestraald. Van hem werd de bezieling verwacht voor het godsdienstige leven der opgroeiende familie. Hij was vanzelf daarin de voorganger en de leider. En naar buiten, bij de uitingen van het openbare godsdienstleven der gemeenschap, was hij de vertegenwoordiger. Hij stond vanzelf aangewezen, dus bereid en gereed. Was derhalve belast met de dienst. Was de 'dienstdoende'. En dienstdoende is hetzelfde als kohén, het woord, dat wij gewoon zijn met priester te vertalen.

Vlak voor de Sinaïtische openbaring wordt er zonder meer van zulke 'priesters' gesproken, terwijl er nergens van te voren gerept wordt van een georganiseerde dienst en er nog geen plek of instituut voor zulk een dienst is aangewezen. 'Ook de kohaniem, die voor de nadering tot God zijn aangewezen, moeten zich nu afgezonderd op een afstand houden' (II Moz. 19, 22). 'De kohaniem en het volk' (vers 24) mogen de voorgeschreven grens bij de Sinai niet overschrijden.

En bij de bondssluiting na de openbaring, als er offers gebracht en er symbolische bloedspattingen verricht moeten worden, zijn het de 'jonge mannen' van Israël, die daartoe van Mozes de opdracht ontvangen (II Moz. 24,5).

Die priesters en die jonge mannen zijn blijkbaar dezelfde: de eerstgeboren zonen, de begóriem. Zo denkt zich de joodse opvatting deze verhoudingen. 'Voordat de Tabernakel werd opgericht, werd de eredienst door de eerstgeboren zonen verricht,' bericht ons de Talmoed.

Later wordt de stam Levie voor de dienst van het heiligdom aangewezen. Zij hadden zich, toen het volk tot de zonde van het gouden kalf was gezonken, op bijzondere wijze onderscheiden. Waren als voorvechters opgetreden voor de zaak van God. Hadden de roep van Mozes: 'Wie voor God is, kome hier' gehoord en verstaan en hadden, naar het bevel van Mozes, het leger van Israël onbarmhartig van afgoderij gereinigd. Toen hadden zij zich de onderscheiding waardig gemaakt, om hun hele leven rechtstreeks, geheel en onvoorwaardelijk aan het heilige te mogen wijden. De onderscheiding werd tot uitverkorenheid, werd een bestemming voor eeuwig. Een eeuwige plicht en taak (II Moz. 32, 26-29).

De opperste leiding bij de eredienst in de tabernakel, die na de beschamende gebeurtenissen van het gouden kalf wordt opgericht, ligt in de handen van Aron en diens zonen. Aron, de Leviet, was de hogepriester en zijn zonen waren gewoon priesters (II Moz. 28,1). En na de inwijding van de tabernakel of de tent van samenkomst en vóór dat Israël van de Sinai wegtrekt, worden de overige takken en families van de Levietenstam aan Aron en diens zonen toegevoegd ten dienste van de vervulling hunner priestertaak in het Heiligdom (IV Moz. 3,5).

De Levieten aanvaarden nu de hun toegewezen bestemming, nemen de taak der eerstgeboren zonen bij de eredienst over, nemen er hun plaats in: 'En Ik, Ik heb immers de Levieten genomen uit het midden der kinderen Israëls in de plaats van iedere eerstgeborene, moederschoots eerste vrucht van de kinderen Israëls. En de Levieten zullen nu Mij gewijd zijn'. (IV Moz. 3,12). Doch het feit van eerstgeborene te zijn blijft natuurlijk onveranderlijk. En het gewijde karakter van eerstgeborene te zijn wordt niet te niet gedaan. De eerstgeborene blijft begór. Maar voor de dienst is een ander in zijn plaats aangewezen. Er moet dus een 'lossing' plaats hebben. En er heeft een 'lossing' plaats. Een uitwisseling, een plaatsvervanging. Voor iedere eerstgeboren zoon ene Levietenzoon. En de Levietenzonen worden geteld en de eerstgeborenen worden geteld. Er zijn meer eerstgeborenen van één maand en daarboven dan Levietenzonen van één maand en daarboven. Want met één maand oud wordt een kind in het algemeen eerst geacht een levensvatbaar kind te zijn. Dus begint men ze eerst van die leeftijd af te tellen. Die eerstgeboren zonen nu, voor welke geen Levieten ter uitwisseling beschikbaar zijn, moeten ook gelost worden. Voor deze zal de lossing met geld geschieden. Het bedrag wordt bepaald op vijf sikkelen per hoofd. En het losgeld wordt aan Aron en zijn zonen ter hand gesteld. (IV Moz. 3, 14-51).

Zo zou het blijven voor alle tijden.

En zo bleef het tot op de dag van vandaag in Israël, dat trouw de Torah naar woord en geest bewaarde. Dat zich onafscheidelijk bleef hechten aan haar voorschriften, ook nadat het staatkundig volksbestaan met de Tempel en diens eredienst teloor waren gegaan en veel bepalingen hun volledige en sprekende en zichtbaar levende inhoud verloren hadden.

Wel staat er geen Altaar. Maar het is niet verdwenen. Het symbool vergaat niet. Het heeft slechts zijn tastbaarheid verloren. In wezen bestaat de strekking van Altaar en Tempel ook thans. Evengoed als toen. En de roeping tot levensheiliging is niet opgeheven of gewijzigd.

De eerstgeboren zoon was 'heffing'. Is 'heffing'. Hij is gewijd aan het Altaar. Behoort de priester. Moet van deze 'gelost' worden. Niet door een plaatsvervangend Levietenzoon. Want dat gebeurde slechts die ene maal, destijds bij de overgang, toen in plaats van de begóriem de Levieten aan de priesters werden toegevoegd ten behoeve van de eredienst in het heiligdom. Toen werd meteen de 'lossing' voor het plus der eerstgeborenen geregeld. En tevens voor altijd de lossing van iedere eerstgeborene, die later het levenslicht zou aanschouwen. Bij anticipatie vinden we deze bepaling als vastgesteld, reeds vóór de uittocht uit Egypte vermeld (II Moz. 13 vrs 13 en 15) maar met de inleiding 'en het zal zijn, wanneer God u in het land der Kenaänieten gebracht zal hebben...' (vrs 11).

En zo wordt dus ook in onze dagen in Israël de eerstgeboren zoon 'gelost'.

Eerstgeboren zoon is niet hetzelfde als de oudste zoon. Eerstgeboren zoon – begór – heet alleen die zoon, het zij nog even herhaald, door wiens geboorte de moeder voor de eerste maal moeder is geworden. Het karakter van begór is beperkt tot die zoon, die de eerste vrucht is van de moederschoot. Is de eerste vrucht een dochter, dan zal er geen begór zijn. En ook niet, wanneer de eerste mannelijke vrucht niet levensvatbaar was en, zij het ook niet terstond, gestorven is.

De eerstgeboren zoon, die in de Levietenstam ter wereld komt, behoeft natuurlijk niet gelost te worden. En het spreekt zeker niet minder vanzelf, dat er van een eerstgeboren kohén evenzeer geen *Pidjón-Habbén* – lossing van de zoon – plaats heeft. De begór van een Levietische moeder of van een moeder uit de tak der Aronieden valt vanzelf buiten de bepaling. En dit is ook het geval, wanneer de vader van dit kind geen kohén of Leviet is en diens eerstgeboren zoon dus als een zoon van Israël in het algemeen en niet als kohén of Leviet te boek zal staan. Dan nog zal er nu geen pidjón geschieden. Want hier beslist de geboorte uit de moeder. En dus ook de afkomst van die moeder zelf.

De vijf sikkelen die de Torah als losgeld heeft vastgesteld, zijn voor ieder land in een vermoedelijk overeenkomstig of benaderend bedrag omgezet naar de gangbare munt dier diverse landen. Hier te lande bepaald op zeven en een halve gulden. Vroeger kon dat in vijf daalders neergeteld worden: vijf gelijke muntstukken. Dat had men graag. Want dan kwam men in het aantal ten minste met de vijf sikkelen overeen. En al is er slechts een herinnering overgebleven, ook met deze herinnering wil men het liefst zo sprekend mogelijk aansluiten bij hetgeen eens werkelijkheid was. Nu is het vastgezet op rijksdaalders. Werkelijke zilveren rijksdaalders. Geen schuldbekentenis van zeven en een halve gulden in welke vorm ook. Zelfs niet van de Staat der Nederlanden.

DE LOSSING

De plechtigheid van de pidjón-habbén is een zeer eenvoudige en behoeft slechts weinig voorbereiding. Iedere kohén kan haar verrichten. Of eigenlijk- doen verrichten. Want de vader lost zijn kind. Hij koopt het terug. Koopt het terug uit het bezit van de stam der Aronieden. Aldus immers is de voorstelling. En hij kan die lossing tot stand brengen uit de hand van iedere willekeurige kohén, welke hem daartoe zijn medewerking verleent. De vader vraagt derhalve een nazaat van Aron als kohén voor de ceremonie van de pidjón-habbén te willen optreden. Of, anders gezegd: hij vereert hem met de godsdienstige functie, met de mitswàh daartoe. De gebeurtenis heeft plaats als zijn kind zijn eenendertigste levensdag is ingetreden. Als die dag een sabbath of een bijbelse feestdag is, dan op de dag daarna. En als soms om een der alles overwegende redenen de besnijdenis nog niet heeft plaats gehad, dan geschiedt toch de pidjón evengoed op tijd.

Er wordt ook nu een maaltijd aangericht. Gewoonlijk is het een zeer eenvoudig maal. Het kan natuurlijk ook een rijke dis zijn. Maar in ieder geval is het een maaltijd, die de vervulling van een torahplicht vergezelt en dus een se'oedath-mitswàh, een mitswàhgerecht. Er gaat een wijding aan vooraf. Men wast de handen en breekt het brood en de toepasselijke wijdïngsspreuken ontbreken niet. En als allen, die bij de plechtigheid en de maaltijd zijn genodigd, een bete broods, gedoopt in zout genuttigd hebben, geschiedt de lossing. De begór is naar binnen gedragen. Nu kan moeder dat zelf gedaan hebben. Vader legt zijn zoon in de armen van de kohén, terwijl hij tot hem zegt: 'mijn vrouw heeft mij dit mannelijk kind als eerste vrucht van de moederschoot geschonken.'

En de kohén zegt tot de vader, dat deze dus vijf sikkelen schuldig is voor de lossing van zijn eerstgeborene en vraagt hem of hij die liever wil behouden of zijn zoon vrijmaken. Waarop de vader vanzelfsprekend antwoordt, dat hij zijn kind wil hebben en gaarne die vijf sikkelen geeft, die hij tegelijkertijd in de vorm – hier te lande – van drie rijksdaalders, de kohén overhandigt. En dan volgen terstond uit diens mond toepasselijke wijdings-woorden, die altijd de vervulling van een godsdienstige plicht vergezellen. Hier in ons geval: 'Geloofd zij God, die ons door Zijn geboden heeft geheiligd en ons ook deze plicht heeft voorgeschreven, om de eerstgeboren zoon te lossen…'. En daarbij sluit het dankwoord aan, dat steeds bij heugelijke feiten en op heugelijke tijdstippen wordt ver-nomen: 'Geloofd zij God, die ons het leven heeft gegeven en gelaten en ons dit tijdstip heeft laten bereiken.' En de vader ontvangt het kind terug in zijn armen.

Nu verklaart de kohén, dat de lossing heeft plaats gehad. En dan legt hij zegenènd zijn hand op het hoofd van het kind, bidt hem goede wensen toe en spreekt de priesterzegen over hem uit.

Daarmee is de plechtigheid geëindigd. De maaltijd zoëven met het breken van het brood begonnen, wordt voortgezet. Ook deze se'oedàh zal als het goed is, met torahgedachten gekruid en zó verheven van karakter worden. Besloten wordt zij in ieder geval met het gezamenlijk uitspreken van het tafelgebed, waarbij de kohén vanzelf de leiding neemt.

De verklaringen van de vader en de priester behoeven niet in het Hebreeuws gedaan te worden. Eis is, dat beiden weten en begrijpen wat zij zeggen.

Het losgeld behoort de priester. Het is zijn persoonlijk eigendom. En er is geen kas, van welke aard ook, waarin hij het zou hebben te storten. Hij kan er mee handelen naar believen. Hij mag het alleen niet zonder meer aan de vader teruggeven. Als deze een arm man is, zijn er wegen genoeg, waarlangs hij voor het bedrag, dat hij misschien niet mis-sen kan – en meer dan voor dat bedrag – schadeloos kan gesteld worden. Maar de kohén moet er in dat geval in het bijzonder voor waken, dat de lossing niet verzinke tot een be-lachelijke formaliteit.

De eerstgeboren zoon is nu verder in geen enkel opzicht meer onderscheiden. Hij heeft geen bijzondere rechten en zo goed als geen bijzondere plichten. Bij uitzondering kan het voorkomen, dat hij de taak van een Leviet overneemt en de handen der priesters wast, die de doegàn zullen gaan bestijgen om de zegen over de schare in de synagoge uit te spreken. Dat kan evenwel alleen gebeuren als er ter synagoge niemand van de Levieten-stam aanwezig is.

En verder hebben de begóriem nog een eigen vastendag: de *Vastendag der Eerstgeborenen*. Op de dag vóór het Paasfeest, het feest van de uittocht uit Egypte.

Met 'de sterfte der Egyptische eerstgeborenen' werd de tegenstand van de Pharao gebroken, Israëls eerstgeborenen waren niet aan de sterfte ten prooi gevallen. Zij werden toen en ook daarom, als aan God gewijd verklaard (11 Moz. 13, 15). En nu, ter herdenking van dit feit, houden Israëls eerstgeborenen geen vreugdefeest en jubelen zij niet over deze redding. En dan onwillekeurig tevens over de ondergang van Egyptes zonen. Maar er wordt veeleer gedacht aan het gevaar, dat er ook gezweefd heeft over de huizen van Israël en aan de bedreiging met verderf, waaraan ook Israëls eerstgeboren zonen blijkbaar hebben blootgestaan. En zij gedenken die gebeurtenis met een vastendag. Alsof zij willen erkennen en belijden, dat die toenmalige redding geen beloning was voor enige verdienste, maar slechts een bewijs van Gods genade. En dat zij steeds op deze genade blijven hopen.

De vastendag der eerstgeborenen geldt voor alle eerstgeborenen. Niet alleen voor de eerste mannelijke vrucht van de moeder maar ook voor die van de vader. Als namelijk een jongeling voor het eerst trouwt met een weduwe, die reeds een kind ter wereld heeft gebracht en zij schenkt haar nieuwe man een zoon, door wiens geboorte deze vader nu voor het eerst vader wordt, dan is dit kind de begór van zijn vader maar niet van zijn moeder. Van deze begór geschiedt geen pidjón-habbén, geen lossing.

Deze vastendag der eerstgeborenen, de *Ta'anieth Begóriem*, heeft zich steeds als een zeer gewichtige vastendag in trouwe naleving mogen verheugen. Zodanig, dat het jonge kind zolang het niet zelf zijn plicht kan vervullen, voor dit geval vervangen wordt. Vader vast voor hem. En als vader zelf een begór is, dan vast moeder in plaats van haar kind. Zulk een delegatie van de vervulling van een godsdienstige plicht is wel merkwaardig. En zegt wat.

De ta'anieth begóriem heeft zich heel lang staande gehouden in gans Israël. Hij is er nog. Ook bij de joden, die volstrekt niet volkomen het volle joodse leven van Torah en traditie leven. En er waren er en er zijn er – en juist vooral in deze kringen – die bijvoorbeeld de Grote Verzoendag niet houden maar wel op de joodse kalender naar de vastendag der eerstgeborenen zoeken en zorgen deze niet over te slaan. Het is mij voorgekomen, dat moeders kwamen vragen, wat ze moesten doen om het goed te maken, dat ze op de aangewezen dag verzuimd hadden voor hun zoon te vasten.

Moeders, die overigens niet gewoon waren nauwlettend te zijn met de ceremonieën van de joodse godsdienst, ja er nauwelijks mee in aanraking kwamen. Hier zit een element van bijgeloof in en van angst, Het is in deze gevallen zo goed als enkel bijgeloof en angst. Dit is geen godsvrucht en geen levensheiliging. Geen enkele godsdienst is gediend met angst en bijgeloof. Zij zijn allerminst pijlers voor het jodendom. Wij zouden ons deerlijk bedriegen, wanneer wij aan zulk een gehoorzaamheid enige waarde toekenden.

HET HUWELIJK

Nogmaals: laten we voorzichtig zijn in het gebruik van termen, wanneer we het joodse leven binnengaan. En op onze hoede in het toepassen van onze gewone voorstellingen, als we het terrein betreden van de joodse gemeenschap. Want de joodse gemeenschap is een afzonderlijke, een in zichzelf gesloten cultuur en heeft haar eigene begrippen, voorstellingen en termen. Zij vallen natuurlijk in vele opzichten met die van andere culturen, samen. Alle beschavingen hebben wat gelijk. De hele mensheid heeft iets gemeenschappelijks. En gelukkig niet zo weinig. Maar uit dezelfde bron komen verschillende stromen. Verder vaak vele vertakkingen. En één idee wordt van diverse kanten op onderscheidene wijze gezien en aangevoeld en in voorstelling, uiting en benaming telkens anders gereproduceerd. Dan dekken de namen elkander niet meer en strijden de voorstellingen meermalen onderling. Waarschuwing is in dit opzicht steeds in het algemeen geboden en eigenlijk bij de behandeling van elk onderdeel gewenst. En allerminst overbodig wanneer we het onderwerp huwelijk beginnen.

Verloofd. Zeker, het zegt iets. Het geeft kennis van een voornemen. Er is een zekere afspraak soms, gewoonlijk zelfs een wederzijdse verklaring, een wederzijdse belofte tussen twee mensen. En zij beiden brengen dat ter openbare kennis. Zonder tussenkomst van een officieële autoriteit, zonder medewerking van een overheidsorgaan. Het besluit der verloving kan en zal gewoonlijk zonder getuigen genomen worden, wordt feit zonder deze. De verloving is geen rechtshandeling en brengt geen rechtsgevolgen met zich mee. De Nederlandse wet kent, althans erkent haar niet. We kunnen nauwelijks zeggen, dat een verloving ontbonden wordt. Want er was eigenlijk geen verbintenis. Zij wordt eventueel verbroken en zulks door tussenkomst van niemand anders, dan door de wil, het besluit van partijen. Zelfs door één der partijen, zonder meer. De volkstaal drukt het kort en duidelijk uit: het is aan; het is af!

Ondertrouwd. Dat is wat anders. Met de ondertrouw bemoeit de overheid zich wel. De ondertrouw schept een verbintenis en heeft rechtsgevolgen. Wil men haar ongedaan maken, dan moet zij ontbonden worden. En ze is in dit opzicht aan wettelijke bepalingen onderworpen.

De joodse verloving is allerminst een verloving in de gebruikelijke betekenis van het woord. De joodse verloving namelijk, zoals zij in het werkelijke joodse leven staat. Wanneer in het dagelijkse leven hier joden en jodinnen zich verloven, dan is dat precies op de zelfde wijze en met gelijke strekking en gevolgen – of geen gevolgen – zoals dat bij ieder ander paar het geval is. Dat is eenvoudig volkomen aangepast aan de algemene

maatschappelijke verhoudingen. De werkelijke joodse verloving, die, welke althans gewoonlijk in de wandeling en ook in de literatuur met het woord verloving wordt aangeduid, is een verbintenis met vérstrekkende rechtsgevolgen. Zij komt veel meer overeen
met wat we hier kennen als de ondertrouw, dan met hetgeen in de gangbare terminologie
onder verloving wordt verstaan.

Die joodse verloving nu heet *Eroesién*. In de Bijbel komt het hierbij behorende werkwoord aras in een bepaalde vorm, enige malen voor. Wil men niet verkeerd begrepen
worden en geen onjuiste voorstellingen wekken, dan verdraagt geen enkele van die
plaatsen het, dat men vertaalt met: verloven. Een paar voorbeelden: Daar hebt ge v Moz.
20, 7. Het land is door een buitenlandse vijand bedreigd. Het volksleger trekt naar de grens.
Daar, aan de grens wordt een proclamatie voorgelezen: zekere personen mogen naar huis
gaan.

Tot de vrijgestelden behoren:

hij, die een wijngaard heeft aangelegd maar de eerste vruchten er nog niet van heeft genoten;

hij, die een huis gebouwd, maar nog niet heeft ingewijd, dus in gebruik genomen;

hij, die een vrouw (en nu komt het bewuste werkwoord) aan zich verbonden, maar
nog niet in samenleving heeft ontvangen.

In de strafbedreiging, v Moz. 28, wordt in vers 30 dezelfde drie gevallen in omgekeer-
de volgorde, genoemd. In Hosea 2, 21-22 is het werkwoord met zijn inhoud en voorstelling driemaal overdrachtelijk gebezigd van een hernieuwde innige verhouding van God
tot Zijn teruggekeerd volk: 'Ik verbind u dan aan Mij op eeuwig; Ik verbind u dan aan
Mij in gerechtigheid en recht, in liefde en barmhartigheid; Ik verbind u dan aan Mij in
gelovig vertrouwen en gij zult u de Eeuwige bewust zijn.'

Zet daar nu overal 'verloven' in de vertaling en ge krijgt een onzuivere voorstelling en
mist de juiste kracht en strekking der uitdrukkingen. En hetzelfde geldt voor de tien gevallen waar ons werkwoord in de Bijbel is gebruikt.

Het is hier niet de plaats om er eens een stuk of wat vertalingen op na te slaan en ze wat
kritisch te bekijken. Alleen zij even opgemerkt, dat de Staten-vertaling deze teksten alle
tien konsekwent met *ondertrouw* teruggeeft, en dat o.a. ook de nieuwe Leidse overal verloving heeft. Aan de Staten-vertaling zullen waarschijnlijk de beginselen en voorstellingen niet vreemd zijn, welke in de dagen der Dordtse Synode overeenkomstig het cano-
nieke recht de heersende waren en die misschien wel dichter bij de bijbelse stonden. De
vertaling dekt hier in ieder geval de grondtekst veel beter.

Dit is derhalve de verloving niet.

Toch kent het speciale joodse leven wel enigermate ook de verloving in de alledaagse
zin van het woord. Zij heet daar *Sjiddoeg*, een woordstam, die aan het bijbelse Hebreeuws

vreemd is. Het is eigenlijk het praten over een eventueel huwelijk en het voorlopig besluiten ertoe. Vroeger meer algemeen, tegenwoordig slechts in sommige streken en bij sommige families, meestal van oorspronkelijk oost-joodse origine, gaat ook zulk een verloving met een enigszins contractuele handeling gepaard. Er wordt een akte van opgemaakt en getekend. In die akte worden bepalingen, *Tenaïem* – voorwaarden – opgenomen, die bij verbreking van de sjiddoeg zullen worden toegepast. Het is een soort voorwaardelijke verbindtenis. Dus dan ook nog meer dan de gewone verloving, die slechts bestaat in een advertentie of in het rondzenden van naamkaartjes met of zonder 'verloofd' erop. Die tenaïembijeenkomst der beide betrokken families is natuurlijk een kleine feestelijke plechtigheid, waarbij enig ceremonieel niet helemaal ontbreekt. Maar de overheid, ook de joodse, komt er niet aan te pas. Voor zover er een ceremonie plaats heeft, zullen we die vanzelf ook in de verdere behandeling van ons onderwerp ontmoeten.

De *Eroesién* – de werkelijke joodse verloving, die de ondertrouw nabij komt – heeft tegenwoordig nooit meer als een afzonderlijke handeling plaats. Zij is thans volkomen verbonden aan de huwelijksvoltrekking en vormt er mede één geheel. Deze huwelijksvoltrekking geschiedt ten overstaan van de joodse overheid.

EENWORDING

De verbinding van twee mensen door middel van het huwelijk is eigenlijk niets anders dan het hervinden en het herstellen van een eenheid. Zó is de bijbelse voorstelling in het scheppingsverhaal (1 Moz. 2 vrs 18-24). Adam geeft namen aan de levende wezens om zich heen. Wat betekent toch het geven van een naam? Wat is een naam, een juiste naam, een principiële naam? Zulk een naam, als hij precies en af is, vat de kenmerken van wat benoemd moet worden in één woord samen. Het is de kortst denkbare en tevens volkomen afgeronde omschrijving van de zaak, het ding of het wezen. Het is de definitie. In één enkel woord. Dat is een naam! En 'namen geven' is dus: het karakteristieke in-eens pakken, het wezen in één greep samenvatten. Zo komt het derhalve, dat Adam bij dit namengeven onder de levende schepselen geen ander ik naast zich ontdekt. En toch: die andere helft bestaat, bestaat al. Toen hij gevormd is, is zij tegelijk mèt hem geschapen. Nu worden zij in twee afzonderlijke lichamen gescheiden. Maar zij horen bij elkaar. Van den beginne af. En zij vinden elkaar terug. Adam herkent haar onmiddellijk: 'deze is eindelijk been van mijn been en vlees van mijn vlees' (vers 23). Zij hoort bij mij!

Zij is het dus, die hij zocht bij het namen geven. Zij is 'de hulp, hem gelijk', die hij toen niet, maar nu eindelijk heeft gevonden. Gevonden in het wezen, dat tegelijk met hem, in hem is geboren en met wie als afzonderlijk schepsel hij nu in eenheid weer verenigd is: 'daarom verlaat de man zijn vader en zijn moeder en verbindt zich aan zijn vrouw, zodat zij worden tot één lichaam' (vers 24)[1].

Zo is de bijbelse voorstelling.

Zo is de joodse gebleven.

Daarom zoekt – zegt een talmoedwijze[2] – de man zijn levensgezellin, ten einde in haar te hervinden, wat hem is verloren gegaan.

Want alleen – zegt een ander[3] – leeft hij zonder vreugde, zonder zegen, zonder geluk. Later voegde men erbij: zonder Torah en zonder beschutting. En nog iemand anders vulde aan: zonder harmonie.

De echt is menselijke bestemming. Is voorwaarde voor de vervulling der menselijke roeping. Want het is de taak van de mens mensheid te stichten, in stand te houden, alzijdig uit te bouwen, tot hoogste bloei te brengen.

'Niet tot woestenij, niet tot chaos heeft God de wereld geschapen, tot mensheids woonstede heeft Hij haar gevormd' (Jes. 45, 18). Dat is het gewijde woord, hetwelk graag als motto voor deze joodse mensheidsgedachte wordt gebezigd. De cellen der samenleving, waaruit de mensheid met haar taak en roeping moet geboren worden, dat zijn de gezinnen. Zo wordt gezinsvorming dus plicht voor de exemplaren waaruit de mensheid bestaat. En daarom 'is het niet goed, dat de mens alleen zij' (1 Moz. 2, 18). En daarom vat de joodse traditie de woorden van de mensheidszegen: 'en gij, weest vruchtbaar en vermeerdert u' (1 Moz. 1, 28) niet enkel als een categorische imperatief en niet alleen als een zegen, maar ook als een plicht op, als een mitswàh. Als de eerste mitswàh in het getal en van het hele complex dat in de Boeken der Torah is gegeven.

In die plicht ligt ook de grote verantwoordelijkheid. Naar de passende verbinding, naar de juiste en waardige samenleving moet derhalve gezocht worden. Anders kan ze niet gedijen. Is er niet een mannelijk-vrouwelijke eenheid tot stand gekomen, dan heerst er in de gevormde verbinding een onheilspellend vuur, dat beide verteert. Maar als het goed is,

---

1. Hier is in het midden gelaten of het grammatisch en exegetisch wel juist is de vrouw uit een rib van de man te laten ontstaan. Het Hebreeuwse woord betekent overal, waar het in de Bijbel voorkomt: zijde, kant. Hier alleen zou het dan ribbe zijn. Het heeft weinig invloed op de voorstelling, maar die voorstelling wordt zuiverder, wanneer we ons de bijbelse oer-Adam denken als een dubbelwezen, een manvrouw. Zij worden gescheiden. De enen kant wordt er afgenomen en tot een afzonderlijk schepsel. En de oorspronkelijke eenheid wordt een nieuwe, een twee-eenheid. Aldus ook Talm. Berach. fol. 61a.

2. Talm. Babl. Kiddoesjin fol. 2b.

3. Talm. Babl. Jebamoth fol. 6 2b.

dan wordt de vereniging van man en vrouw door Gods Glorie bezegeld. De *Sjegienàh* kroont de harmonie[1,2].

In de talmoedische tijd en later en overal en steeds en wanneer en waar er een krachtig joods levensverlangen sterk pulseert, was en is men zeer gesteld op vroege echtverbintenissen. Niet alleen om rechtvaardig te zijn tegenover de plicht, de mitswàh van het 'weest vruchtbaar en vermenigvuldigt u'. Maar men was of is ervan doordrongen, dat deze mitswàh ook een categorische imperatief is en als natuurlijke geslachtsdrift onheil in zich bergen kan. Hij kan tot dierlijkheid leiden. En een gelukkige echtelijke samenleving kan de zedelijkheid en het reine mensenleven in de hoogste mate ten goede komen. De gewenste leeftijd voor het huwelijk wordt echter gemiddeld niet vroeger dan op achttien jaren gesteld.[3]

En in ieder geval moet de man zich eerst een bestaan verzekerd hebben. Eerst van huizenbouw, dan van wijngaardplanting spreekt de proclamatie der vrijstellingen (v Moz. 20, 5-6) en daarna eerst van de verwerving van een echtgenote. Aldus wordt opgemerkt. En uit deze opmerking wordt de wenselijkheid afgeleid. En deze wenselijkheid wordt tot regel gemaakt, tot eis gesteld. (Talm Babl. Sota fol. 44a).

Vroeger, in de oost-joodse centra, heeft men getracht door een compromis aan de beide eisen – het vroege huwelijk en de broodwinning – tegelijk te voldoen. Het jonge echtpaar kwam een jaar lang geheel ten laste van de vader van de bruid. Dat behoorde tot de uitzet en tot de bruidsgift. En de schoonzoon, die zich tot zijn huwelijk gewoonlijk met Torahstudie – waaronder bovenal de beoefening wordt verstaan van Talmoed en Codices – had beziggehouden, had zich in dat jaar te bekwamen in de een of andere tak van het handels- of bedrijfsleven. In den regel slaagde hij daarin. En eerst dan begon zijn zelfstandigheid en was zijn huis gebouwd. Die zeden behoren hier en daar nog niet tot het verleden.

Een *Sjiddoeg* is een aanzoek, een voorlopige afspraak, maar heeft ook in de volksmond de betekenis van huwelijk gekregen. Welnu, in een sjiddoeg maken vindt er menige matrone en menig patriarch een lievelingsbezigheid. Met geen andere dan de meest vriendelijke en edele bedoelingen en om der wille der mitswàh! Volstrekt niet als bedrijf. Maar de sjadgan als zakenman blijft er natuurlijk ook niet thuis. Die vond en vindt overal en in vele kringen en gemeenschappen een kans en een taak. Annonces in joodse dag- en weekbladen, elders in de joodse wereld meer dan nu hier te lande, getuigen het.

1. Dit is een Hebreeuws woordenspel: in iesj = man en isjàh = vrouw zitten ook de letters jod en hé, die het woordje Jah vormen, hetwelk God betekent. Vallen deze twee letters weg dan blijft er van beide woorden slechts èsj over. Esj is vuur. Dit is de uiterlijke vorm. Het komt op de inhoud der gedachte aan.
2. Talm. Babl. Sotha fol. 17a.
3. Misjnàh Avoth 5, 21.

Een zoon in het huwelijk laten treden, een dochter de echt te zien ingaan, het is: o kinderen hun hoogste bestemming zien naderen en tegelijk het tijdstip begroeten, waarop de grote gevaren, die het jeugdleven bedreigen, mogen ondersteld worden aanzienlijk verminderd, zo niet opgeheven te zijn. Aldus ziet men het in het oude joodse leven. Zag men het vooral in de brede kringen van de joden in Oost-Europa. En bij deze zienswijze en geestesgesteldheid zagen wij meermalen vaders voor het verwerven van huwelijkskosten, uitzet en bruidschat, stappen ondernemen, die wij niet waardeerden, nauwelijks begrijpen konden. Zij gingen er voor op reis en bedelden het benodigde vaak op een lange zwerftocht bij elkander! Zij vonden dat gewoonweg hun ouderlijke plicht. Wij vonden het niet veel minder dan weerzinwekkend. Maar wie zou hen daarom veracht hebben!

Rijke mensen hebben het in de joodse gemeenschap altijd als een zeer bijzondere weldaad beschouwd en dus als een buitengewoon voorrecht, om uit hun middelen onvermogende meisjes te mogen uithuwelijken of te voorzien van het nodige ten behoeve van de trouwing. Bovenal ten bate van wezen alle geldelijke bezwaren voor een huwelijk uit de weg te ruimen. De Talmoed telt deze goede daden op onder de edele verrichtingen, waarvan de mens de vrucht der voldoening reeds bij zijn leven smaakt, terwijl de daad als zodanig in kapitaal voor hem belegd blijft voor zijn leven na de dood.

In sommige gemeenten zoals bij de Nederlands Israëlitische Hoofdsynagoge en de Portugees Israëlitische Gemeente te Amsterdam, zijn er met dit doel stichtingen gemaakt of op andere wijze kapitalen vastgezet.

Maar ook velen, die niet rijk zijn willen deel hebben aan zulke goede werken. Daarom zijn er hier en daar verenigingen opgericht, zogenoemde kallàh-chewrà's – instellingen ten behoeve van bruiden – verenigingen, die uit de contributiën der leden en eventuele schenkingen en andere baten, de huwelijkskosten bijeenbrengen voor onvermogende bruiden.

Zo ongeveer staat de idee van het huwelijk in de historie der joodse levenshouding.

BELANGSTELLING · VREUGDEBETOON

Het ligt vrijwel voor de hand, dat de joodse opvatting niet gesteld is op een lange verlovingstijd. Een vroegtijdige huwelijkssluiting immers wordt gewenst. Als de sjiddoeg is tot stand gekomen, worden er dus graag ook dadelijk aanstalten gemaakt om tot een spoedige echtverbintenis te komen. Zo is het zelfs na de sjiddoeg, die toch overeenkomt met wat we hier verloving noemen, of door tenaïem – voorwaarden – zoals we zagen, een kleinigheid vaster is, maar die toch geen rechtsgevolgen schept. Het is derhalve vanzelfsprekend, dat een werkelijke joodse verloving, die eroesién heet, wel heel snel door de volledige huwelijksvoltrekking dient gevolgd te worden. Zulk een werkelijke verloving zonder dadelijke trouwring zou al de tijd, dat zij duurt, een zeer eigenaardige en tweeslachtige toestand doen ontstaan. Verbonden, wettelijk verbonden met al de gevolgen van dien, en niet getrouwd! Dat werd steeds verwerpelijk en erger dan dat gevonden. Reeds in de vroegste tijden. En er openbaart zich daartegen een krachtig verzet. 'Wie een vrouw door eroesiën aan zich verbindt maar op de trouwing laat wachten, doet, wat de spreukendichter (Spr. 13, 12) aldus veroordeelt: 'een verschoven verwachting maakt het hart ziek'. Doch wie op deze ondertrouw terstond de volledige sluiting van het huwelijk laat volgen, brengt de bevestiging tot stand van het tweede versdeel 'een vervuld verlangen is een boom des levens', Zo drukt een wijze zijn afkeuring over de halfslachtige toestand en zijn tevredenheid over de gewenste verhoudingen uit.

De dadelijke aaneensluiting van verloving en trouwing werd de normale geacht. En werd regel. En als ge nu een joodse trouwing ziet, dan merkt ge niet eens, dat daar voor uw ogen die oude verloving en de sluiting van het huwelijk achter elkander in één officiële handeling plaats vinden. Tenzij ge de wettelijke bepalingen kent en met de normen van het joodse recht en de vormen van het ceremonieel op de hoogte zijt, of op sommige gebruiken van te voren opzettelijk attent zijt gemaakt. Hetgeen nader nog wel duidelijker zal worden.

Thans is derhalve de bruiloftsdag tegelijk de dag van verloving of ondertrouw en de dag der trouwing.

Bruiloft. Groots gebeuren.

Wie stelt er geen belang in! Wie neemt er niet aan deel! Merkwaardig: een bruidspaar, dat ten stadhuize opgaat, heeft ieders aandacht. Een bruidsstoet wordt met belangstelling, gewoonlijk met gulle belangstelling, gadegeslagen. Ook wie er helemaal niet bij betrokken is, blijft even staan en mensen, die er niets mee te maken hebben, gaan opzettelijk kijken. 'Het bruidspaar van de dag' mag zich verheugen in de algemene opmerkzaamheid.

Al deze blijken van aandacht zijn natuurlijk niet evenzovele tekenen van belangstelling, of nog minder van werkelijk medeleven. Maar we behoeven ook niet zo ijselijk cynisch of al te nuchter aan te nemen, dat er niets dan louter nieuwsgierigheid uit spreekt. Of dat de sensatie het doet. Het behoeft en kan niet altijd te doen zijn om de aanblik van de stoet of van de toiletten of om de tooi van de bruid te bekritiseren of te bewonderen, of om vast te stellen en aan anderen te kunnen rapporteren hoe de bruid er uitzag. De mensen voelen over het algemeen wel degelijk, voelen althans bij hun mogelijke nieuwsgierigheid toch óók, dat hier een gewichtig feit gaat gebeuren en dat er een belangrijke daad wordt beslist. Daar geschiedt iets met twee mensen, dat van ingrijpende betekenis is voor hun familie. En ook voor de maatschappelijke samenleving. Waarvan zij deel uitmaken en ook wij. En al worden deze gedachten niet ontleed en tot opzettelijke overdenkingen, het kan nauwelijks anders of er wordt, zij het instinctmatig, toch zeker wel iets van gevoeld.

De huwelijksdag voor het bruidspaar tot een mooie en indrukwekkende en onvergetelijke dag te maken, daartoe beijveren zich velen. Velen, die dichtbij en velen die verderaf en veraf staan.

Belangstelling doet altijd goed. En overal. Dat beseft ieder. Wij zijn gemeenschapswezens en zijn aangewezen op elkander. We hebben behoefte aan belangstelling. In smart en leed kunnen wij er niet zonder. Het kan een ogenblik schijnen, dat belangstelling dan een last is. Maar op den duur en in werkelijkheid is het anders. In onze vreugde echter zijn de blijken van het medeleven van anderen ons te enenmale onontbeerlijk. Werden wij op een vreugdedag eens alleen gelaten en niemand kwam en geen sterveling zag naar ons om, onze blijdschap ware in bittere ergernis, in zieleleed veranderd.

Bij het zien van lijden gaat ieder mede lijden. En elkeen is geneigd dit mede-lijden uit te spreken, van dit mede-lijden te getuigen, van dit medelijden blijk te geven. Dat is een zeer verklaarbare en gewis een schone trek van het menselijk karakter. Maar hoger ongetwijfeld staat de vreugde met de blijden. Edeler is ontegenzeggelijk het geluksgevoel met de gelukkigen. Want het geluk van anderen wekt niet automatisch bij iedere evenmens ook geluk, zoals het lijden het medelijden doet ontstaan. Een woord als mede-geluk kent de taal niet eens. Misschien is het zelfs niet bepaald pessimistisch te onderstellen en te zeggen, dat er gewoonlijk meer wisselwerking is tussen geluk en afgunst. Daarom is gulle blijdschap over het geluk van een ander zo nobel. En daarom is het hartelijke vreugdeblijk van anderen in onze blijdschap zo heerlijk.

Dat hebben onze Ouden ons altijd voorgehouden. En voorgedaan. Aan het vreugdebetoon voor bruid en bruidegom nam in de talmoedische tijd een ieder deel. Het was uitbundig. Het was ongetwijfeld wel eens, wellicht gewoonlijk, overdreven. De bruid vooral werd, ook op haar weg naar de trouwplechtigheid, onder muziek en dans luid bezongen. En in loftuitingen was men blijkbaar weinig karig. De waarheid kwam daarbij dikwijls in het gedrang. Al te veel, naar de mening en voor het gevoel van de alleszins stroeve, strenge school van Sjammai[1] zodat zij de stelregel verlangde: de bruid worde gewis bejubeld, maar overeenkomstig hetgeen zij is! De school van Hillèl, meer soepel en meegaand naar de aard der mensen, vond er geen bezwaar in, dat iedere bruid als lief en innemend werd bezongen. De mensen immers weten wel, hoeveel ongeveer er in dergelijke omstandigheden wordt opgelegd.

In die dagen kreeg men dus nog iets anders te zien aan belangstelling en medelven dan

1. Hillèl en Sjammai zijn de grote geestelijke leiders van het jodendom in en omstreeks de tijd van Herodes.

bij ons. Feestvreugde en verhoging van die feestvreugde was plicht, een mitswàh, die gul en algemeen werd opgevolgd. De wijzen staakten hun studie, stonden op, begroetten de bruiloftsstoet, mengden zich eronder en deden mee aan het festijn, dat een jool geleek. En het wil wat zeggen, dat staken der studie! Koningen achtten het niet beneden hun waardigheid van hun tronen te dalen en met hun aanwezigheid het bruidspaar te verheerlijken, dat trouwens gold als koning en koningin.

Van Agrippa I wordt het als een zijner mooie handelingen uitdrukkelijk vermeld. (Talm. Babl. Kethoeb. fol 17a). En omtrent Izèbel, de voor geen geweld en slechtheid terugdeinzende gemalin van Achab, de koning van het huis Israël, bewaart de agadische litteratuur de lovende erkenning, dat zij iedere bruiloftsstoet met handgeklap tegemoet trad. Daarom spaarden – zegt deze agadàh – de honden, die haar lijk verslonden, de palmen harer handen![1]

Sterker kan bezwaarlijk de betekenis worden uitgedrukt, die de joodse leer toekent aan het verblijden der gelukkigen en in het bijzonder aan het vermeerderen der feestvreugde voor bruidegom en bruid, de *Simchàth Chathàn we-Kallàh.*

De leer is gebleven. En niet alleen de leer, maar ook de toepassing, al is de uitbundigheid getemperd en van de openbaarheid natuurlijk veel, indien niet zo goed als alles verdwenen. Althans in onze streken. In grote joodse centra, in Israël vooral, zoudt ge er ook op straat nog veel van kunnen aanschouwen.

Maar overal is zeker dit bestendigd, dat de armen deel krijgen aan de vreugde. Zij mogen nooit vergeten worden. Zeker niet in geluk en vreugde. En het allerminst bij de vreugde van en voor bruidegom en bruid.

DE ERNST DER VOORBEREIDING

Niet enkel vreugde is de huwelijksdag. Hij is ernst. Concrete ernst. Het is haast te banaal om dit te zeggen. Maar het moet even gezegd worden, omdat het joodse leven dit weten en deze erkenning ook niet verzuimd heeft in de ritus vast te leggen en getracht heeft, ze in daadsymbolen aanschouwelijk en voelbaar te maken.

Op hun huwelijksdag behoren bruid en bruidegom te vasten totdat de plechtige handeling is voltrokken, waardoor zij in de echt verenigd zijn. Vasten, dat is niets nuttigen. Geen spijs en geen drank. Dit vasten begint niet de vorige dag met zonsondergang maar 's morgens bij het aanbreken van de dag. Dit vasten wil een vermaning zijn tot levensheiliging. Het levensdoel in hogere bestemming doen zoeken dan in de stoffelijke middelen. Het wil bij dit mensenpaar op deze dag de idee van de Grote Verzoendag wekken. Want hun gemeenschappelijk leven, dus hun leven, begint hier. Dat zij dus ieder schou-

1. Pirké d'R. Eliezer 17.

wen, diep schouwen in zichzelf en zich louteren. En straks gereinigd naast elkander staan. En zo tot een eenheid worden. Daarom ook zullen bruid en bruidegom, wanneer vlak voor de huwelijksvoltrekking het gewone dagelijkse middaggebed in een gezamenlijke bidstond wordt verricht, aan het einde van de sjemoné-esré – het hoofdgebed, dat stil wordt gezegd, staande met de voeten bij elkander en met het gezicht naar Jeruzalem gericht – de widdoei voegen, de zondenbelijdenis, die bij de diensten op de Grote Verzoendag immers zulk een belangrijke plaats innemen. Hun middaggebed is dat van de middag, die de Jom-Hakkipoeriem reeds in het aangezicht ziet en van diens ernst en heiligheid al is doorhuiverd.

Er zijn dagen in het joodse jaar, waarop geen echtverbintenis kan gesloten worden. Er zijn zelfs zulke weken achtereen. De perioden van de rouwtijd gedurende de 'omertelling' tussen het Paasfeest en het Wekenfeest en de rouwtijd der Drie Weken, tussen de Vastendag van Tammoez en die van Av zien geen huwelijksvoltrekking. Want in de nationale rouw kan de particuliere vreugde niet opkomen.

Maar aan de andere kant: er zijn ook dagen, waarop het vasten niet kan toegelaten worden. Want vasten is ook uiting van smart en rouw. Er zijn immers ook vastendagen die nationale rouwdagen zijn. En feestelijke gedenkdagen, zoals bijv. Chanoekàh, verdragen zulk een vasten niet. Op nationale vreugdedagen is dus een particuliere ta'anieth uitgesloten. En ook bruid en bruidegom vasten niet op zulke dagen. Dat spreekt vanzelf en volgt regelrecht uit de voorgaande regelen.

Maar ook dit dient gezegd: populair is dit vasten niet. Volstrekt niet. Er wordt niet naar verlangd. Het is maar zelden een behoefte des harten. Deze vastendag wordt niet gaarne en niet met het juiste besef aanvaard. Ook niet bij degenen, die nauwgezet naar Torah en traditie leven en gewoon zijn ceremoniën en riten stipt in acht te nemen. En bij het bepalen van de huwelijksdag wordt er in het algemeen ook ter dege rekening gehouden met de mogelijkheid van het kiezen van een zodanige datum, waarop de codex de plicht van het vasten verbiedt of het vasten opheft. En van die mogelijkheid wordt als het maar even kan en het met de overige omstandigheden goed uitkomt, gretig gebruik gemaakt. Op deze wijze wordt de rituaal-codex wel zeer formalistisch gehanteerd. Formeel of – laat ons zeggen – juridisch is de zaak in orde! Maar in wezen is de intentie uit het oog verloren en zijn de daad en de strekking het onderste boven gekeerd.

Zo geschiedt het met meer dezer dingen. Bijvoorbeeld: Tot de uitingen van de nationale rouwtijden behoort ook het verwaarlozen van de haartooi en het niet verzorgen van de baardgroei. Maar als er in zulk een periode een besnijdenis plaats heeft, dan mogen de vader van het kind dat besneden wordt en zijn mohél – de besnijder – en zijn sandék, de de gevader, alle drie ter ere der gebeurtenis toch wel het hoofdhaar en de baard in de best toonbare staat laten brengen. En wie nu een gelegenheid zoekt om als gevader bij een besnijdenis te fungeren, kan die, vooral in grote gemeenten, gewoonlijk zonder veel moeite en zonder al te grote kosten vinden. En kan op deze wijze ontkomen aan de last, die de ritus hem anders veroorzaakt en aan de onaangenaamheid, die een stoppelbaard te midden van het maatschappelijk verkeer nu eenmaal is.

Een codex is een codex. En ook bij een godsdienstcodex komt casuïstiek te pas. Niet weinig. En in de casuïstiek is een formele, een dialectische, een juridische wijze van behandeling der stof veeltijds, bijkans steeds, onvermijdelijk. En het is wel begrijpelijk, dat de mensen soms tot zulke formalistische toepassingen vervallen. Maar we mogen aan zulke verschijnselen niet stilzwijgend voorbijgaan en niet aarzelen ze te signaleren. Alleen wie blind is kan met zulk een formalistische 'vroomheid' vrede hebben en er enig heil in vinden. Zij kan geen mens opvoeren tot werkelijke levensheiliging.

Een dag van ernst en heiligheid is de huwelijksdag. Even natuurlijk van heiligheid als van ernst. Het nieuwe leven van dit mensenpaar moet gewijd worden. Niet door wijdende gebruiken, die een ander voor hen doet of door sacramentele woorden, welke door een ander tot hen of over hen worden uitgesproken. Zij moeten zichzelf wijden. En als er symbolen zijn, die het hun kunnen zeggen, dan zullen er ook zodanige zijn, die zij zelf rechtstreeks tot zichzelf kunnen laten spreken.

Vasten en widdoei brachten hun, dienden hun althans de Jom-kippoergedachte te brengen; de waarschuwing, de vermaning tenminste van de stemming van de Grote Verzoendag.

Er is nog een andere wijding. Een, die in onze dagen misschien nog minder dan het vasten wordt begrepen en gewaardeerd. Niet de wijding van de huwelijksdag, niet de ceremoniële viering van de huwelijkssluiting. Maar de wijding van het huwelijksleven zelf.

Het huwelijksleven, het leven in huwelijksverband is niet een door wettelijke handeling en bekrachtiging geautoriseerd concubinaat. De echtelijke samenleving is geen gereglementeerde dierlijke lustbevrediging.

Hoe dit verband, hoe deze samenleving te wijden?

Joodse leer en overlevering hebben het middel gezien en gevonden in de regeling van afzonderingstijden en in wijdende voorbereiding voor de huwelijksdag en in telkens herhaalde opnieuw verplichte en toegepaste wijding van het huwelijksleven.

Daar hebt ge het *kerkelijke bad.*

Iedere joodse gemeente, ook de kleinste, die volgens Torah en traditie wordt geleid, bezit het. Of heeft het ter beschikking in een naburige zustergemeente.

Het dient tot wijding, tot heiliging. Een reinigingsbad kan ieder naar mogelijkheid en verkiezing hebben en inrichten. Maar dit bad is een wijdingsbad. Het is naar bepaalde voorschriften ingericht. Naar de voorschriften der gemeenschap. In die zin dus is het volksbad!

Dit bad gebruiken is nog niets anders dan een lichamelijke wassing al kan er ter plaatse ook een reinigingsgelegenheid aan verbonden zijn en al moet er inderdaad, hetzij daar of thuis of elders een minutieuze reiniging aan vooraf gaan. Op de onderdompeling komt het aan. En deze onderdompeling is een daad, die zich voegt bij de joodse gemeenschapshandelingen. Zij steekt boven de gewone alledaagse werkelijkheid van een lichaamswassing uit; heeft ideële zin, nationale tint, godsdienstige kleur en strekking. Het is de heiligende onderdompeling ten dienste van de zedelijke en religieuze verheffing van het huwelijksleven. Zij wordt door het tevoren uitspreken van wijdingswoorden als zodanig gestempeld.

Kort voor haar huwelijksdag gaat de bruid dit bad gebruiken. Maar het bestaat niet enkel voor de bruid. Als gehuwde vrouw heeft zij het telkens nodig. Want wanneer haar fysieke gesteldheid het gebiedt, is de scheiding tussen de echtelieden naar het joodse voorschrift streng en zo goed als volkomen. En de samenleving kan eerst terugkeren, wanneer de oorzaak der afzondering met zekerheid verdwenen is. En ook dan eerst, wanneer er weer een onderdompeling in het bad, het *mikwàh*, heeft plaats gehad.

Het is niet moeilijk te begrijpen, van welk een betekenis en macht dit alles in de joodse gemeenschap voortdurend voor het reine huwelijksleven is geweest en welk een werking daarvan steeds kon en kan uitgaan om het altijd fris te houden. Ook dit heeft er ongetwijfeld in ruime mate toe bijgedragen om de joodse familiezin te sterken.

DE TROUWING

De trouwdag!

Er wordt in de wandeling gewoonlijk gesproken van de huwelijksinzegening. Ook wel van de kerkelijke trouwing. Gecombineerd zelfs van kerkelijke inzegening. Maar al deze uitdrukkingen zijn eigenlijk geleend. Werkelijk joods zijn ze niet. Aan zuiver joodse grondbegrippen beantwoorden zij niet. In de echt joodse gedachtenwereld behoren zij niet thuis.

Het is helemaal niet duidelijk wat er, in joodse zin, onder een inzegening verstaan zou moeten worden. Er worden gewis bij de plechtigheid wel wensen uitgesproken. Dat gebeurt echter ook voor en ook na de trouwing. En niet enkel door functionarissen of andere bepaalde personen. En daarvoor is geen autoriteit, is niemand aangewezen. Daartoe heeft niemand opzettelijke opdracht. Alle mensen geven het bruidspaar hun wensen mee.

Er worden bij de trouwing zeer zeker ook wijdingswoorden gezegd, ook zegenspreuken gezongen, of op andere wijze voorgedragen. En deze zelfs door functionarissen. Maar ook die wijdingswoorden maken nog geen 'inzegening'. Zij vormen niet eens de kern der handeling; zij brengen de daad der trouwing niet tot stand, geven er de rechtsgeldigheid niet aan. Zij zijn een geleide, een plechtig geleide. Dat is veel maar niet alles. Lang niet alles.

Leenwoorden zijn in de joodse wereld alle woorden en uitdrukkingen, die van kerk zijn gevormd. Kerkbesturen en kerkvoogden en kerkeraden zijn colleges, wier titulatuur uit onze omgeving is overgenomen van organisaties, waar ze passen en thuis horen. Ze zijn in het joodse spraakgebruik ingeburgerd en hebben zozeer burgerrecht gekregen, dat wij spreken van een kerkelijke aanneming, waarbij van een aanneming het minste sprake is[1], van een kerkelijke besnijdenis,[2] die al heel weinig met de kerk, zelfs in de zin van synagoge heeft te maken; van een kerkelijke echtscheiding[3] waarbij de synagoge helemaal niet is betrokken. Zo kunnen wij voortgaan. Dat woord 'kerkelijk' is overgenomen maar het begrip heeft met die overplanting op de joodse bodem daar toch een gewijzigde inhoud gekregen. Het joodse kerkgenootschap is de landelijk georganiseerde joodse gemeenschap en de joodse kerkelijke gemeente is de plaatselijke organisatie van joodse volksdelen. Die organisatie is begrijpelijkerwijze aan het kader van staat en stad aangepast. En natuurlijk sluit ook de terminologie daarbij aan.

Er kunnen daaruit verkeerde voorstellingen ontstaan. Dan moet er dus op gewezen worden. En als we in ons geval spreken en schrijven van een kerkelijke inzegening en als we degene die de leiding van het geval in handen krijgt, met de naam bestempelen van kerkelijke inzegenaar, hem officieel aldus betitelen, dan ligt het misverstand voor de hand. En om het 'kerkelijke' èn om de 'inzegenaar'. Voor de mensen binnen, maar meer nog en zeker voor de mensen, die van buiten tegen de joodse dingen aankijken.

Daarom weer deze uitweiding.

De joodse trouwing is in wezen een joods-burgerrechtelijke handeling. Niets meer en niets minder. Niets meer, omdat zij niets sacramenteels heeft. Wijding is nog geen sacrament. En omdat niemand de macht heeft tot een daadwerkelijke sanctie van Boven, noch daarover, naar de volle inhoud dezer gedachte, de beschikking. Wij kunnen wensen hebben, beden uiten. Innige wensen en vurige beden. Dat is alles. En we kunnen afspreken, alles met elkaar met de term van 'inzegenen' te benoemen. Dat hoeft op zichzelf nog niet gevaarlijk of hinderlijk of schadelijk te zijn.

Maar het karakteristieke van de joodse trouwing hebben we daarmee dan in ieder geval nog niet uitgedrukt. Het karakteristieke hiervan is haar civiel-rechtelijke strekking. Niets minder. En daarmee bedoelen we te zeggen, dat het een ganselijke foutieve voorstelling is bij joden en niet-joden, te menen, dat die 'kerkelijke inzegening' ook naar joodse opvatting en zede een ritueel plus zou zijn boven de burgerlijke trouwing ten stadhuize. Zo is het nu eenmaal niet.

In een geordende staat zijn er wetten, die voor alle burgers bindend zijn. De joden hebben zich er altijd en overal gaarne en zonder restrictie aan gehouden. Van de grote leraar

1. Zie blz. 23. 2. Zie blz. 179. 3. Zie blz. 245.

Samuel, die in de derde eeuw dezer jaartelling de grondslagen hielp leggen voor het monumentale gebouw van de Babylonische Talmoed, stamt de uitspraak, die tot hala-chàh – richtsnoer – werd: dienà de-malgoethà dienà d.w.z. overal in de verstrooiing is voor ons de staatswet der verschillende landen bindend. Als staatsburgers regeert ons de staatswet. En een jood en een jodin trouwen als burger en burgeres op de wijze als door de landswet is geregeld. Daarna – want ook dit is een bepaling van de wetten des lands-en niet eerder sluiten zij hun huwelijk op de wijze, die in het joodse recht geregeld is. Een jood en een jodin, die niet volgens dit joodse recht zijn getrouwd zijn, van het stand-punt der joodse wet, niet getrouwd. En als zij toch te zamen leven, dan leven zij in wilde echt, in concubinaat. En als zij kinderen verwekken, dan zijn dat – wettelijk joods ge-oordeeld – buitenechtelijke kinderen.

Op dit terrein heerst onwetendheid in het groot. Niet alleen assimilatiezucht en on-verschilligheid, maar ook oppervlakkigheid en onkunde of onnadenkendheid maken hier slachtoffers. Zelfs onder zulke joden en jodinnen, die trots zijn op hun stam en die zich gaarne voor het joodse volk, zijn bestaan en toekomst en voor de zaak des joden-doms in het algemeen, offers van allerlei aard getroosten. Maar die, als ze in de joodse trouwing niets anders zien dan een 'kerkelijke inzegening' met ceremoniële of rituele plechtigheid omkleed, daarvan dan toch ook zonder veel gewetensbezwaar afstand doen, wanneer er soms het een of ander in de weg treedt. En aldus kan de terminologie ook schadelijk worden.

Het joodse recht kent drie rechtsmiddelen tot het sluiten van een wettig huwelijk: overdracht van iets, dat enige waarde heeft, kortweg *Késef* – geld – genoemd; trouwakte, *Sjetàr*; samenleving, *Bieàh*. Oorspronkelijk heette het van deze drie: óf... óf... Het werd èn... èn...

De verloving, de joodse verbintenis namelijk, die wij als de eroesién leerden kennen, wordt door de twee eerstgenoemde rechtshandelingen tot stand gebracht. Het derde is het samen gaan wonen, het samen gaan leven, het onder één dak gaan. In de Bijbel heet dat lakàch isjàh, de vrouw naar huis nemen. Of ook wel nasà isjàh, wat hetzelfde is.

Van lieverlede zijn er andere benamingen en uitdrukkingen ontstaan. De eroesién – verbintenis – kreeg de naam van Kiddoesjién, wijdende bestemming en de eigenlijke sluiting van de echt heet dan Nissoeïen, welk woord aan het bijbelse nasà van zoëven is ontleend.

Deze rechtshandelingen geschieden alle drie ten overstaan van de overheid, d.w.z. tegenover haar functionarissen en beambten. Ook de derde daad. Bruid en bruidegom worden tezamen onder één bedekking geplaatst. Dat is de *Choeppàh*, welk woord letter-lijk niets anders dan bedekking betekent. En zo noemt men de hele huwelijksplechtig-heid ook wel met dat ene woord choeppàh. En ook wel enkel kiddoesjién en ook wel choeppàh we (=en) – Kiddoesjién. Aldus zelfs officieel en in één der wijdende zegenspreuken, hoewel de volgorde der handelingen juist omgekeerd is.

Er zijn dus functionarissen, te wier overstaan de trouwing plaats heeft. De hoofdpersonen zijn de getuigen. Twee getuigen. Zonder hen kan niets geschieden. Het zou desnoods mogelijk zijn zonder de zogenaamde kerkelijke inzegenaar. Maar zonder de twee getuigen gaat het niet. Voor deze getuigen gelden in het algemeen dezelfde bepalingen als die overal in het joodse recht op getuigen van toepassing zijn: zij mogen elkander niet in de in dit opzicht gewraakte graden van verwantschap bestaan, noch op zulk een wijze verwant zijn met bruid of bruidegom. Zij moeten verder joodse mannen zijn van onbesproken zedelijk en godsdienstig gedrag. Voor de leiding der dingen is nu onze 'inzegenaar' aangewezen. Gewoonlijk de leraar ener gemeente. Hij heet de *Bá'al-Kiddoesjién*, de mijnheer van de Kiddoesjién, eigenlijk zoveel als de ambtenaar van de burgerlijke stand.

En de plaats dezer joodse trouwing? Moet het de synagoge zijn? Dat is, zoals uit al het voorgaande wel duidelijk zal gebleken zijn, volstrekt niet nodig. Eerder, principieel althans, integendeel. Het joodse gemeentehuis, waar het bestaat, ware de meest aangewezen plaats ervoor. Maar het kan overal geschieden. In een zaal of thuis of onder de blote hemel[1]. Op iedere plek die niet in strijd is met de gebeurtenis en haar betekenis en plechtigheid. Ook de synagoge kan ervoor gebruikt worden. Niet echter bij voorkeur op grond van het vermeende kerkelijke karakter der handelingen. Er zijn – en niet geheel ten onrechte zelfs – tegenstanders van het gebruik der synagoge voor huwelijksplechtigheden. Maar het spreekt vanzelf, dat men toch ook graag kleur geeft aan de gewichtige gebeurtenis en er de nodige sfeer omheen wenst te scheppen. En dat is in gewone zalen of andere gelegenheden in den regel zo goed als uitgesloten. Bovendien geven sommigen aan de synagoge de voorkeur, omdat zij de plaats des gebeds is. Het is om deze redenen, dat menigeen de synagoge boven andere plaatsen verkiest.

Daar kan de plechtigheid der overigens zo eenvoudige joodse-civiele rechtshandelingen in ieder opzicht tot haar recht komen.

DE PLECHTIGHEID

De synagoge neemt ook overigens gaarne deel aan de huwelijksvreugde. De sjoel immers stond altijd midden in het joodse leven. Zij was overal in Israël de moeder van allen. Aan haar hals weenden haar kinderen hun smarten uit. En ze waren gesterkt. Aan haar borsten laafden zij zich met troost in hun vele gezamenlijke rampen en bij hun individuele beproevingen. En zij herkregen weer levensmoed. Uit haar ogen ontvingen

1. Aldus veelal in Israël vgl. Sjoelchan 'Aroeg III, 61, 1.

zij de warmte van plechtige vreugdestralen voor de wijding van hun geluk en hun blijheid. En zij voelden zich geheven.

Zo wacht zij dus ook gaarne de bruidegom op zijn trouwdag bij het ochtendgebed in haar midden. Hem en de zijne. En dan zal zij te zijner ere enigszins in feestgewaad gestoken zijn. Er zal meer licht branden dan gewoonlijk. Voor hem, de bruidegom zullen er – in sommige gemeenten althans – extra lichten zijn ontstoken. Zeven vlammetjes aan het een of andere toestel. Zeven, dat is veel en oneindig. Licht wil het hem wensen. Licht en vreugde en altijd en overal.

Het dagelijkse smeekgebed – *Tachanoen* – waarvan de zesde psalm de kern vormt – zal de bruidegom vandaag niet uitspreken. Op sabbath en feestdagen, op feestelijke gedenkdagen en nationale vreugdetijden vervalt het. En nu zullen wij anderen, die ter synagoge zijn, ons richten naar de bruidegom. Zijn vreugdedag beheerst onze gemeenschap. En ook wij zeggen het smeekgebed dus niet.

Als de trouwdag een maandag is of een donderdag en derhalve de Torah wordt opengerold en gelezen en geheven, dan zal de bruidegom natuurlijk opgeroepen worden. En achter zijn naam zal bij het oproepen zijn titel klinken: hè-chathàn, de bruidegom!

Aldus werd en zo wordt nog veeltijds de dag begonnen. Niet altijd. Volstrekt niet. In de verste verte niet. Het ware dwaas en vals een onware schijn te wekken. Daarom wordt er dit, zij het ook ten overvloede, uitdrukkelijk bijgevoegd. De ochtenddienst behoort niet tot de trouwplechtigheid. Maar als de bruidegom er bij aanwezig is, dan staat ook reeds deze dienst onder de tot blijdschap stemmende invloed van zijn tegenwoordigheid.

Ditzelfde geldt ook van het middaggebed. Gewoonlijk en hier te lande bij voorkeur, heeft de trouwing op de middag plaats. Het hoeft niet. Sommige joodse gemeenschappen hebben hun keuze in dit opzicht aan de avond geschonken. Zij laten de echtverbinding gaarne door het maanlicht beschijnen. Zij doen het dan onder de blote hemel en liefst bij volle maan. Ook een symbool. Voor de volheid van het leven, de volle groei van geluk en Goddelijkheid. En er is natuurlijk ook nog wel wat mystiek bij ingelegd.

Wij hier te lande sluiten bij de maatschappelijke verhoudingen aan en kennen de choeppàh bij avond niet. Hier gaat de burgerlijke huwelijksverbintenis ten stadhuize vooraf. Meestal op dezelfde dag. Daarnaar is het tijdstip der joodse trouwing ook geregeld en praktisch min of meer vanzelf bepaald.

Meestal wordt de plechtigheid nu ingeleid door het verrichten van het middaggebed. Want in ieder geval zal de trouwing te midden ener voltallige joodse gemeenschap plaats hebben. Er zal minjan zijn: een minimum van tien joods-meerderjarige manspersonen. Heeft niet Bo'as bij de maatregelen voor zijn huwelijk met Ruth tien mannen zitting doen nemen (Ruth 4, 2). Als er minjan is, kan er ook een gezamenlijke godsdienstoefening plaats hebben. En als het middaguur voorbij is, is de tijd voor het minchàhgebed aangebroken. Het krijgt bij een trouwplechtigheid vanzelf een feestelijk karakter en als belangrijke inleiding zal het gewoonlijk ook de stemming voorbereiden en verheffen. Het bruidspaar spreekt – zoals we reeds beschreven – bij het stille hoofdgebed, de sjemoné-esré uit van de middag, die aan de Grote Verzoendag voorafgaat met de belijdenissen van die dag. Veelal wordt de bruid hierbij met de moeders of naaste vrouwelijke verwanten in een afzonderlijk vertrek alleen gelaten. Hier en daar het bruidspaar samen met degenen, die hen straks naar de choeppàh zullen geleiden. Maar dat zijn geen voorschriften van godsdienstig ceremonieel. Dit en dergelijke dingen, die de buitenstaander allicht als deel van de ritus gaat beschouwen, zijn eventueel maatregelen van orde of van uiterlijk decorum. Meer niet.

Er zijn streken, en ook hier te lande zijn er gemeenten, waar men spreekt van '*Maan en Choeppàh*' en waar '*de Maan*' afzonderlijk wordt gegeven. Het is duister gesteld met de afleiding en dus de betekenis van dat woordje 'maan'. Het aantal onderstellingen, die er worden gewaagd, bewijst dat er geen enkele volkomen bevredigt en dat dus de erkenning van onwetendheid in deze eigenlijk de meest wijze houding is – Wel weten wij, waarin de dusgenoemde ceremonie bestaat. Het is een soort preludium voor de trouwing. De wederzijdse bruidsgeschenken worden gewisseld. Speciale joodse geschenken. De bruidegom geeft zijn aanstaande vrouw een gebedenboek. Het gebedenboek, waaruit zij aanstonds voor het eerst het minchàhgebed zal verrichten. En zij geeft haar man een tallith. Het kerkkleed, dat ook straks over hun beider hoofden de choeppàh – het gezamenlijk dak – zal vormen. De overhandiging dezer treffelijke gaven gebeurt dan gewoonlijk door de leider der plechtigheid, door hem, die de verbintenis voltrekt, door de *Mesaddér of Bá' al Kiddoesjién*. En bij monde van deze. Het geschiedt met diens goedvinden ook wel door een ander. Er staan, als dit gebruik eens heel keurig is gearrangeerd, twee tafeltjes op enige afstand van elkander gereed. Wit gedekt. Kandelaars met brandende kaarsen erop. De bruid met de moeders, of die deze vervangen, zit aan het ene, de bruidegom met de vaders of anderen aan het tweede tafeltje. Of er worden speciale verwanten of vrienden en vriendinnen met de eer begiftigd om als 'mahnführer', zoiets als paranymfen te fungeren.

De hele aankleding van deze gebeurtenis en de geschenken, die overgebracht worden, nodigen degeen die met de leiding is belast of vereerd, tot toespraken uit. En de aard der geschenken vanzelf tot plechtige beschouwing, tot een woord van ernstig vermaan.

En nu weersta ik de verzoeking niet en geef ik toch een proeve van etymologie van ons duistere woordje 'maan', dat naar de grootste waarschijnlijkheid wel een Jiddisj woordje zal zijn. Een etymologie, die zich nu vanzelf presenteert: vermoedelijk zal de redenaar zich bij dit schone moment de gelegenheid niet hebben laten ontglippen om het in den regel jonge paar, ieder afzonderlijk, hun joodse plichten voor te houden. Wij kunnen ons levendig voorstellen, hoe deze toespraken gespecialiseerd kunnen worden tot zeer gedetailleerde lessen, ook op het terrein van het rituele huwelijksleven. En hoe de hele handeling in de joodse volksmond de naam ontving van 'de Mahn'. Half ernstig, half kluchtig: de grote les.

Als het onderhoud aan ieder tafeltje afzonderlijk is geëindigd wordt het paar door die hen omgeven, te zamen gebracht. En dan volgt nog een woord tot beiden bij elkander. Dit woord zal natuurlijk eindigen met goede wensen en gewoonlijk uitlopen op de zegen van een vruchtbare echt. Het symbool zal daarbij niet ontbreken. Een schoteltje met zaad van tarwe staat gereed. En de redenaar zal bijbelverzen bezigen en de echtgenoten van aanstonds de eerste mensheidszegen toevoegen; 'en gij, weest vruchtbaar en vermeerdert u' (I Moz. I, 28; 9, I en 7) en het psalmvers 147, 14: 'God make uw gebied tot een harmonie en geve u overvloed van het edelste der tarwe'. En andere wijdingswoorden, die zijn hart en mond mochten vinden. En onder het uitzaaien dezer oude spreuken bestrooit hij het bruidspaar met enige korrels van het zaad, dat voor hem klaar is gezet.

Dan is deze plechtigheid geëindigd. Waar het zo uitvoerig gebeurde of gebeurt, heeft het plaats in de morgen, nog vóór de burgerlijke trouwing, als die ook op dezelfde dag en niet vroeger wordt voltrokken. Maar de mensen hebben zoveel tijd niet meer. En als de 'Mahn' (laten wij het nu in de boven geopperde onderstelling maar met een h schrijven) afzonderlijk wordt gegeven, zoals dat hier en daar inderdaad geschiedt, dan is het toch maar een korte handeling, die aan het middaggebed of aan de choeppàh vlak vooraf gaat. Maar ook dat is nog te lang gebleken, vooral voor de omstandigheden in grote gemeenten, waar soms een aantal kiddoesjièn op een dag moeten plaats hebben. En veeltijds is de hele Mahn in de plechtigheid der choeppàh opgelost en komt er aan het einde daarvan een kleine herinnering.

DE CHOEPPÀH · EROESIÉN

Ter plaatse waar de trouwing zal geschieden, staat een baldakijn opgeslagen. Een troonhemel. De choeppàh in eigenlijke, in stoffelijke zin. Het dak, waaronder de aanstaande echtgenoten geleid en geplaatst zullen worden. Dikwijls geschiedt dit ook anders. Ook hier zijn de gebruiken verschillend. Soms zal men het aanschouwen, dat het bruidspaar, gaande onder een baldakijn, uit een nevenvertrek naar de plaats der plechtigheid wordt gevoerd. Dan zal het dak, aan vier draagstangen bevestigd, gedragen worden door verwanten of door andere in vriendschap met hen verbonden, die met deze erefunctie zijn bedeeld. Het dak, dat de bedekking vormt, zal dan óók iets bijzonders zijn. Een familiestuk bijvoorbeeld, waaronder reeds meer geslachten op de grote dag der trouwing gestaan hebben. Of het tallith, het geschenk der bruid. Maar dat alles is geen wet en volstrekt niet overal ook zede of gebruik.

Het geleide naar het plechtige moment en naar de plek der handeling geven natuurlijk bij voorkeur de beide ouderparen als zij in het land der levenden zijn. Die geleiders zijn de 'Unterführer', in het Jiddisj de Unterfierders. Want die brengen het bruidspaar 'onder de choeppàh'. Waar men nog talmoedische termen bezigt, spreekt men wel van *Sjoesbiniem*, ofschoon deze bruidspaar-kameraden in de oude tijd als paranymfen – twee vrouwelijke voor de bruid en twee mannelijke voor de bruidegom – heel wat meer voor het paar te verzorgen hadden dan het enkele geleide onder de choeppàh. Hun taak begon al van te voren bij de voorbereiding der feestelijkheden en duurde tot na de zeven bruiloftsdagen. Hun functie kwam dus, althans ten dele, met die van onze ceremoniemeesters overeen.

Ter plaatse van de handeling staat eveneens een tafeltje gereed. Gewoonlijk met brandende kaarsen erop. Wijn is er zeker. En de trouwakte is voor de leider, de mesaddér der trouwing ter beschikking. De beide getuigen zijn present. Onder hun ogen is, of wordt nu de trouwakte door de bruidegom ondertekend. Het zal gewoonlijk even van tevoren geschied zijn en dan als maatregel van orde, ten einde de verdere handelingen zonder enig oponthoud achter elkaar te doen aflopen. De getuigen – de 'Edíém – tekenen deze trouwakte. Want op hem komt het aan. Zij verklaren, dat het bruidspaar voor hen is verschenen en dat de voor het rechtsgeldige der echtverbintenis nodige verklaringen zijn gedaan. En verder: welke andere algemene en eventueel bovendien nog bijzondere verplichtingen de man tegenover zijn vrouw, bij zijn overlijden bijvoorbeeld, heeft op zich genomen.

De *Kethoebàh*, het geschrift, of de akte, de *Sjetàr*, is een oud formulier, dat ingevuld wordt met de nodige namen en data en andere veranderlijke bizonderheden. Zeer oud. De taal waarin het is vervat, het Aramees, de volkstaal van het Israël na de Babylonische ballingschap, bewijst het.

De getuigen hebben zich ook overtuigd, dat de trouwring aanwezig is. Immers de overdracht van késef, van iets, dat enige waarde heeft, is één der rechtsmiddelen, door welke de joodse rechtshandeling der trouwing geldigheid en verbindende kracht verkrijgt. Sinds overoude tijden is daarvoor een ring aangewezen. Een gouden, een gladde gouden ring, die enige geldswaarde moet vertegenwoordigen. Van die oude bepaling, de vorm, waarin door de organieke wet het beginsel voor de praktijk is belichaamd, kan natuurlijk niet afgeweken worden en wordt ook niet afgeweken. Dus moet er ook niemand komen met een ring van nog edeler metaal dan goud of met een diamanten ring. Hier zijn we niet in het gebied van zeden en gewoonten of gebruiken, maar op het terrein der joods-burgerlijke rechtspleging. Daar is slechts de vastgestelde norm van kracht en geldt alleen de eerbied voor de wet.

Alle voorbereidingen voor de sluiting van het huwelijk zijn dus getroffen. Alle benodigde stukken en ingrediënten staan gereed. Als de 'Mahn' niet van tevoren heeft plaats ge-

Huwelijksbeker, zilver, gegraveerd en gedreven. Amsterdam, 17de eeuw. (Collectie The Jewish Museum, New York.)

Huwelijk bij de Portugese joden. Gravure Picart. (Uit particulier bezit.)

A. le Marié donnant l'Anneau à la Mariée, tous deux sous le Taled.
B.B. les 2 Maraines de la Mariée.
C.C. les 2 Parrains du Marié.

CEREMONIE NUPTIALE
des
JUIFS ALLEMANDS.

D. le Rabin. ✴ le derriere de la Sinagogue.
E. le Chantre tenant la Bouteille pour faire Boire les Époux.
F. deux garçons avec des Batons ornez qui marchent devant les Mariez.

Huwelijk bij de Hoogduitse joden. Gravure Picart. (Uit particulier bezit.)

Kethoebàh (huwelijksakte). Gekleurde ets op perkament. Rotterdam, 1648. (Collectie Israël Museum, Jerusalem.)

Kethoebàh. Inkt, aquarel en goudverf op papier. Ontwerp: Cara Goldberg Marks. U.S.A., *1979.*
(Collectie The Jewish Museum, New York.)

'Overhandiging van de echtscheidingsbrief'. Schilderij van Ed. Frankfurt. (Collectie Joods Historisch Museum, Amsterdam.)

Links: Kethoebàh (huwelijksakte) van het huwelijk tussen David Emanuel de Pinto en zijn nicht Rachel de Pinto te Amsterdam 1671. Boven in de, geheel getekende, huwelijksakte een voorstelling van Jerusalem. (Uit particulier bezit.)

Kethoebàh. Aquarel en inkt op papier. Ontwerp: Ben-Shahn. U.S.A., 1961. (Collectie The Jewish Museum, New York.)

had, zal er ook wel een bakje of schoteltje met het zaad van tarwe klaar zijn gezet. En het bruidspaar wordt naar binnen geleid, al of niet met welkomstzang begroet. Zulk een begroeting behoort alweer niet tot het wettelijk voorgeschreven of ritueel noodzakelijke der gebeurtenis. Als zij plaats vindt, is het een ceremoniële aankleding van buitenaf. Ook dit zij erbij gezegd. Wellicht ten overvloede. Maar de ervaring leert, dat er ter toelichting van joodse dingen zo goed als niets overbodig is.

Onder de troonhemel – als er tenminste een is opgeslagen – heeft het bruidspaar plaats genomen. Er zijn zetels voor hen neergezet. De bruid rechts van de bruidegom. De Unterführer zetten zich aan weerskanten: de mannen bij de bruidegom, de vrouwen aan de zijde van de bruid. Zodanig, dat de vader van de bruidegom of diens plaatsvervanger naast de chathàn en naast de kallàh haar moeder komt te zitten, of degene, die deze vervangt. Zo zal het gewoonlijk zijn geregeld, al zijn dat ook geen dingen van bijzonder groot belang.

De *Bá' al-Kiddoesjién* opent de plechtigheid. Hier komt een hartelijk woord van pas. Thans wordt ernaar verlangd. Nu wordt er op een toespraak gerekend. Zij zal zeker ernstig zijn en warm, wellicht vermanend en bemoedigend. En als de 'Mahn' niet reeds voorbij is, zult ge nu waarschijnlijk aan het einde van de rede de wens tot het bruidspaar horen richten, dat hun echt met kinderzegen worde bekroond, en zult ge de symbolilische handeling zien verrichten, ten dienste waarvan het tarwezaad is gereed gezet.

Bruid en bruidegom richten zich vervolgens op en die hen omringen gaan eveneens staan. Als er geen baldakijn aanwezig is, zal in ieder geval nu de bedekking plaats hebben, zal het gezamenlijke dak, de choeppàh, gespreid worden. Het tallith zal choeppàh zijn. Veeltijds wordt dit zelfs gedaan, ook wanneer er wel een troonhemel staat, die er dan dus slechts ter opluistering was opgericht. De sjoesbiniem overhuiven de hoofden van het bruidspaar met het tallith. En het eigenlijke gebeuren vangt aan.

Een wijnbokaal wordt volgeschonken. Want de verloving, de joodse, de verbindende en verplichende, de eroesién, vindt plaats. Nu. En er zullen naar joodse zede en joodse zin wijdingswoorden aan voorafgaan. En de begroetingsbeker zal bij deze innige en verheven plechtigheid niet ontbreken. De mesaddér vat de kelk en zegt of zingt de lofspreuk over de wijn erbij en laat de wijdingswoorden der eroesién volgen. De beker wordt de aanstaande echtelieden geboden tot het nemen van een teug. Degeen, die van de sjoesbiniem naast de bruidegom staat, laat deze drinken en van de vrouwen biedt eveneens de naaststaande der bruid haar de beker. En zij drinken uit dezelfde kelk. Zoals zij voortaan slechts één gezamenlijke levensbeker mogen kennen, zullen hebben. Dan, na deze wijdende inleiding, stellen de getuigen de bruidegom zijn ring ter hand. Hij overreikt die zijn aanstaande vrouw. En terwijl hij haar de ring aan de vinger schuift spreekt hij het uit in een Hebreeuws formulier: 'Hiermede, bij overdracht van deze ring, zijt gij mij geheiligd overeenkomstig de wet van Mozes en Israël'.

De verloving is tot stand gekomen. De eerste daad der wettelijke verbintenis – de eroesién – is volbracht.

De voltooiing, de bevestiging kan nu volgen. Dat is het samenwonen, het samen leven. De Nissoeïen. Aanstonds zullen wij haar met lofspreuken gaan bezingen. Maar wij gaan toch eerst een scheiding, zij het ook slechts een korte scheiding maken, tussen de eroesién en de nissoeïen. En we benutten deze met de voorlezing van de sjetàr, de trouwakte, de kethoebàh. En dan komt het slot van de plechtigheid der huwelijksvoltrekking.

Nu, nadat de plechtigheid achter de 'verloving' door de voorlezing der trouwakte kort was afgebroken, kan de trouwing plaats hebben. De pauze mag ook nog wel een weinig meer gerekt worden. En wordt soms ook nog wel wat langer gemaakt. Want het geschiedt wel, dat de feestelijke gebeurtenis door zingen van Psalmen wordt opgeluisterd. Gezang dan bij voorkeur van de voorzanger. Meermalen onder medewerking van een klein zangerskoor. Gewoonlijk worden voor zulk een begeleiding van de dienst Psalmen 100 en 128 en 150 uitgekozen en over de verschillende momenten der wijding verdeeld, als inleiding, tussenzang en slotzang. Maar dit alles is ad libitum en geen vastgezette ritus.

De gemeenten, bij wie alle administratieve regeling en dus ook die der trouwing berust, gebruiken deze mogelijkheden tot het instellen van klassen en het heffen van retributiën, volgens de voor deze klassen dan ingevoerde schaal. En zo zijn er gewone en ook choepoth eerste klasse.

Na kortere of enigszins langere pauze dus volgt op de eroesién de nissoeïen. Met de eroesién, hoezeer er ook een sterke band mede was geknoopt, bleef de samenleving nog verboden. In de wijdingsspreuk bij de 'verloving' voorgedragen, was dat in het bijzonder gezegd. Benadrukt, om het heilige karakter van de echt juist bij de verloving, die nog geen echtverbintenis is, vóór de eigenlijke sluiting op de voorgrond te plaatsen. En al volgt tegenwoordig de volledige trouwing in dezelfde samenkomst, dat was niet altijd zo. Het hoeft strikt genomen, ook nu niet immer zo te zijn. Zodat deze lofzegging haar plaats en strekking heeft behouden en ook ten huidigen dage nog waard is.

De nissoeïen volgt. Wederom natuurlijk met wijdingswoorden. Geen toespraak. Wijdingsspreuken slechts. Het zijn er zes. Maar de wijn mag ook hier niet ontbreken. De wijn met zijn eigen lofzegging. Dus zijn er 'zeven lofzeggingen' – de *Sjèwa' Berachoth*. Zij, met hun zevenen, maken voor de toeschouwers van de plechtigheid, de bezegeling der trouwing uit. Ofschoon ze in werkelijkheid niet meer dan de wijdende inleiding ervan vormen. De bevestiging is het samenzijn der echtelieden. En dat bestaat in het feit, dat zij aanstonds samen hun eerste maal gaan nuttigen en daarbij in een vertrek een korte poos alleen gelaten worden. Dat in het bijzonder heette eertijds veelal de eigenlijke choeppàh. En daarin ligt in ieder geval ook symbolisch het wezen der nissoeïen, het wezen der echtvereniging.

De voordracht der sjèwa'berachoth is niet speciaal de taak van de bá'al-kiddoesjién.

Zij worden bij voorkeur gezongen. En in die zang hoort men, zeker bij een gelegenheid als deze, graag iets moois. Gewoonlijk zal dus de voorzanger hierbij zijn diensten verlenen. Maar het mag ook wel door een ander geschieden. En het zevental kan zelfs ook over meer personen verdeeld worden. Zodat ook dierbare verwanten of vrienden met het uitspreken of zingen van een of meer berachoth vereerd kunnen worden. Mogelijkheden en derhalve variaties genoeg, die men allemaal kan waarnemen en waaruit dus van de ene en voor een andere keer geen conclusies getrokken mogen worden. De zes wijdingsspreuken, na die voor de wijn, voeren ons met hun inhoud naar de schepping van de mens in 'Eden (1 Moz. 2), en naar zijn roeping, om de schepping te dienen. Haar te dienen en te bevruchten als Gods evenbeeld. Tot deze even gewijde als gelukkig makende en tot ware vreugde stemmende taak heeft God het eerste mensenpaar geroepen. En mét hen alle volgende geslachten. En ook deze echtelieden. God zelf – zo dicht een oude Talmoedische agadàh[1] – was de sjoesbien van Adam en Eva in Edens hof. Zo moge Hij ook deze dierbaren helpen, het ware levensgeluk en de ware levensvreugde te vinden.

En de bede van vreugde en geluk wordt een algemene, een nationale wens. Kan het anders in Israël? Zou hier niet van de gemeenschap gewaagd worden? Is niet de simchàth-chathàn we-kallàh in de Bijbel en in de joodse gedachtenwereld het toonbeeld, het model van alle blij geluk? En schetst niet Jesaja het geluk van Zions vreugde, wanneer Zion in stede van een kinderloze, door de ballingschap beroofde, weer een rijkbevolkte, herleefde, verjongde zal zijn – schetst hij die vreugde niet, beeldt hij die blijdschap niet uit als de blijdschap van bruidegom en bruid? 'En gelijk bruidegom met bruid zich verheugen, zó zal uw God zich verheugen met U' (Jes. 62, 5).

God is de schepper der vreugde. Hij kan ook deze ongeëvenaarde, deze absolute vreugde, deze mensheidszegen, deze ware vrede scheppen. In de wijdingswoorden wordt de bede daartoe niet vergeten. Ja, zij gaat aan de rechtstreekse bede voor het geluk van dit jonge echtpaar vooraf. Want, welk geluk zou er in Israël wezenlijk en waarachtig kunnen zijn bij de ellende van al het smartelijke galoethlijden! En de sjèwa' berachoth klinken uit in Jeremia's belofte: 'Zó zegt de Eeuwige: "Op deze plaats van welke gij zegt: zij is verwoest, van mens en dier verlaten; op de straten van Jerusalem, die doods liggen zonder mensen, zonder burgers, zonder levende wezens... daar zal weder vernomen worden geluid van vreugde en geluid van blijdschap; het geluid van bruidegom en het geluid van bruid"' (Jer. 33, 10-11). Dan sluit het laatste woord de beden af: 'Geloofd Gij, o God, die vreugde geeft aan bruidegom met bruid.' En aan beiden wordt de tweede beker gereikt door de twee andere der sjoesbiniem beurtelings. Wederom dezelfde beker, waaruit beiden een teug te drinken krijgen.

En nu hoort ge het geluid van een glas, dat opzettelijk wordt gebroken. Soms ziet ge, dat er een glaasje voor de voeten van de bruidegom wordt neergelegd en dat deze het

1. Babl. Berachoth 61a.

stuk trapt. Soms ziet ge dat niet, maar hoort ge alleen het geluid van het gewelddadige breken en merkt ge, dat een beambte het ergens heeft stukgeslagen. Het komt er werkelijk niet op aan, wie het doet en hoe het wordt gedaan. En als het niet zou geschieden, zou de huwelijksvoltrekking toch wel rechtsgeldig zijn. Maar het zou jammer zijn. Erg jammer. Want het is een oud symbool. En zijn inhoud is groter dan ge denkt.

Wat al verklaringen zijn ervan in omloop! Hoeveel is er al niet ingelegd: moois en lelijks. Maar lelijks het meest. Haast algemeen is de volgende interpretatie, die verbreid is onder beschaafde mensen, onder niet-intellectuelen, onder niet-joden en onder joden; en die noch mooi, noch lelijk is maar eenvoudig onwaar. Blote onzin: 'Evenmin als dit glaasje weer heel gemaakt kan worden, kan dit huwelijk worden verbroken!'

Kijk die vergelijking op zichzelf eens aan: de stukken van het glas kunnen niet weer aan elkaar verbonden worden, evenzo...! Deze vergelijking is erger dan lam. En wellicht weet de techniek er toch nog wel iets op, om glasscherven weer tot een glas te maken! En een joodse echtverbintenis kan wèl ontbonden worden! Men is blijkbaar heel licht tevreden met volksverklaringen van symbolen. Want ook de meest onzinnige blijven zich handhaven tot in het oneindige.

Dit symbool is in werkelijkheid eenvoudig aangepast aan de gedachte, die vanzelf in het einde der sjèwa' berachoth lag opgesloten: Zion – Jerusalem – Galoeth! Hier is de hoogste vreugde: de vreugde van bruidegom en bruid. En zouden we nu niet denken aan de eed, waarvan de gewijde zanger gewaagt (Ps. 137 vrs. 5 en 6) 'Verdorre mijn rechterhand, als ik U vergete, o Jerusalem. Mijn tong kleve aan mijn verhemelte, wanneer ik U niet gedenke, wanneer ik Jerusalem niet brenge ook bij de spits mijner vreugde'?

In woorden hebben wij het reeds gedaan. Nu paren wij een handeling aan het woord. En wij breken iets. Want zolang het galoeth duurt en drukt, is ook alle vreugde gebroken. Onvolmaakt. Dat mogen wij ook in feestroes en ook bij de allerhoogste vreugde niet vergeten.

Zo eindigt de choeppàh.

MAZZELTOF · BRUILOFTSMAAL · BRUILOFTSDAGEN

Het glaasje is gebroken.

De choeppàh is geëindigd. Is – volgens de volksmond – gegeven. De leraar, de rabbijn geeft de choeppàh. Zo heet het. Hij geeft een warm woord, een hartelijke toespraak, goede raad en welgemeende wenken en wensen en innige beden aan het nieuwe paar mee, dat met de grootste verwachtingen en de heiligste plichten gezamenlijk een mooie zware taak heeft aanvaard. Wellicht, dat de Jiddisje uitdrukking daaraan is ontleend en nog altijd in de mond en in de omgeving is blijven hangen.

De wensen van ouders, verwanten, vrienden en belangstellenden klinken nu luide op, nu het breken van het glaasje is vernomen.

Luide gewoonlijk ook in de synagoge, het huis, het tehuis der gemeente. Die wensen culmineren in één bepaald woord, hetwelk ge misschien wel eens als een salvo het bruidspaar, nu het echtpaar, tegemoet hebt horen klinken: *Mazzeltof!* Het bedoelt te zeggen: veel geluk. Maar letterlijk is het dat niet. De uitdrukking bestaat uit twee woorden: mazzàl en tov. Mazzàl betekent eigenlijk: planeet, gesternte. En tov is goed. Samen derhalve: een goed gesternte! Bijgeloof? Het lijkt erop. Mystiek is hier – oorspronkelijk althans – gewis niet helemaal afwezig. En hoeft ook niet te ontbreken. Er is nog zoveel op de aarde en in de hemel en tussen hemel en aarde, dat zich niet gedwee naar het oordeel van de nuchtere rede schikt.

Er is ook nog zoiets als het huiverend hunkeren van de niet logisch te bepalen geest, zoiets als het tippen en tasten van het onbestemde, onbewuste en onverklaarbare gevoel.

Ook de Bijbel laat de schepping en haar onderdelen meermalen deelnemen aan leed en geluk, aan strijd, aan nederlaag en zege onder de mensen. 'De sterren uit hun banen strijden tegen Sisera' (Richt. 5, 20). Dat is poëzie! En naïef! Natuurlijk. Het een hoort bij het ander.

Te bestrijden valt het niet, dat onze ouden het geloof en de voorstelling niet vreemd waren, dat aan de hemelse sferen ook invloed was toegekend op het lot van de mensen. Of algemener en toch ook meer in het bijzonder uitgedrukt: dat de Schepper ook de schepping, ook de hemellichamen deel laat nemen aan de menselijke gebeurtenissen en aan dat wat de aardse sterveling wordt toebedeeld. Want er zijn geen afzonderlijke gebieden. Alles immers is één. In Hem. Door Hem.

In zulk een gedachtengang is ook het gesternte met voorspoed en ongeluk vereenzelvigd. En een gunstig gesternte wordt de waarborg en de som van welslagen en geluk.

Alle woorden hebben een inhoud. Die inhoud slijt soms af en groeit ook wel eens aan. En sommige uitdrukkingen verwerven zich een inhoud, die niet door andere woorden kan vervangen worden. Ten slotte is alle taal – we hebben het al meermalen gezegd – niets anders dan afspraak. Vaak en van lieverlede: een opzettelijke afspraak. Tot deze taal behoort het mazzeltof, dat door vele duizenden wordt gezegd en verstaan en welks inhoud door al deze duizenden als groot wordt aangevoeld, zonder dat er aan de eigenlijke en oorspronkelijke betekenis der uitdrukking ooit of veel wordt gedacht. En ten slotte zegt mazzeltof dan nog altijd meer dan: ik feliciteer u. Waarschijnlijk wel om de mystieke klank, eer dan om de mystieke inhoud!

Onwillekeurig zijn wij hier op een zijspoor geraakt en hebben we wat breedvoerig een toevallige bijzonderheid besproken, die met de huwelijksplechtigheid als zodanig niets meer heeft uit te staan, dan met welke andere gelegenheid ook, waarbij gelukwensen worden aangeheven. Een toevallige bijzonderheid, die bovendien niet bij riten kan worden ondergebracht en ook niet behoort tot de orde der symbolen. Maar het collectieve mazzeltof, dat zich hier uit de verzamelde schare inderdaad wel eens als een salvo of als een met enthousiasme uit vele zielen opgewekte Amen-instemming ontlast, verwekt allicht de indruk van een niet onbelangrijke rituele eigenaardigheid of iets dergelijks. Daarom kan ook zelfs dit niet worden voorbijgegaan.

De choeppàh is geëindigd. En toch heeft in werkelijkheid de juridische choeppàh eerst thans plaats, als bruid en bruidegom in het vertrek worden gevoerd, waar zij, nu het vasten is geëindigd, te zamen hun ontbijt gaan nuttigen en waar zij – ook als er aanleiding was om niet te vasten – een korte wijle alleen worden gelaten. Dat verbeeldt het bijbelse *lakàch* of *nasà*; dat is het brengen der gade naar de echtelijke woning. Dat geldt als de eigenlijke *Jiechoed*, de echtvereniging. De éénwording.

En nu, daarna, kan het echtpaar bejubeld worden. Behoort het bejubeld te worden. Hoe dat geschiedt, komt er natuurlijk tot op zekere hoogte, niet op aan. Toch droegen de feestelijkheden na de choeppàh, vooral vroeger, steeds een ingetogen haast gewijd karakter. Er werd nooit bij uit het oog verloren, dat de vreugde hier een simchàh is van hoger orde. Een simchàh ter verheerlijking van de vervulling van een verheven mensheidsplicht; van een mitswàh in evenzeer al-menselijke als in Goddelijke zin. Ook spel en dans stonden in de dienst dezer gedachte. Wie zich het spel herinnert van het Jüdische Künstlertheater in de Dibboek, kan zich een voorstelling maken van de wijze, waarop dergelijke feestelijkheden in de kringen der Chasiediem gevierd werden en worden.

Bij een mitswàh als deze behoort gewis een maaltijd, een se'oedath-mitswàh. Sabbath en feestdagen hebben hun maaltijden; de besnijdenis heeft haar se'oedàh; ook de lossing van de eerstgeborene. Natuurlijk behoort dus ook de echtverbintenis met een huwelijksmaal gevierd te worden. Als het goed is, wordt het een echte se'oedàth-mitswàh. Een samenzitten aan een maaltijd, die met geestigheid ook geestelijk wordt gekruid, waar spirit en vroomheid de toon mengen en bepalen.

Aan zulk een eis kan niet ieder willekeurig gezelschap voldoen. Daarom nam men eertijds daartoe wel een geschikte hulpkracht: een *Badchan*. Een humorist. Maar een, die op fijne en toepasselijke wijze bijbelteksten en talmoedische sententiën en diepzinnige agadàh's met speels vernuft slagvaardig wist te hanteren. Zulke badchaniem luisterden de feestmaaltijd op wel zeer eigenaardige wijze op. Zij waren gezocht. Van enkele zulke beroemdheden zijn de namen bewaard gebleven.

Doch ook zonder badchan kan de se'oedàh wel vol karakter zijn. De aanzittenden kunnen hun best doen, om de oude sprankelende en toch ingetogen geest te handhaven. Wijn en brood zullen er zeker wel aanwezig zijn, al zal er bij de aanvang geen kiddoesj worden uitgesproken, zoals ter begroeting van sabbath en feestdagen. Toen het brood nog thuis gebakken werd en nog een tijd daarna, werd van het deeg door de bruid de challàhheffing genomen.[1] Waarmee haar taak als joodse huisvrouw werd ingewijd. Dat behoort, althans in onze streken, ook door de technisch gewijzigde omstandigheden, wel haast tot het verleden.

Maar voor een se'oedàth-nissoeïen – een werkelijke bruiloftsmaaltijd – worden de handen natuurlijk gewassen ter wijding en wordt het brood gebroken en een stukje in zout gedoopt, na wijdingsspreuk gegeten. Dat gaat ook aan de hors d'oeuvre vooraf. Zeer zeker wordt de dis niet zonder het samenzingen van de gewone tafel-psalm (126) en het gemeenschappelijk verrichte dankgebed na de maaltijd besloten. Aan het einde daarvan keert er nog even iets van de choeppàh-plechtigheid terug: de sjèwa' berachoth – de zeven lofspreuken – worden andermaal gezongen. En nu door degene, die met de leiding was vereerd bij het uitspreken van het dankgebed. De wijn behoort hierbij. Thans ter begeleiding van het tafelgebed. Zes lofzeggingen bij een afzonderlijke bokaal ter ere van de bruiloft, de zevende eveneens bij eigen wijn, ter begeleiding van het dankgebed. Van beide bekers, waarvan de inhoud wordt gemengd, krijgt het echtpaar te drinken.

Bruiloftsweek. Reeds in Jacobs tijden horen wij ervan gewagen. Zijn schoonvader Laban zegt hem immers het bezit van Rachel na de bruiloftsweek met Lea toe (1 Moz 29,27). Die bruiloftsweek behoort ook thans nog niet tot de joodse archeologie. In onderscheidene families worden er zeven dagen lang met de jonggehuwden geregeld min of meer feestelijke maaltijden gehouden. Waarbij ook telkens nieuwe gasten tot aanzitten worden genodigd. En steeds als er in die zeven dagen – de Sjiv'ah-jemé-hammisjtèh – nieuwe gezichten aan de dis verschijnen, herleeft de choeppàh-stemming. En aan het slot van het tafelgebed weerklinken dan iedere dag alle of althans de laatste van de sjèwa'-berachoth.

1. Zie blz. 61.

HET ZWAGER-HUWELIJK

In de Torah (v Moz. 25, 5-10) vindt ge de bepalingen, die in de huwelijks wetgeving ten opzichte van het zogenaamde zwager-huwelijk zijn vastgelegd. Maar wat daar als het recht in paragrafen is geformuleerd, leefde in Israël als zede en als ongeschreven wet sinds de oudste tijden. De aartsvaderlijke geschiedenis heeft de herinnering aan een merkwaardig geval voor ons bewaard in 1 Moz. 38. De eerstgeborene van Juda is getrouwd met Tamar. Hij sterft kinderloos. Nu moet Onan, de volgende zoon, de weduwe nemen. En het eventuele kroost zal in de rechten van de overleden broer treden en diens naam doen voortbestaan. Onan echter ontwijkt de wet in werkelijkheid en sterft. Sterft daaraan. En Tamar zal wachten op de derde zoon, die nog te jong is. Want Tamar heeft recht op hem. En Juda heeft de plicht te zorgen, dat haar dit recht geworde. Hoe sterk en hoe heilig dat recht is en als hoe natuurlijk die plicht wordt aangevoeld, blijkt uit het verloop van het verhaal. Tamar, als ze later blijkt zwanger te zijn, geldt zonder meer als een overspelige; dus in haar weduwschap, maar wachtende op haar vereniging met de zwager, volkomen als een gehuwde vrouw.

En hier ligt de zin van zede en wet.

Groot is in de Bijbel de waarde der familie. Haar bestendigheid, haar groei, zijn voorwaarde voor het bestaan van het volk. En van zijn kracht en zijn gedijen. En voor het doel van zijn bestaansleven.

Op gezinsleven en familiezin is de maatschappij gebouwd. De volkskracht ontbloeit aldaar. Vast moet de stam der familie staan in de nationale bodem. Elke geboorte doet de wortels dieper slaan. Elk kind geeft grotere gewisheid en maakt de mogelijkheid, dus de zegen, vaster.

Iedere zoon is een 'bouwer' aan het huis der familie, iedere dochter een bewuste 'bouwster'. Zo is in het Hebreeuws – de taal van de Bijbel – de ware benaming van zoon en dochter. De taal van het volk – niet waar? – geeft immers getuigenis omtrent diens ziel. Zoon en dochter zijn van dezelfde woordstam en slechts naar het geslacht in woordvorm onderscheiden. Zo is het ook met broer en zuster. En de Bijbel zelf wil in de woorden voor man en vrouw eveneens hetzelfde grondwoord vinden. Hetgeen – terloops opgemerkt – nogal iets zegt over de voorstelling, die de Bijbel omtrent de waarde der beide kunnen in vergelijking met elkander schijnt te hebben.

Elke zoon zet een nieuwe tak aan de stam der familie. Hij vindt en neemt als gade de dochter uit een ander gezin. Zij 'bouwen' samen hun huis. Maar de vrouw gaat naar bijbelse visie – en ook naar onze hedendaagse voorstelling nog – in de familie van de man over. Zij wordt in de kring van de schoonvader en van de schoonmoeder opgenomen. Wederom Hebreeuwse woorden van dezelfde stam. En het is misschien geen toeval, dat zij met het woord voor beschermende-ringmuur van dezelfde oorsprong schijnen te zijn. Deze woorden voor schoonvader en schoonmoeder kunnen slechts van de vader en de moeder van de man, dus van de schoonvader en de schoonmoeder van de vrouw, gebezigd worden. Voor die van de man is er een ander woord, hetgeen de aanverwantschap uitdrukt en wel door middel van de vrouw. En van diezelfde woordstam is ook chathàn, hetwelk zowel schoonzoon als bruidegom betekent. Waaruit alweer te besluiten valt, dat de man met zijn gezin tegenover de ouders der vrouw wordt geacht een eigen zelfstandigheid te zijn gebleven.

Maar aan de familiestam van het vaderlijke huis zet hij een nieuwe tak. Als tenminste zijn echt met kinderen wordt gezegend.

Kinderzegen – grootste zegen. Als ge deze mening van de Bijbel nog bevestigd moet hebben, lees dan enkel maar de Psalmen 127 en 128.

Wanneer we deze voorstellingen en gedachten in ons opgenomen hebben, dan kunnen we komen tot het begrip van het leviraats- of zwagerhuwelijk. Levir is Latijn en betekent: zwager, broer van de man. Het Hebreeuws heeft voor deze zwager ook een afzonderlijk woord: *Jawàm*, met een werkwoord voor het vervullen van de speciale zwagerplicht door het zwager-huwelijk: *jabbém*.

En mensenpaar is in de echt getreden. Er zal een tak ontkiemen aan de stam der familie. Maar de man sterft en heeft geen zoon. Er is geen tak ontsproten. De vrouw echter, nu weduwe, is niet enkel verbonden aan de zoon van het huis, waartoe zij is overgegaan. Zij is gehuwd aan zijn stam. Geënt op deze. Ware de echt met kinderen gezegend geworden, had het huwelijk een mensenspruit voortgebracht, die de tak aan de familiestam had kunnen doen uitgroeien – uitgroeien tot een zelfstandige boom, tot een nieuwe stam in het vaderlijke geslacht – dan zou dit echtpaar een eigen zelfstandigheid geworden zijn. Een nieuw huis. Maar het is zover niet gekomen. En hij is niet meer. Zo blijft zij gehuwd aan het het huis van de schoonvader, in het huis van de stam van haar man. Door zijn dood is de band nu niet gebroken. Niet ideëel, maar ook niet voor de wet. Zij is een, gehuwde weduwe. Zij heet niet eenvoudig weduwe, d.i. almanàh, maar broedersvrouw d.i. *Jewamàh*, vrouwelijk woord van jawàm.

Het huwelijk wordt voortgezet. Met een broeder van de overleden echtgenoot. Bij voorkeur met de oudste. Althans, wanneer er een broeder leeft. Was de gestorven man enige of nog enige zoon, dan houdt natuurlijk alles op. Dan is vanzelf iedere wettelijke band verbroken. De weduwe was dan geen jawamàh, schoonzuster in de bijzondere zin. Want er was ook geen jawàm, geen mansbroeder. Zij is door het sterven van haar man weer los van het huis van zijn vader. Vrij derhalve ook om een nieuw huwelijk aan te gaan. Maar anders duurt haar echtverbintenis voort. Zij blijft verbonden. Nu met een mansbroeder. Zij is *zekoekàh lejawàm*. Zo luidt de latere term. En al zijn ook alle mansbroeders gehuwd, dat heft de verbintenis niet op. Want in torahtijden was het immers niet verboden met meer dan een vrouw gehuwd te zijn. En hier, voor dit geval, heft de Torah zelf het verbod op om de vrouw van de broer te nemen. Hetgeen anders als bloedschennis verafschuwd wordt (III Moz. 18,16).

Zoveel gewicht hecht de Torah dus aan het zwagerhuwelijk. Maar zij vergeet de onmogelijkheden en ook de bezwaren niet. En regelt ze.

VERBINDING EN SCHEIDING

Het was ook in torahtijden niet altijd mogelijk de band te bestendigen, die de gehuwde weduwe – de jewamàh – aan de stam van haar man en na diens dood vanzelf aan een der mansbroeders – aan de jawàm, de levir – verbond. Wel bestond er geen wettelijk bezwaar, wanneer ook die broer reeds gehuwd was. Of de broers allemaal. Maar met twee zusters tegelijk mocht niemand getrouwd zijn (III Moz. 18,18). En deze bepaling verviel ook voor het zwagerhuwelijk niet. Zodat, wanneer de jawàm met de zuster van de gehuwde weduwe getrouwd was, daardoor vanzelf de leviraatsplicht was opgeheven.

Of denkt u het geval, dat iemand de dochter van zijn broer trouwt en komt te overlijden zonder een kind na te laten, dat zijn familietak tot een eigen stam kan doen uitgroeien. Dan zou dus door het leviraatsinstituut de dochter, nu weduwe, de vrouw van haar vader worden? Dan kan natuurlijk niet. Hier was a priori door het eerste huwelijk geen jawàm-verhouding ontstaan. Dus is er ook geen sprake van opheffing der bepaling. De werking der wet was in dit geval van begin af aan uitgesloten.

Zo zijn er nog een aantal onmogelijkheden te stellen.

Maar behalve onmogelijkheden kunnen er ook onoverkomelijke of ernstige moeilijkheden, erge onwenselijkheden en grote bezwaren zijn. En het ligt evenzeer voor de hand, dat de partijen, die verenigd zullen worden of eigenlijk eo ipso verenigd zijn, niet samen willen, niet samen kunnen leven. Of zelfs: de zwager wil wel, maar niet uit de ideëele beweegreden, die aan het hele instituut ten grondslag ligt, doch uit berekening: zij is rijk! Of uit hartstocht: hij begeerde haar reeds als de vrouw van zijn naaste! In casu de vrouw van zijn broeder! Daar kan de wet natuurlijk geen vat hebben.

Dus moet er een uitweg zijn. Een regeling.

En aanstonds stelt de Torah het alternatief: of jibboem, d.i. zwagerhuwelijk; of ontbinding van de band, die de gehuwde weduwe hecht aan het vaderlijke huis van haar overleden echtgenoot. Scheiding derhalve van de familie. Verbreking dezer verbintenis. *Chalietsàh*.

Het spreekt vanzelf, dat er geen verbreking hoeft plaats te hebben, wanneer er geen verbintenis bestaat. Als door de dood van de man de verbondenheid van de vrouw aan het huis van de vader zonder meer is vervallen, dan valt er natuurlijk verder niets te doen en is de vrouw terstond weer vrij en zelfstandig. Zoals in de eerstgenoemde gevallen. Chalietsàh is slechts plicht, waar anders de jibboem juridisch mogelijk en dus plicht geweest zou zijn.

De Torah stelt het in dit opzicht sterkste geval: er is geen enkel bezwaar; maar hij wil niet! Hij wil de jibboem plicht niet vervullen. De ideëele bedoelingen van het instituut kunnen hem niet schelen. Hij begeert de naam van zijn broer niet te doen voortleven. En het laat hem koud, als deze tak van de familiestam onvoltooid blijft. Afgesneden.

'En zijn schoonzuster gaat ter poorte op naar de oudsten en zegt: "Mijn zwager weigert zijn broeder een naam in Israël te bestendigen; hij wil mij niet als broedersvrouw aanvaarden."

'En de oudsten zijner stad ontbieden hem en spreken hem toe. En staande verklaart hij: "ik wens haar niet te nemen"' (v Moz. 25, 7-8). Dan heeft de 'scheiding' plaats. In wezen is ze reeds voltrokken. Maar een handeling moet haar bekrachtigen, een daad haar zichtbaar maken. Woorden zijn niet genoeg. Akten niet voldoende. De oude wet verlangt concrete vormen: de taal, die zichtbaar is en daarom bijna steeds noodzakelijk. Noodzakelijk vooral in simpele organisatieverhoudingen. De taal derhalve van het symbool.

Ook deze taal moet ter poorte voor de ouden uitgesproken worden; met het symbool moet de scheiding tot feit worden gemaakt.

De 'poort' – het zij terloops, wellicht ten overvloede, even aangestipt – dat is de officiële plaats der overheid. Daar zijn de openbare rechtszittingen. En de oudsten zijn hier evenmin speciaal de hoogstbejaarden, als waar dan ook in oude en in onze tijd de leden van de een of andere senaat of de senioren van een convent. Het is ook hier reeds een titel geworden voor de leden van een college, van een vertegenwoordiging. De fungerende rechters dus in onze zaak.

Er hebben twee handelingen plaats (vrs 9):

'Zijn schoonzuster treedt nader tot hem voor de ogen der oudsten en trekt zijn schoen hem van zijn voet, en zij spuwt voor hem uit!'

Esthetisch is vooral het laatste niet. Wel plastisch. En veel verklaring is geen noodzaak. Zijn weigering wordt tot een verachtelijkheid gestempeld. Verachtelijk in hoge mate. Ook al is het niet een spuwen in het aangezicht. Want al laten de Hebreeuwse woorden zelfs zulk een vertaling toe, vast staat, dat de overlevering nooit aan een dergelijke opvatting heeft gedacht en ze nimmer heeft toegepast.

Ook zó is de afkeer erg genoeg en voldoende uitgedrukt. Lees ter illustratie maar eens iv Moz. 12: Mirjam heeft een kwaadsprekerij tegen Mozes ingezet. En zij is gestraft met melaatsheid. Mozes bidt voor haar om genezing. Zij zal ze erlangen. Maar zij moet een week afgezonderd worden. En ter motivering wordt de straf der melaatsheid en haar afzondering als smadelijk gevolg vergeleken met de onderstelling, dat haar vader voor haar had uitgespuwd! Dan ware zij toch voor minstens even lange tijd beschaamd geweest en beledigd.

Deze zwager nu heeft liefdeloos gehandeld jegens de nagedachtenis van zijn broer en zich brutaal gedragen tegenover een gewichtig ideaal in Israël. En hij heeft met zijn weigering zijn schoonzuster beledigd. Dit alles wordt hem diep en duidelijk kenbaar gemaakt. Naar buiten wordt zijn daad hiermede tegelijkertijd gekwalificeerd naar de waarde, die er in Israël aan wordt toegekend. En die er in de ideologie der Torah aan toegekend moet worden.

Bovendien is in deze handeling der vrouw niet alleen haar afkeer, maar ook ipso facto haar afstand van deze man ten sterkste gemanifesteerd. Zij spuwt voor hem uit! Zij scheidt zich reeds op deze wijze onherroepelijk van hem.

En zij trekt hem de schoen van zijn voet.

Stilzwijgend – impliciet – zal hier, nu er geen nadere aanduiding bijstaat, vanzelf wel rechter voet bedoeld zijn. Dit slechts terloops.

Ook wij weten, wat het zeggen wil: de voet op iets zetten. Ook deze taal is uit oude rechtshandelingen tot ons gekomen, toen het afstaan en verwerven van vast bezit door openbare en handtastelijke feiten moest geschieden en het met afspraak en overschrijving niet genoeg was en het nog niet op afdoende wijze tot zijn recht kon komen. De rechtervoet, de geschoeide rechtervoet natuurlijk, stelt de hele mens en zijn heerschappij voor. En later vervangt de schoen de man en zijn rechten. Waar hij zijn schoen op zet of zelfs maar werpt, dat is het zijne.

'Op Edom werp ik mijn schoen,' zegt het Psalmwoord in deze zin (Ps. 60,10 en 108, 10).

De ongeschoeide voet verbeeldt de onzelfstandige. De bezitloze. We hebben deze gedachte reeds enigermate bij de riten ontmoet van de Grote Verzoendag.[1]

Wie zich de schoen laat uittrekken, doet dus afstand van zijn rechten.

Voor deze conclusie zijn wij niet enkel op logica en redenering aangewezen. Het sobere verhaal van No'omie en Ruth, dat als boek in de Bijbel de naam van de laatste draagt, brengt ons het concrete geval en het bewijs van het overgeleverde gebruik (Ruth 4, 7): 'En zo was het voorheen in Israël bij vervulling van lossingsplicht en bij overdrachten ter bevestiging van enige zaak: de een trok zijn schoen uit en gaf hem de ander; en dit werd recht in Israël.'

Hier zijn wij bij een geval, dat leerzaam is voor ons onderwerp en dat wij als zodanig nog wel nader zullen beschouwen. Het symbool der chalietsàh echter spreekt reeds duidelijke taal voor ons. Het Hebreeuwse woord chalietsàh betekent overigens niets anders dan uittrekken. Het uittrekken van de schoen.

1. Zie blz. 83.

En deze zwager worden zijn rechten dus ontnomen. Hij is op scherpe wijze ontslagen van zijn plicht. 'Gij hebt niet gewild: gij moogt niet!'

Dat wordt hem en ieder ander wie het zou kunnen aangaan, in het openbaar nog eens met krachtige woorden in het aangezicht geslingerd, nadat zijn schoonzuster voor hem op de grond heeft gespuwd (v Moz. 25 vrs 9 en 10): 'Zo wordt de man gedaan, die het huis zijns broeders niet wil voortbouwen'. 'Zijn titel zal in Israël heten: het huis van de ontschoeide!' De chalietsàh is volbracht; de scheiding is volmaakt.

UITBREIDING EN BEPERKING

De plicht van het zwagerhuwelijk wordt in de Pentateuch – zoals wij reeds zagen – dus gedemonstreerd aan het normaal gedachte geval, dat er in het wezen der zaak geen bezwaar schuilt tegen de toepassing en er van de kant der belanghebbenden geen enkele wettelijke moeilijkheid tegen ingebracht kan worden. Het geval dus, waarop de ideële bedoeling en de juridische bepalingen ten volle van toepassing zijn. Dus: het moest gebeuren, maar het gebeurt niet, omdat hij niet wil!

Er zijn natuurlijk tal van tussengevallen denkbaar. Niet alleen denkbaar. Want zó enkelvoudig en precies naar één model verloopt het leven niet. Geen twee gevallen immers lijken in de werkelijkheid van het bestaan volkomen op elkander. Dat weet de Torah ook. Dat weet de overlevering niet minder. En zij heeft ons óók iets te zeggen.

Blijkbaar is in de bijbelse tijden het zwagerhuwelijk niet beperkt gebleven tot zwagers alleen. De plicht om de weduwe te huwen van een kinderloos gestorven 'broeder' en om diens naam op zijn 'erf' en in 'de poort zijner stad' te doen voortleven[1] is, naar het schijnt in de praktijk tot verdere bloedverwanten uitgebreid, is overgegaan op de *Goél*, op de 'losser'.

Het verhaal van Ruth en Bo'az althans legt ons een geval voor, waarbij lossings- en huwelijksplicht aan elkaar gekoppeld zijn.

Van de 'losser' en de 'lossing' spreekt de Pentateuch in III Moz. 25, vooral vers 23 en verder: Het land, de grond, de bodem is van God. De bezitters hebben het zo ongeveer in erfpacht. Niemand kan voorgoed zijn grond vervreemden. Niemand kan voorgoed van een ander bodem verwerven. In het *jowéljaar*[2] – telkens het laatste van vastgestelde vijftigjarige perioden – keert alle grond, die tijdens zulk een periode van beheerders is

---

1. Ruth 4, 10.
2. Gewoonlijk wordt er van 'jubeljaar' gesproken. Het heeft echter met jubelen niets te maken. Jowél betekent veeleer het brengende, d.w.z. hetgeen naar huis terug doet keren. Niettemin leiden anderen het woord van jowél af, hetwelk ram en ramshoren betekent, omdat het jaar met bazuingeschal wordt aangekondigd (III Moz. 25, 8-12).

veranderd, tot de oorspronkelijke 'bezitters' terug. En ieder komt weer op zijn erf te zitten.

En binnen die uiterste termijn is er te allen tijde 'lossing' mogelijk. De verkoper behoort te trachten zijn grond terug te krijgen uit de handen van de koper. En deze heeft – gelijk hij van te voren weet – slechts de opbrengsten gekocht van het aantal jaren, dat er nog tot het jowéljaar verlopen moet. Hij moet in de lossing bewilligen en de afrekening tot stand helpen brengen.

Wanneer de verkoper er zelf niet toe komen kan om zijn erfgoed terug te verwerven, te lossen dus, dan behoort een broer of een ander erfgerechtigd bloedverwant als losser op te treden. Zo luidt het in de Torah op de aangehaalde plaats.

En dat nu zien we daar gebeuren in het boek Ruth: Bo'az is een bloedverwant van Ruths overleden echtgenoot Machlòn. Geen broer. Maar hij bestaat hem zo na, dat hij volgens No'omie tot de lossers behoort (Ruth 2, 20). Dat erkent ook Bo'az. En op grond hiervan besluit hij de vaste goederen van Machlòn, die verkocht zijn uit armoede, te lossen. Maar er is nog een losser in leven, die nader verwant en er dus eerder toe verplicht is (3, 12). 'En Bo'az gaat ter poorte op' (4, 1) en brengt de zaak in het openbaar voor de oudsten. De ander wordt de plicht voorgehouden het erf van Machlòn te lossen. En tevens: om diens weduwe Ruth te huwen. Hij weigert. Weigert om de laatste voorwaarde en doet afstand. En Bo'az volbrengt het ene en het andere.

Zo is daar lossing en huwelijk aan elkaar verbonden. Dit huwelijk is echter geen werkelijk zwagerhuwelijk, is helemaal geen jibboem.

Van een dergelijke toepassing en uitbreiding kennen wij verder geen voorbeelden. Niet uit de geschiedenis noch ook in de praktijk van vroeger of thans. Wij kennen geen andere jibboem dan alleen omtrent de broeders van welke de Torah spreekt. En geen andere chalietsàh dan het ontschoeien van de voet van de zwager, die de schoonzusterweduwe daarmee vrijmaakt van de verbintenis met het vaderhuis van haar kinderloos overleden echtgenoot.

Reeds in oude tijden was het voor hen, die in de raad der Oudsten zitting kregen, een vraag, soms een zeer pijnlijke gewetensvraag, wat naar de geest van de Torah de voorkeur verdiende: jibboem of chalietsàh; voortzetting van het huwelijk met de broer van de gestorven echtgenoot, of scheiding van de familiestam. In het Talmoed-traktaat Jebamoth, dat de naam van ons onderwerp draagt, is deze kwestie natuurlijk aan de orde. Hoe kan het anders? De Torah stelt het geval zo simpel! Maar de afwijkingen hiervan? En de complicaties? En zelfs: als iemand wél de jibboem wil, mogen we dan maar zonder meer aannemen, dat hem slechts zuivere, ideële bedoelingen drijven? En als een van beiden, hij of zij, eens gegronde en door ieder te billijken reden van afkeer heeft, moeten die dan helemaal niet in aanmerking komen? En gesteld, het staat medisch vast, dat ook het voort te zetten huwelijk onvruchtbaar blijven zal, wat komt er dan terecht van de strekking van het instituut? Zo kunnen we voortgaan.

Het is begrijpelijk, dat menig keer de Raad der Oudsten is komen te staan voor gevallen, die hen deden huiveren, om aan te dringen bij de zwager om zijn schoonzuster te nemen. Het ligt voor de hand, dat zij vaak liever geneigd moesten zijn om de verbintenis af te raden. Of zelfs af te keuren. En het moet wel vanzelfsprekend zijn, dat zij de bevoegdheid daartoe bezaten. De overlevering weet voor hen een dergelijke opvatting zelfs in de Torah-tekst te vinden. Tot steun dan der vaststaande traditie, die hun immers even wis en zeker is als het geschreven Woord.

Zo wordt vanzelf de jibboem, het voortgezette zwagerhuwelijk, beperkt. En de scheiding, de chalietsàh, kreeg de voorkeur. Zij werd ten slotte regel. Regel voor de werkelijke zwagerverhouding d.w.z. ten opzichte van de schoonzuster en de mansbroeder, waarvan de Torah spreekt. Van de uitbreiding, welke ons in het boek Ruth is nagelaten, bleef niets over.

Deze regel werd nog meer tot noodzaak sinds reeds omstreeks het begin der elfde eeuw door een der verordeningen – Tekanoth – van de grote leraar rabbénoe Gersóm ben Jehoedah de veelwijverij werd opgeheven. Rabbénoe Gersóm zetelde te Mainz. Van zijn school uit straalde zijn licht over de jodenheid van Duitsland, Frankrijk en Italië. Hij werd als 'het licht der ballingschap' – Meór-haggolàh – vereerd en zonder officiële aanstelling golden zijn woorden en beslissingen als de bepalingen van een joodse rechtbank, van een sanhedrin. Zijn verordeningen kregen synodale rechtskracht.

De Torah verbiedt het niet, meer dan één vrouw te bezitten. Maar het is niet moeilijk te bewijzen en in te zien, dat zij het alleen maar niet verbiedt, doch dat slechts het monogame huwelijk aan haar geest beantwoordt. Die geest werd door rabbénoe Gersóm in zijn Verordening tot wet gemaakt. en door de joden, welke door zijn licht bestraald werden, zonder meer als *het* joodse recht aanvaard. En nu moest derhalve bij hen ook de jibboem voor de chalietsàh plaats maken in al die gevallen, waar geen ongehuwde mansbroeder aanwezig is en er slechts gehuwde zwagers in het leven zijn. Zo kreeg deze scheiding voor goed haar plaats in het joodse recht bij allen, die rabbénoe Gersóm als erkende en aanvaarde leraar hebben gehad. De rabbinaten hebben haar dus meermalen toe te passen. Haar, en niet de voltrekking van het zwagerhuwelijk.

DE PROCEDURE

Israël is een hardnekkig volk (II Moz. 34, 9). Dat is het. De geschiedenis getuigt het. Getuigt het ook in de goede zin. Het houdt vast aan zijn idealen en laat zijn roeping niet los. Het draagt zijn Torah mede door de historie, die het zijn weg niet plaveit. Maar al leidt zijn pad langs dreigende afgronden, het schrijdt gebogen verder en werpt zijn Leer niet af. In de dalen van de schaduwen des doods koestert het zijn last – dat is: zijn opdracht – als zijn dierbaarste schat aan zijn boezem. En het is zijn troost, zijn staf – zij het ook zijn pelgrimsstaf. Het houdt hem overeind. Het draagt hem. Zo gaat Israël door de eeuwen. Kinderen van Israël, afzonderlijke Israëlieten, bezwijken, gaan ten gronde, vallen af. Maar Israël als zodanig houdt stand. En dat Israël gaat door de eeuwigheid. Het hardnekkige volk.

Dat houdt zijn Torah vast en laat zijn Bijbel niet varen. En als de tijden veranderen en de omstandigheden zich wijzigen, dan tracht het deze aan te passen aan zijn Leer en niet de Leer aan tijd en verhoudingen. En al breken de Tafelen, de Letters vliegen eraf, de Schrift redt zich.

De wijzen staan borg voor haar in elk nieuw geslacht. De leraren van het hardnekkige, dat is het historische Israël in alle tijden, zijn haar wachters en hoeders. Ook zij zijn hardnekkig. En trouw.

Het overkwam mij onwillekeurig dit – zeg mijnentwege: deze tirade – hier neer te schrijven, nu ik mij zette om het zwagerhuwelijk verder te behandelen en de toepassing der wet voor onze tijd en onze omgeving te beschrijven. Nu er voor de partijen geen of nauwelijks keuze meer bestaat tussen jibboem – de bestendiging dus van de huwelijksband – en chalietsàh – de scheiding derhalve van de familiestam. Waar er dus chalietsàh plaats *moet* vinden.

Daar komen de moeilijkheden.

Eerst de vraag, of daar, waar het alternatief niet toegelaten is, niet ook vanzelf het hele instituut mede buiten werking is gesteld. Als de man wel wil, gaarne wil, en met zuivere en ideële bedoelingen wil, maar hij kan niet en mag niet, omdat hij reeds gehuwd is en daarom niet alleen de verordening van rabbénoe Gersóm maar ook de Burgerlijke wet het hem verbiedt, deze vrouw te nemen: moet daar, kan daar dan toch het scheidingsproces gevoerd worden? Gevoerd op de wijze, zoals de Torah het gebiedt? Kunnen – mogen zij – de vrouw en de man – in zulk een geval dan de verklaringen afleggen, die uitdrukkelijk in het Bijbelwoord zijn voorgeschreven en woordelijk geformuleerd?

Gaan we even terug.

Ook in de volle torahtijden immers – we hebben het reeds gezien – moesten er zich gevallen voordoen, dat het huwelijk zeer onwenselijk was. En erger dan onwenselijk. Weerzinwekkend soms. Bijvoorbeeld in het eenvoudig denkbare geval van al te grote afstand in leeftijd tussen hem en haar. Of in het eveneens eenvoudige geval, dat bij voorbaat de onvruchtbaarheid van de voort te zetten echtverbintenis deskundig vaststond. Er mag immers niet vergeten worden, dat het nemen van de vrouw van een broer in het algemeen bloedschande heet; en dat alleen de zuivere jibboem daarvan merkwaardigerwijze uitgezonderd is – En dat men hier dus altijd komt te staan op de lijn – een mathematische, een onzichtbare lijn – tussen ideële plicht en verfoeilijkheid. Huiveringwekkend zwaar kon daarom soms de taak der oudsten zijn. En vaak hadden zij de man te overtuigen, dat wil zeggen tot de volle overtuiging te brengen, dat hij niet mocht. Zodanig, dat hij dan ook werkelijk en waarachtig niet wilde. Omdat hij niet mocht.

Nu nemen de rabbinaten de plaats der oudsten in. De mogelijkheden, de zekerheden van onmacht zijn talrijker geworden. Maar in wezen is de zaak dezelfde gebleven. Hun taak is zwaarder geworden, zwaarder ook om andere reden – zoals we nog zullen zien – maar in wezen niet veranderd.

En de chalietsàh heeft plaats. In Torahgeest. Een naar de letter van Leer en overlevering.

Een rechtscollege is er nodig. Een *Beth-Din* van drie volledig bevoegde joodse rechtsautoriteiten. Met nog twee bijzitters, welke tot rechtsbeslissingen niet gegradueerd behoeven te zijn.

De plaats der rechtszitting is – het spreekt eigenlijk vanzelf – niet een willekeurige. Maar hier wordt er extra de aandacht op gericht. 'Ter poorte' immers ging zij op (v Moz. 25, 7). En Bo'az eveneens (Ruth 4,1). Het moet ook nu een aangewezen plaats zijn, expresselijk voor het doel bestemd. Dus wordt de plaats der rechtszitting van te voren afgesproken. Afgesproken niet alleen. Maar het college komt de dag te voren bijeen, gewoonlijk na de dagelijkse dienst ter synagoge in de namiddag en zij zeggen: 'Komt laten wij erhenen gaan,' en zij gaan naar het vertrek en bestemmen het plechtig voor de gewichtige handeling van morgen. En nu is de verheven plek aan die der poort gelijk geworden. Evenzo worden de pàrtijen, de man en de vrouw, vooraf geïnstrueerd. Wat zij te zeggen en te doen hebben, wordt als het ware met hen gerepeteerd. Want zij moeten de handelingen kennen en de bedoeling der handelingen; en de woorden die zij te spreken hebben en hun inhoud en hun strekking en hun rechtsgevolgen. En deze woorden behoren tot de formules, die uitsluitend in het Hebreeuws en letterlijk moeten uitgesproken worden, duidelijk en vlot, zoals het hun zal worden voorgezegd op de zitting; gelijk het eedsformulier voor de rechtbank, zodanig, dat er nooit enige aanmerking op gemaakt zal kunnen worden.

De volgende ochtend verzamelen zich de rechters en de bijzitters met de partijen in het plechtig aangewezen lokaal. De zitting zal in het openbaar geschieden, in den regel terstond na de dagelijkse ochtenddienst ter synagoge en er zullen met het college minstens tien mannelijke joods-meerderjarige personen aanwezig zijn. Een minjan, het minimum vereiste aantal, ook voor een gemeenschappelijke bidstond.

De voorzitter, in het midden der twee andere rechters, met de bijzitters ter zijde aan weerskanten, opent de zitting met een ernstig woord tot zichzelf en het college en er volgen enige vragen en antwoorden, nodig om het geval te preciseren en het zodanig vast te stellen en in te kleden, dat de rechtsgeldigheid ervan onomstotelijk zal komen vast te staan. Het gaat om een scheiding, de scheiding van een gehuwde weduwe, nog gehuwd aan de familiestam van haar overleden man. Het gaat erom te zorgen, dat zij vrij worde en niet als gehuwde vrouw een ander zou gaan toebehoren. Dus om de hoogheid van het huwelijk, om de reinheid van het huwelijksleven, om de heiligheid van het huis.

Als alle voorbereidende maatregelen zijn genomen, geschiedt de scheiding. Daar staat een schoen. De sandaal der oudste tijden is inderdaad een schoen geworden. Maar de sandaal is er toch wel in te herkennen. Hij heeft in het joodse recht een vaste vorm gekregen. Volkomen duidelijk en begrijpelijk. Zo iets behoeft waarlijk niet verklaard te worden. De schoen behoort natuurlijk het eigendom van de man te zijn, want *zijn* schoen moet hem uitgetrokken worden. En als de schoen nog niet zijn eigendom is, dan zal hij hem geschonken en in bezit overgedragen worden. Hij zal hem aantrekken aan zijn blote rechtervoet. De schoen zal dus gelijk een sandaal weer van zijn naakte voet getrokken worden. Staande en geschoeid zet hij zijn voet op de bodem: hij is bezitter en rechthebbende. En nu spreekt zij, staande eveneens, wat zij te spreken heeft in het Hebreeuws. En hij antwoordt – eveneens in het Hebreeuws – het zijne. Dan komt zij dichterbij en terwijl hij tegen een wand of iets anders leunt, steekt hij haar de naakt-geschoeide voet toe, maakt zij met haar rechterhand de riemen los en ontschoeit zijn voet op voorgeschreven wijze. En nu werpt zij uit haar mond wat speeksel voor zijn aangezicht ter aarde op een wijze, die duidelijk zichtbaar is voor het oog van het college en spreekt daarna weer in het Hebreeuws het slotwoord, zoals de Torah het heeft ingekleed en hetwelk zeer zeker heel algemeen bestemd kan zijn voor ieder, op wie het in de volle zin der woorden toepasselijk is. Allen die aanwezig zijn, vallen met de twee laatste woorden van de laatste zin der bijbelse beschrijving in: het huis van de ontschoeide, *chaloets hannâ'al*. Zij zeggen het driemaal en de scheiding is voltrokken.

Zij wordt in een akte vastgelegd en de zitting is opgeheven. De tot nu toe gehuwde is vrij en als zij wil, kan zij een nieuwe echtverbintenis gaan sluiten.

Hier zat dus het rabbinaat in optima forma, als joodse rechtbank. Overeenkomstig zijn bevoegdheid. Maar bij de huidige staat van het joodse volk beschikt het rabbinaat voor de volledige uitoefening van zijn taak over niets anders dan morele invloed en over de kracht van zijn prestige. Het mist dwingende macht en executoriale bevoegdheid. Met zijn invloed en zijn prestige kan het gewoonlijk veel bereiken, kan het in den regel veel tot stand brengen van hetgeen er op het gebied van het joodse leven valt te doen. Ook op het gebied van het thans behandelde onderwerp.

Doch het is niet altijd licht de mensen voor dit tribunaal te krijgen. En het rabbinaat komt in deze materie vaak voor grote moeilijkheden te staan. Narigheden. Gelijk we die ook bij de gewone echtscheidingen ontmoeten. Moeilijkheden, welke verder met deze te zamen, daar besproken zullen worden.

DE ECHTSCHEIDING

De Torah erkent de echtscheiding en aanvaardt ze. Niet gaarne. Wie de heiligheid kent, waarmee de Leer de echtverbintenis omgeeft, zal dit begrijpelijk en natuurlijk vinden. Er is in de Bijbel geen sterker beeld voor een innige verhouding te vinden, dan dat van de echtelijke band tussen man en vrouw: de liefde en de trouw tussen God en Zijn volk worden in menselijke taal en menselijke voorstelling het liefst uitgedrukt in het ideëele beeld van het menselijke huwelijk. De scheiding is derhalve een ontzettende ramp. Maar zij kan gewenst zijn om erger dan deze ramp te vermijden; zij kan noodzakelijk zijn, om nog noodlottiger dingen te voorkomen dan het vreselijke der huwelijksontbinding.

Daarom erkent de Torah dus de scheiding. En zij aanvaardt de gescheiden vrouw als een bestaande mogelijkheid. Zij spreekt ervan als van een feit. Zo in III Moz. 21 vrs 7 en 14, in 22 vrs 13 en in IV Moz. 30, 10. En zij behandelt een aanleiding tot scheiding en het proces der scheiding in het begin van V Moz. hoofdstuk 24. Doch ook daar niet geheel opzettelijk. Want de drie eerste zinnen zijn daar eigenlijk meer de beschrijving van een onderstelling, waarvan het vierde vers als de nazin het eigenlijke doel is.

En wie geen vreemdeling is in de taal van de Torah en haar geest heeft leren begrijpen, die voelt – zo ergens dan hier – dat er stilzwijgend wordt uitgegaan van als bekend onderstelde bepalingen, die hier niet in bijzonderheden schriftelijk zijn vastgelegd. Daarom klinkt ons de beschrijving van het geval maar vaag tegemoet en worden het proces en de juridische voorwaarden voor de rechtsgeldigheid niet veel meer dan terloops aangegeven.

Maar er blijkt niettemin: de echtscheiding wordt aanvaard. En wettelijk gesanctioneerd.

Wanneer? Onze bijbelplaats (V Moz. 24, 1) motiveert: 'zij vindt geen behagen in zijn ogen, omdat hij de "schandelijkheid van iets" bij haar ontdekt heeft.'

Op welke wijze? Door een formele scheiding en zulks door middel van een scheidingsakte.

Ongetwijfeld was de omschrijving van het geval oorspronkelijk wel duidelijk en aan weinig twijfel onderhevig bij hen, die de vaststaande bedoeling kenden. Aan geen andere twijfel dus onderhevig dan aan die, waaraan alle wettelijke woordomschrijvingen te allen tijde door alle mogelijke interpretaties blootstaan. Die ongewisheid is op zichzelf al groot genoeg. En het is niet bijzonder te verwonderen, dat er in de talmoedische tijden een groot verschil van mening valt te constateren tussen de voornaamste scholen en de grootste autoriteiten omtrent de motieven, die voor de echtscheiding de doorslag mogen geven.

Daar staat aan de ene kant de school van Sjammai. Zij leest in die 'schandelijkheid van iets' uitsluitend overspel. En echtbreuk is voor haar de enige geldige grond voor de ontbinding van het huwelijk.

Lijnrecht daartegenover vinden we de grote rabbie Akiba, die in de bijbelse omschrijving alle nadruk laat vallen op de woorden: 'zij vindt geen behagen in zijn ogen'. En het volgende is dus niet het waarom, doch een andere onderstelling.

Tussen deze uitersten staat Hillèl en zijn school. Daar is het tweede gedeelte der beschrijving van het geval wel degelijk de oorzaak, waarom zij geen behagen vindt in zijn ogen. Maar de klemtoon der twee Hebreeuwse woorden *èrwath dawar* ligt volgens hun opvatting op het tweede woord *iets*. En terwijl Sjammai's school aan schandelijkheid van iets d.w.z. aan een schandelijk gedrag denkt, vat die van Hillèl het eerste woord veel gematigder op: een ontbloot zijn, een gemis, een fout. Waaruit dan de stelling volgt: Als er afkeer ontstaat, hoe dan ook en de begeerte tot scheiding is sterk geworden, dan is het beter uiteen te gaan dan tot verdere samenleving gedoemd te blijven.

Dit beginsel heeft in Israël de overhand gekregen. Als beginsel. Niet in wildheid of willekeur en zonder rem of teugel. Verre van dien. En dat hoeft niet bewezen te worden met de bepalingen der codices. De geschiedenis van het joodse huwelijks- en familieleven getuigt het van alle geslachten. Over de juistheid der opvattingen valt lang te discussiëren. En over de psychologische en ideële kanten der verschillende principes in het netelige probleem der echtscheiding in het algemeen is gewis het laatste woord nog niet gesproken.

Hier mag het voldoende zijn, de joodse opvatting en haar ontwikkeling eenvoudig slechts te constateren.

Intussen wordt in deze uiteenzetting de schijn geboren, dat alleen de man slechts rechten had en heeft. En dat aanvankelijk de ontwikkeling der rechtsvoorstelling in deze richting is gegaan, valt niet te betwisten. We kennen echter aan de andere kant bij niemand minder dan bij Maimonides in diens onvergelijkelijke godsdienstcodex de bepaling, dat de scheiding eveneens moet plaats hebben, wanneer de vrouw die verlangt omdat zij een hekel heeft aan haar man en niet met hem wil samenleven. Dat is een andere evolutie. Toch schijnt het, dat het zogenaamde sterke geslacht zich soms te grote rechten heeft aangematigd en dat er wel eens willekeurig tegenover de vrouw in scheidingskwesties werd gehandeld. Daarom werd het een der *Tekanóth* – verordeningen – van rabbénoe Gersóm uit Mainz, dat er nooit zonder medewerking der vrouw een ontbinding van het huwelijk zou mogen plaats hebben, tenzij in het geval van echtbreuk.

De echtscheiding kan herroepen en de vroegere echtelieden kunnen herenigd worden. Niet echter wanneer de vrouw intussen hertrouwd is geweest met een ander. Dit is nu het probleem, welks rechtstreekse behandeling in onze bijbelplaats (v Moz. 24, 1-4) is bedoeld. Waarom dat niet mag? Omdat dan met de wet in de hand de echtbreuk mogelijk gemaakt zou zijn. Want, wanneer twee echtparen het afspraken zouden zij dan op legale

wijze tijdelijk onderling kunnen ruilen. Deze bedenking althans vinden sommige com
mentatoren in de uitdrukking ter plaatse: 'nadat zij verontreinigd is geworden'. Anderen
echter menen, dat hier eenvoudig de afschuw wordt uitgedrukt voor zulk een gedoe,
waarbij de vrouw als koopwaar zou overgaan van de ene hand in de ander. En dan tot
haar eerste man terugkeren! Zo zou de heiligheid van het huwelijk tot een liederlijk spel
verlaagd worden.

Jeremia (Hfdst. 3 vrs 1) weet geen sterker voorbeeld van ontaarding in zedeloosheid te
kiezen: 'Zie eens aan: een man ontslaat zijn vrouw en zij gaat weg van hem en wordt de
vrouw van een ander... Kan hij dan weer tot haar terugkeren? Zou niet bezoedeld worden zulk een land, bezoedeld?'

Toegelaten en bij de joodse wet geregeld is de echtscheiding. Maar onverschillig staat
het jodendom er niet tegenover. Zelfs niet met gelatenheid. In het bijzonder niet, wanneer het de ontbinding van een eerste huwelijk betreft. 'Dan stort zelfs het altaar tranen'
en 'gehaat bij God is degeen, die de vrouw zijner jeugd verstoot.'[1] Want ten slotte: 'ver-
schrikkelijk is de echtscheiding' en 'voor alles is vervanging mogelijk, behalve voor de
gade der eerste liefde.'[2] En het echtpaar is een eenheid: 'sterft de man, voor wie sterft hij?
Voor zijn gade! Gaat de vrouw heen, wie ontvalt zij? Haar man!' Zo zegt het bijbelwoord: (Ruth 1,3) 'en Elimèleg stierf, de man van No'omie!' En op zijn sterfbed zuchtte
Jacob nog (1 Moz. 48,7) 'Rachel is mij afgestorven!' 'Voor hem, wiens vrouw hem ontvalt, is het alsof in zijn dagen de Tempel werd verwoest.'

DE PRAKTIJK

Joodse echtscheidingen, dat wil zeggen: joods-wettelijke ontbindingen van bij de joodse
wet gesloten huwelijken, ontbinding door een rabbinaat als joodse rechtbank – zulke
echtscheidingen waren vroeger zeldzaam. Hoogst zeldzaam. Al was het beginsel van
Hillel ook aanvaard en wet geworden; al behoefden er in het algemeen geen juridische
bewijsgronden aangevoerd te worden; al waren eis en verweer overbodig; al behoefde
geen van beiden de schuld op zich te nemen, noch op grond van de werkelijkheid, noch
fictief, om aan de vorm en de letter van de wet te voldoen; en al ging het principieel dus
vrij gemakkelijk ,wanneer de beide belanghebbenden tot het besef en het besluit waren
gekomen, dat hun uiteengaan noodzakelijk was... toch kwam de echtscheiding niet voor.
De gevallen waren zó sporadisch, dat men zeggen kan en schrijven: zij kwamen niet
voor. En deze verklaring geldt tot in de nieuwste geschiedenis van het jodendom. Maar
niet tot in de laatste tijd. En deze laatste tijd mag niet eens te krap genomen en tot een
halve eeuw en meer beperkt worden. De verwildering, die op dit gebied is doorgebro-

1. Talm. Babli Gittin fol. 90 b. 2. Talm. Babli Sanhedrin fol. 22 z en b.

ken, is ook aan het joodse leven volstrekt niet voorbijgegaan, heeft er integendeel zeer grote verwoestingen aangericht. De statistieken der rabbinaten vertonen hier zeker droevige cijfers.

De joodse rechtbank komt tegenwoordig gewoonlijk voor een voldongen feit te staan. De wettelijke ontbinding van het burgerlijke huwelijk wordt gevraagd. Dan valt er niets meer te herenigen, te herstellen, te praten. Integendeel. Dan is het zaak, om ook de joodse echtscheiding ten spoedigste wettelijk te doen plaats hebben en er voor te waken, dat er niet de tweeslachtige toestand ontstaat van een echt, die ontbonden is en tegelijkertijd nog in volle wettelijke kracht bestaat. Ellendig en tragisch is zulk een geval. En ook dergelijke komen voor.

Eertijds, toen de feiten zeldzaam waren en de verhoudingen in de joodse gemeenschap gemoedelijk en innig en sterk het onderlinge contact en veelvuldig en vaderlijk de aanraking met de autoritatieve joodse rechters, leraren, geestelijken of hoe ge ze wilt noemen, toen was er, vóórdat het tot een scheiding kwam, gewoonlijk nog heel wat te doen en te voorkomen. In die weinige gevallen. Ook juist, omdat ze weinig waren en daarom zo geweldig tragisch werden aangevoeld. Menige rabbinaatskamer zal toen wel eens verbitterde mensen hebben zien binnenkomen en een opgelucht en verzoend echtpaar heengaan. Wie weet, of dat niet nog wel eens gebeurt. Van deze dingen echter spreken de statistieken niet. En ook geen handelingen of verslagen. En ook geen akten of andere stukken.

De procedure der joodse echtscheiding, hoewel deze scheiding, zoals gezegd, eigenlijk vrij gemakkelijk tot stand kon worden gebracht, getuigt evenwel heel scherp van de diepdonkere ernst, waarmee de ontbinding van een huwelijk ter hand wordt genomen en van het opzettelijke streven om deze ontbinding maar niet eenvoudig te aanvaarden en zonder veel omslag af te doen.

Het rechtscollege bestaat uit drie volledig bevoegde autoriteiten. Voorzitter en leden doordringen zich door een ernstig woord ter verinnerlijking tot zichzelf, van de smartelijkheid en het gewicht der gebeurtenis die er zal plaats hebben. En zij zijn gedurende de hele behandeling niet alleen helemaal aandacht maar verkeren ook in hoge mate in spanning. Spanning tengevolge van het noodlottige feit zelf; en spanning ook om de minutieuze voorschriften, die bij de vervaardiging van de scheidingsakte – de *Gèt* – en bij de voorzorgen voor de overreiking en bij de overhandiging zelf en bij de hele procedure in acht genomen moeten worden.

De scheidingsakte is niet maar een gedrukt formulier, dat met de nodige namen en data ingevuld zou kunnen worden. Dat gaat wel bij een trouwakte maar niet bij de oorkonde der scheiding. Een gèt wordt geheel en al geschreven. In opdracht van de man. En in zijn tegenwoordigheid, van het begin tot het einde. Op zijn perkament, met zijn inkt en met zijn schrijfgereedschap. Dat hij allemaal bezit of zich verwerft, vóórdat er met het schrijvan wordt begonnen. En ten overstaan van twee getuigen, van wie bij voorbaat vast moet staan, dat zij nooit, om welke reden ook, gewraakt kunnen worden. Door een bij het rabbinaat, het rechtscollege, erkend schrijver – Sofér – die natuurlijk al de bepalingen kent, waaraan dit geschrift moet voldoen ten opzichte van omvang en indeling en die ervaren is in de wijze van het schrijven en die alles met elkaar zodanig weet te verzorgen en verzorgt, dat er nooit enige twijfel aan de echtheid der akte kan ontstaan en er nimmer enige aanmerking op gemaakt zal kunnen worden. Als de scheiding nu eenmaal door moet gaan, dan moet ze ook op onaantastbaar juiste wijze tot stand worden gebracht. En tegelijkertijd treedt hierin de diepte van de ernst der zaak naar voren. Een ernst en een voorzichtigheid, die in de verdere rechtshandeling onafgebroken in het oog springt. Uit de vragen bijvoorbeeld die gedaan en de antwoorden en verklaringen, welke afgelegd moeten worden. Het absoluut onvoorwaardelijke moet duidelijk aan het licht komen en er mag niet de schijn van een nog zo geringe mogelijkheid van enige band tussen deze mensen blijven bestaan, wanneer zij ten slotte toch de breuk, de scheiding willen. En zij moeten door en onder deze wijze der behandeling tot het besef gebracht worden van hetgeen zij willen en tot het bewustzijn – als zij het nog niet voldoende hebben – dat er een heel tragische gebeurtenis in hun leven plaats grijpt. En bij de overgave van de scheidings-brief moet hun dan wel de volle ernst van het geval met zijn gevolgen helder en levendig voor de geest staan. Het hele proces is vol bewogen momenten, die gewoonlijk een droe-vige stemming veroorzaken. Het eindigt met het uitspreken van de ban over ieder, die het ooit zou wagen enige aanmerking op de wettigheid der scheidingsakte te maken. Want deze nu gescheiden vrouw moet voortaan volkomen vrij zijn. En als zij hertrouwt mag er ook in de verste verte geen gedachte kunnen opkomen aan een mogelijkheid, dat haar eerste huwelijksband niet volkomen is geslaakt en zij zich dus wellicht op enigerlei wijze door dit tweede huwelijk aan echtbreuk zou kunnen schuldig maken.

Om dit alles is de procesvoering dus verre van eenvoudig. Door deze wijze van pro-cedure is de echtscheiding in de praktische toepassing opzettelijk moeilijk gemaakt.

Maar dit is in deze materie niet de grootste moeilijkheid der rabbinaten. En de gevallen, die vóór hen komen, baren hun ook niet de ergste zorg. Al zijn ze niet zo weinig meer als voorheen. Zorgen veroorzaken de gevallen, die niet bij hen verschijnen. De gevallen die niet willen komen.

En zulke komen ook voor. Als bijvoorbeeld de burgerlijke echtscheiding om maat-schappelijke redenen wel noodzakelijk wordt geacht maar deze alleen dan ook voldoende wordt geoordeeld; als de joodse voor een overbodig ceremonieel wordt aangezien; als de houding dus wordt aangenomen, dat men wel volgens de burgerlijke én de joodse wet de band gesloten heeft en daarbij derhalve de verbindbaarheid der joodse wet heeft erkend maar bij de ontbinding de laatste negeert. Of, erger: als de ene partij de andere na de bur-gerlijke echtscheiding plaagt door te weigeren tot de joodse echtscheiding mede te werken. Dan wordt de joodse wet op onverdedigbare wijze als een machtsmiddel tot plagerij misbruikt door hen, die haar verbindbaarheid niet erkennen, maar haar goed genoeg vinden, om zich het zoet der wraak te verschaffen. Dan wordt er bovendien schromelijk misbruik gemaakt van het feit, dat de joodse rechtbanken, welke rabbinaten heten, de macht missen om hun beslissingen te executeren.

Wij hebben op deze omstandigheid reeds vluchtig gewezen bij de behandeling van het zwagerhuwelijk. Ook daar kan de broer van de kinderloos gestorven man zijn schoonzuster in moeilijkheden brengen, als hij weigert tot de scheiding dezer schoonzuster van het huis van haar schoonvader, tot de chalietsàh, mee te werken. Hij kan haar plagen. Of geld van haar zien los te krijgen als zij het heeft. Die dingen gebeuren. Waarom er zwijgend aan voorbij te gaan?

Bij de chalietsàh hebben de wijzen van vroeger kans gezien een maatregel te scheppen om het euvel zoveel mogelijk binnen zekere grenzen te houden. Er is een akte ingevoerd, waarbij broeders zich bij het huwelijk van één hunner, bij voorbaat verbinden om wanneer het geval zich onverhoopt mocht voordoen, tot chalietsàh te zullen medewerken.

Maar alles kan niet voorkomen worden en tegen misbruik en geweld zijn geen afdoende maatregelen te verzorgen als de macht ontbreekt om het geweld te keren of het misbruik te straffen. En daar de rabbinaten voor de uitoefening van hun taak in deze uitsluitend van hun morele invloed gebruik kunnen maken, gebeuren er ongerechtigheden die, welke bij de behandeling van deze stof vanzelf naar voren komen en hier in het licht zijn gesteld. Inderdaad: zij gebeuren. En niet eens uiterst zeldzaam.

Maar meestal winnen het ten slotte toch fatsoen en eer.

En prestige en morele macht.

BIJ ZIEKTE, STERVEN EN DOOD

HET HEENGAAN

De symbolen bestrijken in de eerste plaats het terrein van het leven. Doch zij houden met het leven niet op. Ja, waar zij uit het leven zijn weggestreken, doen zij zich gewoonlijk, bijkans overal, te midden van alle mensen, bij de dood nog gelden. Bij de dood en bij alles, wat eraan voorafgaat en wat er terstond – korter of langer – op volgt.

De dood breekt banden, die wij voor eeuwig gelegd waanden. Wij zijn hardleerse mensen. Wij zien, dat wij altijd in onzekerheid rondwandelen. Dat elke seconde is geleend. Dat elk geslacht plaats maakt voor een volgend. Onverbiddelijk. Dat 'het ene geslacht gaat en het andere geslacht komt' (Pred. 1, 4). Dat 'de mens een vluchtige zweem gelijkt en zijn dagen zijn als een vervagende schaduw' (Ps 144,4). Doch bij elk feit, dat de onveranderlijke wet en de eeuwige ervaring bevestigen, staan wij gewoonlijk als versteld, verbaasd, onthutst, geslagen. Vaak opstandig. Tegen alle wetten en alle ondervinding in, nemen wij de schijn, de houding aan, alsof wij geloven en aannemen, dat wij eeuwig op aarde leven en dat het nog geen tijd is, wanneer wij of iemand onzer bij name wordt genoemd en weggeroepen. Alsof het niet gedaan kan zijn.

Wij hechten aan het leven en vinden het – wat we er ook soms overigens van mogen zeggen – vinden het over het algemeen de moeite wel waard. En ook als wij afgeven op het aardse tranendal en het ondermaanse zelfs een vloekwaardig bestaan vinden en ook, wanneer dus, in overeenstemming daarmee, de verlossing uit dit leven de grootste vreugde moest zijn en innige blijheid moest te voorschijn roepen, ook dan is zulk een houding – laat ons zeggen – zeldzaam. Bij allen, die verbonden waren aan wie heengaat, blijft een wonde. Smart en rouw. De dood omgeeft de mens met huiver. Huiver bij en voor het grote raadsel. Bij en voor het ondoordringbare mysterie. Het ondoorzichtbare duister komt met beklemming, met bangheid, met ontzag. Soms met vrees en angst. En het is geen wonder, dat men altijd heeft getracht het onverklaarbare met zekere gevoelsgebaren te benaderen. Men tracht het leven vast te houden, ook als het is ontvloden; de herinnering aan wie het mysterie is voltrokken te bewaren; contact te behouden; het beeld te bestendigen; de naam te vereeuwigen.

Men omgeeft het ziekbed, de stervenssponde, het doodsbed, de beaarding – ook de verassing – met ceremonieel, hetzij van sacramentele, rituele, symbolische, hetzij van conventionele aard. Maar ceremonieel komt er bij te pas. En moet erbij zijn. En het wordt tot over het graf verlengd. Soms tot in verre tijden. Niet alles, zeer zeker, spreekt hier van het ontzag voor de geheimzinnige dood. Hier uit zich gewis ook de liefde voor het leven dat is afgesneden. En niet alle handelingen en gebruiken mogen aan de huiver voor het mysterie toegeschreven worden. Maar van de riten, die allerwege op dit gebied heersen en in zwang zijn, toch zeker wel het grootste deel.

Het zal ongetwijfeld niemand verwonderen, ook in het jodendom hier overal symbolen te ontmoeten. Die symbolen zijn, zoals overal, natuurlijk aangepast aan de joodse levensopvatting.

Ik herhaal: levensopvatting. Met de nadruk nu op leven.

Het leven heeft waarde, heeft oneindige waarde. Gewis is het aardse leven niet alles. Volstrekt niet. Het is slechts voorportaal. Maar in dat voorportaal moet men zich gereed maken, om het paleis te kunnen binnentreden.[1] Men heeft er geen recht op en het is geen geschenk, dat naar willekeur besteed kan worden. Het is een plicht, een taak, een roeping. 'Gij wordt uws ondanks geboren, gij moet leven, gij zult sterven en gij hebt van uw leven rekenschap af te leggen aan de Opperste Koning, de Heilige, geloofd zij Hij.[2] Dus komt het aan op het gebruik van het leven. Op de voorbereiding in het voorportaal. Die moet goed zijn.

Er zijn mensen, die plotseling, in één goed moment, hun leven goed maken en de toegang tot het paleis verdienen.[3] Maar dat is geen regel. En niemand weet zulk een moment te onderscheiden, te herkennen uit alle andere momenten. Noch uit de momenten van zijn eigen leven, noch van het leven van anderen. Dus betekent ieder ogenblik een winst, heeft elke dag een niet te schatten waarde en is de belofte van een lang leven de toezegging van een bijzonder voorrecht, van een groot geluk.

Het menselijk lichaam is de mens wel niet, doch slechts de vorm, waarin hij leeft op aarde. Maar ook deze vorm heeft waarde. Want er is samenhang en wisselwerking tussen de stof en het wezen. Ook de stoffelijke verschijning van de mens, zijn woning, zijn drager, zijn werktuig, moet zo gaaf zijn en gezond als mogelijk. Daarom hecht de joodse leer zoveel aan de gezondheid. Het is plicht, onvoorwaardelijke plicht, bij ziekte naar genezing te streven. Wij hebben het leven ontvangen om er met alle middelen waarover wij beschikken, alles van te maken wat ervan te maken is. En wij mogen het niet verwaarlozen, misbruiken of er naar willekeur over beschikken. Evenmin over het onze als over dat van anderen. Wij hebben een kans gekregen. Die kans moet ten volle worden uitgebuit.

Welzeker: wij mogen niet wanen, dat wij zonder de wil, de bijstand, de zegen des Hemels, iets bereiken kunnen. Maar wij mogen evenmin op een wonder vertrouwen. In niets. Niet in ons werk en niet in onze broodwinning. En niet in ziekte of ongeval. Want dat zou betekenen: wij zijn wel een wonder waard; God *moet* ons helpen. Overal moeten wij tot aan de uiterste grens van alle mogelijkheden trachten te gaan. En dan op de hemelse zegen hopen. Voor die zegen moet wij zelf, door eigen werk – simpel uitgedrukt – God de mogelijkheid, de kans schenken. Wij moeten onze wil bewijzen.

1. Misjnàh Aboth 4, 16. 2. Misjnàh Aboth 4, 22. 3. Talmoed Babli Avodà Zaràh fol. 10b.

Zo is de ziekte het voorwerp van onze grote zorg. Voor zijn naaste omgeving natuurlijk. Maar ook voor anderen. En dat tonen zij. Het komt tot uiting in het joodse leven.

ZIEKENBEZOEK

Vermoedelijk zal er wel bijkans niemand zijn, die het werkelijk zonder de belangstelling van andere mensen stellen kan. Wij hebben immers in alle opzichten behoefte aan elkander, zijn in alle dingen en verhoudingen op elkander aangewezen. Volstrekt niet enkel ons bestaan hangt van dat van anderen af. Ook niet ons ongeluk. Maar evenzeer ons geluk. En niet minder onze tevredenheid, ons innerlijk gevoel, onze gemoedsgesteldheid. Zelfs onze diepste gewaarwordingen en onze heiligste aandoeningen zijn niet absoluut uitsluitend de onze, maar staan in betrekking met hetgeen er om ons heen gebeurt en is; zijn niet los van de wijze, waarop wij met de wereld in aanraking staan of komen en niet vrij van de invloed, waarmee de wereld ons beroert. Overbodig is die wisselwerking niet. Zij is nodig. Wij kunnen er niet buiten.

Wij kunnen er niet buiten in ons leed en wij kunnen er niet buiten in onze vreugde. Denk u een blij moment in uw leven, een gebeurtenis, die u tot feestelijke gedachten stemt en tot feestelijke viering of herdenking voert. En stel u voor, dat ge met uw feestelijk gestemd gemoed alleen gelaten wordt. Heel alleen. Dat niemand uw feestdag opmerkt en geen sterveling met u meeleeft of u enig blijk van belangstelling laat bespeuren: wrang, bitter, smartelijk zal uw feestdag zijn. Een zwarte dag in uw leven. Een ongeluk, een ramp. Ieder dus, die u wat belangstelling schenkt, doet u een weldaad, bewijst u een liefdedienst.

Blij te zijn met de blijden en hun dat te tonen is waarlijk niet iets onverschilligs maar evenzeer een weldaad aan de medemens als met hem mee te voelen in zijn leed en daarvan door houding en gedrag getuigenis af te leggen. Het staat zelfs nog op hoger plan. Want medegevoel in smart met ieder schepsel ligt in het hart van de mens en is bovendien ook mede bepaald door het bewuste of onderbewuste besef van de wederzijdse afhankelijkheid, hetwelk zegt: Vandaag gij, morgen ik! Gevoel van medelijden – d.i. mede lijden – verwacht men bij ieder menselijk wezen aan te treffen. Waar het verdwenen is, geloven wij niet meer aan de aanwezigheid van enige menselijkheid.

Anderen in hun voorspoed niet te benijden en hun niet scheel aan te kijken om hun geluk, geldt reeds als een bewijs van zeker adeldom. Het negatieve is hier bijna al een deugd. Dan is zeker zeer verheven en voornaam en edel het gulle gevoel van innige vreugde, dat wij koesteren, wanneer wij een ander de heerlijkheid van gelukkige uren ten deel zien vallen en als wij hem dat onvoorwaardelijk gunnen, zo helemaal als wanneer het onszelf betrof. De gelukkige, die ons dan bij zich ziet, voelt natuurlijk uit onze hele verschijning, wat er voor hem binnenin ons is. Het geschenk, dat wij hem daarmee brengen, is het mooiste van alles wat hij ontvangen kan.[1]

Zulk medeleven in de blijdschap van vrienden en kennissen en medemensen wordt in de joodse zedenleer niet maar als vanzelfsprekende, wederzijdse conventionele attentie behandeld, maar staat er als godsdienstplicht aangeschreven, is er als godgevallige daad geheiligd. Dat heet *Mitswàh*. En een mitswàh is des te ideëler, hoe verder de baat en de baatzucht en de overigens natuurlijke wederkerigheid ervan verwijderd zijn.

De plicht der belangstelling in leed behoeft nu te enenmale geen motivering meer. Hij dient zich vanzelf aan. Het verzaken van die plicht bewijst niet enkel een tekort aan gemoedsadel, maar is erger.

Ziekenbezoek nu is dus eveneens een mitswàh. Een liefdedienst, die in deze geest begrepen en in dit licht gezien moet worden. Een liefdedienst naar Gods verlangen.

Ik heb vroeger al eens wat geschreven over de moraliserende, bijna altijd dichterlijke uitlegging van de Bijbel, die, prozaïsch nuchter geoordeeld, veel meer een *in*legging dan een *uit*legging is en die midràsj heet.[2] Welnu: de midràsj verzekert ons, dat God zelf de mitswàh van ziekenbezoek bij Abraham heeft vervuld. Want toen 'de Eeuwige hem verscheen in de bossen van Mamré (I Moz. 18,1) was Abraham nog niet hersteld van de besnijdenis, die hij kort tevoren aan zich had voltrokken'. De Verschijning was dus in de eerste plaats een ziekenbezoek! Zo moraliseert en dicht de midràsj.

Ge moet zulk een uiting natuurlijk niet letterlijk aan het woord houden. Trek haar het gewaad uit, de vorm, waarin zij is gestoken. En ge houdt de ideële kern over: ziekenbezoek is Goddelijk werk. En ge ziet meteen, hoe de volksgenius in Israël over deze en dergelijke dingen gedichten heeft gezongen.

In de joodse samenleving draagt deze mitswàh bij voorkeur haar officiële Hebreeuwse naam: *Bikkoer Choliem*. Er zijn in alle talen woorden en uitdrukkingen en termen, die vertaald, aan inhoud wat verliezen. Zo is het ook hier. De Hebreeuwse term heeft meer een klank en kleur van heiligheid dan de Nederlandse vertaling. Het kan verbeelding zijn. Maar die verbeelding is dan toch tot iets wezenlijks geworden. Er zit iets eerwaardigs in en het geeft een vroom geluid. Vroom in de edele zin van dit mooie woord. Niet vormelijk vroom.

Er zijn aan deze liefdedienst ook bepalingen verbonden. Bikkoer choliem is plicht. Maar men moet de zieke wat brengen: een opgewekt gezicht, een opbeurend woord, een hartelijke bede. Men behoeft daartoe niet altijd wat te zeggen. Een handdruk en een blik

1. Hetzelfde is reeds gezegd op blz. 213. Maar deze hoofdstukken zijn immers reeds als afzonderlijke opstellen in de Opr. Haarl. Cour. verschenen. Daar kon wel naar vroeger verwezen maar moeilijk teruggeslagen worden. Vandaar toen de herhaling. Zij is hier in de druk enigszins overbodig. Maar nodig voor het begrip van het volgende. Daarom blijft zij ook hier staan.
2. Zie blz. 43.

zijn dikwijls meer dan woorden. Wie in zijn wezen en in zijn persoonlijkheid niets mee-brengt, kan ook met woorden niets baten. In de plooien van het gewaad zit bij de een vaak groter troost en steun en hoop, dan bij de ander in veel goedbedoelde woorden. Wie op deze wijze niets heeft mee te brengen, doet beter weg te blijven. Want men mag de zieke natuurlijk op geen enkele wijze hinderen en zich onder geen voorwaarde opdringen.

Wie doktert er niet mee? Maar het mag niet. Wel mag men voorzichtig de omgeving monsteren en de omstandigheden, waarin de zieke verkeert, onder kiese voorzorg peilen, met – zoals vanzelf spreekt – de stille en hartelijke bedoeling om, indien nodig, voor ver-betering of bijstand zorg te dragen. Juist dit is, als de gevallen ernaar zijn, het hoofddoel van de liefdeplicht. Maar hoe de omstandigheden ook zijn, het bezoek moet een ver-lichting zijn en suggestief ten goede kunnen werken. Anders is het verboden. Al deze bij-zonderheden zijn, voor zover mogelijk, in de rituaalboeken omschreven.

Het bezoek mag geen bezoeking worden. Maar groot is vaak de ijver in de dienst der mitswàh. En nu deze dienst der liefde tot een godsdienstplicht en tot een vrome daad ge-heiligd is, die men kan optellen bij de som der Gode welgevallige daden welke men zich in het aardse leven kan bijeen sparen, lijkt het soms alsof men ook te allen tijde en tegen-over iedereen en onder elke omstandigheid het recht heeft, de mogelijkheid voor de ver-vulling van die plicht voor zich op te eisen! Men meent het recht te hebben op de mits-wàh! Dan kan het een last worden voor degenen die er het middel voor vormen: de zie-ken. Dan worden zij de slachtoffers van al te grote belangstelling. Op deze wijze zou de hele zaak noodlottig kunnen worden, omdat ze dan wordt omgedraaid. Niet degeen, die de mitswàh vervult, heeft er recht op, maar hij, die haar ontvangt.

Suggestie is gewis een goede medicijn. Daarin zijn, geloof ik, alle autoriteiten en niet-autoriteiten het eens. In de joodse literatuur is daarover op dit stuk het volgende gezegd: elke bezoeker neemt de zieke een zestigste deel van de ziekte af. Wilt ge daaruit conclu-deren: dus als er zestig tegelijk gaan, dan is de zieke genezen? Die grap zullen we niet maken. Soms echter zou men geneigd zijn te denken, dat de mensen schijnen zo te me-nen. Zestig bij een zieke: zo erg is het niet. Maar zes? Het ware misschien wel onvoor-zichtig te bezweren dat ook dit niet voorkomt.

Doch ook die overijver bewijst, dat deze mitswàh in de joodse samenleving als een zeer gewichtige staat geboekt, en getuigt, dat het familieleven niet ontbonden, maar warm gebleven is. Innige belangstelling in elkanders wel en wee is geen dode letter in de rituaal-boeken, maar openbaart zich in het volle leven en treedt bij ziekte wel heel sterk aan den dag.

Voor een ernstige zieke vallen natuurlijk alle voorschriften van het godsdienstleven weg, die hinderend op de weg zouden komen, waarlangs de genezing gezocht dient te worden. Dan is de arts de hoogste autoriteit. De godsdienstcodex geeft hem de absolute heerschappij. De ongesteldheid van geen of weinig betekenis kan wel tot na de sabbath wachten. En het gaat vooral niet aan, om juist op de sabbath te wachten en dan een visite bij de dokter te maken omdat men toch zo goed de tijd heeft. Maar aan de andere kant verliest voor een ernstige zieke, bij wie misschien gevaar niet uitgesloten is, de heiliging van de sabbath al haar rechten. Voor de zieke zelf en ten behoeve van hem voor allen, die aan zijn redding werkzaam moeten zijn. Voor zulk een zieke gelden ook de spijswetten niet, als de genezing bepaalde voeding zou vorderen, welke ritueel niet te verkrijgen zou zijn. Voor hem geldt er slechts één gebod: te trachten het leven te redden dat in gevaar kan zijn.

Wilt ge hier een scherp woord vernemen uit de Talmoed en in de stijl van de Talmoed...?

Er werd gevraagd: mag men ten behoeve van een zieke op sabbath licht maken? En er werd geantwoord: het gewone licht heet natuurlijk licht. Maar de ziel van de mens heet ook licht. Welnu: het is volkomen goed, dat het licht, door mensen van vlees en bloed ontstoken, gedoofd worde voor het licht uit de Hand van de Heilige, geloofd zij Hij.[1]

Meent nu niet, dat hier anders maar luchtig over de inachtneming van de sabbath wordt geoordeeld of dat er met enig godsdienstvoorschrift overigens de hand wordt gelicht. Hier heersen eerbied voor wet en overlevering en strengheid in de toepassing en de handhaving. Maar de bepalingen en eisen van de godsdienst hebben betrekking op het leven en regelen dit.

Met een gaarne en dikwijls aangehaald woord van de Bijbel, in talmoedische belichting, wordt deze gedachte telkens en ondubbelzinnig naar voren gebracht: een groep van wijzen, op de weg, behandelen al voortgaande de vraag, waar de door allen als onbetwistbaar aanvaarde bepaling, dat bij levensgevaar de sabbath ter zijde gesteld moet worden, in het woord van de Torah haar bevestiging vindt. Ieder beproefde een tekst en wist de sententie erin te leggen, zodat de bepaling zelf bleek stilzwijgend ondersteld te zijn. Maar later, toen het verhaal van deze wandeling en gedachtewisseling in de scholen kwam, zei een ander geleerde: als ik erbij was geweest zou ik aldus gezegd hebben: er staat (III Moz. 18, 5) 'Gij zult Mijn wetten en voorschriften in acht nemen, welke de mens heeft te doen om erdoor te leven' – om erdoor te leven staat er en niet om erdoor te sterven![2]

Een mensenleven heeft dus oneindige waarde. En al wat menselijk mogelijk is, moet

1. Talmoed Babl. Sabb. fol. 30b. 2. Talmoed Babl. Joma fol. 85a–b.

derhalve voor de genezing gedaan. Maar niet alles ligt in de macht van de mens. Volstrekt niet. De beslissing ligt ten slotte alleen in Hoger Hand. Dat moeten wij ons wel terdege bewust zijn. Niet met gebed alleen poge men de zieke te genezen, maar evenmin uitsluitend door middel van de arts, diens kennis en middelen. Men beproeve alle aardse mogelijkheden en roepe de hemelse bijstand in. Een kort gebed moet men bij het bezoek ook bij iedere zieke uitspreken. Al was het slechts het woordje sjalom, hetwelk met vrede moet vertaald worden, maar als inhoud eigenlijk heeft de som van alle goeds. De zieke zelf is in het bijzonder nooit van God verlaten. Zijn Genade en Zijn Heerlijkheid zijn hem nabij, zijn om hem heen, zweven aan het hoofdeinde der lijdenssponde zegt alweer de midràsj. Daarom – de midràsj immers knoopt zijn uitspraken altijd aan een woord van de Bijbel vast – daarom boog Jacob naar het hoofdeinde van zijn legerstede (1 Moz. 47,31) die kort daarna zijn doodsbed werd.

Zo past dus aan het ziekbed ook hierom een devote houding. Eerbied voor het leven, voor het worstelende leven, voor het mysterie van de wellicht naderende dood. Als de zieke verergert, vermeerderen zich natuurlijk de geneeskundige pogingen en zorgen. En bij de Vader in de Hemel wordt met versterkte aandrang om bijstand gevraagd. Het boek der Psalmen, bron van troost en stichting, voor jubel en heiliging in alle omstandigheden van het leven, wordt opengeslagen. Soms komt men in groepjes samen, om met elkander gewijde zangen eruit te reciteren en zulk een bijeenkomst met gebeden voor de genezing van de zieke te besluiten. Men maakt ook een gewijde stonde van een leeroefening in de joodse geschriften en eindigt deze in gebed. Er wordt heul gezocht in de synagoge bij de openbare godsdienstoefening. Als er bij de dienst uit de Torah aan de gemeente wordt voorgelezen, wordt de vader of de zoon of de broeder of een ander familielid van de zieke 'opgeroepen' en bij de Torah-rol laat hij een bede zeggen voor hem of haar. En hij offert van het zijne voor weldadigheid. En zo doen de vrienden. En zo doen de kennissen. En vaak ook vreemden, die meeleven en er behoefte toe gevoelen.

Het wordt een strijd om het leven met de doodsengel. Een strijd op alle fronten. De doodsengel – de Mal'ach-hammáweth – is ook in de joodse geschriften volstrekt geen onbekende. Hij staat aan het voeteneinde van het bed en wacht op de ziel, die bezig is zich uit de omarming van het lichaam los te maken. Hij brengt haar voor de Troon van God.

Maar ook wanneer de beslissing is gevallen en het doodvonnis over de lijder door de Hoogste Macht is geveld, dan hoeft het laatste woord nog niet immer gesproken te zijn. De Hemelse Vader kan het nog altijd herroepen en het vonnis verscheuren. Er is een talmoedplaats, die zegt, dat er vier middelen zijn, die daartoe kunnen leiden[1]: weldadigheid, gebed, verandering van naam en verandering van daad. De Schrift wordt ten bewijze aangehaald: Weldadigheid; want in de Spreuken (10, 2) staat 'en weldadigheid redt van de dood'. Gebed; immers de gewijde dichter zingt in het refrein van Psalm 107 (vers

1. Babl. Rosj-Hasj. fol. 16b.

6, 13, 19 en 28) 'en zij baden schreiend tot de Eeuwige toen het bang hun was en Hij redde hen uit hun angsten'. Verandering van naam: ge vindt het bij niemand minder dan bij de aartsmoeder Sara: (I Moz. 17, 15 en 15) 'Sarai, uwe vrouw, gij zult haar naam niet meer Sarai noemen, maar Sara zal haar naam zijn'. 'En dan zal Ik haar zegenen...' En verandering van daad, van levenswandel; daarvan zijn vele voorbeelden. Maar het klassieke is, dat van de mensen van Ninevé (Jona 3, vrs 10) 'en God zag hunne daden, dat zij teruggekeerd waren van hun boze weg en Hij veranderde van besluit...'

Het gebed wordt niet verwaarloosd. De weldadigheid wordt nooit vergeten, maar in geval van ernstige ziekte wordt zij in verhoogde mate betracht en aan het gebed gepaard. Door offeringen bij het bidden en door extra uitdelingen en in allerlei vormen. Het gaat om de redding van het leven, het bevrijden der ziel – pidjón néfesj heet het – uit de hand van de mal'ach hammáweth. Ook het middel van de naamsverandering is wel in gebruik gekomen en ook daarnaar wordt gegrepen. Men gaat ter synagoge, slaat de Bijbel op en zoekt met het oog naar een naam, een goede naam, dat wil zeggen, de naam van iemand, die mooi heeft geleefd. En men opent de heilige arke en spreekt een gebed uit voor de zieke, die bij name wordt genoemd. En tegelijkertijd zegt men daarbij dat men de naam symbolisch heeft veranderd, om daarmee te kennen te geven, dat het een ander is geworden, die het wellicht wel waard zal zijn, dat om deze het eventuele besluit gewijzigd worde. Dan staan daar dus berouw en boete op de achtergrond en naast de doodsengel aan de sponde.

Het spreekt haast vanzelf, maar ik vind het niettemin niet overbodig het hier nadrukkelijk bij te voegen, dat de toevlucht tot dit laatste middel niet altijd wordt genomen uit zuivere, innige Godgelovigheid, maar ook wel eens uit de radeloosheid van de angst, die tot de schijn van zulk een gelovigheid leidt. Dezelfde radeloosheid dan, die voert naar kwakzalvers en naar helderzienden en occultisme. En die tot alle middelen grijpt.

Maar evenzeer geschiedt het vaak uit innige overtuiging. En ook op het terrein der geneeskunde doet het geloof wonderen. Dat erkent immers ieder. Deze handeling heet: bensjen, welk woord verbasterd is uit het Latijnse benedicere, d.i. zegenen. En als de arme zieke is ingefluisterd, dat hij gebensjt is: wie kan zeggen in hoevele gevallen dit op hem een heilzame invloed heeft geoefend! Op hem en de zijnen. In zijn ziekte. En na zijn herstel.

HERSTEL EN VERERGERING · DE CHEVRÀH-KADIESJÀH

Het is gewoonlijk niet mogelijk de zieke geheel deelgenoot te maken van de zorgen, die men voor hem heeft, of hem alles te zeggen, wat men voor hem doet. Dat ligt voor de hand. Men mag hem immers niet verontrusten en moet hem vaak in de waan laten, dat het goed gaat. Dikwijls zelfs is men haast gedwongen, hem zijn eigen vrees, ook als ze volkomen gerechtigd schijnt, te trachten uit te praten. Hier komt men herhaaldelijk niet met de volle echte waarheid uit. Volledig kan men dan niet alle medische maatregelen vertellen en als het onvermijdelijk is – omdat ze anders niet genomen kunnen worden – dan wordt toch geprobeerd ze in een vriendelijker licht te stellen, dan er in werkelijkheid op valt. Zo kan men de zieke dan ook niet spreken van de godsdienstige pogingen, die er voor zijn herstel worden aangewend, van het psalmzeggen en van de bidstonden, die er gehouden en de mi-sjèbérach – zegenbeden – die er voor hem uitgesproken worden bij de Torahvoorlezingen. Dit laatste echter gewoonlijk wel, omdat daartoe nogal spoedig wordt overgegaan en het dus weinig of geen onrust brengt. Maar het is zeker wel een uitzondering, als men met de lijder zelf kan praten over het bensjen. Dan moet het wel een bijzonder helder, kalm en gelaten mens zijn, die zich voor de dood bereid houdt en er helemaal gereed voor is. Anders moeten het overleg en de kennisgeving achterwege blijven. En ook natuurlijk de mededeling, nadat de toevoeging van een bijbelse naam buiten hem om heeft plaats gehad.

Later, als het gevaar geweken is en de patiënt van het ziekbed herrijst, is het dan een verrassing voor hem, dat hij er voortaan een joodse naam heeft bij te dragen. Want hij behoudt die naam, tenminste als hij na het bensjen nog een dertig dagen heeft geleefd. En als hij terugkeert in het leven, wordt hij verder steeds met zijn nieuwe naam genoemd. Dat gaat buiten de burgerlijke stand om! Bij alle voorvallen in het joods-godsdienstige leven, waarbij zijn naam te pas komt, wordt de nieuwe gebezigd. Zó, als hij voor de Torah opgeroepen wordt of als hij in de synagoge of elders bij gezamenlijke bidstonden een zegenwens van anderen ontvangt. En hij wordt gebruikt in alle akten, waarbij hij met zijn naam betrokken is. En hij tekent er ook zelf – bijvoorbeeld – zijn trouwakte mee, voor zover hij daar niet zijn gewone – d.i. niet-joodse – handtekening onder zet. Hetgeen iedereen vrij staat.

Hij is gebensjt. Dat wil dan niet letterlijk meer zeggen dat hij gezegend is! Maar alleen, dat hij er eens, in een erge ziekte, een naam heeft bijgekregen. Meer niet. Zo lopen er verscheidene joden en jodinnen rond. Er zijn er zelfs wel, die er meer dan één keer een naam hebben bij ontvangen en dus vaker dan eens zijn gebensjt. Ook al is het waar, dat deze handeling eerst in het uiterste wordt gedaan. Immers het gebeurt meermalen, dat de wetenschap het opgeeft en dat de ervaring, de routine van hen, die heel dikwijls de dood in het aangezicht hebben gekeken en die door de voorboden zo goed als nooit bedrogen worden, de handen en het hoofd laten hangen en zeggen: het zal aanstonds zijn gedaan, het is gedaan… en dat wetenschap en ervaring zich allebei vergissen. Dus mag men nooit ophouden te zorgen te hopen en te bidden: al ligt er een scherp zwaard op 's mensen hals, dan nog onthoude hij zich niet van te bidden![1] Dat immers – zo haalt de

1. Talm. Babl. Berachoth fol. 10a.

Talmoed daar aan – leert u Ijob als hij zegt: 'zie, al doodt Hij mij, wacht ik biddend nog op Hem' (Ijob 13,15). Want er is er slechts Eén, die het moment, waarop het tijdelijke leven eindigt, kent. En beheerst.

Als de zieke is hersteld, van het bed is opgestaan, waarop hij in gevaar verkeerde, dan zal een zijner eerste gangen naar de synagoge zijn. Daar wordt hij dan in het bijzijn van de gemeente voor de Torahrol geroepen en spreekt hij in het openbaar zijn dank uit aan de Hemelse Vader, Die alle vlees geneest. Gewis hij zal weten en erkennen, dat hij zijn redding niet aan eigen verdienste heeft te danken maar aan God, Wiens genade oneindig is. En hij zal het belijden in zijn dank aan Hem en loven de Koning der wereld, Die ook weldaden bewijst aan degenen die het niet verdienen. 'Zo heeft Hij ook mij goeds gedaan' Dit laat hij volgen op de slotlofzegging over de Torahvoorlezing. En de gemeente, hem antwoordend, roept hem hartelijk toe: 'Hij, Die u zoveel goeds bewezen heeft, bewijze u ook verder altijd goeds.'

Voor de vrouw of het meisje wordt de man, de vader, de broer of een ander opgeroepen en de herstelde zieke zegt dan haar dankwoord in haar omgeving, de vrouwenafdeling van het bedehuis, eveneens, als de slotlofzegging na de voorlezing van het Torahwoord is uitgesproken.

Zo doet ook de moeder.

Herrijst de zieke niet maar komen de voorboden van de naderende dood voortdurend dreigender dichterbij dan, al verminderen de medische zorgen en de religieuze beden niet, vermeerdert zich de oplettendheid op de tekenen van het naderende einde en de belangstelling en het medeleven met de nabestaanden van de lijder. De familie wordt met de stervende niet meer alleen gelaten en de zieltogende niet uitsluitend in de zorg der verwanten. Nu in het bijzonder treedt de dienst der liefde in werking. Die dienst is in iedere joodse gemeente georganiseerd. En die organisaties zijn zo oud als de gemeenten zelf. Zij zijn verenigingen van mannen voor mannen en van vrouwen voor vrouwen, die het zich tot een heilige taak rekenen, om de zieltogenden in hun laatste ogenblikken bij te staan en de eenvoudige en in hun soberheid veelzeggende plechtigheden bij hen te verrichten, welke van de oudste tijden af door alle eeuwen heen tot op de dag van heden zijn gebleven. Deze mannen en vrouwen zijn het ook, die verder aan de overledene de nodige verrichtingen vervullen, zonder dat de familie daarnaar heeft om te zien of er enige zorg voor hoeft te koesteren. Dat alles is het werk der pieuze verenigingen, die van ouds de voorname, maar welverdiende titel voeren van *Chevràh kadiesjàh* dat is: heilig genootschap. Zij zijn gewoonlijk in de geschiedenis en in de gemeente ingeschreven onder de naam van 'Gemieloeth Chèsed', 'Gemieloeth Chasadiem' of 'Gemieloeth Chèsed we-Emèth'. Dat betekent: het oefenen van weldadigheid, het bewijzen van loutere liefdediensten. Want – zo luidt de motivering – de diensten aan zieltogenden en gestorvenen bewezen, zijn handelingen van liefderijkheid, waarvoor geen vergelding kan worden verwacht.

Wie ze ontvangt, kan ze nooit meer belonen. Wie deze mitswàh doet, kan er niets anders van hebben dan het zoet der mitswàh. Niets meer dan het doen der daad. Maar dat is het hoogste en het edelste doen! Dit liefdebewijs vroeg de aartsvader Jacob op zijn sterfbed van zijn zoon Jozef. Dat is het wat hij bedoelde, toen hij hem in verband met zijn begrafenis om chèsed we-emèth verzocht, 'liefderijkheid en waarachtigheid' twee woorden voor samen één begrip.[1] Aan deze gedachte ontleent de chevràh kadiesjàh haar naam en haar roeping. Haar werkende leden zijn niet juist schriftgeleerden of geestelijke voorgangers van beroep. De genootschappen vormen geen orde en hebben onderling geen enkele band. Het veld hunner werkzaamheid strekt zich niet verder uit dan ieder in de gemeente, waar de vereniging bestaat. De leden zijn mensen voor iedere stand en behoren tot elk beroep en elk bedrijf, dat onder joden wordt uitgeoefend. Zij worden alleen door de mitswàh bezield en gedreven en stellen zich ervoor beschikbaar als zij hen roept. Ook in de kleinste gemeenten heeft dit liefdewerk haar dienaren en dienaressen. Daar is men trouwens met de paar gemeenteleden die er zijn, op elkander aangewezen. In de grotere gemeenten heeft men voor de directe hulp en voor sommige der diensten van lieverlede vaste beambten aangesteld. Zo bijvoorbeeld wakers en waaksters, die blijven bij het ontzielde stoffelijk hulsel van de gestorven mens, van het verscheiden tot aan de teraardebestelling. En zulks dan bij beurten en in opdracht en naar de regeling der pieuse instelling, die immers de zorg voor alles van de schouders der verwanten op zich heeft afgewenteld.

In de zeer grote gemeenten is deze zaak niet altijd in alle onderdelen in de handen der instelling. En in vele halfgrote en ook kleinere gemeenten is er tegelijkertijd een begrafenisvereniging aan verbonden, die uit de contributies der leden de teraardebestelling bekostigt. Gewoonlijk is dan organisatorisch bij haar ook de taak der zuivere liefdediensten ondergebracht. En die blijven dan in het begrafenisgenootschap op de oude voet geregeld.

De chevràh kadiesjàh verricht overal in de joodse gemeenten nog steeds haar ideële en zegenrijke arbeid. Haar werk begint daar, waar de schaduwen vallen van de dood. Dan nadert zij met het weldoende licht van bijstand en vertroosting.

HET STERFBED

Hoe dichter het einde nadert, des te zwaarder en gewichtiger wordt de taak van hen, die aan de stervenssponde staan. Uitbarstingen van smart bij de verwanten moeten zoveel mogelijk voorkomen, uitingen van droefenis zelfs – als het kan – verijdeld worden. Wie daar kampt met de dood mag ernstige, maar dient toch rustige en gelaten gezichten om zich heen te zien. Het scheiden mag hem niet tot angst worden gemaakt. Soms is het ge-

1. Rasjie op 1 Moz. 47, 29.

wenst of zelfs noodzakelijk de dierbaarsten verwijderd te houden of, als het moet, te verwijderen. Een ander maal is het juist andersom gewenst. Nu ware het ene, dan weer het andere wreed. Hier is de beslissing aan fijn gevoel en tact en niet aan enig voorschrift of aan welke regeling ook.

Toch mag men aan de andere kant, de lijder niet verhelen, dat zijn toestand ernstig is. Het is plicht hem op de scheiding voor te bereiden, als tenminste de mogelijkheid daartoe niet afgesneden is door de omstandigheden waaronder het sterven plaats heeft. Dan – als het kan – mag hij niet zonder afscheid van het aardse leven de eeuwigheid ingaan. En wie zich berekend voelt voor de taak dit de zieke, de stervende te zeggen, dit met hem te bespreken, met hem te overleggen, die moet het doen. Er kunnen aardse, heel gewone materiële aangelegenheden zijn te regelen, die met een enkel ophelderend woord, met een korte inlichting, met een wenk van de scheidende kunnen worden afgedaan en anders de bron zouden worden van grote moeilijkheden en zorgen voor de achterblijvenden. Daar dient hij aan herinnerd, daar dient hem op gewezen te worden. Het is moeilijk, vaak ondoenlijk. Men kan het inleiden met de opmerking, dat er niemand van sterft, wanneer men van de dood spreekt. Maar de praktijk is hier bijna altijd, veel moeilijker dan de theorie. Ook hier komt het op de ervaring aan. En toon, stem, gebaar en houding spreken mee, doen het hunne. Voor de ene lijder is de rabbie de bode van troost en vrede, voor de ander zijn de mensen der chevràh kadiesjàh een schrik, de voorlopers van de mal'ach-hammáweth in eigen persoon. En gewoonlijk weet men van te voren niets van de indruk, die men maken zal. Voorzichtigheid, voorzichtigheid is dus steeds geboden.

Als men met de zieke wel over de ernst der stonde spreken kan, dan naderen er verheven ogenblikken. Dan verzoekt men hem, om zichzelf af te vragen of hij in vrede kan heengaan. Of hij misschien mensen achterlaat, tegenover wie hij nog iets goed te maken heeft. En of er wellicht anderen zijn, van wie hij alsnog graag zou ondervinden, dat ze tegenover hem herstellen, wat zij in daad of woord hem eens misdaan hebben. Zodat hij verzoend met zijn medemensen, naar alle kanten, in dit opzicht rein tot God kan terugkeren.

Daarna zal hij zich begeven in stil verkeer met God. En ook, wanneer hij, bij het afwegen zijner levensdaden, zich bewust is, naar beste krachten voor het oog van God, in gerechtigheid en liefde, zijn leven te hebben geleid, dan zal hij op dit moment desniettemin beseffen en tastbaar gevoelen, hoezeer hij voor zoveel, waarin hij is tekort geschoten, de oneindige genade behoeft van de Hemelse Vader, Die immer tot vergeven is bereid. En de stervensstonde wordt hem de Grote Verzoendag: hij spreekt de Widdoei uit, doet voor God belijdenis van zonden.

Zo is hij, verzoend met de mensen, ook door berouw en belijdenis en boete gelouterd voor God. Nu voelt hij zich rustig en sterk en kan hij gelaten van de zijnen afscheid nemen. Nog eenmaal bieden de kinderen hun hoofden aan vader, aan moeder. En het tafereel herhaalt zich dat de Torah schetst van het sterfbed van Jacob, de aartsvader (1 Moz. 48,20).

De kinderen ontvangen onder handoplegging, nu tot afscheid, beurtelings de oude zegen, die zij iedere sabbath en feestdag in ontvangst mochten nemen. De zonen: 'God late u worden als Efraim en Menasse'. De dochters: 'God late u worden als de aartsmoeders Sara, Rebekka, Rachel en Lea'.

De schaduwen van de dood worden langer. Het levenslicht wordt zwakker. Het schemert. De verschijnselen van het einde komen op. Men hoort reeds de vleugelen ritselen van de mal'ach-hammáweth.

Dan vangt het *Sjémoth* aan. Er wordt de stervende niets toegediend. Men raakt hem niet of nauwelijks aan, omdat men vreest, dat een aanraking of een onhandigheid de dood bespoedigen kan. Evenwel wordt er niets nagelaten, wat hem helpen kan of verfrissen of verlichten of zijn strijd, als die er is, verzachten. En de omstanders, ambtsdragers of niet, beginnen op de oude melodie der Ontzagwekkende Dagen – Nieuwjaar en Grote Verzoendag – *Jigdal* te neuriën; het kunstige gedicht waarin de zogenaamde dertien geloofspunten zijn verwerkt, die Maimonides eens heeft opgesteld. En als er nog tijd is volgt op dezelfde wijze het verheven Adon Olam: het Heer der Wereld, hetwelk uitklinkt met het onder deze omstandigheden, zo dubbel treffende: 'in Uw hand geef ik mijn geest, wanneer ik slapen ga en weer ontwake. En met mijn geest, mijn lichaam. God is met mij, nu vrees ik niet'.

Nauw hoorbaar fluisterend neuriën het de aanwezigen. Ook, wanneer het soms een schare is. Want als het kan, dan wordt het een samenzijn van een kleine gemeente, een gemeenschappelijke dienst bij en met de scheidende. Zijn laatste gezamenlijke bidstond. Dus zullen er dan niet minder dan tien mannen der gemeente tegenwoordig zijn. Immers dat is het kleinste aantal mannen, waaruit een gemeenschappelijke godsdienstoefening kan bestaan.

Bij het einde zullen allen met elkander in langgerekte tonen het Sjemàh Jisraël uitspreken: 'Hoor Israël, Adonai is onze God, Adonai is Eén'. Men wacht daarmee tot het uiterste. Want de ziel die daar heengaat, zal op de vleugelen van de belijdenis der Eénheid naar haar Schepper de eeuwigheid ingedragen worden. En het woord Echàd, dat Eén betekent, wordt als het treffen kan, zodanig uitgesproken en zó lang aangehouden, dat de laatste snik tegelijk met het einde van dit woord gegeven wordt.

Ook baroeg Sjèm kevód Malgoetho – geloofd de Naam van de Heerlijkheid van Zijn Koningschap, immer en eeuwig – wordt, zo mogelijk driemaal uitgesproken. En: 'de Eeuwige, Hij is God', hetwelk Elia op de Karmel uit duizenden kelen tegemoet klonk (1 Kon. 18,39). Zo nodig enige keren. En ook: de Eeuwige is Koning; de Eeuwige regeert; de Eeuwige zal regeren, immer en eeuwig!' Doch altijd zo, dat het Echàd van Sjemàh Jisraël de laatste snik opvangt. Daartoe wordt dit vers als het moet, op het beslissende moment, ook midden in de andere zinnen, opzettelijk herhaald.

Het is niet nodig de verzoeking te weerstaan en hier het verhaal omtrent de folterdood van rabbie 'Akiba te verzwijgen. Van rabbie 'Akiba, die geteld wordt onder de martelaren van de Hadriaanse vervolgingstijd. Met gloeiende ijzers, – zo gaat het verhaal – haalde men hem het vlees van zijn lichaam. Hij echter concentreerde heel zijn wil om met algehele overgave de belijdenis van de Enige geheel in liefde te aanvaarden. En zijn leerlingen, die bij hem waren toegelaten vroegen: 'Meester, gaat zover uw duldzaamheid?' Toen antwoordde hij hun: 'Al mijn dagen hebben deze woorden mij gekweld: "Gij zult de Eeuwige, Uw God, liefhebben... ook met geheel uw ziel" (v Moz. 6,5), hetgeen toch zeggen wil: ook al neemt Hij uw leven. En ik heb mij afgevraagd: zou het mij ooit te beurt vallen, ook dit woord te kunnen vervullen? Nu is het ogenblik gekomen. En ik zou het niet doen?' Toen hief hij aan: 'Sjemàh Jisraël'! En hij hield zó lang het Echàd aan, dat zijn ziel met Echàd heenging. En er kwam een hemelse Stem, die zei: 'Heil u, rabbie 'Akiba, dat uw ziel met Echàd is heengegaan.'[1]

Ongetelde martelaren zijn in de loop der tijden rabbie 'Akiba gevolgd en zij hebben in vuur of in water, onder het zwaard of bij hongerdood, met Sjemàh Jisraël in Echàd de laatste snik gegeven. En op de vele slagvelden in oost en west en zuid en noord hebben de stervenden hun stambroeders, toen ook hun broeders in de dood, aan het Sjemàh herkend.

Dat is het bijbelvers, hetwelk het joodse kind altijd het eerst in het Hebreeuws leerde stamelen. En daarmee gaat de joodse mens de eeuwigheid in. Zonder onderscheid. Wie het ook zij. Of hij al zijn dagen in Godgelovigheid en in overgave aan de wil van de Schepper heeft gesleten, geen ander, geen heiliger uitgeleide wordt hem meegegeven. En of hij in zijn leven niet altijd of helemaal niet het Woord van God gehouden heeft: geen geringer woord vangt zijn ziel op.

Er is niets meer. Er is niets minder. Dit is alles. Voor iedereen.

Nu is het gedaan. Men wacht en vergewist zich met een veer uit het bed of een pluisje van de deken, onder neus en op mond, of er nog adem is, die beweging brengt. Dan drukt men behoedzaam en eerbiedig de ogen van de dode toe. De dood immers zal slechts een doodsslaap zijn. Tot een weerontwaken. Een der kinderen zal het doen als het mogelijk is. En bij voorkeur de oudste zoon. Was Josef niet de eerstgeborene van Jacob bij Rachel, zijn eerstgekozen vrouw? En is het Jacob niet als een troostrijke belofte toegezegd, toen hij naar Egypte ging: 'Josef zal zijn hand op uw ogen leggen!' (1 Moz. 46,4). Als men daarna ook nog de mond gesloten heeft zo goed als het gaat, dan neemt men een witte wade; een klein laken, een servet. Men vat ze aan, tezamen, vooral de kinderen en verwanten. En terwijl men aanheft en zegt: 'Geloofd, Gij, Eeuwige, onze God, Gij Koning der wereld, waarachtige Rechter...' bedekt men het gelaat van de dode. Soms scheuren dan de kinderen en naaste bloedverwanten die aanwezig zijn, een scheur in de bovenkant van hun kleren. Ook de andere omstanders doen desgelijks, ergens in hun kle-

1. Talm. Babl. Berachoth fol. 61b.

ren. Meestal echter wordt bij de rouwbedrijvenden de inscheuring in hun kleren later vóór de begrafenis aangebracht.

En nu begint de zorg voor de dode en voor de begrafenis. Die zorg evenwel wordt, bij doelmatige organisatie, de nabestaanden gewoonlijk terstond zo goed als geheel uit de handen genomen. De chevràh kadiesjàh ontvouwt nu verder haar werkzaamheden. En staat voor haar taak.

BIJ DE DODE

De geheimzinnige dood is gekomen. Het is gedaan. De mal'ach hammáweth is heengegaan en heeft het leven meegenomen, dat wij gewoon zijn als normaal en duidelijk en vanzelfsprekend te beschouwen, maar dat ons nu opeens even onverklaarbaar, even mysterieus is als de dood. Daar ligt vóór ons een rest van wat zoëven nog leven bevatte of levend was. De stof is over. Nu levenloos. Een lijk.

Maar dat lijk is geen aas, geen kadaver. Het was het hulsel, het is het vlees, waarin een mens was gemanifesteerd. Een die ons lief was – enigszins of oneindig – of die wij nauwelijks kenden. Maar: een mens. Een met deugden en gebreken, een beter of slechter exemplaar van het mensbegrip, dat als 'evenbeeld Gods' ons altijd wenkt en altijd roept, om op te stijgen en te trachten de hoogste menselijkheid, struikelend en ons weer oprichtend, te beklimmen. Het mensbegrip, dat ons de maatstaf is, waarmee wij ieder mens vergelijken kunnen en mogen en inderdaad ook vergelijken en waaraan wij – niet het laatst – ons zelf iedere dag en iedere stonde onophoudelijk behoren te toetsen.

Deze rest is geen kadaver. Daar was een menselijke ziel aanwezig. Het was een Woning Gods. En onze eerbied voor het stoffelijke overschot is niet geringer dan voor de mens in leven. Want de majesteit van de dood heeft het aangeraakt en het is nu weerloos. Het is in handen van ons, overlevenden. En ook die weerloosheid reeds bepaalt onze houding, wanneer ons gevoel van fijne aard is. Zoals het behoort te zijn.

Zulke gedachten zijn de leidende beginselen, die de liefdediensten vergezellen, welke nu aan de dode bewezen moeten worden. En deze gevoelens bezielen de mannen en de vrouwen van de chevràh kadiesjàh, welke zich voor het verrichten van die liefdediensten beschikbaar stellen. Zij strekken het lijk in behoorlijke houding en leggen het neer, zo mogelijk op de bodem, maar verwijderen in ieder geval er bovenaf en van onderweg, beddegoed en dekens, die, door te veel warmte de ontbinding van het zielloze vlees konden bespoedigen voordat het aan de schoot der aarde teruggegeven is. Ontbinding doet het lijk fysisch gevaarlijk naderen tot het karakter van een aas. Een aaslucht, ook van een menselijk lijk, kan bij de levenden eromheen onwillekeurig gevoelens wekken en uitingen in woord of gebaar te voorschijn roepen, die bij de eer voor de dode niet volkomen passen. Slechts een witte wade wordt over het dode lichaam gelegd. Er worden spoedig daarna voorbereidingen getroffen voor de wassing, het reinigen en het neerleggen in de doodkist. Ook dit alles geschiedt vanwege het pieuse genootschap door de liefderijke zorg der broeders bij de mannen, der zusters bij de vrouwen. Het lijk wordt niet alleen en niet uitsluitend aan de zorg der familie overgelaten. Er blijft iemand bij, dag en nacht. Dat is, door allerlei omstandigheden, in de grotere gemeenten dan meestal een beambte, een waker of een waakster, die na een aantal uren, bijvoorbeeld een half etmaal door een ander wordt vervangen. En aan het doodsbed wordt 'geleerd', dat wil zeggen, er wordt ook joodse Leer beoefend, toepasselijke godsdienstige lectuur ter hand genomen. En er wordt uit de Heilige Schrift gelezen. Er worden Psalmen gereciteerd. Soms onafgebroken van het sterven tot de teraardebestelling. Maar dit kan niet overal worden doorgevoerd en geschiedt niet altijd onophoudelijk. Het geschiedt in de kamer, waar het lijk zich bevindt maar toch niet in het gezicht van de overledene. Deze immers kan er niet aan meedoen, kan de dure plicht van de 'beoefening der Leer' niet meer vervullen. En wij behoren, dit indachtig, ons te hoeden, ook in dit opzicht 'een arme niet te bespotten'. Wie dat doet – zegt de spreukendichter – 'hoont zijn Maker' (Spr. 17, 5). Zo zullen wij evenmin ons bij het lijk in tallith hullen of ons tefillien aanleggen.

En in ieder geval schutten wij de plaats, waar het stoffelijk overschot is neergevlijd, zolang het niet in de doodkist is gelegd, eerbiedig af.

Intussen worden er aanstalten gemaakt voor de begrafenis. En ook hierbij verleent de instelling haar medewerking, voor zover dat mogelijk is, door het verrichten der formaliteiten van aangifte bij Burgerlijke Stand en dergelijke zaken meer, die meer als werk der begrafenisvereniging te beschouwen zijn. Kist en doodsgewaad worden gereedgemaakt. Sober en eenvoudig zijn allebei. En alles is in dit opzicht gelijk voor alle broeders en zusters. Reeds een achtienhonderd jaar lang. Vóór die tijd heerste er bij begrafenissen zucht naar pronk. Zó groot, dat de middenstand er zich arm voor uitgaf en de arme zich schaamde en daarom draalde zijn dode te laten begraven. Toen heeft de patriarch rabbie Gamliël van Jawne – wiens bloeitijd valt om het laatste kwart der eerste en het eerste kwart der tweede eeuw van de gewone jaartelling – omtrent zichzelf deze sobere eenvoud geëist en natuurlijk verkregen. En sindsdien is dit als onveranderlijke zede geheiligd. De kist is ongeschaafd wit hout. Het doodsgewaad is wit linnen, van welke kwaliteit doet er weinig toe. Geen sieraad eraan. En geen sieraden of kostbaarheden van welke aard ook naast het lijk in de kist of in het graf. Wat van het lichaam is, moet mee; ook wat er een zo goed als onafscheidelijk deel van is geworden, zoals bijvoorbeeld een houten been. En kist en lijkgewaad, die eenmaal voor een dode zijn bestemd, mogen aan deze bestemming niet weer onttrokken en voor iets of iemand anders gebezigd worden. De dode is immers weerloos en kan zijn recht niet meer verdedigen.

Menigeen heeft zelf gezorgd voor zijn doodskleren. Vroeger was het vrij gewoon, dat bij de uitzet zo ongeveer ook de *tagriegien* – de doodskleren – behoorden. Nu zijn er nog wel die, als ze wat op jaren zijn gekomen, tot de aanschaffing over gaan en ze zelf maken of laten maken. Zijn ze niet aanwezig – hetgeen haast regel is – dan zorgt thans de chevràh kadiesjàh ervoor. In kleine gemeenten komen de vrouwen bij elk sterfgeval tezamen en knippen en naaien in het sterfhuis of elders wat er nodig is. Het is niet zo veel: een muts, een broek, een hemd, een mantel, een gordel, een bef en een paar sokken. Voor vrouwen uiteraard vrouwenkleren. Alles van heel eenvoudig linnen, met weinig kunstvaardigheid in de vorm gesneden en met de hand behoorlijk maar niet opzettelijk heel fijn, genaaid. In grotere gemeenten wordt ervoor gezorgd, dat er steeds de nodige stukken volledig gereed liggen. Daartoe komen de werkende leden van het genootschap samen, telkens als het door de vrouwelijke leiding wordt nodig geacht. Ook voor dit doel heeft hier en daar de machine haar intocht gedaan maar nog zeldzaam. Er zijn overal gewoonlijk nog vrouwen genoeg die deze liefdedienst niet uit handen willen geven.

Als het nodige is verzorgd, komen er mannen voor de broeder of vrouwen voor de zuster, om het dode lichaam te wassen. Het is een werkelijk wassen en een symbolisch reinigen. Op een paar schragen wordt een blad gelegd en daarop behoedzaam en eerbiedig het lijk. Met dezelfde eerbiedige schroom wordt het ontkleed als dit tenminste niet reeds vroeger is geschied. Steeds blijft het lichaam bij alle handelingen helemaal gedekt, onder een groot laken. Ook bij het wassen. Met een nap wordt daaroverheen lauw water uitgegoten en zij, die eromheen staan geschaard wassen nu voorzichtig overal het lichaam af.

Voorzichtig wordt de dode daartoe beurtelings op de ene en op de andere zijde gelegd en daarbij ook de rug niet vergeten. Handen en voeten en ook de nagels worden behandeld. Alles in plechtige stilte. Voor de aanvang hebben allen te zamen een gebed uitgesproken en tijdens de behandeling wordt er wel door leraren en anderen geleerd en worden er Psalmen uitgesproken. Ten slotte heeft de reiniging, de eigenlijke *Taharàh* plaats. De rest van het gereed gezette water wordt plechtig in drie begietingen over het op de rug uitgestrekte, steeds onder het laken zich bevindende lichaam, uitgegoten, waarbij de Bijbelwoorden worden aangeheven: 'Want op deze dag zal Hij u verzoening schenken door u te reinigen van alle uw zonden; voor de Eeuwige zult gij rein zijn'. (III Moz. 16, 30).

Dan wordt het lichaam even voorzichtig en schroomvallig gedroogd als het bevochtigd is. En dan wordt het doodsgewaad aangetrokken. Dat gaat alles geregeld en gemakkelijk op een door ervaring geleerde wijze. Er is een leider bij deze dienst: de voorzitter of een ander bestuurslid der chevràh en bij vrouwen even natuurlijk de presidente of die haar vervangt. Degeen, die leidt, vereert telkens twee der aanwezigen met een functie, die als mitswoth, erefunctiën geacht worden. Ook de nabestaanden en andere familieleden worden als ze het wensen, in de gelegenheid gesteld om zulk een laatste liefdedienst aan de overledene te bewijzen en mee te helpen aan de wassing, reiniging en kleding.

De kist staat gereed om de dode te ontvangen. Met een groot laken zijn de bodem en de wanden bedekt. En van een man ligt er ook het tallith geheel uitgevouwen in en zodanig gespreid, dat het de dode aanstonds zal omhullen. Met overleg wordt het lijk nu opgenomen en in de kist gelegd, terwijl men ten afscheid voor de dode, het Bijbelvers aanheft: 'En gij, ga heen naar uw bestemming en rust tot uw bestemming en herrijs voor uw bestemming aan het einde der dagen' (Dan. 12,13).

Dan wordt de deksel op de kist gelegd en deze voorlopig gesloten. Soms voorgoed. Maar in dat geval heeft er eerst de plechtige bestrooiing plaats met aarde uit het Heilige Land. Dit kan echter ook nog voor de begrafenis geschieden en geschiedt op vele plaatsen eerst dan.

Allen die deze diensten hebben helpen doen, danken de leider der plechtigheid voor de mitswoth waarmee zij begiftigd zijn. En nadat alles is opgeruimd en het vertrek behoorlijk is in orde hersteld, gaan zij heen met een gevoel van tevreden voldoening.

VOOR DE UITVAART

Aarde uit het Heilige Land: dat is geen fantasie een geen mystificatie. Er is werkelijk een beetje zand aanwezig, dat van de bodem van Erets Israël genomen, langs geheel zekere weg hierheen en overal elders heen, over de wereld der joden, die overal is, wordt rondgezonden.

Zo is er dus bijkans overal een pakje Erets-Israël-aarde aanwezig als de stoffelijke rest van een kind van Israël ter laatste ruste gereed wordt gelegd. Zachtjes worden de ogen als ze niet gesloten zijn gebleven, nogmaals dicht gedrukt. Slapen immers zal de dode, sluimeren in het stof tot de dag van het grote ontwaken. Het pakje met aarde wordt geopend. En plechtig ontvangen allen, die tot hiertoe meegeholpen hebben, er beurtelings een kleinigheid van. En zij strooien dat op het gelaat en het gewaad en om de dode heen, terwijl zij er het bijbelwoord bij zeggen: 'Zijn bodem zal Zijn Volk verzoening schenken' (v Moz. 32,43).

Al wie in het Land der Vaderen niet kan leven en zolang hij ademde er zich mee moest vergenoegen eraan te denken, ervoor te bidden, zich in het gebed met de ogen erheen te richten, ervoor te offeren en er, zo mogelijk voor te werken, die wilde er toch gaarne zijn levensavond slijten, zijn zon er zien ondergaan om er begraven te worden. En wie er niet werkelijk in het stof van de aartsvaderlijke bodem kon komen te rusten, die liet zich gaarne nederleggen met het gelaat erheen gekeerd. Maar in ieder geval: enig stof van het Heilige Land zal onze doden dekken.

Er zijn er – vooral in de laatste jaren – die de rest hunner dierbaren erheen vervoeren. Ook al zijn deze overledenen reeds veel eerder elders aan de schoot der aarde teruggegeven. En dat kan en mag gerust. Want, wel is het ten enenmale verboden lijken op te graven en geldt het voor het joodse gevoel als onzegbaar afschuwelijk en als volstrekt ondenkbaar de rust der doden te storen: voor de bijzetting in Erets Israël valt alles weg. Sommige anderen, wie het niet mogelijk is, deze eer en de liefde aan iemand, die van hen is heengegaan, in deze volheid te bewijzen, beijveren zich om dan toch in ieder geval de geliefde tenminste in de kist een volledig bed van Israëlische aarde te spreiden.

Maar het symbool van het beetje aarde van de aartsvaderlijke grond ontbreekt zo goed als nergens.

Deze plechtigheid vindt tegenwoordig gewoonlijk terstond na de reiniging plaats, nadat de dode in de kist is neergelegd. Vroeger geschiedde zij bijna altijd en ook thans nog dikwijls op de begraafplaats in de kapel vóór de beaarding. Dan werd daar de deksel nog even een weinig van de kist geheven en de plaats van het hoofdeinden ontbloot. Een linnen zakje, behorende bij het stel tagriegien en tegelijk daarmee vervaardigd, wordt gevuld met zand uit het graf, dat voor de dode is gedolven. Kinderen, rouwbedrijvenden, nabestaande, vullen het met een schopje of met hun hand uit een bakje, waarin het zand is gereed gezet. En dit zakje met zand wordt als hoofdkussen gelegd onder het hoofd van de dode. Dan, daarna heeft de bestrooien plaats met de aarde van Erets Israël: de dode slape op en in het stof.

Voordat de lijkkist nu voorgoed gesloten wordt, ontdoet men ook het tallieth van een der tsitsith. Hier heeft het symbool afgedaan: het is voor het leven. Dus wordt het nu verbroken. En met een tallieth, bruikbaar voor het religieuze leven, gaat de dode niet het graf in. Want dat zou lijken op 'spotten met een arme'.

Wanneer de kist op de begraafplaats nog even wordt geopend, dan zorgt men bij de teraardebestelling van een vrouwelijke dode voor de aanwezigheid van vrouwen om het laatstnodige te verrichten. Maar in de laatste tijd is meer en meer de gewoonte in zwang gekomen, om alles thuis voor de uitvaart gereed te maken. Het heropenen der lijkkist blijft dan achterwege. En vanzelf zijn daarmee de begrijpelijke bezwaren opgeheven, die aan deze opening verbonden waren en aan het, zij het ook slechts gedeeltelijk ontbloten van een lijk, waarvan gewoonlijk de ontbinding reeds begonnen is.

In het sterfhuis of in de rouwkamer van bijvoorbeeld een ziekenhuis, wordt bij het lijk een brandend lichtje neergezet. Dit lichtje wordt terstond ontstoken, nadat het levenslicht is uitgegaan. De ziel zal in symbool nog blijven bij het lichaam. De ziel, die naar het woord der Spreuken (20, 27) 'een licht is van God'. Zolang het lichaam nog bij ons is, zal ook het geestelijk deel van de dierbare nog zichtbaar voor ons gloren. Als de reiniging heeft plaats gehad en de kist gesloten en met het zwarte lijkkleed is bedekt, plaatsen wij dit lichtje op de kist aan het hoofdeinde: blikt niet de ziel uit de ogen der mensen? Zo wacht het stoffelijk hulsel op de stonde, dat het uitgedragen zal worden naar de laatste rustplaats.

Het is mogelijk op verschillende plaatsen kleine variaties in de gebruiken waar te nemen. Sommige dezer afwijkingen zijn hier en daar tot eigenaardige plaatselijke gewoonten uitgegroeid. Dat kan haast niet anders. Want het meeste van dit ritueel wordt immers door de praktijk en uit de aanschouwing voortgeplant. En wat de mensen eenmaal door voorgangers hebben zien verrichten in wie zij geloven, aanvaarden zij als goed en juist. Ook wanneer zij de bedoeling ervan niet gevraagd en dus niet verklaard hebben gekregen en de zin ervan niet vanzelf begrepen hebben. Waarom ook zou men hier, in de sfeer van het grote mysterie, alles verstandelijk moeten vatten? De mensen geven hun plaatselijke gebruiken niet gemakkelijk prijs. En hier het allerminst. Zij zouden dan allicht geplaagd worden door het gevoel, dat zij de doden tekort gedaan en tegenover hen plichten van eerbied verwaarloosd hadden.

Zelf heb ik op enkele plaatsen zulke handelingen waargenomen. Ik heb gezien, dat men de aarden nap, die men bij de taharàh gebruikt had, na de reiniging in scherven sloeg en dat men de stukken in de lijkkist legde bij de dode. Kleine stukjes op de ogen om deze dicht te houden. En dat men mij dit gebruik niet kon verklaren. Welk een goede gelegenheid voor de aanschouwer, voor de buitenstaander, om allerlei te fantaseren over dodencultus en zo voort.

Elders heb ik gezien, dat er bij de baar een schoteltje met koffie – gemalen koffiebonen – stond en dat men bij het opnemen van de lijkbaar, om de dode uit te dragen, dit schoteltje ter aarde in stukken wierp.

En het werd mij verklaard als symbool van al het vergankelijke of van een onherstelbare breuk. Ik zag en zie het anders. Ik begrijp, dat men ertoe gekomen is om te trachten door de geur van koffie de mogelijkheid van lijklucht bij voorbaat te neutraliseren. Een toe te juichen maatregel. Om alle mogelijke redenen. Ook om de eerbied voor de dode niet in de verste verte, door een onwillekeurig gebaar, in enig denkbaar gevaar te doen geraken. En al wat er ten behoeve van een dode gebezigd of ook slechts bestemd is, is immers voor ons verloren, onaantastbaar. De koffie – dat begrijpt ieder – zal niet meer gebruikt worden. Maar ook het schoteltje worde daarom vernietigd. Daarom dus ook wordt de aarden nap, die bij de reiniging dienst heeft gedaan, stuk geworpen. En deze stukken gaan mee in het graf. Kan er nog iets van voor de verzorging van het lijk gebruikt worden, des te beter. Overal echter waar de liefdediensten aan de dode in de chevràh kadiesjàh zijn georganiseerd, bezit deze vanzelf alle gereedschappen, welke voor haar werk nodig zijn. En die gereedschappen zijn uitsluitend voor deze dienst bestemd en worden natuurlijk nooit voor iets anders gebezigd. De nap, die dan wel altijd een bakje zal zijn van metaal, maakt deel van het gereedschap uit. Daar zal het stukslaan en wat er verder aan verbonden is, niet te aanschouwen zijn. Maar ook, waar het dan wel geschiedt, is van dodencultus geen sprake. Niets is verder van het jodendom verwijderd dan dodencultus. En weinig is er in hogere eer, dan waarachtige piëteit voor het stoffelijke overschot van een mens, die de eeuwigheid is ingegaan.

Gekomen is het ogenblik, waarop het lijk zal uitgedragen worden en naar de dodenakker geleid. Tot zolang is de familie met haar dode, is de baar met haar inhoud – altijd kostbaar als de stoffelijke vorm van een mens – zo goed als nooit alleen gelaten. Er is, bijkans overal voortdurend 'gewaakt' bij de dode. En er is zoveel mogelijk bij 'geleerd' of stichtelijke lectuur gelezen. Daar bestaan handelingen voor en kleinere of grotere boeken. Hier te lande wordt meestal het *Séfer-Chajiem Lanèfesj* gebezigd, d.i. het Boek des Levens voor de Ziel, hetwelk met Nederlandse vertaling bestaat en de verschillende gebeden bevat, die op het overlijden en het begraven betrekking hebben.

Het lampje, dat op de kist voortdurend brandend is gehouden wordt nu eraf genomen. Maar het wordt niet geblust. Het is een *Nér-Tamied*, een gestadig licht, dat nu in huis geregeld onderhouden wordt. Het zal er lange tijd als het zichtbare symbool van de geest van de afgestorvene blijven gloren, als de gedachtenis der Goddelijke Ziel, die niet mee ten grave is gedaald. Twaalf joodse maanden blijft het branden op een zoveel mogelijk vaste plaats, wanneer het aan vaders of aan moeders nagedachtenis is gewijd. Dertig dagen in ieder geval als het aan een der andere verwanten, aan echtgenoot, aan kind, aan broer of zuster, herinnert. En op iedere 'jaartijd-dag', de datum waarop voor onze ogen het aardse licht van een dierbare uitging, wordt opnieuw het nér tamied, nu 'jaartijdlicht' ontstoken. Ook voor dit licht verschaft tegenwoordig de elektriciteit de nodige dienst. De gestaagheid van het lichtje is daarmee wel het zekerste gewaarborgd. Maar de aandoenlijkheid der aanhoudend noodzakelijke verzorging is erdoor verminderd. De piëteit wordt er, jammer genoeg, mee gemechaniseerd.

Werkende leden der chevràh-kadiesjàh of – in grotere gemeenten – beambten der instelling of der gemeente, treden aan en dragen de kist naar buiten. Eertijds werden alle lijken van het sterfhuis naar de begraafplaats op de schouder gedragen. Tenzij de gestorvene heel ver naar een afgelegen plaats vervoerd moest worden. Dan werd er, noodgedwongen, ook per as, schip of schuit vervoerd. Maar anders stonden langs de hele weg de dragers gereed, die gaarne de eer en de voldoening van deze liefdedienst, deze mitswàh, wilden smaken en van elkander regelmatig de dierbare last overnamen. Het is thans een hoge uitzondering, wanneer een dode de ganse weg of een deel ervan gedragen wordt Deze bijzondere eer wordt nu slechts aan de hoogste leraren in Israël bewezen en in sommige gemeenten aan hen, die zich in hun leven zelf in het bijzonder als werkende leden in dienst der chevràh-kadiesjàh aan de hoge mitswàh van *Chèsed-we-Emèth* gewijd hebben. Overigens gaat het vervoer per koets of auto of op elke andere wijze, die het moderne verkeer gebiedt.

Als het zonder veel bezwaren mogelijk en met de levensrichting welke de overledene heeft gevolgd, niet bepaald in strijd is, wordt gaarne de laatste · eg met de dode naar zijn graf langs de synagoge genomen; eens immers de sjoel, de school van het joodse leven, het beth-hakkeneseth, het huis der verzameling, het joodse volkshuis bij uitnemendheid. Daar wordt dan dikwijls even halt gehouden om er als het ware een laatste groet te brengen van de dode aan dit huis, en de dode een laatst vaarwel uit het huis in ontvangst te doen nemen. Soms, als het een parnas-kerkbestuurder of een ander lid der gemeenteverzorgers geldt, gaan de deuren open en branden er de lichten. De dierbare rest der hoogste leraren wordt gewoonlijk in de synagoge gedragen en daar neergezet. En er heeft een eenvoudige rouwdienst plaats. Door soberheid zo ontzagwekkend, dat waarschijnlijk niemand die zulk een plechtigheid heeft bijgewoond, de indruk daarvan ooit vergeet. Er wordt een *Hespéd* – een woord van rouw ten afscheid – gesproken. Er worden onder het aanheffen van bijbelteksten en treurzangen, zeven ommegangen om de baar gemaakt. En deze ommegangen worden telkens afgebroken door bazuingeschal. Bij sjofàrklank wordt de dode naar binnen gedragen en met sjofàrtonen wordt de baar uitgeleide gedaan. Een oude overlevering gelegd in een woord van Jesaja (18,3) zegt ons, dat het sjofàrgeluid ook eens hen, 'die in de aarde verwijlen' zal wekken uit de slaap, wanneer in het Eind der Dagen' de dood zal zijn verdwenen en de tranen van alle aangezichten zullen weggewist zijn' (Jes. 25, 8).

Een grote eer bewijst men een dode, wanneer men deelneemt aan het uitgeleide naar zijn laatste rustplaats. Tot de aloude eenvoud, die de joodse zede heeft gewild, behoren zeker niet een praal van volgkoetsen en een grote bloementooi. De stoet van een grote menigte mensen, die voldoen aan hun innerlijke behoefte en gewoon te voet de lijkbaar volgen, is het meest imposante getuigenis voor degeen, die heengaat. Zo echter heeft men het niet kunnen houden. In de volgstoet gaan nu ook wel bloemen, verse bloemen mee. Van kist en lijkkoets blijven zij in het algemeen verwijderd. Op het graf, nadat het is gesloten, worden zij wel neergelegd. Ook hier echter beslissen meermalen verschillende inzichten, geleid door het gevoel, dat zich immers niet altijd op gelijke wijze uitspreekt.

Het uitgeleide – de *Halwajáth hamméth* of *Lewajáh* – van een dode roept ieder van zijn werk, al is het ook maar enkele ogenblikken. Zelfs de studie der Leer – Talmoed Torah – moet een wijle ervoor gestaakt worden. Zo deden in talmoedische tijden ook de grootste leraren. Wie een lijkstatie tegenkomt behoort, wanneer zijn werk hem overigens vraagt, in ieder geval enige schreden mee te gaan. En hij roept daarbij de dode toe: 'ga de vrede in!' Of zegt zachtjes voor zich heen enige zinnen van Psalm 91, indien niet zelfs die hele Psalm.

Ter illustratie van de hoge waarde, welke aan deze daad van piëteit in de joodse literatuur wordt toegekend, is hier zeker het woord van een oude midràsj – wijze niet te veel: Ge kent Izébel, die met Achab, de koning van het rijk Israël de troon te Samaria deelde. Ge kent haar uit de Bijbel. Zij wordt daar allerminst als een brave in Israël geschetst. Eens, na de gerechtelijke moord op Naboth, door haar geïnspireerd en geleid, voorspelde haar Elia, de Profeet, dat de honden haar lijk in Jisreëel, de plaats der misdaad, zouden verslinden (1 Kon. 21, 23). Dit vonnis werd aan haar voltrokken. Maar de honden lieten haar schedel en haar voeten en haar handpalmen liggen (11 Kon. 9, 35). Waarom? De wijze van zoëven zegt: als er een bruidsstoet haar paleis passeerden dan juichte zij, klappend in de handen, het bruidspaar toe. En als er een dode werd voorbijgedragen, dan daalde zij van haar troon en van de treden van het paleis en, terwijl zij haar stem bij de rouwklanken voegde, volgde zij de lijkbaar een eindweegs te voet! De ledematen van Izébel – ook van Izébel – die deze daden van piëteit gedaan hadden, daar had de vloek van Elia geen vat op. En de honden bleven eraf.

Wie door een lijkstatie niet even wordt geïmponeerd en achteloos onverschillig verder gaat, 'bespot de arme – d.i. hier: de dode – en hoont daarmee zijn Schepper' (Spr. 17,5) meent de Talmoed. Doch wie zulk een arme liefde bewijst, leent het de Eeuwige (Spr. 19, 17). Of ook: die eert zijn Maker (Spr. 14, 31).

Zó wordt de waarde van het lijk en zijn uitvaart in het grijze verleden geschetst. Hier staan slechts een paar citaten uit de massa. Die waarde is in de joodse wereld ook nu nog niet verminderd.

DE UITVAART · HESPÉD · BEAARDING

Gedolven wordt het graf op de dag, waarop het zijn dode zal ontvangen. Niet vroeger. Een groeve lang geopend laten en niet zodra het kan weer sluiten over de heengegane mens, is een aanstotelijke gedachte. Doet aan, alsof de aarde haar opengesperde muil gereed houdt, om haar prooi te verslinden. Het graf moet niets anders zijn, dan het vers gespreide bed, waarop het gebeente van een dierbare zacht en liefderijk wordt neergevleid. Een kuil gedurende een hele nacht open te laten zou ten enenmale onverdragelijk zijn. Als om de een of andere reden de noodzakelijkheid dat zou gebieden, dan zou de opening in ieder geval tijdens zulk een nacht met planken toch weer dichtgedekt moeten worden.

Eens dolven de leden der chevràh kadiesjàh of de medebroeders het graf voor wie er uit de gemeente in de dood was geroepen. De tijd is nog niet ver, dat wij het aldus in kleine gemeenten zagen geschieden. Dergelijke liefdediensten, waarvoor eigen werk en gewin zonder enige overweging verzaakt werden, zijn in de drang en druk der tijden bekneld geraakt. Thans heeft men er, zo goed als overal, zijn werklieden, zijn ambtenaren voor. En zeker wordt het daardoor op vaardiger wijze gedaan dan vroeger en worden de gravenrijen regelmatiger. Maar toch: soms als men wel eens op een heel oude dodenakker komt en daar ook veel verweerd ontwaart en er geen regelmaat van graf aan graf en geen gelijkvormigheid van rij voor rij ontdekt, dan is het niettemin juist daar, alsof de

Majesteit van de Dood er zichtbaar rondgaat over het veld. En met hoorbare tred. Alsof de doodsengel daar, zoals het geviel, zijn schatten heeft geborgen: hier een en daar een.

De begraafplaats is geen griezelig oord. Zij draagt verschillende namen. Zeer zeker heet zij ook *Beth-Hakkewaroth*, hetgeen letterlijk wil zeggen: de woning der graven. Maar de joodse mensen, die nog oude Hebreeuwse en joodse uitdrukkingen in de mond voerden, spraken bij voorkeur van het *Beth-Hagajjiem*, dat is: woning der levenden. Of zij bezigden de intieme ghettotaal, zeiden verbasterd in Jiddisj: *Gedort* en bedoelden: gut Ort. Zulke benamingen zeggen iets. Zeker, zij kunnen in zwang gekomen zijn uit de bangheid om het verschrikkelijke bij name te noemen en – de Hemel helpe – het niet op te roepen. Maar zij hebben evenzeer de strekking, om voor het gevoel de dood zijn bedreiging en zijn schrik te ontnemen of tenminste te verzachten. Dat is een euphemisme, hetwelk we in de joodse bronnen telkens tegenkomen maar volstrekt niet met bijgeloof vereenzelvigd mag worden. Veeleer behoort het tot de goede toon, waarmee kiesheid en fijn gevoel kunnen aangekweekt worden. Niet enigszins omsluierd maar openlijk alle afgrijselijke dingen bij hun brutale naam te noemen, heet onbetamelijk en maakt de samenleving grof en de omgang gevoelloos. Zo dachten de ouden. Naïef en overdreven? Maar wordt er bij de tegengestelde houding, bij die uiterst nuchtere, koele, prozaïsche eerlijkheid niet heviger gezondigd?

Gut Ort of Woning der Levenden zijn voor de begraafplaats gewis wel mooie titels.

Over de dodenakker wordt de baar natuurlijk gedragen. Op de schouder! Een eindweegs, naar het dienstgebouw, de kapel in ieder geval. Zo hoort het althans.

De kist heet namelijk in het Hebreeuws: aròn. Eens was er *Aròn* of voluit: een *Aròn Hakkódesj*, de Heilige Arke, waarin de Stenen Tafelen waren neergelegd. Die mocht bij de tochten door de woestijn niet op een vervoermiddel worden meegenomen. Zij moest gedragen worden. De zonen van Kehath, tak van de priesterstam, waren aangewezen, om de Heilige Kist of Arke op de schouder te nemen. En aan het Bijbelwoord, hetwelk dit voorschrift bevat (IV Moz. 7, 9) wordt gaarne het gebruik vastgeknoopt: de dode deze eer te bewijzen, zijn aròn in ieder geval een deel van de weg naar het graf op de schouder te dragen. Hij wordt weggedragen, hoog geheven. Niet weggesjouwd. De verwijzing naar de Heilige Arke getuigt ook hier van de grote, haast oneindige eerbied voor het lichaam. Ook het dode.

Zo komt de stoet in het dienstgebouw. De baar staat in het midden. We nemen nu aan, dat de kist niet meer geopend wordt, omdat alle ceremoniën aan de dode van te voren zijn verricht.

Hier wordt veeltijds de *Keri'ah* – de inscheuring – in de kleren bij de rouwbedrijvenden verricht. Van Ruben lezen we het eerst in de Bijbel, dat hij in wanhopige droefenis zijn

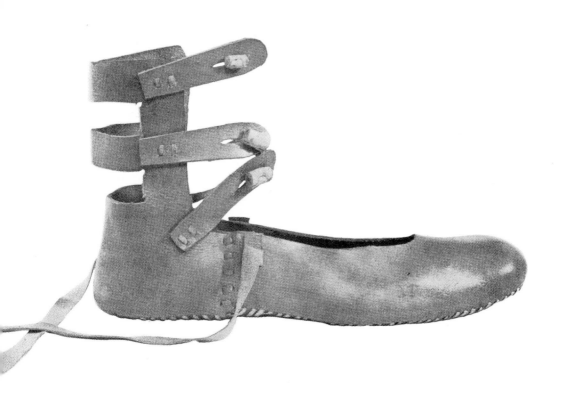

Chalietsàh-schoen. (Ned. Isr. Hoofdsynagoge, Amsterdam.)

Begraef-plaets der Joden, buyten Amsteldam.

De Portugees-Israëlietische Begraafplaats te Ouderkerk aan de Amstel. Gravure van Ruysdael, 1670.
(Uit particulier bezit.)

Les ACAFOTH ou les sept tours, autour du CERCUEÏL.

Ommegang om de baar bij een begrafenis. Gravure Picart. (Uit particulier bezit.)

Les ASSISTANS jettent de la terre sur le CORPS.

Het scheppen van aarde op de kist bij een begrafenis. Gravure Picart. (Uit particulier bezit.)

'*Ochtendgebed tijdens de Treurdagen*'. *Schilderij van J. Voerman.* (Collectie Joods Historisch Museum, Amsterdam.)

מ‍שני‍ות

סדר זרעים

עם פירושי הגאונים המפורסמים

רבינו עובדי' מברטנורא · ותוספות יום טוב

כפי שנדפסו עד היום

ואלו נתוספו בכמה דברים

א כל חלופי גרסאות ונוסחאות ששנו חכמים בלשון המשנה · אחת בפנים · ואחת בחוץ · באלו מובאות :

ב חדושים נפלאים מהחסיד השלם הדכ המפורסם מהרד"ר שמשון זצ"ל מאלטונא
ומשארי גאוני זמנינו · ונקרא בשם

תוספות חדשים

ג ניתן ריוח בנקודה קטנה (כו') להפריד בין לשון המשנה · ובן ציון הפירושים · ובין ענין לענין ·
בפנים ובמפרשים :

ד לבאר ולתקן · במקום שדברי התי"ט בחוסרי הבנה · טרוב המעות · וקצורו באפרים · בהעתקת
הראשונים והירושלמי · הכל בצדו להבין הבונה :

ה מראה מקום מפסוקי תנ"ך · ופרקי · ודפי הש"ס הנעלמים · וגם הנראים · שנרחו חוץ ממקומם ·
ובאלו מתוקנים :

ו כל הדינים הנוהגים והשכיחים באלו הזמנים · כהסכמת ש"ע ואחרונים · כמראה מקום על הסימנים ·
המה מובנים :

ז זה דבר השמטה · הרבה אוקמתות מהגמרא · וקושיות ותירוצים מהתוספות · אשר לא זברם גדולי
המפרשים האלו · וכמה חדושים מהתי"ט בעצמו · ועוד מעלות · יבוארו בהקדמת המסדר והמגיה :

והוגה בעין רב ע"י בקי ורגיל בעבודה כזו · ובתלמוד קודם למעשה הדפוס

והמוכר ספרים   בבית המדפיס

באמשטרדם

כהרד"ר יעקב בן כהר"ר שלמה פרופס כ"ץ זצ"ל
בשנת קְהִלַת יַעֲקֹב לפ"ק

Titelblad van een Misjnàh-uitgave. Gedrukt te Amsterdam in 1775. Onder aan de pagina het vignet van de drukkers Proops. De gespreide handen wijzen erop, dat de familie Proops uit 'Kohaniem' (priesters) bestond. (Bibliotheek 'Ets Haim' Livraria Montezinos, Amsterdam.)

הוא, מספרי יני מ שא דרבי מ ישון [signature]

Kop van Maimonides en facsimile van zijn handtekening. (Bibliotheek 'Ets Haim' Livraria Monte-zinos, Amsterdam.)

שכר ולא ישׁאל לפיכך אם היתה רבّ השׁאלה כהכה וכמתה הב׳על פטור אّ על
פי שהוא משّתמّשّ בֻ הכّ לّ ימّ שאّ לתה ואفّי פשّע׳ כﺓ מﭬني שﭬהוא כّליקﺡ והّ אשّ ה
חיﭬבת לשّלم כﭬש' יהיّ ה לّ ה كﭬ מّين ואם הودﭪ عﭬ ה לّב ע לّ ﭑ ﭑ ﭑ ﭑ ﭑ ﭑ

פֶּרֶק שְׁלִישִׁי

יהשואל את הפרה
מחברו ושלחה ל

המשׁאﭑיל ﭑﭑﭑ׳ שלחه אﭬﭪ׳ בﭑﭑﭑﭑﭑﭑﭑﭑ

kleren scheurde, toen hij Josef niet meer vond in de put, waarin hij hem een wijle veilig voor verdere aanslagen had gewaand (1 Moz. 37, 29). En daarna zien wij Jacob zijn gewaad verscheuren en een zak om zijn lendenen leggen, als hem de bebloede statierok van Josef wordt getoond (vers 34). Daarna ontmoeten we deze uiting van smart en rouw op tal van andere plaatsen. De wanhoop baant zich een pad, wilde smart zoekt een uitweg. Er is een stuk van het lijf gescheurd, uit het hart gerukt! Wat is bij zulk een ramp nog kleding voor het lichaam, nog tooi voor het eigen lijf! Weg ermee.

Dat is niet de beredeneerde handeling maar het onwillekeurige, het instinctmatige gebaar. Daar begint het mee. Wie zou niet soms in zinneloze smart het hart willen ontbloten en uitroepen: Stoot toe! Dood ook mij! – Maar de uitbarstingen moeten bedwongen, de smart moet geleid worden. Het verscheuren van mantel en verdere gewaden, het ontbloten van de schouder, het opendekken van het hart: zij waren ongetwijfeld het allereerst blijken van wilde uitbarsting en tegelijkertijd natuurlijk middelen om de gloed der uitbarsting van binnen wat af te koelen.

De keri'ah werd een teken. Teken van rouw en van vermaan. Er is een lid uit de familie gerukt. Maar we hebben immers geen rechten en niets van God te eisen. Naakt – om met Ijob te spreken – kwamen wij ter wereld en naakt gaan wij eruit (Ijob 1, 21).

En nadat het woord van onderwerping 'Geloofd Gij, God, Rechter in waarachtigheid', over de lippen is gegaan, wordt, alsof het een bereidverklaring bevatte, om als het moet, naakt het leven te verlaten, de zoom van boven in een of meer gewaden ingescheurd. En dan volgt Ijob's verdere woord: 'God heeft gegeven, God heeft genomen: de Naam des Eeuwigen zij geloofd!'

Bij het heengaan van vader of moeder wordt de keri'ah meer boven het hart, links derhalve, aangebracht en in alle bovenkleren. Van echtgenoot(e), kinderen, broer of zuster aan de rechterkant. Van verdere verwanten helemaal niet.

Zo staan daar dan de verwanten met gescheurde kleren bij de dierbare rest van de afgestorvene. En nu begint het vaarwel, de dienst der berusting. De leraar der chevràh kadiesjàh zet in met het woord: 'Hij, de Rots, volmaakt is Zijn werk, al Zijn wegen zijn recht; God der trouw zonder verkeerdheid, rechtvaardig en billijk is Hij!'

Zo zong Mozes ten afscheid (v Moz. 32, 4). Wij zeggen het hem hier na en laten andere Bijbelverzen en enige zinnen van gelijke strekking volgen. De leraar luider, alle aanwezigen zachtjes medezeggend.

En dan spreekt de leraar officieel het woord van rouw en van afscheid der gemeenschap, waaruit de overledene is weggerukt. 'Los geraakt is de snoer, gebroken de band,' zegt hij. En hij dankt en troost en hij wenst. En hij roept de gaande sjalom toe, vrede! Dat is de som van alle goeds. Op de weg naar de eeuwigheid, de weg naar de eeuwige gelukzaligheid.

Aanstonds zal moeder Aarde weer de stof ontvangen, waarin een mens heeft gehuisd, die onder ons leefde. Het lichaam weer bergen in haar schoot. Zijn aanschijn, nu in kist, op baar, voor onze voorstelling nog enigszins aanwezig, zal in haar stof worden weggelegd. Wij zullen er hier niets meer van aanschouwen. Nu genaakt het moment van het grote afscheid.

En uit de donkere diepten onzer zuchten stijgt het stille verlangen op, om nog eenmaal ons het beeld voor de geest te roepen van het leven dat uit onze rijen is weggeplukt. Buiten de algemene gedachten van rouw en deernis om, van wensen en van beden, is er behoefte aan een woord van rechtstreekse waardering; aan een vaarwel, waarin het wezenlijke wordt geschat van wat er wordt begraven. Waarderen: dat is het benaderen van werkelijke waarden. Schatten moet een poging zijn om eerlijk te bepalen. Zó willen wij in het afscheid onwillekeurig nog wel eens het verlies gaan wegen dat wij lijden. En aldus willen wij het gaarne ook door anderen gewogen hebben. Dat is geen openen van wonden, geen woelen in de smart. Maar het vat samen en sluit af. Het helpt aanvaarden en schenkt troost.

En het behoort tot de daden van piëteit, tot de eerbewijzen aan de scheidenden. Begraven is niet maar wegbrengen. En dan heengaan.

Zo heeft iedere ziel haar recht. Haar recht op het persoonlijke afscheidswoord.

Maar er ligt hier een pijnlijke moeilijkheid, die haast onoverkomelijk is. Snel zijn wij in onze gewone samenleving steeds gereed – niet waar? – met ons oordeel over de levende medemens! En dat oordeel verandert met de dag, wijzigt zich vaak enige keren in slechts weinige uren. Want wij zien afzonderlijke daden en trekken uit iedere handeling een gevolgtrekking opzichzelf. Wij verbinden niet en scheiden niet en maken geen studies. Het is alles voorbijgaand en los. En nooit rechtvaardig. En het kan niet rechtvaardig zijn. Ook zelfs niet bij opzettelijk en zuiver wetenschappelijk onderzoek. De strengste eerlijkheid vindt hier de waarheid niet. Ook de liefde faalt, al komt zij gewis wel dichter bij het ware. En zelfs met elkander kunnen liefde en gerechtigheid geen absoluut onfeilbaar oordeel samenstellen.

En nu vraagt daar een mensenziel een vaarwel en in dat vaarwel een zuivere waardebepaling. De stoffelijke mens heeft opgehouden te bestaan. De som van zijn aardse werken zou nu in een formule samengevat moeten worden en in het gezicht der eeuwigheid getoetst aan de Idee, die wij Mens noemen en die de Bijbel op zijn eerste bladzijde met de titel bestempelt van: Evenbeeld Gods!

Zulke eisen zijn te hoog voor een gedachtenisrede. Wij schieten te kort. Ver, heel ver! Wij zijn beneveld. Ook als anders ons oog wel scherp zou kunnen onderscheiden, hier is het omfloerst. Het moment is ongeschikt; de omgeving houdt ons gevangen; de omstandigheden kluisteren ons. Als wij eerlijk willen zijn, zijn we – natuurlijk – slechts subjectief eerlijk. En bij zeer subjectieve eerlijkheid zijn wij bovendien ook bewust hoogst eenzijdig. Want het goede kunnen we niet in pure zuiverheid aanschouwen. Maar het kwade, het slechte willen wij niet zien, mogen wij niet zeggen. Dat verbiedt het moment; dat verbiedt de majesteit van de dood. Dat verbiedt ook de aanwezigheid der verwanten die geholpen en niet nog eens geslagen moeten worden.

Het is begrijpelijk, dat er gemeenten zijn, waar als regel geen officieel afscheidswoord gesproken wordt. De *Hespéd* dus in het algemeen achterwege blijft. Maar ook daar wordt die regel dan toch niet konsekwent toegepast. Bijna overal wordt bij iedere dode een woord gewijd aan de nagedachtenis. Wie ertoe geroepen is of zich gedrongen voelt, dit woord te spreken, moet de weg ertoe vinden met fijne tact, met kiesheid en noblesse. Hij moet zich hoeden voor hardheid en niet minder voor uitbundigheid of zelfs maar over-drijving. Want ook de omstanders zullen een al te grote lof, bij het huiswaartskeren, aan kritiek onderwerpen; en zo zal de eer van de overledene gevaar lopen in het tegendeel te worden omgezet. Door al te grote hulde ontstaat dan ook hier, zoals dikwijls, schimp. En hier is dat erger dan elders. De redenaar, die er zich aan te buiten gaat, is schuldig. 'Zijn zonde wordt hem aangerekend.' Zo gispt hem de Talmoed. Een sober woord, maar warm, dat het stempel draagt der waarheid, behoort tot de beste middelen, die troost kunnen brengen en berusting.

De baar wordt opgenomen. Nu niet weer op de schouder. Verwanten en vrienden wor-den nu de dragers naar het graf. En zijn vele handen. Zij krijgen, zoveel doenlijk, allemaal een beurt. Psalm 91 wordt ingezet. Leraar of leider gaat voor. En onder het langzaam dra-gen naar de groeve worden de onsterfelijke, altijd nieuwe woorden in toepasselijk recita-tief uitgesproken. Als de laatste zin tweemaal is gezegd, wordt de baar even neergezet en staat de stoet stil. Een kort gebed tijdens het stilstaan. De dragers maken plaats voor ande-ren, die aan deze eerbewijzing deel willen hebben. Dan gaat de stoet weer in beweging en de Psalm wordt andermaal, gedempt maar luid genoeg gereciteerd. Zo geschiedt het drie keer. En als het korte gebed de laatste woorden: 'geloofd is de Naam Zijner heerlijke Regering,' – een regel van het sjémòth, waarop de ziel bij het sterven is weggedragen – uit de mond van de voorganger is weggestorven, dan wordt de kist van de baar getild. En neergelaten in het graf. Met deze woorden: 'Ga henen naar uwe bestemming. Rust wel en herrijs voor uwe bestemming aan het einde der dagen' (Dan. 12,13).

De eerste scheppen aarde vallen op de kist. De naaste der verwanten heeft de spade uit de zandhoop genomen en laat wat van het uit de groeve opgedolven zand op de kist daar beneden vallen. Drie maal. De andere verwanten volgen. De vrienden treden aan. En beur-telings naderen allen, die de dode deze eer bewijzen willen. Niemand reikt de schop de ander over. Zij wordt telkens weer in het zand gestoken. De dode immers wordt plechtig in het stof gelegd. Niet ijlings, weggestopt. Het begraven is geen werk dat men elkander uit de handen neemt. Het is een liefdedienst aan de afgestorvene, die ieder voor zich persoonlijk verricht. En bij het toedekken met de aarde wordt weer een Bijbelwoord ge-sproken. 'Zo keert het stof terug tot de aarde gelijk het was: de geest gaat weer naar de Godheid, Die hem heeft geschonken' (Pred. 12,7). Onderwijl het graf zich vult en de heuvel zich begint te welven, spreekt de leraar beden uit en woorden van de oude wijzen.

En hierbij sluit tot slot het *Kaddiesj*-gebed der rouwbedrijvenden aan.

HET KADDIESJ-GEBED

Oud is het *Kaddiesj-gebed*. Eerbiedwaardig van ouderdom. Hoeveel eeuwen het telt is, met zekerheid althans, niet na te gaan. En nog minder is nauwkeurig te bepalen, wanneer het formulier zich in de vaste vorm heeft gezet, die het thans bezit. De taal waarin wij het bezitten, getuigt reeds van zijn hoge ouderdom: het kaddiesj-gebed is geen He-breeuws maar Aramees. Wat in deze taal in de joodse liturgie voorkomt, behoort mede tot de oudste bestanddelen ervan en stamt in het algemeen uit een tijd, toen de taal van Aram de dagelijkse volkstaal was en als even heilig stond aangeschreven als het He-breeuws. De Talmoed[1] spreekt van één zin uit het thans complete kaddiesj en schetst daarvan zeer plastisch de bijzondere hoge waarde: 'ieder moment, wanneer Israël zijn synagogen of zijn leerzalen betreedt en daar instemt met het "Amen! Geloofd worde in eeuwigheid Zijn grote Naam..." dan knikt de Heilige, geloofd is Hij met het hoofd en zegt: "Heil de Koning, Die men aldus in Zijn woning viert".' Of op een andere plaats[2], waar het genoemde getuigenis: 'geloofd Zijn grote Naam,' als een der machtige factoren wordt genoemd, die het voortbestaan der zedelijke mensenwereld waarborgen! In zijn geheel komt het kaddiesjformulier dáár niet voor noch ergens anders in de Talmoed. En duidelijk en zeker blijkt er evenmin of reeds toen als bekend werd ondersteld, wat nu ge-woonlijk met de naam van kaddiesj-gebed wordt bestempeld.

Het is trouwens geen gebed in de werkelijke betekenis van dit woord. Niet een recht-streeks gebed voor de zielerust van overledenen, noch iets anders regelrecht van dien aard. Het is een hymne van Gods Koningschap. Maar geen gedicht, althans niet naar de vorm. De titel *Kaddiesj* wil zeggen: Heiligen. Een loflied dus op God wil het zijn, in hoogste zin. Een poging om Gods Heiligheid in menselijke woorden op aarde te uiten. Een po-ging, niets meer. Een poging, die bij voorbaat – daarvan is men overtuigd – tot misluk-king is gedoemd.

Het kaddiesj-gebed klinkt ongeveer aldus:

Verheven en geheiligd worde, naar de bedoeling van Zijn wil, Zijn grote Naam in de wereld, welke Hij geschapen heeft. Worde Zijn Koninkrijk erkend in uw leven, nog in uw dagen en in het leven van gans het huis van Israël. Weldra in de naderende tijd.

1. Babl. Berachòth fol. 3a. 2. Sotà fol. 49a.

Welnu dan, zegt het mede:

'Amen! Geloofd worde Zijn grote Naam, in alle eeuwigheid geprezen'... geroemd, gevierd, hoog en hoger steeds verheven; verheerlijkt, gehuldigd, bejubeld de Naam van de Heilige, geloofd is Hij; hoog boven iedere lof en elk lied en alle zang en troost, die er op de wereld worden uitgezegd!

Welnu dan, zegt het mede: 'Amen!'

Dat is het eigenlijke kaddiesj. Hier is de kern. Wel worden er soms nog enkele strofen bij uitgesproken. Dat hangt af van de plaats in de liturgie, waar het wordt ingevoegd: in een bidstond of aan het einde ervan; na een godsdienstige voordracht, dan wel als het kaddiesj der rouwbedrijvenden. Maar nieuwe gedachten komen er niet bij. Zo culmineert het derhalve hierin: Uw Koninkrijk kome! Dan immers treedt alles op de achtergrond, wat een menselijke mond hier op aarde, thans voor U en over U kan uitspreken. Dan verstomt ieder woord tot Uw lof en Uw heiliging, alle gestamel van de sterveling van nu.

De boven reeds geciteerde Talmoedplaats[1] wat uitvoeriger aangehaald, illustreert de bedoeling nog duidelijker: rabbie José vertelt, dat hij, zich bevindende op een der ruïnen van Jeruzalem, om daar te bidden, een zacht gezucht vernam en een stem hoorde zeggen: 'ach, die kinderen om wier zonden Ik Mijn Huis heb laten verwoesten en Mijn Heiligdom verbranden, terwijl Ik hen verbannen heb onder de volkeren.'

En Elia, de profeet, – van wiens verschijning in de samenhang gesproken wordt – zei hierop: 'Zowaar gij leeft, niet enkel in dit ogenblik spreekt die Stem aldus, maar zo zucht zij iedere dag drie maal. En er is nog meer: ieder moment, wanneer Israël zijn synagogen of zijn leerzalen betreedt en daar instemt met het: 'Amen! Geloofd worde in eeuwigheid Zijn grote Naam' dan knikt de Heilige, geloofd is Hij met het hoofd en zegt: 'heil de Koning, die men aldus viert in Zijn Woning!' Wat anders rest de Vader, Die Zijn kinderen heeft verbannen. En ach, die kinderen welke verdreven Zijn van de tafel van de Vader!

Zo vindt dus als het ware de Godheid zelve berusting: arme kinderen, arme Vader. Maar: Uw Koninkrijk kome! Het komt en alle smart smelt weg. Hierop doelt in het formulier de uitdrukking: hoog boven iedere lof en elk lied en alle zang en troost...

Deze gedachte overwint nu alles. En het uitspreken van de verwachting, het vertrouwen in deze vervulling staat gelijk met onderwerping aan de Goddelijke Wil, is meer dan berusting. Het is verzoening met het gebeurde, haast blijde aanvaarding van het opgelegde lot. Zó kan een martelaar in jubelzang ook de brandstapel bestijgen en zonder pijn te ervaren zich zalig voelen in Gods hoede en schier lachend zich rustig leggen aan de veilige borst van de almachtige Vader.

1. Berachòth fol. 3a.

Dat is: God heiligen in het openbaar, voor het oor der omringende wereld. Hem blij aanvaarden als de liefderijke Gerechtigheid ten overstaan der gemeente.

In zulk belijden en getuigen vond en vindt het jodendom de hoogste eer voor vader en voor moeder. Immers: daar staat een kind bij hun groeve, de zoon getuigt. Het is, als ware de dood reeds verdwenen en alsof de tranen reeds van alle aangezichten zijn geveegd (Jes. 25,3). Door tranen heen hier bij het graf jubelt het kind in God, de Vader. Hij roept de gemeenschap tot instemming op. En zij stemt het grote woord met hem aan: 'geloofd worde uw grote Naam, in alle eeuwigheid geprezen...'

Het is een korte maar grootse godsdienstoefening aan het graf. De zoon gaat daarin voor. Hij is daarmee tevens getuige voor zijn vader, voor zijn moeder. Voor zijn opvoeders. En dat is hun de hoogste eer. Dat geeft het kind zijn ouders mee bij het grote afscheid aan het graf.

En dit getuigenis is – als ge wilt – het gebed voor hun zielerust. 'Bij het heengaan van de mens, zo is er gezegd[1] – begeleiden hem zilver, goud, noch kostbaar gesteente of parelen; maar alleen leven in Gods Leer en goede werken'. Niets neemt ge mede naar Ginds. Al uw vrienden keren huiswaarts. Uw daden echter vergezellen u over het graf heen. Staan naast u voor de Troon van God.

En het getuigenis uwer kinderen is één der vrienden, die helemaal met u meegaan. Hun daad is een gedachte, die naast u blijft. En deze gedachte is een engel, die uw verdediging zal vertolken voor de Hemelse Vierschaar, als ze over u gespannen mocht worden.

In deze zin is het kaddiesj dan ook een gebed voor de zielerust der ouders.

Gewoonlijk luidt de aanhef van de eerste kaddiesj op de begraafplaats nog enigszins anders, nog sterker aansluitende aan de inhoud van het geciteerde talmoedverhaal. Het klinkt dan aldus:

Verheven en geheiligd worde Zijn grote Naam in de wereld, welke Hij eens als een nieuwe scheppen zal; wanneer Hij de doden zal doen herrijzen en doen opstaan tot het eeuwige leven; wanneer hij de stad Jerusalem herbouwt en daar Zijn Tempel praalt; wanneer Hij het heidendom uitroeit van de aarde en de dienst des Hemels vestigt op zijn plaats. O, moge de Heilige, geloofd is Hij, erkend worden, Zijn Koninkrijk, Zijn Glorie. In uw leven nog in uw dagen en in het leven van gans het huis van Israël; weldra in de naderende tijd.

Welnu dan, zegt het mede: 'Amen!...'

Zó wordt kaddiesj alleen de eerste maal op de begraafplaats gezegd aan het graf. Ook daar niet altijd, zoals we nog zullen zien. Anders wordt het gewone kaddiesj aangeheven. De kinderen zeggen het kaddiesj ook gedurende bijna het gehele rouwjaar. En zolang zij leven, telkens op de verjaardag van het overlijden van vader of van moeder.

1. Spreuken der Vaderen 6, 9.

Natuurlijk wordt het kaddiesj alleen maar uitgesproken in de gemeenschap, bij gezamelijke godsdienstoefeningen. Nooit in eenzaamheid of wanneer men het gebed verricht, zonder dat het met het vereiste getal van tien te zamen biddenden tot een gemeenschappelijke godsdienstoefening wordt. Dat zou in tegenspraak zijn met de woorden ervan en in strijd met zin en strekking. En het ligt ook voor de hand, dat alleen de zoons het kaddiesj zeggen, omdat bij de gezamenlijke, openbare eredienst enkel de mannen naar voren treden. En dit moet letterlijk worden opgevat: wie kaddiesj zegt, stelt zich daartoe vóór de gemeente op; naast of soms zelfs op de plaats van de voorzanger. Het is immers het leiden ener godsdienstoefening. En het voorgaan in het gebed wordt trouwens opzichzelf, zoals uit al het voorgaande nu wel duidelijk zal zijn, als een daad beschouwd, die gelijk staat met het uitspreken van het kaddiesj-gebed. Dat neemt evenwel niet weg, dat ook dochters het wel medezeggen.

Diep geworteld zit de eerbied voor het kaddiesj in het gemoed van Israël. Ouders wensen vurig, dat hun kinderen deze 'heiliging' hen na zullen zeggen. En de kinderen is het de vervulling van een plicht van aandoenlijke piëteit. Ook nog in onze dagen. Er is wel veel vergaan, veel afgebrokkeld. Er is ook sleur. En veel wanbegrip. Het zou erger dan zelfbedrog zijn en dan misleiding, naar buiten de indruk te wekken, alsof al deze schoonheid in Israël in ongerepte luister straalde. Maar al is er hier, in het aangezicht van het grote geheim, de dood, ook wel het een en ander van verheven mystiek tot plat, ja zelfs tot plat bijgeloof verlaagd, bij dit alles en boven dit alles uit, wordt het kaddiesj-gebed nog altijd in de huiver zijner heiligheid aangevoeld.

Vooral bij het graf.

HET VERLATEN DER BEGRAAFPLAATS · VERTROOSTING

Geëindigd is de dienst bij het graf. Wij zullen ons thans van de plek, die ons boeit met geheimzinnig ontzag, hebben los te rukken. En heengaan. En nu is het zaak te zorgen, dat het leven weer wordt aanvaard; dat men zich aansluit aan zijn eisen; zich onderwerpt aan zijn bevel; zich gewillig en van lieverlede ook blijmoedig weer schikt en stelt onder zijn plichten.

Daarin ligt de plicht van de vertroosting der treurenden, de *Nichoem Awéliem*. Zij begint reeds hier:

Daar staat een rouwende in ons midden. Een tak is van zijn stam gescheurd. Er is een bres geslagen in zijn huis. Zijn lichaam voelt de wonde en het schrijnt in zijn ziel. Maar de gemeenschap is er. In haar moet hij opgebeurd en geheeld worden. Zij moet hem helpen. Moet hem doen gevoelen, dat er harten hem tegemoet kloppen en dat er broeders gereed staan om hem in hun midden te nemen, te dragen als het moet, te koesteren met de middelen van belangstelling en hartelijkheid.

Daartoe is thans de mogelijkheid opengegaan. Eigenlijk eerst nu. Nu de stoffelijke rest van zijn dierbare in het bed der eeuwigheid ter ruste is gelegd. Nu de opgeroepene niet zichtbaar meer aanwezig is.

Zolang het lijk nog op aarde vertoefde, was hier elke poging om te troosten bijna nutteloos. De kist, de baar, stond in de weg. Stond daar als een tegenstelling, als een haast zwijgend protest tegen woorden. Ook tegen welgemeende, warme woorden. Woorden van hartelijke vrienden die proberen de smart en de ramp weg te redeneren. Woorden, die gemeenlijk niet verder gaan dan tot in het oor, tot aan het oor. Het is dan meestal beter veel te zwijgen. Rustig, innig samen te zitten. En de gewijde stilte in het heiligdom der smart niet te breken met geluiden, die er dan storend binnenvallen, en licht onrust en onbehagen wekken. Wie is er instaat dan het koesterende woord te vinden en te zeggen, het welk er past in de ingehouden toch bewogen stemming; in de fijne, onberekenbare sfeer.

'Tracht de treurende niet te troosten, zolang zijn dode vóór hem ligt.'[1]

Maar nu is het stof teruggekeerd tot de aarde. Thans moet de levende aan het voortgaande leven teruggegeven worden. Thans moeten we hem in ons midden nemen, hem opheffen, hem dragen.

De terugtocht naar huis zal ondernomen worden: Wij scharen ons in twee rijen; vormen twee hagen van broeders, staande met het gezicht naar elkander en wij laten een ruimte in het midden. De rouwbedrijvenden verlaten het graf en schrijden over dit middenpad. En uit de mond van hen die hen omgeven, hen aan weerskanten beschuttende broeders, klinkt hem tegemoet: 'Hij, Die alomme is, trooste u. Trooste u temidden van allen, die rouwen om Zion en Jerusalem.'

Het eerste troostwoord van het jodendom is gesproken. De eerste daad van vertroosting door de gemeenschap is volbracht. Bij het gesloten graf. Nog op de dodenakker.

Men verlaat de begraafplaats. De troost moet ontkiemen. De gedachten zullen langzaam aan weer tot hoop worden omgestemd. Welzeker: er is een spruit van de stam geplukt. Maar de stam staat. Staat in de bodem der gemeenschap. Het zaad is niet vergaan. Het veld blijft bloeien en er zal nieuw leven op ontluiken. Ook uit het graf groeit leven...

En men plukt een handvol gras en laat het liggen. En zegt het Bijbelwoord: 'Zij zullen op 's levens akker weer ontspruiten gelijk het kruid der aarde' (Ps. 72, 16). Het leven roept. Klopt aanstonds aan en vraagt. Hier vraagt het, luider en duidelijker misschien dan ergens anders. Vraagt het hoogste. Het vraagt ons *Tsedakàh*. Dat is: gerechtig-

1. Misjnàh Aboth 4, 18.

heid. Gerechtigheid jegens ieder medeschepsel. De evenmens te geven, wat hem toekomt: dat is weldadigheid in de meest ideële zin. In objectieve zin. Wat in de oppervlakkige, alledaagse betekenis van het woord door ons als weldadigheid wordt gedacht en gedaan, moet van het standpunt van de andere, van het object, gerechtigheid zijn. Dan is het in werkelijkheid de Hebreeuwse tsedakàh. Dan is het sociale gerechtigheid. Dan is het de inhoud van het Bijbelwoord: 'Gij zult uw naaste liefhebben als uzelve' (III Moz. 19, 18). En dan is het, wat Hillel hiervan helder heeft gezegd: 'Wat u onaangenaam is, doe dat niet aan een ander.'[1]

Deze tsedakàh is het heilmiddel van het leven. Voor haar wijkt het bitterste. Van haar is gezegd: Tsedakàh redt van de dood (Spr. 10, 2 en 11, 4).

Met die gedachte en met deze leer zullen wij van de begraafplaats weer in het leven treden. Er staan bussen gereed of zij worden aangeboden voor een gift. En bij het heengaan beginnen we weer met het werk der weldadigheid.

En nu ten slotte schudden wij alle doodsgedachten van ons af. Want het leven eist het veld van onze arbeid, en heiliging van het leven onze roeping. Daaraan en daarvoor hebben wij ons te wijden. Zó kan Gods Koninkrijk komen door ons leven in het leven. Daarvoor is het bestemd en niet voor de dood. Doodsgedachten kunnen ons afleiden; verwijderen van onze levenstaak en onze blikken op onze levensplicht verzwakken.

Ons geestelijk onrein maken. Ons streven opwaarts belemmeren. Onze drang naar het hoogste versperren. Dan worden we 'onrein'. Dat is de betekenis van deze term, die niets te maken heeft met viesheid en verachting of afschuw in de gewone zin. We moeten rein onze hoogste roeping volgen. Rein, door niets gehinderd.

En nu we terugkeren tot het leven en zijn plichten, maken we een scheiding tussen dood en leven. Ook symbolisch: wij wassen de handen.

Wij nemen afscheid:

'Gij zijt almachtig, o God in eeuwigheid. Gij doet de doden herleven, oneindig groot Uw heil. Gij verzorgt de levenden met genade, doet de doden herleven in Uw grote barmhartigheid: Gij steunt vallenden, geneest zieken, bevrijdt gekluisterden en vervult Uw Woord aan hen, die sluimeren in het stof. Wie gelijkt U, Gebieder der krachten! Wie evenaart U, o Koning. Die laat sterven en herleven en het heil doet ontspruiten! Gij, trouw, om de doden te doen herleven.

Om dit alles is het aan ons om U te huldigen en de Eenheid te belijden en te vestigen van Uw naam, de grote, almachtige, ontzagwekkende. Niets komt U nabij, o Eeuwige onze God, in deze wereld; niets is er naast U, onze Koning, in het toekomstige leven. Buiten U is er niets, onze Verlosser, in des Messias dagen; en niets gelijkt U, onze Redder bij de herleving der doden.'

1. Talm. Babli Sabbath fol. 31a.

En nu nog een laatste groet aan het dodenveld: 'Gij vromen, gij braven in de eeuwigheid, ere zij uw rust.'

Dan gaat het hek der begraafplaats achter ons dicht.

THUISKOMST · HET EERSTE MAAL

Wij komen terug in het huis van de rouw. Daar wachten ons de overige treurenden. die bij de uitvaart buiten niet tegenwoordig zijn geweest. Dat zijn de vrouwelijke leden van het gezin, van de familie. Die gaan gewoonlijk niet mee. De spanning is al sterk genoeg en de ontroering kan daar aan het graf wel eens ten toppunt stijgen. Niet ieder is zijn gevoel dan meester en allerminst wordt dat verwacht van vrouwen. En beheersing is een eis. Niet uit wreedheid of kilheid of ongevoeligheid des harten. Maar omdat men zich moet onderwerpen, zich hoort te schikken in berusting, in overgave, in dankbare gelatenheid. Geen misbaar zal de hemelse rust in het heiligdom der doden storen. Geen schijn van opstandigheid zal er door al te luide uitbarsting van heftige smart verwekt worden. Het grote afscheid zal, zoveel mogelijk, in eerbiedige ontroering, in met ontzag bedwongen bewogenheid plaats hebben. De tranen behoeven niet ingehouden te worden. Zij misstaan ook mannen niet. Maar men uitte zich niet al te heftig over het verlies van zijn dode.[1] En smarttonelen moeten a priori vermeden worden.

Er zijn gewis ook vrouwen, die sterk zijn en helemaal zichzelf meester. Maar het is nog geen ramp, dat het vrouwelijk geslacht het in het algemeen, als regel, nog niet zover heeft gebracht. En het is niet noodzakelijk, dat vrouwen ook in deze omgeving komen bewijzen, dat zij mannelijk sterk kunnen zijn en hun bewogen hart in staat zijn te bedwingen.

Zo was het en is het ook thans nog veelal zede in Israël, dat vrouwen niet in de rouwstoet meetrekken naar de begraafplaats. Maar lang niet overal.

Zij worden thuis natuurlijk niet alleen gelaten. Vriendinnen, buren houden hen gezelschap. Vrouwelijke werkende leden van de chevràh-kadiesjàh verrichten aan de vrouwelijke rouwbedrijvenden de keri'ah – de inscheuring in het gewaad – en staan hen met de anderen die aanwezig blijven, bij in het zware uur, wanneer de kist met de last wordt uitgedragen. Als die rouwenden het willen en kunnen, dan doen zij de dierbare rest enige schreden naar buiten uitgeleide. Maar het is geen plicht. Allerminst, En als zij de stoet ver genoeg naar hun zin gevolgd hebben, keren zij terug naar binnen. Daar wacht men samen de terugkomst der anderen af.

Er is voor gezorgd, dat er na de begrafenis een sober maal gereed staat. Niet echter

1. Talm. Babl. Moéd Katàn fol. 27b.

voor hen, die aan de begrafenis deelnemen; niet voor de zogenaamde genodigden. Uitnodigen ter bijwoning van een begrafenis kennen wij eigenlijk helemaal niet. Er wordt genodigd tot een vreugdefestijn. Niet bij rouw. Daar komt men vanzelf uit eigen behoefte, uit aandrang ertoe. Gevraagde belangstelling is daar immers wel zeer onbelangrijk. Men brengt geen jobstijdingen, tenzij in onvermijdelijkheid. En sommigen gaan in dit opzicht zelfs zover, dat zij, wat algemeen gebruikelijk is, niet volgen en ook in dag of weekbladen geen sterfgevallen publiekelijk aankondigen.

Allerminst wordt er dus thuis een gastmaal aangericht door hen, die aan het uitgeleide van de afgestorvene hebben deel genomen. De sobere spijs is voor de rouwbedrijvenden. Wat brood en een paar gekookte eieren. Die hun worden aangeboden. Aangeboden door de naaste buren. Deze verzorging gold en geldt nog veel verspreid als een devote plicht, als hoge mitswàh. Het is geen dodenmaal. De treurenden hebben zich tot nu toe – zo is de veronderstelling – zat gegeten aan hun smart. Hebben geen behoefte gevoeld aan spijzen. Hebben vergeten iets te eten. Hebben geweigerd wat te nuttigen. De smart immers kan wel zó diep en bitter zijn. En zó voedzaam. Gelijk de dichter zegt: 'Ik vergeet mijn brood te eten' (Psalm 102,5). Nu echter is de tijd gekomen om hen te helpen. Thans nu alles wat er nog zichtbaar van de dode over was, aan hun oog onttrokken is en zij aan het graf daar afscheid van genomen hebben voor zich en voor allen, die er niet bij tegenwoordig waren: thans is er ontspanning gekomen; is de geest toegankelijk en zal het lichaam weer normaler zijn behoeften vragen. Wij kunnen hen helpen zich aan hun geslagenheid te ontrukken. En wij reiken hun de eerste spijs. Dat is de Se'oedàth-Havraàh, het verkwikkingsmaal. Meer wil het niet zijn. Meer moet het niet zijn. Brood en eieren slechts; gemakkelijk te bereiden; van iedereen – ook van de minderbedeelde – te aanvaarden en zonder veel aanstalten te gebruiken. De treurende gaat niet aan een gastmaal zitten. Hij zet zich niet eens aan de tafel. Zit niet op zijn gewone zetel, zit niet op een gewone stoel. Hij ontdoet zijn voeten van schoeisel, trekt een andere voetbekleding aan, van vilt of iets dergelijks maar niet van leer. Hij heeft zich aan zijn werk onttrokken en begint de Sjiv'àh, de zeven dagen, de treurweek. Hij zet zich nu ter neer om het verkwikkingsmaal te nuttigen.

Buren hebben zich het aanbieden der se'oedàth-Havraàh steeds tot ereplicht gerekend. En zolang de joden, uit dwang van buiten of drang van binnen, overal een eigen buurt vormden, ging dat vanzelf. Nu de verspreiding, ook in de steden, groter en hier en daar volledig is geworden en dus de toediening van het eerste verkwikkingsmaal door de naaste buren niet geregeld zo maar vanzelf tot stand meer kwam, heeft de chevràh-kadiesjàh op vele plaatsen waar nodig, ook deze mitswàh overgenomen.

Het bleef niet altijd en niet overal bij de eerste spijs die aangeboden werd. Wel bleef de se'oedàth-Havraàh het recht, het recht en de taak der buren of der chevràh. Maar daarna, in de treurweek, stuurden en sturen vrienden en kennissen ook nog wel maaltijdsgeschenken. Tenminste hier en daar. Dat is echter geen zede, geen vaste *Minhag* d.i. geen ritualgebruik, geen mitswàh geworden.

Waar de begraafplaats ver van huis verwijderd is, wordt de eerste bete broods met de eieren genuttigd, voordat de thuisreis wordt aanvaard. Dan in een gebouw, dat op of bij de begraafplaats staat en wel of niet aan het dienstgebouw is verbonden. Ook dan zetten zich de rouwbedrijvenden daar op of laag bij de grond. In dit geval gebruiken er de 'genodigden' ook wat. Die zitten natuurlijk gewoon aan tafel.

Er zijn op het gebied dezer ceremoniën en riten hier en daar verschillen op te merken. Ook hier hebben zich plaatselijke gebruiken ingeburgerd, die door allerlei omstandigheden ontstaan of ook wel door onbegrepen voorbeelden tot vaste zeden zijn gegroeid. Gebruiken, waarvan de oorsprong wel eens moeilijk of helemaal niet meer is op te sporen die soms niet te verklaren, een enkele maal zelfs niet te verdedigen zijn.

Zo ergens, dan is hier in het gezicht van het grote mysterie, de dood, de plaats vanzelf gegeven voor mysterieuze gedachten en gevoelens. De mystiek vindt hier een dankbare gelegenheid.

Wie zou in het algemeen, de mystiek haar recht betwisten? Ik zou de laatste zijn. Moge ook voor onze hersenen de verstandelijkheid een vreugde zijn, ook al ware zij allesomvattend en albeheersend, zij is niet genoeg voor ons gemoed en geeft onze ziel geen voldoening. Alle verstandelijkheid is ontoereikend. En religie in de beste zin, komt niet met haar toe. Het heiligste is in de rede niet te beseffen. Ook als we de Godsgedachte – het hoogste – langs speculatieve weg verstandelijk belijden, beleven we haar nog niet. Wie haar, buiten de ratio en daarboven doorvoelt en haar zó verzekerd bezit, beleeft haar eerst. Dan eerst heeft hij haar heilig. In dat meer schuilt dan het mystieke. Maar in dat plus zit ook de geheimzinnige kracht; de alles overwinnende bezieling; het letterlijk en levende enthousiasme; de godsdienstige extase.

Maar die mystiek gaat weer op haar beurt symboliseren, allegorieën vormen. En ook dat is nog haar recht. Doch zij gaat ook reeds bestaande symbolen mystificeren. Soms voor haar begrippen ook concrete gedaanten scheppen. En demonen treden in de plaats van gedachten. En het water dient niet meer tot wijding maar wordt geplengd om demonen te verjagen. En de tsedakàh wordt een talisman ter bescherming tegen de dood. En het kaddiesj, ontdaan van zijn diepste en heiligste strekking wordt het gebed voor de rust van de dode zonder meer; de redding der afgestorvenen uit hellepijnen. Zo vooral natuurlijk bij de massa. Zo in het volksgeloof. En menigmaal daalt hier de verhevenste mystiek nog dieper. En wordt tot: bijgeloof.

De *Sjiv'àh* – de'zeven dagen' – zijn begonnen voor de verwanten die rouwbedrijvenden zijn. Over zeven verwanten zijn er *Aweliem* : over vader en moeder, zoon en dochter, broer en zuster en de echtgenoten voor elkaar. Deze week van rouw vindt de bevestiging voor haar oorsprong en ouderdom in de oudste bronnen. Reeds Jozef hield voor zijn vader een rouwtijd van zeven dagen (1 Moz. 50,10). De dag der beaarding is de eerste van de zeven. Als de grafheuvel zich boven het stoffelijk hulsel vertoont, is de *Aweloeth* – de rouwtijd – begonnen. De rouwdragende verwanten zetten zich te zamen, bij voorkeur in het huis waar de overledene de laatste snik gegeven heeft, maar waar zijn geest nog zweeft. Gij behoeft dit volstrekt niet letterlijk op te vatten. Maar mijnenthalve moogt ge het doen.

Natuurlijk is het niet altijd mogelijk het sterfhuis uit te kiezen voor het houden der sjiv'àh. En ook kunnen alle aweliem niet steeds gedurende deze 'zeven dagen' bij elkander blijven. Doch daarmee is het houden van de sjiv'àh dan – even natuurlijk – niet vervallen. Ieder doet het dan op zijn plaats.

De *Awél* verlaat gedurende deze week zijn woning niet. Maar de gemeenschap laat hem niet los en laat hem niet eenzaam over aan zijn lot en aan zijn treurgedachten. Men komt bij hem. Hij gaat zelfs niet voor het gebed naar de synagoge. Men brengt de sjoel bij hem. Komt samen in zijn huis om daar met hem de gebeden te verrichten. Eertijds bracht men voor hem zelfs een Séfer-Torah, een heilige Rol der Leer, om bij de ochtenddienst op maandag en op donderdag uit voor te lezen. Dat kon in een tijd, toen men nog niet zo sterk de behoefte aan decorum voelde en toen dat wellicht ook minder noodzakelijk was. Toen was schier elke woning, hoewel primitiever, geschikt en haast iedere omgeving heilig genoeg, voor de aanwezigheid van een Séfer-Torah. Thans zullen de plaatsen wel te tellen zijn, waar men nog de gewoonte instand houdt, om naar iedere awél in de sjiv'àh een heilige Wetsrol te brengen voor een volledige godsdienstoefening op maandag- en donderdagochtend. Zij vinden er – voor zover ze te enen male gehouden worden – nu zonder Torah-voorlezing plaats.

Maar het blijft in de treurweek bij de rouwbedrijvenden niet bij het gezamenlijk verrichten der gebeden. Er wordt een hele dienst georganiseerd. De regeling berust in den regel alweer bij de chevràh-kadiesjàh.

De leraar houdt er ook een toespraak bij, een godsdienstige voordracht. Een voordracht, voor welke de stof min of meer door de omstandigheden is aangegeven. En als de leraar niet in volledige vrijheid zijn thema's zelf kan of wil kiezen, vindt hij beknopter of uitvoeriger leidraden en ook hele boeken voor dit doel te zijnen dienste. Hebreeuwse boeken, die hij kan voorlezen en vertalen en variëren naar eigen keuze, smaak en vermogen. Hij kan van die godsdienstoefening weer een leerrijke samenkomst maken. Een sjoel.

Zo tracht de gemeenschap de treurende te helpen en op te richten.

Maar men komt niet enkel ten gezamenlijke gebede bij hem. Men komt ook, buiten de bidstonden om tot hem, om zich bij hem te laten zien. Zich en de belangstelling en het medegevoel, dat men voor hem heeft. Men komt om *menachém awél* te zijn, de treurende de troosten, om zich als broeders, als zusters, rondom de rouwenden te scharen en hen van lieverlede weer in de gemeenschap op te doen gaan. Zij moeten zich langzamerhand aanpassen, moeten weer samen met ons gaan leven. En wij beginnen dus samen met hen.

Wij betreden het vertrek, waar zij zich op de grond of laag bij de bodem hebben neergezet. Het vertrek is niet in het zwart gestoken. De tafel vindt ge gewoonlijk wit gedekt, zoals in het algemeen op de sabbath en de feestdagen. Er staan bussen op de tafel. Bussen voor de armen. Voor armen en misdeelden van allerlei aard. Want er is nauwelijks één vorm van ontbering, waarvoor de joodse gemeenschapszin ter leninging niet een vereniging heeft gesticht of sticht. En al deze verenigingen vragen in hun busjes penningen der tsedakàh van hen, die op deze wijze aan de mitswàh van *nichoem aweliem* – troost der treurenden – die van het oefenen van weldadigheid paren.

Dikwijls ziet er ge ook een spreuk aan de wand of ergens anders op in het oog vallende wijze aangebracht. Het Hebreeuwse, gebruikelijke troostwoord: Hij, Die alomme is, trooste u, Trooste u te midden van allen, die rouwen om Zion en Jerusalem.

Verder is er alles gewoon.

Wij komen binnen. Van de dulder bij uitnemendheid – voorbeeld en symbool – van Ijob en zijn wedervaren, heeft men ons geleerd, dat wij ons zwijgend hebben neer te zetten en te wachten op het eerste woord, dat de awél tot ons zal richten alvorens wij tot hem gaan spreken. Zetten niet de drie vrienden uit het Morgenland zich ook zwijgend neer bij de zo bitter beproefde Ijob? (2, 13) Tegen de verwijzing naar deze Bijbelplaats is waarlijk wel het een en ander in te brengen. Maar ontegenzeggelijk is het waar, dat het eerste woord, hier bij de rouwbedrijvenden het moeilijkste is. Zwijgen kan weldadig zijn. Maar ook pijnlijk. En de beslissing is ook hier aan tact en gevoel.

De zittenden daar hebben het dikwijls ook zwaar. Er komt dagen achtereen een stroom van mensen. Enkele brengen in hun ogen, in hun houding, in hun handdruk heel wat mee. Anderen iets. Maar ook velen niets en minder dan niets. Dezelfde gesprekken herhalen zich dagelijks enige malen. Maar met dit al vliegen de uren om en snel zijn de dagen ten einde en ongemerkt richten de rouwenden zich weer op het leven.

Als de sabbath nadert, breekt er vanzelf een nieuwe verwarmende, koesterende lichtstraal door. In het huis. En in de ziel. De sabbath helpt de treurenden de rouw, zoveel het gaat, van zich af te schudden. Hij neemt hen aan zijn borst en laaft hen. Hij voert hen weer uit de woning en brengt hen naar de synagoge. Maar zij treden er niet in, voordat er ook de Koningin, die Sabbath heet, in alle statie en glorie naar binnen is geschreden.

Niet voordat de laatste strofe van de hymne ter begroeting van de Sabbath: 'Kom, mijn vriend, de bruid tegemoet' is uitgezongen. Want zij zullen er niet de sabbath, maar Koningin Sabbath zal er hen ontvangen.

Tot zolang, of in sommige gemeenten nog iets langer, tot na het uitspreken van de Sabbathpsalm (Ps. 92) – wachten zij in het voorportaal der synagoge. Zij staan er, gehuld in hun tallieth. Dan komt de gemeente, in de persoon van haar geestelijk hoofd of van een ander, hen tegemoet en hen toesprekend met de wens: 'Hammakóm d.w.z. Hij, Die alomme is trooste u,' opent hij hun de toegang tot de synagoge en de vrijdagavonddienst. Hun rouwbedrijf is gedurende de hele sabbath opgeheven. Zij zitten niet ter aarde. Dragen weer hun gewone schoeisel. Dragen niet het kledingstuk, waarin de keri'àh – de scheur – zichtbaar is. Maar helemaal gewoon staan zij toch niet in de sabbathdienst. Zij worden niet opgeroepen, zullen in een groetende zegenwens – een mi-sjebéràch – hun naam niet horen. Ja, zij zullen niet eens op hun vaste plaats gaan staan maar op een andere, een, die iets verder dan hun eigen plaats van de heilige arke is verwijderd. Geslagen zijn zij. Zelfs de sabbath kan dit feit niet volkomen bedekken. Zelfs niet in deze openlijke dingen, waar de sabbathsfeer het eigenlijk wel helemaal moest winnen. De sabbath der gemeenschap. In de persoonlijke, niet der openlijkheid behorende zaken van de rouw, treedt de sabbath vanzelf niet regelend, opheffend in.

Zo komt het einde der zeven dagen. Als op de laatste dag van de sjiv'àh het ochtendgebed is verricht, zullen korte tijd daarna de treurenden opstaan. Weer komt de chevràh-kadiesjàh, zendt haar vertegenwoordiger. Nu voor het laatst. Hij zet zich nog even bij de aweliem. En dan reikt hij hun de hand. En met de hand dit Bijbelvers: 'Uw zon zal niet weer ondergaan, uw maan zal zich niet verborgen houden; want de Eeuwige zal u zijn tot eeuwig licht en de dagen van uw rouw zullen uit zijn voor goed'. Een vers van Jesaja, de trooster (Jes. 60, 20). Dan staan zij op. Zij treden het leven weer in. En hiermede laat de gemeenschap hen ook weer gaan.

DE ROUWTIJD · DE GEMEENSCHAP

Met de treurweek is de rouwtijd nog niet om. Wat rouwtijd – awéloeth – heet, vangt als zodanig aan, wanneer de grafheuvel zich boven het stoffelijk overblijfsel van de overledene begint te welven. Dan treedt de smart in een stadium van rustiger verdragen. Van het sterven tot dit tijdstip gaat de pijn gepaard met onrust en heftiger schokken. Die tijd is de tijd van het bittere gevoel, het moeilijker dragen nog, het steunen en klagen. Dit heet: Anienoeth. Het is de bewogen tijd van de voorbereiding voor de uitvaart en de teraardebestelling.

De rouwtijd duurt over vader en moeder een heel jaar, gerekend van de dag van het overlijden. Een joods jaar. En dat wil hier altijd zeggen: twaalf joodse maanden. En bij een joods schrikkeljaar, dat immers dertien maanden telt, worden er toch maar twaalf van geteld bij het rouwjaar. Over de andere verwanten is de rouwtijd dertig dagen, *Sjelosjiem*, van de dag der begrafenis af. In deze dertig dagen is de treurweek meegerekend, ook bij ouders als de zeven dagen om zijn, uit zich de awéloeth in de onthouding van vreugdebetoon van iedere aard en het vermijden van deelname eraan bij anderen. Het kledingstuk met de keri'ah erin blijft men dragen. Door de dag, maar natuurlijk niet op sabbath. En deze scheur wordt na de sjiv'ah alleen maar een weinig vastgestoken. Althans bij de rouw over andere verwanten. En dan kan hij na de sjelosjiem als men wil, weer dichtgenaaid en zo goed mogelijk gerepareerd worden. Van vader en moeder is het anders. Dan blijft de scheur de hele sjelosjiem open. Eerst dan kan zij een beetje worden vastgehecht. Maar hersteld wordt deze scheur niet. Nimmer!

Heel het rouwjaar door wordt het gedachtenislichtje, het nér-tamied, zorgvuldig brandend gehouden. De zorg daarvoor is tegenwoordig al zeer gemakkelijk te dragen. Een stopcontact en een spaarbrander. Zij eisen luttele toewijding of oplettendheid en kosten weing geld. En het lichtje gaat niet uit. De mogelijkheid daartoe is tenminste tot een minimum beperkt. En als het nér-tamied van onze onophoudelijke waakzaamheid afhankelijk is, dan kan het toch – ondanks alles wel meer dan eens gebeuren, dat het aan deze onze waakzaamheid ontsnapt of dat de wind of tocht ons parten spelen. En dat spijt ons dan. Stopcontact en spaarbrander kunnen dit onaangename gevoel zo goed als geheel voorkomen. En desniettttemin: de piëteit uit zich in de dagelijkse zorg. Het komt er niet enkel op aan, dat het nér-tamied brandt maar dat het door onze voortdurende, telkens nieuwe verzorging, brandend wordt gehouden. Men kan deze piëteit niet elektrificeren. Het elektrische nér-tamied heeft zijn voordelen en het komt meer en meer in zwang. Ge weet, ik ben er geen vriend van.

Bijna het hele rouwjaar door wordt bij gezamenlijke bidstonden, welke met minjàn – minstens tien personen, die bar-mitswàh zijn – gehouden worden, het kaddiesj-gebed uitgesproken. Gedurende elf maanden van de twaalf. De openlijke Heiliging van Gods naam, die we als de ware strekking van het kaddiesj leerden kennen, is tegelijk een getuigenis van het kind omtrent de vader, omtrent de moeder. Dit getuigenis vergezelt hen over het graf. Gaat met al het goede wat zij deden en wat er in hen was, mee naar de eeuwigheid bij God. En zal, zo nodig hun tolk zijn, tot hun voorspraak behoren. Wij getuigen gaarne voor onze ouders. Maar wij geloven ook in hen. En voor zover in het wezen van het kaddiesj ook het karakter van een bede voor de zielerust der dierbaren is opgesloten, voor zóverre getuigen wij voor hen ook daardoor, dat we die bede niet uitspreken tot het einde toe; tot het einde van het rouwjaar. Dat hebben zij niet nodig!

Uitermate geliefd is het kaddiesj-gebed geworden. En er zijn er nog zeer velen, die trachten deze dierbare plicht zo trouw mogelijk te vervullen. Ook dit is een piëteits-uiting bij uitnemendheid. Bij de synagogale erediensten ziet ge daarom telkens iemand uit de schare naar voren treden. Hij stelt zich naast de lezenaar bij de voorbidder. Hij zegt kaddiesj voor vader of moeder. Hij roept de gemeente op tot het uitspreken van de Heiligheid van Gods naam. Hij bidt, dat Gods Koninkrijk kome. En de gemeente ant-woordt hem, stemt met hem in. Dat ziet ge geschieden tussen sommige gedeelten der bidstonden en bij het einde der godsdienstoefening.

Er kunnen natuurlijk een aantal rouwbedrijvenden tegelijk aanwezig zijn. Dan krijgen zij bij beurten een kaddiesj d.w.z. de gelegenheid, het recht, om het kaddiesj-gebed uit te spreken. Het is duidelijk, dat zij, die zich beijveren deze daad ter ere van de nage-dachtenis van hun ouders stipt te volbrengen, er ook op gesteld zijn, dat hun beurt hen niet voorbijgaat. En het werd noodzakelijk in de gemeenten deze aangelegenheid nauw-keurig te regelen en een kaddiesjreglement vast te stellen, waarin met alle gebeurlijk-heden rekening wordt gehouden. Het behoort tot de zorg van de koster bij de dienst, de beurten bij te houden en de gerechtigden hun kaddiesj aan te zeggen. Hetgeen ge ook alweer bij de godsdienstoefening in de synagoge kunt opmerken. Hier en daar heeft men zulke regelingen en haast niet te vermijden fouten en daaruit voortvloeiende mis-standen willen voorkomen. Daar ziet ge dan alle aweliem tegelijk naar voren komen en kaddiesj zeggen. Hetgeen met de strekking ervan volstrekt niet strookt. Hier te lande gebeurt het bijna nergens zo. Alleen na een godsdienstige voordracht wordt het kaddiesj-gebed – en dan met enige toevoeging – overal door alle rouwbedrijvenden te zamen uit-gesproken.

Als het jaar om is, wordt de sterfdag herdacht. Niet enkel de eerste maal, maar telken-jare. Het kind houdt jaartijd van vader en moeder, zolang het zelf de ogen open heeft. Een nér-tamied wordt weer aangestoken en heel de dag brandend gehouden.

Het licht, dat de ziel, de Goddelijke ziel verbeeldt, roept weer de herinnering op aan de dierbaren, die wij niet met inniger naam dan die van vader en moeder kunnen noemen en maakt die herinnering weer even zichtbaar, zo goed en zo schoon, zo stil-innig en lichtend als mogelijk is. Vele kinderen vasten die dag, ten dele of tot het einde. En de zoon zegt kaddiesj. Al de jaren van zijn leven. Ook al wordt hij ouder dan de grenzen, die de Psalmist als de gemiddelde en hoogste leeftijd heeft aangegeven (Psalm 90, 10).

Zo wordt de band der familie geknoopt en de samenhang gesmeed der geslachten. Zo wordt de gemeenschap gebiedster.

De gemeenschap: wij zagen haar reeds menigmaal als heerseres. Zij toont ook hier haar invloed. Haar plichten en de geest die uit haar is, gaan boven alles. Zij heffen meermalen de rouw van de eenling op en zetten zijn rouwplichten ter zijde.

Wij zagen dat reeds bij de sabbath. Maar de sabbath komt wekelijks. Als Koningin-Sabbath ons verlaat en de sjiv'àh – de treurweek – is niet om, dan zet de awél zich opnieuw ter aarde. Doch als er in de zeven dagen een jom-tov invalt, een bijbelse feestdag, dan is de invloed daarvan blijvend. De jom-tov, in lange tussenpozen komend, goed ontvangen, warm doorvoeld, innig beleefd, blijde ingehaald en gans aanvaard, hij heft de avèl uit zijn eigen droefgeestige mijmeringen. En deze treedt terstond, tegelijk met de feestdag, de gemeenschap weer binnen: de treurweek is uit. Wat ervan rest is opgeheven.

En als zulk een jom-tov na de sjiv'àh in de overige dertig dagen valt, dan is daarmee natuurlijk ineens deze rouwtijd opgeheven. We behoeven hier nauwelijks bij op te merken, dat dit alweer niet van toepassing is op het rouwjaar om ouders. Want in twaalf maanden komt er meer dan één bijbelse feestdag voor. En dan immers bestond er nooit een rouwjaar voor vader of moeder.

Er kunnen zich, zoals wel duidelijk zal zijn allerlei gevallen voordoen, die in bijzonderheden onderling verschillen. Wij komen dan op het gebied der casuïstiek, dat buiten mijn bedoeling ligt en dus hier niet wordt besproken.

Ook de andere feestelijke dagen, die echter geen bijbelse feesten zijn, feestelijke gedenkdagen als Chanoekàh en Poeriem, de nieuwe-maansdagen, de 15e sjewat en dergelijke, vragen hun rechten op tegenover de eenling, ook bij zijn rouwaandoeningen. Op zulke dagen wordt in het algemeen een lijkdienst bekort. En er wordt dan als regel geen hespéd gehouden. Wordt er toch bij de baar gesproken. dan geschiedt het tegen de regel in en dan steeds met min of meer grote reserve. En zelfs het kaddiesjgebed op de begraafplaats wordt dan vervangen door het gewone, dat de rouwbedrijvenden elders altijd gedurende het rouwjaar en op de jaartijddag uitspreken. Ook de nationale rouwdag bij uitnemendheid – de negende av, Tisj'àh-be-av – eist de rouw helemaal voor zich zelf. Want in de nationale rouw gaat de particuliere op. Zo goed als helemaal. Op Poeriem zet de rouwbedrijvende zich niet ter aarde. Hij gaat zelfs van huis om ter synagoge de rol van Esther te horen voorlezen. Zo kan hij ook op de dag voor Nieuwjaar en de dag voor Grote Verzoendag ten gebede opgaan om in het huis des gebeds met de gemeente de seliechoth – boetgebeden – uit te spreken. En zo gaat hij ook op de vooravond van Tisj'àh-be-av naar sjoel om de klaagzangen, de kienòth en het klaaglied Echà aan te horen. En 's ochtends eveneens voor de kienoth. En na de sjoeldienst gaat hij die dag geen sjiv'àh zitten, zet hij zich niet ter aarde. Hij draagt mee aan de nationale rouw.

Wie de last der gemeenschap draagt, torst zijn eigen lasten lichter.

DE RUST DER DODEN

Dierbaar is het lichaam van een dode. Het geniet de eer welke de mens toekwam, die levend in dat lichaam zich zichtbaar onder de mensen bewoog. Ontvangt dikwijls zelfs nog groter eerbied en nimmer geringere verering. De menselijke vorm, waaraan de dood zijn wonder heeft voltrokken, wordt met schroom en heilige huiver bejegend. Het lijk van een mens – ik zei het reeds vroeger – is geen kadaver en alle gedachten en gevoelens, die een aas verwekt, blijven er zo verre van gescheiden als de hemel van de aarde verwijderd is.

Sollen met een lijk, een lijk niet verzorgen, het onverschillig laten liggen, het oneerbiedig aanraken of naderen is voor het joodse gevoel ondenkbaar. Een lijk schenden, ook in de kleinste kleinigheid is niet minder dan afschuwelijk. En al staat de wetenschap in Israël ook in de hoogste eer en achting en worden er leven en gezondheid tot de grootste schatten gerekend, toch heeft men zich altijd verzet tegen de sectie op een lijk, wanneer niet het concrete geval aanwezig was, dat een nog levende terstond gered, gebaat zou kunnen worden door de opening van een pas gestorvene of wanneer niet het recht de sectie nodig maakte. Het kan zijn, dat hieraan wetenschap in het algemeen wordt geofferd. Het staat niet aan mij, hierover naar beide kanten rechtvaardig te oordelen. Maar ver gaat nu ten enen male de eerbied voor de dode.

De dode wordt teruggegeven aan de aarde. In haar schoot wordt hij opgenomen. Daar wordt er vanzelf op natuurlijke wijze een vonnis der ontbinding, het proces van de terugkeer tot stof, aan voltrokken. In haar blijft hij wachten tot de laatste dag.

De rust van het gebeente van een dode storen, is voor het joodse gevoel een onverdragelijke gedachte, een woord, dat een rilling over de levende doet gaan. De grond, waarin de dode zijn bed is gespreid, behoort het. Voor altijd. Daar mag geen mens meer over beschikken. Wat er op groeit, behoort bij het graf. Het mag niet gebruikt, er mag geen voordeel van getrokken worden. Wordt ook het gras, dat er ontspruit op tijd gemaaid, ten einde de aanblik ogelijk te houden, het wordt samengeharkt en vergaat ergens op de akker. Al wat er aan houtgewas en dergelijke niet kan blijven groeien, kan, afgesneden of gesnoeid eventueel te gelde gemaakt worden om de opbrengst aan te wenden tot onderhoud van de begraafplaats.

Beplantingen, die sappen uit de bodem trekken zijn naar oud joods gebruik, niet toelaatbaar op de graven. Graven openen anders dan voor justiële noodzakelijkheid, is ondenkbaar. Alleen, wanneer eens iemand ten gevolge van overmachtige omstandigheden ergens toevallig moest worden bijgezet en de eeuwige rustplaats van de familie elders is, alwaar ook deze dode als in het 'graf der vaderen' gaarne had willen begraven worden, dan is de opgraving later niet verboden en niet onmogelijk. Het is dan een zeldzaam geval. Maar het komt voor. Zo hebben wij tijdens de grote oorlog[1] iemand hier tijdelijk begraven, met alle mogelijke voorzorgen voor latere opgraving. Die opgraving heeft ook plaatsgevonden zodra het mogelijk was, het lijk naar Antwerpen te vervoeren en daar opnieuw en toen voorgoed, te begraven.[2] Ook om een lijk naar Israël over te

1. De eerste wereldoorlog. 2. Tijdens de laatste oorlog werden vele doden tijdelijk en zelfs in het geheim begraven en na de oorlog op een joodse begraafplaats herbegraven.

brengen en daar in Israëlische aarde aan de eeuwige rust over te geven, ook daarvoor is opgraving geoorloofd. En dit te allen tijde.

Maar overigens: een graf openen, een begraafplaats schenden, is naar joodse zede en voor het joodse gemoed eenvoudig weerzinwekkend.

Wat een begraafplaats betekent, doet de Torah zelf ons reeds op menige plaats gevoelen. Wat wijdt zij een breedvoerige beschrijving aan de wijze, waarop Abraham zich verzekerde van het onvervreembaar bezit van de spelonk Magpélàh als laatste rustplaats voor zijn gade, toen Sara hem ontvallen was (1 Moz. 23). En de Torah laat geen gelegenheid voorbijgaan, om uitdrukkelijk vast te stellen, dat en hoe en van wie Abraham die begraafplaats heeft verworven. In volle eigendom (1 Moz. 49 vrs 29–32 en 50 vrs 13). Een eigendom, dat zijn eerste en enige grondbezit was in het reeds hem voor zijn nageslacht beloofde land. Zo werd Hebron een bijzondere plek in de oude joodse wereld. En naast Hebron Beth-Léchem met de grafstede van Rachel. En naast Jerusalem Tiberias met de graven van geslachten na geslachten met beroemde namen.

En overal in de oude wereld bevinden zich in de steden en dorpen joodse centra, die er eens waren of er nog zijn, oude joodse begraafplaatsen, waarop eeuwen zweven van joodse geschiedenis. Van de zerken kan men daar de historie lezen. Er gaat iets in ons om, wanneer wij daar komen te staan op de plaatsen, waar het gebeente rust van zovelen, die onze geschiedenis hebben helpen maken, die joodse wetenschap hebben gewrocht, die joodse geest hebben gekweekt, de profeten van alle tijden en de helden van alle eeuwen, die grondslag en richting aan het joodse leven hebben gegeven. Praag, Krakau, Worms zijn maar een paar haast willekeurig neergeworpen namen van de schier eindeloos lange rij.

Ook hier te lande bevinden zich in verschillende plaatsen oude joodse begraafplaatsen, die daar door de uitbreiding midden in de steden zijn komen te liggen. Zij blijven er ongerept in geëerbiedigde rust.[1]

Het plaasten van een gedenkteken op het graf is een door ouderdom geheiligd gebruik. Jacob deed het reeds op het graf van Rachel, zoals de Torah ons verhaalt (1 Moz, 35.20). Voorschriften echter daaromtrent kent de Bijbel niet, noch ook de godsdienstcodex. Ook niet aangaande de vorm, noch wat betreft de tijd, waarbinnen de plaatsing moet geschieden en evenmin omtrent de wijze waarop de zerk geplaatst moet worden. Er zijn begraafplaatsen met staande zerken en andere met liggende stenen. Maar het is haast een uitzondering, als er niet voor een gedenkteken, zij het – althans in vroegere dagen – ook slechts een van hout, wordt zorggedragen. Bij sommige begrafenisverenigingen – wel of niet aan de chevràh-kadiesjàh verbonden – is in de contributie ook de verzekering van een grafsteen begrepen.

1. Het hiervoorgaande heeft na de laatste oorlog nog een groter accent gekregen! In zéér bijzondere gevallen zijn joodse begraafplaatsen geheel of ten dele geruimd maar dan altijd zo, dat de graven een voor een naar een andere joodse begraafplaats zijn overgebracht.

Bij de steenzetting heeft er enige ceremonie plaats. Er wordt wat gelezen uit de Misjnàh Er worden Psalmen gereciteerd. De kinderen zeggen kaddiesj, als tenminste de steenzetting nog in het rouwjaar of bijvoorbeeld op een jaartijddag geschiedt. En ten slotte wordt de zerk in een Hebreeuws formulier aan zijn bestemming overgegeven. En dan ligt het graf in eeuwige rust.

Zo liggen de joodse begraafplaatsen in ongereptheid te wachten op het 'einde der dagen (Dan. 12, 13 – het laatste vers van het boek).

LIJKVERBRANDING

Er is mij meermalen gevraagd, wat ik denk over de verbranding van lijken. En eveneens om het standpunt, dat het jodendom ten opzichte der crematie inneemt, uiteen te zetten.

Ik heb deze vraag opzettelijk tot het laatst bewaard. Ik ben thans aan het einde van de hoofdstukken gekomen, die u bij het ziekbed hebben gebracht en bij de sterfsponde en bij de dood en aan het graf. Ik heb u meegenomen bij de intiemste gebruiken, waarvan ge nooit iets ziet. Ik heb u getuige gemaakt van riten en symbolen in de joodse binnenkamer op de meest mystieke momenten en u ceremoniën laten zien, waarvan ge, zoals bekend is, wel eens dwaze dingen hebt horen zeggen of fluisteren. Ik heb u een blik gegeven in de mentaliteit van het jodendom op dit gebied, heb getracht u zijn aard, zijn geest te doen begrijpen in deze overigens zo subtiele materie

Nu kan ik met u praten over de gedachte van het jodendom betreffende het punt in kwestie. Nu eerst recht is het mogelijk u het joodse standpunt te doen begrijpen.

De vraag zelf, deze heel gewone concrete vraag, zoals ze vandaag den dag telkens weer gedaan wordt, is niet een vraag van heden. Ze is nu wat actueler. Ze is in onze dagen en in onze omgeving misschien zeer bijzonder actueel. Maar ze is heel oud. De Talmoed[1] kent haar. Precies zoals ze heden luidt.

Een Perzisch koning vroeg eens de talmoedwijze rav Chama: 'Waar staat in de Torah het begraven voorgeschreven?' Rav Chama zweeg.

Toen zei rav Acha, Jacobs zoon, later: 'Is de wereld dan nu aan domoren overgeleverd? Hij had toch moeten antwoorden: er staat "begraven"!' (v Moz. 21, 23).

'Dat vers kan – zo verdedigde men de man, die had gezwegen – dat vers kan bedoelen: men moet het te aangehaalder plaatse besproken lijk doodskleren en kist geven, zoals aan ieder ander lijk.'

'Maar er staat toch nadrukkelijk: "begraven, *begraven* zult ge hem?"' Met deze exegese omtrent die nadrukkelijke herhaling zou de koning het niet eens zijn geweest. Zij zou hem niet overtuigd hebben.

1. Sanhedrin fol. 46b.

'Maar alle vromen, braven, besten, zijn toch begraven!'

'Gebruik geen wet,' zou de koning gezegd hebben.

'Maar God heeft toch zelf Mozes begraven?' (v Moz. 34, 6).

'Nu ja, om niet af te wijken van het gebruik.'

'En de plaats dan: zij zullen niet begraven worden en zij zullen geen rouw- en klaagdienst hebben?' (Jer. 16.6).

'Wel daar is het een bedreiging met een afwijking der als eer geldende zede!'

Hier staakt de verontwaardigde rav Acha, Jacobs zoon, zijn aanval. Hij zwijgt op zijn beurt.

En zo herkent de Talmoed niets meer of minder, dan dat de Torah nergens een bepaling bevat, die het begraven gebiedend voorschrijft.

Zijn dan die bijbelplaatsen inderdaad ten enemale niet toepasselijk?

De eerste plaats behandelt het onderstelde geval van een met de dood gestrafte misdadiger, wiens lijk moest opgehangen worden. Het lijk mag evenwel niet blijven hangen, maar moet begraven worden. Dezelfde dag, voordat de zon ondergaat. Als nu reeds aan het lijk van een met de dood gestrafte misdadiger de eer der teraardebestelling niet mag onthouden worden, dan volgt daaruit, dat voor ieder afgestorvene de teraardebestelling stilzwijgend als wet en regel is aangenomen. Dan wortelt het toch zeker zó vast in de zede, dat het voor gewone gevallen niet als wet behoeft voorgeschreven te worden. En dan is zulk een algemeen aanvaarde, ongeschreven wet toch evengoed, zo niet sterker dan een wet. Want een wet, een imperatief voorschrift, wordt gemaakt als er aan de mogelijkheid wordt gedacht, dat er niet aldus wordt gehandeld. Als de gedachte aan die mogelijkheid niet opkomt, denkt men ook niet aan het vaststellen van een bepaling. En het staat er hier inderdaad met grote nadruk. Wie Hebreeuws verstaat en de werking kent van het vooropstellen van een onbepaalde wijs vóór een vervoegd werkwoord – zoals hier het geval is – die zal het proeven, Het is, alsof er de vrees uit spreekt, dat men het misschien met het lijk van een misdadiger minder nauw zou nemen en – omdat onbegraven-laten zulk een grote smaad is – zou denken: het is een gevonniste, hem komt de eer van een beaarding niet toe. Integendeel... Daarom is het alsof er om die reden met zo grote ernst staat: begraven, *begraven* zult ge hem![1]

En de plaats in Jeremia, die ten bewijze dient hoe ontzettend het is, als iemand ermee wordt bedreigd, dat hij na zijn dood geen begrafenis zal hebben: die plaats kan met tal

1. De opperste der bakker aan het hof van Phar'o in Egypte kreeg als de uitlegging van zijn droom te horen, dat hij onthoofd en zijn lijk daarna zou opgehangen worden; en dat het aldus tot vraat voor het gevogelte zou dienen (1 Moz. 40, 19). Indien wij mogen aannemen dat dit Egyptische zede was en wij vergelijken daarmee onze plaats, dan springt de nadrukkelijkheid hier nog meer in het oog. En dan komt onze bijbelplaats met zijn haast hartstochtelijke eis van begraven tegenover het Egyptische geval nog sterker uit.

van andere teksten, die hetzelfde zeggen, vermeerderd worden. En het begraven der groten begint niet met het geval van Mozes en eindigt niet met hem. Dat hoeft waarlijk niet met voorbeelden gestaafd te worden.

Maar waarom heeft onze talmoedwijze van dit alles dan gezwegen? En waarom is zijn criticus dan ten slotte ook verstomd? Omdat de koning een wettelijke bepaling wilde zien En die konden zij hem niet geven. Zij konden hem slechts antwoorden met: de geest. Maar wie een wetsartikel eist, laat zich met verwijzing naar de geest niet tevreden stellen.

Er is geen wetsartikel in de Torah. Er is in heel de Bijbel geen bepaling, dat de stoffelijke rest van een dode door begraving aan zijn bestemming moet worden overgegeven. Er is geen plaats, welke ervoor aangehaald, niet krachteloos kan geredeneerd worden.

En desniettemin: het jodendom verlangt beaarding. Het jodendom, het jodendom van Torah en historie, verwerpt, ja – ik mag bet gerust sterker zeggen – verfoeit de ververbranding van een lijk.

Er is over dit onderwerp een grote literatuur. De halachische verhandelingen erover hebben geen geringe omvang. Ik zal mij hoeden er iets van aan te halen. Want ik heb hier slechts te constateren. En ik kan slechts wijzen op de geest. Ik wil ook niets anders. Die geest heb ik aangewezen. En hoe deze is, heb ik aangetoond voor ieder, die met mij is meegegaan van het ziekbed tot de begraafplaats. En vandaar naar de rouwbedrijvenden den en nog verder.

Is dan een beroep op de geest voldoende, om het oude vast te houden?

Och, wie met de letter niet tevreden is, vraagt naar de geest. En wie de geest niet voldoet, wordt door de letter gewoonlijk nog minder overtuigd.

In onze tijd wordt niet enkel in de theorie maar ook in de praktijk, niet alleen bij het rechtscollege maar eveneens in de rechtszaal, met de geest der wetgeving rekening gehouden. En zo ergens, dan spreekt het jodendom op dit punt – zoals we in de hoofdstukken konden zien, die hier aan dit onderwerp zijn gewijd – een taal, die aan duidelijkheid en beslistheid niets te wensen overlaat.

Als wij zo het beginsel zien en niets dan het beginsel, dan valt iedere discussie over onderdelen, bijkomstigheden, wenselijkheden en onwenselijkheden weg. Daar is het hier bovendien niet om te doen. Wij hadden een vraag, een vraag naar het standpunt van het jodendom ten opzichte van lijkverbranding. En wij hebben het antwoord op die vraag.

Het joodse gevoel, dat in de tucht van het jodendom en door de eeuwen van historie en traditie is gekweekt en gevormd, verzet er zich tegen om een lijk te gaan verbranden. Het zal zich blijven verzetten.

Zij, die het jodendom van Torah en historie naar de geest der vaderen willen doen voortleven, zullen op generlei wijze enige tegemoetkoming tegenover de lijkverbranding aan den dag kunnen of mogen leggen.

DE GODSDIENST-CODICES

Wie over joodse zaken spreekt of schrijft, moet soms of dikwijls ook de Talmoed noemen En hij wordt genoemd! Men haalt er gezegden uit aan, Men trekt er tegen te velde. Men neemt hem in bescherming. Men verguist of prijst hem: soms uit twee monden, soms uit een mond tegelijk.

Schrijvers en sprekers, die hem aanhalen, doen daarbij dan net, alsof de lezers en hoorders wel weten, waarover het gaat. En deze vernemen er op die manier niets van en komen helemaal niet te weten, hoe dit boek of dit samenstel van boeken eruit ziet en worden ook slechts in de verte niet gewaar, waarover het handelt.

Het wordt aldus iets ondefinieerbaars, een geheimzinnig verschijnsel, waarvoor men schroomt, soms huivert. En toch verlangt men wel het te naderen en iets meer van dit mystieke geestesding te weten te komen.

Dat is wel moeilijk, maar natuurlijk niet onmogelijk.

Groot is de omvang en de diepte van de Talmoed. Vandaar de uitdrukking: de Zee van de Talmoed. Die Talmoed is niet gemaakt. Hij is geworden, is gegroeid. In langzame ontwikkeling gedurende een eeuw of acht. Hij werd een encyclopedie van de joodse wetenschap over al hetgeen de joodse geest heeft beroerd en beheerst – stoffelijk, geestelijk, ethisch, godsdienstig, mystisch, verstandelijk, politiek, van binnen en van buiten – tot kort voor het onstaan van de Islam. Hij is een produkt van het cultuurleven van het joodse volk, van even na de Babylonische ballingschap, van Ezra's tijd derhalve, tot omstreeks de zesde eeuw dezer jaartelling. Hard werd eraan gewerkt onder de Romeinse overheersing. En toen de staatkundige zelfstandigheid – in 70 – was vernietigd en de staatsinrichting was uiteengevallen, zwoegden de toenmalige geestelijke heroën van het jodendom met koortsachtige ijver – naar het schijnt doelbewust – om de oogst van alle vervlogen eeuwen voorgoed, ten behoeve van alle tijden der toekomst, binnen te halen.

Toen ontstond de *Misjnàh*.

Dat is de grondslag van de Talmoed.

Uit de Torah, naar de letter en de geest, wordt het hele leven gevoed en geregeld. Aan het schriftwoord paart zich de overlevering. De normen des levens en de eisen van alle ogenblikken doen zich gelden en krijgen in de scholen der schriftgeleerden hun richtsnoeren en wettelijke bepalingen naar de beginselen van Torah en Traditie. In deze sfeer worden alle voorkomende en denkbare gevallen opgelost. Al wat zich ontwikkelt en komt vast te staan, wordt voor de opeenvolgende geslachten weer nieuwe leerstof. Zo hoopt de leerstof zich op. De grote leraren beginnen voor zích verzamelingen aan te leggen, als leidraad bij hun onderricht. Voor zich. Want geleraard wordt er mondeling en geleerd uit het hoofd. Rabbie Akiba vervaardigde zich zulk een verzameling. Zijn leerling rabbie Meier, nam ze over en breidde ze uit. En rabbie Juda, de Nasie, d.i. de Patriarch (omstreeks 200) bracht mét deze bouwstoffen weer alles tot op zijn tijd bijeen en ordende het. Deze verzamelde misjnàh – d.i. zoveel als leerstof – werd de Misjnàh. Zij onstond in het toenmalige Palestina en werd daar afgesloten. Het ordenen geschiedde in zes boeken: *Sedariem*. Elke *Séder* – orde, verzameling – bestaat uit afdelingen, *Masechtoth*. Elke *Masechtàh* – d.i. weefsel – uit hoofdstukken, *Perakiem*, En elke *Pérek* uit paragrafen. Zulk een paragraaf heet ook wel misjnàh, maar dan in engere zin. De Misjnàh bestaat uit 63 masechtoth of traktaten.

Zij werd nu in de volgende generaties en scholen de leerstof, die tot uitgangspunt van alle lering en bespreking diende en naar alle kanten, ook in het meest verwijderde verband met het onderwerpelijke beginsel of geval, werd behandeld. Alles wat nu op deze wijze naar aanleiding van de Misjnàh is onderzocht en besproken heet *Gemaràh* (leeroefening). Misjnàh en Gemaràh samen is Talmoed. Er is in Palestina zulk een Talmoed ontstaan. Dat is de *Jerusalemse Talmoed*. Maar de Misjnàh is ook naar Babylonië meegenomen en heeft daar het zaad verschaft voor de opbloei van een groots godsdienstig letterkundig leven, waarvan de *Babylonische Talmoed* het momunentale voortbrengsel is. Als men Talmoed zegt, dan wordt deze gewoonlijk bedoeld. Niet van alle traktaten der Misjnàh is de Gemaràh tot ons gekomen. Noch uit Palestina noch uit Babel. In de Babylonische Talmoed hebben we 36 traktaten Gemaràh. De verzameling en afsluiting van dit hele werk had omstreeks het begin der zesde eeuw plaats. Hij bestaat in de gedrukte exemplaren uit gewoonlijk 12 of 13 dikke banden. De traktaten zijn in alle uitgaven altijd op dezelfde wijze gepagineerd. Naar deze folio's wordt geciteerd.

De in de Talmoed behandelde onderwerpen gaan dus over het hele leven. Het leven toen en ginds is natuurlijk een andere wereld dan de onze hier en nu. Daar zijn onderwerpen, waarin wij, joden nog thuis zijn of althans ons gemakkelijk thuis leren voelen. Maar ook andere, waarin zelfs wij bijkans als vreemdelingen staan en ons al studerende moeten inleven. Zo bijvoorbeeld in alles, wat in verband staat met het tempelleven, het offerwezen, de priestergaven, de cultische reinheid en onreinheid en dergelijke zaken meer.

De wijze, waarop de stof behandeld wordt is volstrekt niet overal dezelfde. De taal is nergens het Hebreeuws van de Bijbel. Die der Misjnàh is wel hoofdzakelijk Hebreeuws maar een veel jonger Hebreeuws en vermengd met een grote inslag van aan het Grieks en aan het Latijn ontleende woorden, meest termen. De taal van de Gemaràh is Arameïesch, die van de Jerusalemse in het Palestijns en die van de Babylonische in het dialect, dat met het Syrisch is verwant.

Onze Talmoed heeft een commentator gevonden, die onovertrefbaar is. Rabbie Sjelomo Jitzchakie, die kort na de eerste kruistocht stierf en die in Troyez in Frankrijk, waar hij was geboren, geleefd en geleraard heeft. Volgens de overlevering of de legende heeft hij Godfried van Bouillon niet alleen gekend en deze hem, maar hebben zij beiden ook een rol in elkanders leven gespeeld. Rasjie, aldus genoemd naar de beginletters van zijn bovengenoemde naam, heeft voor altijd de sleutel voor het werk geleverd. Hij is bondig: zonder een letter te veel of te weinig; helder; zodat het haast onmogelijk is in twijfel te verkeren omtrent hetgeen hij wil zeggen, of zich in zijn bedoeling te vergissen. Hij is onvoorwaardelijk voor de bestudering van de Talmoed nodig en toch ook weer een studie op zichzelf.

Over de terminologie in de Talmoed zijn afzonderlijke boeken geschreven. Over de methodologie verschenen telkens nieuwe leidraden. Vele wetenschappelijke onderwerpen die in de Talmoed verspreid voorkomen, zijn reeds in afzonderlijke studies uitgegeven. Er kunnen nog vele belangrijke onderwerpen aan de beurt komen.

Thans zijn er ook goede vertalingen in verschillende talen gemaakt en uitgegeven.

Zo is dus ook dit geheimzinnig reuzenwerk te benaderen. Maar wie de Talmoed wil kennen, moet zich een levende meester nemen. En moet samen studeren met een ander, die even ernstig hetzelfde wil. Dat is de goede raad van de Talmoed zelf.

Wie een ruimere inleiding wenst, zij verwezen naar die, welke van prof. dr. J. L. Palache in de Volks-universiteitsbibliotheek is verschenen en zal daar de nodige literatuur vinden voor eventueel nog uitgebreider verlangens.

VAN DE TALMOED NAAR DE SJOELCHAN 'AROEG

Hier hebt ge de titel van de joodse godsdienstcodex, de naam van het joodse wetboek. De vertaling van die titel is: gerede dis of gedekte tafel.

Elk boek heeft zijn geschiedenis. Ook de *Sjoelchan 'Aroeg*. En welk een grootse geschiedenis! De titel heeft reeds een hele historie. En daarin ligt eigenlijk de voorgeschiedenis van het ontstaan van het hele werk besloten.

Om deze naam goed te begrijpen, moet ge even het tweede boek van Mozes bij het eerste vers van hoofdstuk 21 opslaan. Daar staat: 'En dit zijn de rechten die gij hun zult voorleggen.' Het Hebreeuwse werkwoord, dat in die zin gebruikt is, wil even goed zeggen, stellen, zetten als leggen. De Statenvertaling heeft: 'dit zijn de rechten, die gij hun zult voorstellen.' Waarmee de Statenvertaling niet in moderne zin bedoelen kan: waarvan gij een voorstel zult maken, maar: die gij vóór hen plaatsen zult.

Een zeer oude talmoedische schriftverklaring doelt op deze betekenissen van het in ons vers gebezigde Hebreeuwse werkwoord. In de zeer populaire bijbelcommentaar van de zo beroemde Rasjie, over wie ik in het vorige hoofdstuk een kleinigheid mededeelde, kunt ge deze oude schriftverklaring terugvinden. Er bestaat van dit Rasjie-commentaar een Nederlandse vertaling van de hand van de vroegere Amsterdamse opperrabbijn A. S. Onderwijzer. Onze plaats in Rasjie luidt aldus: God – de Heilige, geloofd zij Hij – zeide tot Mozes: het moet niet in uw gedachten opkomen om te zeggen: ik zal hun het hoofdstuk of de bepaling twee of driemaal leren, totdat het hun voorgoed woordelijk in de mond ligt, precies zoals het is geleeraard; en ik zal mij niet de moeite nemen, om hen de gronden der zaak en haar verklaring te doen begrijpen. Daarom staat er: 'die gij hun zult voor zetten.' Als een tafel, die voor de mens is aangericht en gereed gesteld om ervan te eten.'

Gedachtig aan deze plaats en met een zinspeling op deze uitdrukking, noemde de schrijver van de Sjoelchan 'Aroeg zijn werk: de gerede dis. En hij wilde daarmee zeggen: hier hebt ge nu een wetboek voor de praktijk van het joodse leven. Kant en klaar. De spijs is gereed en opgedist. Ge behoeft slechts te gaan aanzitten en ge kunt genieten van de kost: de Hemelse kost natuurlijk volgens hem.

Bestond er dus vóór hem niet zulk een werk? Ja en neen.

De Talmoed bevat op het nuchtere, zuivere wetgevende gebied in hoofdzaak niet anders dan analytische beschouwing: onderzoek, vergelijking, schifting, de historische wording en groei, de vaststelling van de samenhang tussen Schriftwoord en traditie en het onderzoek daarnaar. En over dit alles en wat ermee samenhangt, de discussie, Maar volstrekt niet altijd de vaststelling van het resultaat der besprekingen en bijna nooit de onbestreden codificatie van het recht.

Na de afsluiting van de Talmoed volgt in de Babylonische hogescholen de vlijtige bestudering. Hetgeen eigenlijk niets anders is dan het nog eens overdenken van hetgeen reeds is gedacht. Maar thans voornamelijk ook met de bedoeling om de geest eruit te denken en een daarmee overeenkomende eindconclusie te nemen voor ieder oud en nieuw geval. Die scholen in Babylonië zijn de middelpunten van het jodendom daar en elders. De rectoren, die de titel dragen van *Gaon*, hetgeen *Hoogheid* betekent, zijn de erkende autoriteiten, aan wie de beslissing is over alle godsdienstige aangelegenheden van het jodendom der ganse diaspora. Tot hen komen alle vragen uit alle oorden. Zij beslissen op grond van hun talmoedische kennis. Wat er op deze wijze tot hen komt en wat zij er over denken. motiveren en bepalen, groeit langzamerhand uit tot een afzonderlijke literatuur: de *Responsen-Literatuur*.

Van lieverlede voelt men de behoefte aan een praktisch werk, meer voor het leven en minder voor de leerschool. Maar men vreest er toch voor en past ervoor op, om zich van de leermethode van de Talmoed los te maken. En niet minder ook, om de wet vast te leggen. Want de joodse aard verenigt in zich, op merkwaardige wijze, een grote autoriteitsverering in de praktijk met vrijheid van denken en onbeperkte zelfstandigheid in de theorie. Een tijdgenoot van Rasjie, ook een rabbie Izak maar uit Noord-Afrika, uit Fez en hiernaar Alfassie genoemd, die zijn bloeitijd in Zuid-Spanje had en Rasjie niet gekend heeft, deze Alfassie beproefde de middenweg en vervaardigde een *Boek der Wetsbeslissingen*, dat langs de Talmoed gaat en overal het eindresultaat der verhandelingen voor het praktische leven vaststelt.

Maar daarna trad *Maimonides* op. Het schijnt, dat reeds heel vroeg zijn grootheid vast-stond. Want niet alleen is zijn geboortestad en is zijn geboortejaar en is zijn geboortedatum bekend, maar ook het uur van zijn geboorte: Maimonides is te Cordova geboren in 1135, op de dag voor het joodse Paasfeest, 's middags vóór een uur. Hij is behalve vervaardiger van een rij van andere zeer belangrijke werken, de schepper van de eerste Codex der joodse wet. De schepper. Want hij beheerst de hele stof tot op zijn tijd. Is de ganse Talmoed machtig. Die hele Talmoed en die ganse stof overziet hij als één geheel. En hij kneedt het zelfstandig. En er komt een absoluut methodisch ingedeeld en streng systematisch behandeld wetboek te voorschijn. In een Hebreeuws, dat met dat van Rasjie in keurigheid, bondigheid en duidelijkheid wedijvert. Het heet: *Misjné Torah*, d.i. tweede Torah of herhaling der Torah.

Nu had daarmee deze soort van literatuur afgesloten kunnen zijn. Althans, zolang de stof zich niet door de grote toename van gevallen aanzienlijk had opgehoopt. Maar eerstens vond dit werk van Maimonides direct volstrekt geen algemene erkenning. Reeds daarom niet, omdat men van deze arbeid, die zó helemaal de paden van de talmoedische leerwijze vermeed, de schromelijke gevolgen duchtte voor de beoefening van de Talmoed zelf. Die was nu immers overbodig geworden. Bovendien was Maimonides ook wijsgeer. Als wijsgeer schreef hij in het Arabisch zijn 'Wegwijzer der dolende' een poging om het jodendom en Aristoteles met elkaar in overeenstemming te brengen en de jeugd met de godsdienst en de wijsbegeerte samen te verzoenen. Dit streven, en de wijsbegeerte in het algemeen, werden toen met bange vrees en met grote achterdocht begroet door velen, die mannen van betekenis waren op het gebied – het enigszins eenzijdige gebied – der toenmalige talmoedische wetenschap. En tegen de wijsgeer Maimonides en over zijn wijsgerige geschriften onstond er zelfs een zeer bittere strijd in de boezem der joodse wereld. Vooral de geest van het Duitse jodendom was tegen die van Maimonides gekant.

Het was rabbie Asjer – of Asjerie, die uit Duitsland die geest naar Spanje meebracht.

De zoon van deze Asjerie, rabbie *Jacob ben Asjer*, deed omstreeks 1300 een nieuwe volledige godsdienstcodex in vier delen verschijnen onder titel de: *Arba'ah Toeriem*, d.w.z. vier rijen. Hij zinspeelt met die naam op de vier rijen van edelgesteenten, die naar II Moz. 28, 17 de borstlap van de hogepriesters versierden. Indeling en behandeling van de stof zijn volmaakt anders dan die van Maimonides. Wat voor het ophouden van het joodse staatsleven en tempelleven van geen praktische waarde meer was, is er niet in opgenomen.

Meent nu niet, dat de Misjné Torah van Maimonides helemaal in het vergeetboek kwam. Verre van dien. Het werd natuurlijk weer een werk ter beoefening. Niet een naslaboek. Dat ware te eenvoudig. Het werd bestudeerd in verband met de Talmoed, om kritisch na te gaan, hoe en uit welke bronnen de meester tot zijn beslissingen was gekomen. Zo ontstonden er weer commentaren op de tweede Torah van Maimonides.

Een dezer commentaren is van rabbie *Josef Karo*, die in 1488 in Spanje werd geboren en in 1575 te Safet (Israël) stierf. Deze zelfde rabbie Josef Karo heeft ook de Vier Rijen van rabbie Jacob Asjerie aan een kritische behandeling onderworpen, waarin hij een haast onbegrijpelijke belezenheid, gepaard met een verbazende scherpzinnigheid aan den dag legt. Het omvangrijke werk noemt hij *Beth-Josef*, d.w.z. huis van Josef, een zinspeling op zijn eigen naam en een herinnering aan de uitdrukking, die in 1 Moz. 50:8 voorkomt. Uit deze Beth-Josef nu heeft hij vervolgens een uittreksel vervaardigd, dat eigenlijk bestemd was voor de reeds vergevorderde geleerde als een soort repetitieboek. En dit werd onze *Sjoelchan 'Aroeg*.

Het volgt de indeling van het hoofdwerk, waaruit het is getrokken. En omdat dit aansluit aan de Vier Rijen, loopt het ook daaraan evenwijdig. Dus bestaat het uit vier delen met dezelfde namen als van het eerste werk.

Hiermede is slechts een kijkje gegeven op de ontwikkeling der literatuur, die voert tot de Sjoelchan 'Aroeg: de vóórgeschiedenis van het werk, die in zijn naam enigermate is opgesloten.

Maar al is het nu een gerede dis, toch is de literatuur niet afgesloten. En niet ieder verstaat het, om zich op behoorlijke wijze aan de gedekte tafel te zetten.

ALGEMEEN BEGRIP · INDELING · GEEST

We spreken steeds van godsdienstcodex. Doch deze benaming geeft u eigenlijk een onjuist denkbeeld van het werk. Ge vermoedt, ge rekent er nu op, er uitsluitend bepalingen in te vinden omtrent alles, wat gewoonlijk bij het gebied van de godsdienst wordt ingedeeld. Ge denkt allereerst aan de eredienst ter kerke en aan het kerkelijk recht. En dit in ons geval op het jodendom toegepast in al zijn bijzonderheden. Wellicht vraagt ge u dan verder af of er misschien ook wat over de grondbeginselen van de joodse godsdienst in te vinden zal zijn; een uiteenzetting van het wezen van het jodendom; iets omtrent de speciaal joodse denkbeelden over de metafysische vragen; een overzicht van de leidende gedachten der joodse ethiek. En meer dergelijke onderwerpen. Maar ge denkt bij de godsdienstcodex niet aan staatsrecht, aan burgelijk recht. Want van buiten herkent ge het jodendom aan zijn, u ongewone, opvallende bijzonderheden. Het valt u op door zijn sabbath, zijn feestdagen, zijn eredienst, zijn spijswetten, zijn ritus, zijn ceremonieel. Het heeft natuurlijk – dat geeft ge dadelijk toe – bovenal zijn Godsbegrip en zijn godsdienstige grondgedachten, die ge in het woord, de term monotheïsme samengevat weet. Ge erkent het als op de oude Bijbel gefundeerd: dus heeft het een zedeleer. Het wordt graag het Volk van de Bijbel genoemd. In tweeledige zin: dat de Bijbel zijn produkt is en dat het zelf het produkt is van de Bijbel; dat de Bijbel heeft voorgebracht en dat het leeft op de Bijbel. Dit laatste natuurlijk naar zijn eigen opvatting van het boek.

Men spreekt in deze zin ook graag van het Volk van de Godsdienst.

Doch hiermee is meteen ook uitgesproken, dat het, behalve als Volk van de Godsdienst, toch ook als Volk wordt aangezien. En hierbij kan men tevens heel genoeglijk en lang discussiëren over het begrip: Volk. Dit echter moet wel vaststaan: jodendom is niet een kerkgenootschap. Ook geen interterritoriale kerkelijke organisatie of hiërarchie.

Als godsdienst – wat het ontegenzeglijk ook is – heeft het, als iedere andere gods-dienst, een wereldbeschouwing en voor zijn getrouwen een inrichting van het leven. Het *heeft* niet, maar het *is* een wereldbeschouwing. Daarin is alles te zamen als eenheid opge-nomen. Schepping en leven, alles in de meest ruime, absolute zin, omvat zij als één. Het is een volledige cultuur, waarin alles, wat tot het leven behoort, wat het leven beweegt en raakt, als deel der eenheid zijn grotere of kleinere plaats heeft. Vanuit dit gezichtspunt wordt het beoordeeld, behandeld. Haar object is de mensheid en de mens. Maar even-eens de staat en zijn leden. Ook de samenleving in het algemeen en het leven de indivi-duen onderling in de maatschappij. Daar valt de staatsregeling dus niet buiten. En daarin is ook plaats voor een strafrecht en voor een burgerlijke rechtspraak. Even zozeer als ook het huis, de synagoge en de ritus bij het geheel behoren.

Zo vindt gij in het jodendom ook factoren en gebieden, die in het algemeen in gods-dienst worden aangetroffen. Maar hier is de inhoud daarmee niet uitgeput. Elders, om maar iets te noemen, bouwt de godsdienst kerken. Beïnvloedt de gezinnen. Neemt het individu en legt er beslag op voor het andere. Bezielt het voor de gemeenschappen der individuen. Doet de mens zich uitleven in verinnerlijking. Voedt hem op tot hogere menselijkheid. In naam van een Hemelse Vader. Hier heeft de Godheid een gemeen-schap van individuën, een Volk, dat het leven, van alles en elk onderdeel, van allen en ieder, in de dienst der Godheid stelt. Dus is elk instituut van die gemeenschap, elk verschijnsel en elke levensuiting van volk en volksdeel en volkskind in de wetgeving geregeld. Evenals natuurlijk ook de vorm, de wijze van de dienst, waarmee de Hemelse Vader vereerd en tegelijkertijd de verinnerlijking en de telkens nodige zedelijke en reli-gieuze hernieuwing bij de mensen tot stand gebracht moet worden.

De codex van het jodendom is daarom niet enkel, wat men in de wandel godsdienst-codex zou noemen. De indeling en de inhoud van het werk staan hiermee in nauw ver-band.

Het bestaat uit vier delen, die ieder een eigen naam dragen.

Het eerste deel heet *Orach Chajjiem*, hetgeen pad des levens zeggen wil. Bij de naamge-ving is gedacht aan Psalm 16 vers 11 en aan Spr. 15, 24. Het bevat de voorschriften van het leven naar de godsdienst voor iedere dag. Van het ontwaken tot het ter ruste gaan. Voor de sabbath, die zes werkdagen afsluit en bekroont. Voor de feestdagen, van het begin der rij – het Paasfeest – door alle feesten heen tot het Loofhuttenfeest met het Slot-feest. Van de feestelijke gedenkdagen en van de vastendagen. Het behandelt dus de rege-ling van het dagelijkse godsdienstleven gedurende een volledige jaarkring.

Het tweede deel heet *Joré Deàh*, hetgeen betekent: belering tot hogere erkenning. De naam herinnert aan Jesaja 28, 9. In dit deel staan: de spijswetten, de verhouding tegenover het heidendom; de verbodsbepalingen tegen de woeker; de voorschriften over reinheid; over geloften en eden; over de verering van ouders en leraren; over torahstudie; welda-digheid; besnijdenis; slavenbehandeling; proselieten; het schrijven van wetsrollen en benodigdheden van de eredienst; over vogelnesten (v Moz. 22, 6–7); gebruikmaking van vruchten in verband met enige nog van kracht zijnde landbouwwetten; over wijding van eerstelingen en afzondering van bepaalde gaven; over de ban; over liefdediensten aan zieken en zieltogenden en de bepalingen der treurdagen en de rouwvoorschriften.

Het derde boek heet *Ewen Haëzer*, dat wil zeggen: steen der hulp (vgl. 1 Sam. Cap 4 en 5 en Cap. 7 vrs 12), waar mede bedoeld wordt: de vaste basis van het volksleven. Hetgeen dan geacht wordt te zijn: het gezin. Dit boek bevat de hele huwelijkswetgeving in de uitgebreide betekenis, die boven is uiteengezet. Hier is dus volstrekt niet enkel aan huwe-lijksinzegening met het ceremonieel daarbij te denken.

Het vierde boek heet *Chosjen Hammisjpat*, het borstschild van het recht, een deel van het hogepriesterlijke gewaad (II Moz. 28, 15), dat bij het raadplegen van het recht soms een belangrijke rol heeft te vervullen (vgl. IV Moz. 27, 21). Dit boek bevat: het joodse recht. Volledig met uitzondering alleen van dat, wat op het staatsleven en tempelleven van voorheen betrekking heeft.

Het hele werk is verder in hoofdstukken ingedeeld. Die vier delen samen hebben 1705 hoofdstukken. Elk hoofdstuk is onderverdeeld in paragrafen.

Ook dit werk heeft zijn commentaren gevonden. Historisch ontledende en kritische naast de toelichtende. En het heeft ook zijn casuïstische toevoegingen gekregen van onderscheidene coryfeeën op dit gebied. De gevallen vernieuwen zich elke dag en de casuïstiek is nooit afgesloten.

Bijzonder belangrijk zijn de *Hagahoth* d.w.z. aantekeningen geworden van rabbie *Mozes Isserles*. Ze zijn bij zo goed als alle uitgaven bijgedrukt en met kleinere letter tussen de tekst van Karo's arbeid gevoegd. Isserles leefde in Krakau in het midden der zestiende eeuw. Reeds op even twintigjarige leeftijd bekleedde hij daar het ambt van opperrab-bijn en gold en geldt als een der eerste autoriteiten. Isserles heeft zijn aantekeningen met de titel van *Mappàh*, d.i. tafelkleed bestempeld en gaf daarmee te kennen dat er naar zijn mening aan de gedekte tafel toch ook nog wel iets mankeerde. En iets zeer noodzakelijks ook. De Portugese joden zijn het daarmee niet eens geworden en hebben *Rema* – de initialen van de naam Isserles – waar hij van Karo's Sjoelchan'Aroeg afwijkt, niet gevolgd. Voor de Hoogduitse joden echter is aan hem de beslissing. Hierop is hoofdzakelijk het verschil in ritus, niet in de uitspraak van het Hebreeuws, tussen de Hoogduitse en de Portugese joden terug te voeren.

Een behoorlijke vertaling van de hele Sjoelchan'Aroeg bestaat er nog niet.

Dit is niet meer dan een kort overzicht van indeling en inhoud.

De geest van het begin zweeft over het hele werk. Zó vangt de Sjoelchan'Aroeg aan:

'De mens tone zich sterk als een leeuw, om zich aanstonds 's morgens op te richten voor de dienst van zijn Schepper, zodat hij het is, die de dageraad wekt.'

Aantekeningen van Isserles: 1. in ieder geval zorge hij ervoor, de tijd van het gemeenschappelijk gebed met de gemeente niet te laten verstrijken. 2. "Ik stel mij de Eeuwige steeds voor ogen" (Psalm 16,8), dat is het grote beginsel der Leer bij het deugdzame streven der braven, die hun wandel voeren met God. Want de houding en de handelingen des mensen, als hij zich eenzaam in zijn huis bevindt, zijn niet dezelfde als wanneer hij voor een groot koning staat; en zijn spreken en praten onder zijn huisgenoten en nabestaanden is anders, dan in de raad van de koning. Wanneer de mens dus altijd wilde bedenken, dat de verhevenste Koning, de Heilige, geloofd zij Hij, Wiens heerlijkheid de hele schepping vult, bij hem staat en zijn daden ziet – zoals er staat in Jerem. 23, 24: "zou iemand zich voor Mij in schuilhoeken kunnen verbergen, dat Ik hem niet zou zien" – aanstonds zou hem steeds het diepe gevoel van ontzaglijke eerbied en waarachtige deemoed vasthouden.'

KALENDER

GEWOON JAAR		SCHRIKKELJAAR	
Maanden	Aantal dagen	Maanden	Aantal dagen
1. Niesan	30	1. Niesan	30
2. Ijar	29	2. Ijar	29
3. Siewan	30	3. Siewan	30
4. Tammoez	29	4. Tammoez	29
5. Av	30	5. Av	30
6. Eloel	29	6. Eloel	29
7. Tisjrie	30	7. Tisjrie	30
8. Chesjwan	29, 30 of 29	8. Chesjwan	29, 30 of 29
9. Kislev	30, 30 of 29	9. Kislev	30, 30 of 29
10. Teweth	29	10. Teweth	29
11. Sjewat	30	11. Sjewat	30
12. Adar	29		
		12. Adar Risjon = Adar I	30
		13. Adar Sjenie = Adar II	29
	354 355 353		384 385 383

Data	Omschrijving	
15–22	Paasfeest	
18	Lag–ba–Omer	16 Niesan–5 Siewan
	33ste der Omertelling	De Omertelling
6–7	Wekenfeest	
17	Vastendag der 4de maand; (Zecharja 8, 19)	17 Tammoez–9 Av:
9	Vastendag der 5de maand; (Zecharja 8, 19)	„De drie Weken" van rouw
15	Herinneringsdag aan het Feest van de Wijnoogst.	
Einde van de maand	Op de laatste of voorlaatste zondag:	
	begin der Seliechoth = Boetedagen	
1–2	Nieuwjaarsfeest	
3	Vastendag van Gedaljàh	1–10 Tisjrie
	(Vastendag der 7de maand; Zecharja 8, 19)	„De Tien Bekeringsdagen"
10	Grote Verzoendag	
15–21	Loofhuttenfeest	
21	Hosja'nah Rabbah	
22–23	Slotfeest	
23	Vreugdefeest der Torah	
25–2 of 3 Teweth	Chanoekàh = Inwijdingsfeest	
10	Vastendag der 10de maand; (Zecharja 8, 19)	
15	Nieuwjaarsfeest der Bomen	
13	Vastendag van Esther	
14	Poeriem = Lotenfeest	In een gewoon jaar
15	Poeriem van Susan	
14–15	Klein–Lotenfeest	
13	Vastendag van Esther	In een schrikkeljaar
14	Poeriem = Lotenfeest	
15	Poeriem van Susan	